GOLDMANN

Buch

Zuerst glaubt die temperamentvolle Augusta Ballinger an einen furchtbaren Irrtum: Der unterkühlt aristokratische und zugleich so verwirrend charmante Earl of Graystone kann unmöglich ernsthaft erwägen, sie zu heiraten! Schließlich weiß alle Welt, daß seine Auserwählte eine wesentliche Bedingung erfüllen muß: Sie muß ein Vorbild an Tugend und Moral sein. Und das kann man von Augusta, weiß Gott, kaum behaupten. Sie stammt nämlich aus einer alten Rebellenfamilie und ist zu allem bereit – nur nicht dazu, sich an gesellschaftliche Spielregeln zu halten. Um ihren zukünftigen Ehemann von seinem Irrtum zu überzeugen, schleicht sie sich mit eindeutigen Absichten zu nächtlicher Stunde in sein Schlafzimmer. Eine willkommene Gelegenheit für den Earl, seiner widerspenstigen Braut eine leidenschaftliche Lektion zu erteilen ...

Autorin

Amanda Quick ist das Pseudonym einer erfolgreichen, mehrfach ausgezeichneten Autorin historischer und zeitgenössischer Liebesromane, deren Auflagen in den USA mittlerweile die 20-Millionen-Grenze überschritten haben. Nach den Virgin Islands und einigen anderen Zwischenstationen lebt Amanda Quick heute im Westen der Vereinigten Staaten.

Bei Goldmann sind von Amanda Quick
folgende Titel erschienen:

Verführung. Roman (42443)
Verlangen. Roman (42444)
Skandal. Roman (42445)
Gefährliche Küsse. Roman (42620)
Süßer Betrug. Roman (42621)
Entfesselt. Roman (42622)
Verruchte Lady. Roman (42627)
Süßes Gift der Leidenschaft. Roman (43218)
Liebe ohne Skrupel. Roman (42831)
Verhext. Roman (42871)

AMANDA QUICK

Rendezvous

ROMAN

Aus dem Amerikanischen
von Uschi Gnade

GOLDMANN VERLAG

Originaltitel: »Rendezvous«
Originalverlag: Bantam Books, a division of
Bantam Doubleday Dell Publishing Group, Inc., New York

Umwelthinweis:
Alle bedruckten Materialien dieses Taschenbuches
sind chlorfrei und umweltschonend.
Das Papier enthält Recycling-Anteile.

Der Goldmann Verlag
ist ein Unternehmen der Verlagsgruppe Bertelsmann

Deutsche Erstveröffentlichung Januar 1995

Umschlaggestaltung: Design Team München
Umschlagillustration: Pellegrino/Schlück, Garbsen
Satz: IBV Satz- und Datentechnik GmbH, Berlin
Druck: Elsnerdruck, Berlin
Verlagsnummer: 42628
Lektorat: SK
Redaktion: Sabine Dolt
Herstellung: Peter Papenbrok
Made in Germany
ISBN 3-442-42628-6

3 5 7 9 10 8 6 4

Zwei hochgeschätzten Lektoren –
Coleen O'Shea, die sich an die ersten
Amanda-Quick-Bücher gewagt hat,
und
Rebecca Cabaza, die sie jetzt
mit viel Verständnis
und Einfühlungsvermögen redigiert –
gilt mein Dank

Prolog

Der Krieg war vorbei.

Der Mann, den man einst als Nemesis gekannt hatte, stand am Fenster seines Arbeitszimmers und lauschte dem Lärm auf den Straßen. Ganz London feierte die endgültige Niederlage Napoleons in Waterloo, wie nur Londoner feiern können. Mit Feuerwerk und Musik, und das Tosen von Tausenden von überschwenglichen Menschen erfüllte die Stadt.

Der Krieg war vorbei, aber für Nemesis war er nicht ausgestanden. Es schien jetzt, als würde der Krieg nie ein Ende finden oder zumindest keines, das ihn zufriedengestellt hätte. Die Identität des Verräters, der sich die Spinne genannt hatte, war immer noch ein Rätsel. Das letzte Geheimnis mußte ungelöst bleiben. Es würde keine Gerechtigkeit für diejenigen geben, die durch die Hand der Spinne den Tod gefunden hatten.

Was Nemesis anging, so wußte er, daß es an der Zeit war, sein eigenes Leben wieder aufzunehmen. Er hatte Pflichten und Verantwortlichkeiten zu erfüllen; er mußte sich eine passende Braut suchen. Er würde an diese Aufgabe herangehen, wie er an alles andere auch heranging, mit Logik und intellektueller Präzision. Er würde eine Liste von Kandidatinnen anlegen, von der er eine auswählen würde.

Er wußte ganz genau, was er von einer Ehefrau erwartete. Aufgrund seines Namens und seines Titels mußte es eine tugendhafte Frau sein. Um seiner Seele willen mußte es eine Frau sein, der er vertrauen konnte, eine Frau, die verstand, was Loyalität bedeutete.

Nemesis hatte zu lange ein Dasein im Schatten geführt. Er hatte den wahren Wert von Vertrauen und Loyalität kennengelernt, und er wußte, daß diese Dinge unbezahlbar waren.

Er lauschte dem Lärm auf den Straßen. *Es war vorbei.* Niemand war dankbarer für ein Ende der gräßlichen Vergeudung von Menschenleben durch den Krieg als der Mann, den sie Nemesis genannt hatten.

Aber irgendwo in seinem Innern würde er immer bedauern, daß es nicht zu einem letzten Treffen zwischen ihm und dem verdammten Verräter gekommen war, den man als die Spinne kannte.

1. Kapitel

Kein Laut war zu hören, als die Tür der Bibliothek geöffnet wurde, doch der Windhauch, der dadurch entstand, ließ die Kerzenflamme flackern. Augusta Ballinger, die am anderen Ende des langen Raumes im Dunkeln hockte, erstarrte bei ihrem Versuch, eine Haarnadel in das Schloß des Schreibtischs ihres Gastgebers zu stecken.

Ihr Blick war panisch auf die Kerze gerichtet, die sie sich als Beleuchtung mitgenommen hatte. Die Flamme zischte noch einmal, als die Tür ganz leise geschlossen wurde. Mit einem Anflug von Grauen lugte Augusta über die Schreibtischkante und schaute ans andere Ende des langen, dunklen Raumes.

Der Mann, der die Bibliothek betreten hatte, stand still in den tintigen Tiefen neben der Tür. Er war groß und schien einen schwarzen Morgenmantel zu tragen. Sein Gesicht konnte sie in der Dunkelheit nicht sehen. Dennoch nahm Augusta, als sie dort kauerte und den Atem anhielt, das beunruhigende Gefühl hellwacher Sinne wahr.

Nur ein Mann übte diese Wirkung auf Augustas Sinne aus. Sie brauchte ihn nicht deutlich zu erkennen, um eine Vermutung zu wagen, wer wie ein großes Raubtier dort im Schatten herumlungerte. Sie war nahezu sicher, daß es sich um Graystone handelte.

Er schlug jedoch keinen Alarm, und das war eine gewaltige Erleichterung. Es war seltsam, wie wohl er sich in der Dunkelheit zu fühlen schien, als sei sie sein natürliches Element. Aber andererseits, überlegte sich Augusta voller Optimismus, sah er vielleicht gar nichts Ungewöhnliches. Vielleicht war er nur nach unten gekommen, um sich ein Buch zu holen, und nahm nun an, die Kerze sei von jemandem, der vor ihm hier gewesen war, angezündet und unachtsamerweise nicht gelöscht worden.

Einen Moment lang wagte Augusta sogar zu hoffen, er hätte sie nicht bemerkt, wie sie ihn über die Schreibtischkante hinweg besorgt musterte. Vielleicht hatte er sie am anderen Ende des großen Raumes einfach übersehen. Wenn sie mit größter Vorsicht vorging, konnte sie vielleicht immer noch mit unbeschadetem Ruf aus dieser üblen Lage herauskommen. Sie zog den Kopf ein und verbarg sich hinter dem geschnitzten Eichenholz.

Sie hörte keine Schritte auf dem dicken Perserteppich, doch gleich darauf sprach der Mann sie aus nächster Nähe an.

»Guten Abend, Miss Ballinger. Sie müssen gewiß eine sehr erbauliche Lektüre gefunden haben, wenn Sie sie dort hinter Enfields Schreibtisch verschlingen? Aber das Licht ist dort bestimmt ziemlich schlecht.«

Augusta erkannte augenblicklich die erschreckend ruhige und emotionslose Männerstimme und stöhnte lautlos in sich hinein, als ihre ärgsten Befürchtungen sich bestätigten. Es *war* Graystone.

Typisch, dieses Pech, daß unter all den Gästen, die dieses Wochenende in Lord Enfields Landhaus untergekommen waren, ausgerechnet der enge Freund ihres Onkels derjenige war, der sie ertappte, Harry Fleming, Earl of Graystone, war der einzige Mann im ganzen Haus, der wahrscheinlich keine der schlagfertigen Ausreden glauben würde, die sie sich sorgsam zurechtgelegt hatte.

Graystone rief aus mehreren Gründen ein Unbehagen in Augusta wach, und einer davon war der, daß er die verwirrende Angewohnheit hatte, einem direkt in die Augen zu sehen, als schaute er seinem Gegenüber bis in die Seele und klagte die Wahrheit ein. Ein anderer Grund dafür, daß sie vor ihm auf der Hut war, war der, daß er schlichtweg zu klug war.

Augusta ging in rasender Eile die diversen Geschichten durch, die sie sich für den Fall eines solchen Vorkommnisses zurechtgelegt hatte. Sie würde eine verflucht kluge Ausrede brauchen. Graystone war kein Narr. Er war würdig und distinguiert, sein Benehmen war so pedantisch korrekt, daß es einem einen Schauer überlaufen ließ, und manchmal war er reichlich aufgeblasen, wenn man Augusta fragte, doch ein Dummkopf war er nicht.

Augusta beschloß, sie hätte keine andere Wahl als die, sich in ihrer peinlichen Lage mit großer Unverfrorenheit zu behaupten. Sie zwang sich zu einem strahlenden Lächeln, als sie zu ihm aufblickte und vorgab, erstaunt zusammenzuzucken.

»Oh, guten Abend, Mylord. Ich hätte nicht erwartet, um diese Tageszeit jemanden hier in der Bibliothek zu finden. Ich war gerade auf der Suche nach einer Haarnadel. Anscheinend ist mir eine heruntergefallen.«

»Mir scheint, in dem Schloß des Schreibtischs steckt eine Haarnadel.«

Augusta gelang ein weiteres verblüfftes Zusammenzucken, ehe sie aufsprang. »Gütiger Himmel. Da also steckt sie. Merkwürdig, daß sie dort gelandet ist. Wirklich ein seltsamer Ort dafür.« Ihre Finger zitterten, als sie die Nadel aus dem Schloß zog und sie in die Tasche ihres Morgenmantels aus Chintz fallen ließ. »Ich bin nach unten gekommen, um mir etwas zum Lesen zu holen, weil ich nicht schlafen konnte, und ehe ich mich versah, hatte ich eine Haarnadel verloren.«

Ernst musterte Graystone im matten Schein der Kerze ihr strahlendes Lächeln. »Es überrascht mich, daß Sie nicht schlafen konnten, Miss Ballinger. Sie hatten heute wahrhaft viel Bewegung. Sie haben an dem Wettkampf im Bogenschießen teilgenommen, der heute nachmittag für die Damen organisiert worden ist, und dann dieser lange Spaziergang zu den römischen Ruinen und das Picknick. Und all das gekrönt von einem Abend, an dem Sie reichlich getanzt und Whist gespielt haben. Man sollte meinen, Sie seien reichlich erschöpft.«

»Ja, nun, ich vermute, es liegt daran, daß mir meine Umgebung so unvertraut ist. Sie wissen ja, wie es ist, Mylord, wenn man in einem fremden Bett schläft.«

Seine kühlen grauen Augen, die Augusta immer an ein kaltes, winterliches Meer denken ließen, schimmerten matt. »Was für eine interessante Beobachtung. Schlafen Sie in vielen fremden Betten, Miss Ballinger?«

Augusta starrte ihn an und war unsicher, wie sie diese Frage auffassen sollte. Einerseits war sie nahezu geneigt zu glauben, Graystones anscheinend so höfliche Bemerkung hätte eine bewußt sexuelle Anspielung enthalten. Doch das war ausgeschlossen, entschied sie gleich darauf. Schließlich handelte es sich hier um *Graystone*. Er hätte niemals in Gegenwart einer Dame etwas gesagt oder getan, was auch nur im entferntesten ungehörig gewesen wäre. Natürlich konnte es sein, daß er sie nicht als eine Dame ansah, rief sie sich freudlos ins Gedächtnis zurück.

»Nein, Mylord, ich habe nicht viel Gelegenheit zu reisen, und daher habe ich mich noch nicht an die Vorstellung gewöhnt, häufig die Betten zu wechseln. Wenn Sie mich jetzt entschuldigen würden, ich sollte besser wieder nach oben gehen. Meine Cousine könnte wach werden und mein Verschwinden bemerken. Dann würde sie sich Sorgen machen.«

»Ach, ja. Die reizende Claudia. Wir wollen doch unter allen Umständen vermeiden, daß sich der Engel um diesen Wildfang von einer Cousine sorgt, mit dem er gestraft ist, stimmt's?«

Augusta zuckte zusammen. Offensichtlich war sie in der Wertschätzung des Earls reichlich tief gesunken. Graystone hielt sie eindeutig für einen ungezogenen Fratz. Sie konnte nur hoffen, daß er sie nicht zudem noch für einen Dieb hielt.

»Nein, Mylord. Ich möchte Claudia bestimmt keine Sorgen bereiten. Guten Abend, Sir.« Hocherhobenen Hauptes wollte sie um ihn herumgehen. Er rührte sich nicht von der Stelle, und sie war gezwungen, direkt vor ihm anzuhalten. Ihr fiel auf, daß er extrem groß war. Als sie so dicht vor ihm stand, fühlte sie sich von der unnachgiebigen Kraft überwältigt, die von ihm ausging. Augusta sammelte ihren Mut zusammen.

»Sie haben doch gewiß nicht die Absicht, mich daran zu hindern, in mein Schlafzimmer zurückzukehren, Mylord?«

Graystone zog die Augenbrauen ein wenig hoch. »Ich kann doch nicht zulassen, daß Sie wieder nach oben gehen, ohne das an sich gebracht zu haben, wonach Sie gesucht haben.«

Augustas Mund wurde trocken. Er konnte unmöglich etwas von Rosalind Morrisseys Tagebuch wissen. »Ich muß sagen, daß ich inzwischen doch recht schläfrig bin, Mylord. Ich glaube, ich werde jetzt wohl doch keine Lektüre mehr brauchen.«

»Noch nicht einmal das, was Sie in Enfields Schreibtisch vorzufinden hofften?«

Augusta nahm Zuflucht zu einer aufgebrachten Haltung. »Wie können Sie es wagen anzudeuten, ich hätte versucht, an Lord Enfields Schreibtisch zu kommen? Ich habe es Ihnen doch gesagt – meine Haarnadel ist von selbst in dem Schloß gelandet.«

»Gestatten Sie, Miss Ballinger.« Graystone zog ein Stück Draht aus der Tasche seines Morgenmantels und führte es behutsam in das Schreibtischschloß ein. Ein leises und doch deutlich vernehmbares Klicken war zu hören.

Augusta beobachtete voller Erstaunen, wie er die oberste Schublade aufzog und den Inhalt musterte. Dann bedeutete er ihr mit einer lässigen Handbewegung, das zu suchen, worauf sie es abgesehen hatte.

Augusta beäugte wachsam den Earl, biß sich ein paar angespannte Sekunden lang auf die Unterlippe und beugte sich dann hastig vor und begann, in der Schublade herumzuwühlen. Unter ein paar großen Blättern fand sie das kleine Buch mit dem Ledereinband. Sie schnappte es sich augenblicklich.

»Mylord, ich weiß nicht, was ich sagen soll.« Augusta preßte das Tagebuch an sich und blickte auf, um Graystone in die Augen zu sehen.

Die schroffen Züge des Earl erschienen in dem flackernden Kerzenschein noch grimmiger als gewöhnlich. Er war an gewöhnlichen Maßstäben gemessen keineswegs ein gutaussehender Mann, doch von dem Augenblick an, in dem ihr Onkel ihn ihr zu Beginn der Saison vorgestellt hatte, hatte Augusta ihn auf seltsame Art und Weise unwiderstehlich gefunden.

In seinen reservierten grauen Augen stand etwas, was in ihr den Wunsch wachrief, ihn zu berühren, obwohl sie wußte, daß er es ihr wahrscheinlich nicht danken würde. Sie wußte, daß ein Teil dieser Anziehungskraft nicht über die bloße weibliche Neugier hinausging. Sie nahm eine verschlossene Tür tief im Innern dieses Mannes wahr, und sie verzehrte sich danach, diese Tür zu öffnen. Sie wußte nicht, warum.

Er war wirklich absolut nicht ihr Typ. Eigentlich hätte sie Graystone außerordentlich langweilig finden müssen. Statt dessen empfand sie ihn als bedrohlich verwirrend, geradezu enigmatisch.

Graystones dichtes, dunkles Haar wies silberne Strähnen auf. Er war Mitte Dreißig, doch er hätte mühelos vierzig Jahre alt sein können, aber nicht etwa, weil irgend etwas an seinem Gesicht oder seiner Gestalt weich gewirkt hätte, ganz im Gegenteil. Er strahlte eine gewisse Härte und Nüchternheit aus, die von zuviel Erfahrung und von zuviel Wissen sprachen. Das war ein seltsames Gebaren für einen Altphilologen, machte sie sich klar. Ein weiterer Aspekt, der ihn nur um so rätselhafter wirken ließ.

In seinem Morgenmantel, den er jetzt trug, war deutlich zu erkennen, daß Graystones breite Schultern und sein schmaler und doch kräftiger Körperbau echt und nicht etwa seinem Schneider zu verdanken waren. Er besaß die Geschmeidigkeit, die Anmut und die Kraft eines Raubtiers, und diese Ausstrahlung ließ einen seltsamen Schauer über Augustas Rücken laufen. Nie war ihr ein Mann begegnet, der dieselbe Wirkung wie Graystone auf sie hatte.

Sie verstand nicht, warum sie sich von ihm angezogen fühlte. Von ihrem Temperament und ihrem Auftreten her waren sie absolute Gegensätze. So oder so war die Wirkung, die er auf sie hatte, reichlich unnütz, dessen war sie sich sicher. Diese sinnliche Faszination, dieser Schauer der Erregung, der jedesmal tief in ihrem Innern vibrierte, wenn der Earl in ihrer Nähe war, die Gefühle von Furcht und sehnsüchtigem Verlangen, die sie verspürte, wenn sie mit ihm sprach – all das hatte nichts zu bedeuten.

Ihre tiefe Überzeugung, daß Graystone Verluste erlitten hatte wie sie selbst, und das Wissen, daß er Liebe und Gelächter brauchte, um die trostlosen kalten Schatten in seinen Augen zu überwinden, spielte nicht die geringste Rolle. Es war allgemein bekannt, daß Graystone auf der Suche nach einer Braut war, doch Augusta wußte, daß er niemals eine Frau in Betracht gezogen hätte, die sein sorgsam geregeltes Leben hätte durcheinanderbringen können. Nein, er würde sich für eine Frau von einer gänzlich anderen Sorte entscheiden.

Sie hatte die Gerüchte gehört und wußte, was der Earl brauchte und was er von einer Frau erwartete. Es wurde gemunkelt, Graystone hätte sich, seinem Typ entsprechend, methodisch eine Liste angefertigt und dabei sehr hohe Maßstäbe angelegt. Jede Frau, die den Wunsch verspürte, seiner Liste hinzugefügt zu werden, so hieß es, mußte ein Ausbund an weiblichen Tugenden sein. Sie mußte vorbildlich sein: ernsthaft und ausgeglichen, voller Haltung und Würde und, was ihren Ruf anging, über absolut jeden Zweifel erhaben. Kurz und gut, Graystones Braut würde ein Inbegriff von Anstand und Moral sein.

Eine Frau von der Sorte, die im Traum niemals auf den Gedanken käme, mitten in der Nacht im Schreibtisch ihres Gastgebers herumzustöbern.

»Ich kann mir vorstellen«, murmelte der Earl und musterte den kleinen Band, den Augusta in der Hand hielt, »je weniger gesagt wird, desto besser. Ich nehme an, die Besitzerin dieses Tagebuchs ist eine enge Freundin von Ihnen?«

Augusta seufzte. Jetzt hatte sie nicht mehr viel zu verlieren. Jede weitere Bekundung ihrer Unschuld war zwecklos. Graystone wußte offensichtlich weit mehr über die Abenteuer dieser Nacht, als er hätte wissen sollen.

»Ja, Mylord, das ist sie.« Augusta reckte das Kinn in die Luft. »Meine Freundin hat die große Dummheit begangen, ihrem Tagebuch gewisse Dinge anzuvertrauen. Später hat sie diese Gefühle dann bereut, als sie feststellen mußte, daß der Mann, um den es ging, keineswegs ebenso aufrichtig war, was seine Gefühle anging.«

»Und dieser Mann ist Enfield?«

Augusta kniff grimmig die Lippen zusammen. »Die Antwort auf diese Frage liegt doch auf der Hand. Das Tagebuch ist hier in seinem Schreibtisch, oder etwa nicht? Lord Enfield mag zwar wegen seines Titels und seiner Heldentaten im Krieg in den meisten Salons geduldet werden, doch ich fürchte, wenn es um Frauen geht, ist er ein verabscheuungswürdiger Lump. Direkt nachdem sie ihm gesagt hat, daß sie nicht mehr in ihn verliebt ist, ist das Tagebuch meiner Freundin gestohlen worden. Wir glauben, daß ein Dienstmädchen bestochen worden ist.«

»Wir?« wiederholte Graystone mit leiser Stimme.

Augusta ignorierte diese verschleierte Frage. Sie dachte gar nicht daran, ihm alles zu erzählen. Und am allerwenigsten würde sie ihn darüber aufklären, wie sie es eingefädelt hatte, an diesem Wochenende auf Enfields Anwesen eingeladen zu werden. »Enfield hat meiner Freundin gesagt, er hätte die Absicht, um ihre Hand anzuhalten, und er würde den Inhalt ihres Tagebuchs dafür verwenden, sich abzusichern, daß sie in eine Heirat einwilligt.«

»Weshalb sollte Enfield sich die Mühe machen, Ihre Freundin durch Erpressung zu einer Hochzeit zu zwingen? Er ist derzeit ganz außerordentlich beliebt bei den Damen. Sie scheinen alle restlos fasziniert von seinen Schilderungen seiner eigenen Taten in Waterloo zu sein.«

»Meine Freundin ist die Erbin eines enormen Vermögens, Mylord.« Augusta zuckte die Achseln. »Gerüchteweise heißt es, Enfield hätte einen großen Teil seiner Erbschaft verspielt, seit er vom Kontinent zurückgekehrt ist. Er und seine Mutter haben anscheinend beschlossen, daß er Geld heiraten muß.«

»Ich verstehe. Mir war nicht klar, daß sich Enfields Verluste in der letzten Zeit so schnell beim zarten Geschlecht herumgesprochen haben. Er und seine Mutter haben beide sehr hart daran gearbeitet, die Angelegenheit zu vertuschen. Diese große Party ist ein Beweis dafür.«

Augusta lächelte vielsagend. »Ja, nun, Sie wissen ja, wie es ist, wenn ein Mann beginnt, nach einer ganz bestimmten Sorte Frau Ausschau zu halten, Mylord. Die Gerüchte über seine Absichten eilen ihm voraus, und die intelligenteren unter den Opfern sehen sich vor.«

»Wollen Sie damit rein zufällig auf meine eigenen Absichten anspielen, Miss Ballinger?«

Augusta spürte die Glut in ihren Wangen, weigerte sich jedoch, vor diesem kühlen, mißbilligenden Blick zurückzuweichen. Schließlich wirkte Graystone ausnahmslos und immer mißbilligend, wenn er mit ihr redete.

»Da Sie mich danach fragen, Mylord«, sagte Augusta mit fester Stimme, »kann ich Ihnen ebensogut auch gleich sagen, daß allgemein bekannt ist, daß Sie eine ganz spezielle Sorte von Frau suchen. Es wird sogar behauptet, daß Sie für diese Suche eine Liste angelegt hätten.«

»Faszinierend. Und wird auch erzählt, wer auf meiner Liste steht?«

Sie sah ihn finster an. »Nein. Man hört nur, daß es sich um eine sehr kurze Liste handelt. Aber ich vermute, das ist verständlich, wenn man Ihre Ansprüche bedenkt, von denen es heißt, sie seien extrem hoch, da Sie zudem sehr strenge und präzise Maßstäbe anlegen.«

»Das wird ja von Moment zu Moment faszinierender. Und was sind die exakten Ansprüche, die ich an eine Ehefrau stelle, Miss Ballinger?«

Augusta wünschte, sie hätte den Mund gehalten. Aber Besonnenheit hatte nie zu den stärkeren Seiten der Ballingers gezählt, die von dem Familienzweig aus Northumberland abstammten. Sie machte unbekümmert weiter. »Es wird gemunkelt, daß Ihre Braut, ganz so wie Cäsars Frau, in jeder Hinsicht über jeglichen Verdacht erhaben sein muß. Eine ernsthafte Frau mit außerordentlich großem Feingefühl. Ein Inbegriff von Anstand und Moral. Kurz gesagt, Mylord, Sie sind auf Vollkommenheit aus. Ich wünsche Ihnen viel Glück.«

»Ihr eher schneidender Tonfall vermittelt mir den Eindruck, Sie glauben nicht, daß es einfach sein wird, eine wirklich tugendhafte Frau zu finden.«

»Das hängt davon ab, wie Sie Tugend definieren«, gab sie verdrossen zurück. »Nach allem, was ich gehört habe, ist Ihre Definition unangemessen strikt. Die wenigsten Frauen sind wahrhaft vorbildlich. Es ist sehr langweilig, ein Ausbund an Tugend zu sein, verstehen Sie. Sie hätten tatsächlich eine um einiges längere Liste von Kandidatinnen, unter denen Sie wählen können, wenn Sie es, wie Lord Enfield, auf eine reiche Erbin abgesehen hätten. Und wir wissen alle, wie spärlich reiche Erbinnen gesät sind.«

»Leider, oder zum Glück, je nachdem, aus welcher Sicht man die Situation betrachtet, sieht es so aus, daß ich keinen Bedarf an reichen Erbinnen habe. Daher kann ich andere Maßstäbe anlegen. Mich überrascht, wie gut Sie über meine persönlichen Angelegenheiten informiert sind, Miss Ballinger. Sie scheinen wirklich sehr gut unterrichtet zu sein. Darf ich fragen, wie es kommt, daß Sie so viele Einzelheiten wissen?«

Sie würde ihm ganz bestimmt nichts vom Pompeia's erzählen, dem Damenclub, bei dessen Gründung sie mitgeholfen hatte und der ein unerschöpflicher Quell für Gerüchte und Informationen war. »Über einen Mangel an Klatsch kann man in der Stadt nie klagen, Mylord.«

»Nur zu wahr.« Graystone kniff versonnen die Augen zusammen. »Auf den Straßen von London sind Gerüchte so verbreitet wie der Schlamm, nicht wahr? Sie haben absolut recht, wenn Sie annehmen, daß ich eine Frau vorziehen würde, der nicht allzuviel Lasterhaftigkeit anhaftet, wenn Sie verstehen, was ich meine.«

»Wie ich bereits sagte, Mylord, ich wünsche Ihnen viel Glück.« Es war sehr deprimierend, sich anzuhören, wie Graystone alles bestätigte, was sie über seine berüchtigte Liste gehört hatte, fand Augusta. »Ich hoffe nur, Sie werden nicht bereuen, daß Sie allzu hohe Maßstäbe angelegt haben.« Ihre Hand schloß sich fester um Rosalind Morrisseys Tagebuch. »Wenn Sie mich jetzt entschuldigen würden, ich möchte mich gern wieder in mein Schlafzimmer begeben.«

»Ja, selbstverständlich.« Graystone neigte den Kopf mit übertriebener Höflichkeit, als er zur Seite trat und es ihr damit ermöglichte, zwischen ihm und Enfields Schreibtisch durchzugehen.

Da die Aussicht, ihm zu entkommen, sie erleichterte, kam Augusta schnell um den riesigen Schreibtisch herum und eilte an dem Earl vorbei. Die Intimität dieser Situation war ihr nur zu deutlich bewußt. Wenn Graystone zum Ausreiten oder für einen formellen Ball gekleidet war, war er schon beeindruckend genug, um ihre gesamte Aufmerksamkeit zu fesseln. Graystone in der Aufmachung, in der er sich zum Schlafengehen bereit machte, war schlichtweg zuviel für ihre ungebärdigen Sinne.

Sie hatte den Raum gerade zur Hälfte durchquert, als ihr noch etwas sehr Wichtiges einfiel. Sie blieb stehen und drehte sich zu ihm um. »Sir, ich muß Ihnen eine Frage stellen.«

»Ja?«

»Werden Sie sich genötigt sehen, diesen unangenehmen Vorfall Lord Enfield gegenüber zu erwähnen?«

»Was täten Sie an meiner Stelle, Miss Ballinger?« fragte er trocken.

»Oh, ich würde ganz entschieden wie ein Gentleman handeln und schweigen«, versicherte sie ihm eilig. »Schließlich steht hier der Ruf einer Dame auf dem Spiel.«

»Wie wahr. Und nicht nur der Ihrer Freundin. Ihr Ruf ist heute nacht ebenso sehr gefährdet worden, nicht wahr, Miss Ballinger? Sie sind rücksichtslos und unbedacht mit dem wertvollsten Edelstein in der Krone einer Frau umgesprungen, mit ihrem Ruf.«

Der Teufel sollte diesen Mann holen. Er war wirklich ein arroganter Schuft. Und viel zu aufgeblasen und selbstherrlich. »Es ist durchaus wahr, daß ich heute nacht einiges riskiert habe, Mylord«, erwiderte sie eisig. »Sie müssen daran denken, daß ich von den Ballingers aus Northumberland abstamme, nicht von den Ballingers aus Hampshire. Die Frauen meines Familienzweiges geben nicht besonders viel auf gesellschaftliche Formen.«

»Sie glauben nicht, daß viele dieser Einschränkungen zu Ihrem eigenen Schutz gedacht sind?«

»Nicht im mindesten. Diese festgefahrenen Vorschriften dienen der Bequemlichkeit der Männer, und sonst gar nichts.«

»Ich muß mir erlauben, nicht Ihrer Meinung zu sein, Miss Ballinger. Es gibt Zeiten, in denen die gesellschaftlichen Richtlinien einem Mann extrem ungelegen kommen. Ich kann Ihnen versichern, daß dies einer dieser Momente ist.«

Sie zog verunsichert die Stirn in Falten und beschloß dann, ihm diese rätselhafte Bemerkung kommentarlos durchgehen zu lassen. »Sir, mir ist klar, daß Sie sich mit meinem Onkel gut verstehen, und es wäre mir nicht lieb, wenn wir Feinde würden.«

»Ich bin ganz und gar Ihrer Meinung. Ich versichere Ihnen, daß ich mich nicht mit Ihnen anfeinden möchte, Miss Ballinger.«

»Ich danke Ihnen. Trotzdem muß ich Ihnen ganz offen sagen, daß wir beide sehr wenig miteinander gemeinsam haben. Wir sind absolute Gegensätze, was unser Temperament und unsere Neigungen angeht, und ich bin sicher, daß Sie darin mit mir übereinstimmen. Sie sind ein Mann, der immer den Geboten von Ehre und korrektem Verhalten und all diesen verteufelten Einschränkungen verhaftet sein wird, die die Gesellschaft aufstellt.«

»Und was ist mit Ihnen, Miss Ballinger? Was erlegt Ihnen Einschränkungen auf?«

»Überhaupt nichts, Mylord«, sagte sie freimütig. »Ich habe die Absicht, das Leben in all seiner Fülle auszuschöpfen. Schließlich bin ich die letzte der Ballingers aus Northumberland. Und eine Ballinger aus Northumberland würde eher einige Risiken eingehen, als sich unter der Last zahlloser, sehr dämlicher Tugenden begraben zu lassen.«

»Also, wirklich, Miss Ballinger, Sie enttäuschen mich. Haben Sie nicht gehört, daß Tugendhaftigkeit sich selbst ihr eigener Lohn ist?«

Sie schaute ihn jetzt wieder finster an und hatte den vagen Verdacht, er könnte sie möglicherweise aufziehen. Dann versicherte sie sich, daß das sehr unwahrscheinlich war. »Ich habe selten etwas gesehen, was diese Tatsache belegt. Und jetzt beantworten Sie mir bitte meine Frage. Werden Sie sich genötigt sehen, Lord Enfield zu berichten, daß ich mich heute nacht in seiner Bibliothek aufgehalten habe?«

Er sah sie mit zusammengekniffenen Augen an. »Was glauben Sie wohl, Miss Ballinger?«

Sie fuhr sich mit der Zungenspitze über die Unterlippe und lächelte dann bedächtig. »Ich glaube, Mylord, Sie haben sich im Geflecht Ihrer eigenen Richtlinien verstrickt. Sie können Enfield nicht über die Vorfälle der heutigen Nacht unterrichten, ohne gegen Ihren eigenen Verhaltenskodex zu verstoßen, stimmt's?«

»Das ist durchaus richtig. Ich werde Enfield gegenüber kein Wort sagen. Aber ich habe meine eigenen Gründe dafür, das Schweigen zu wahren, Miss Ballinger. Und da Sie mit diesen Gründen nicht vertraut sind, wären Sie gut beraten, keine Mutmaßungen anzustellen.«

Sie legte den Kopf auf eine Seite und dachte ausgiebig darüber nach. »Der Grund für Ihr Schweigen ist, daß Sie sich meinem Onkel gegenüber verpflichtet fühlen, nicht wahr? Sie sind sein Freund, und Sie fänden es nicht wünschenswert, wenn er durch mein heutiges Verhalten in Verlegenheit geriete.«

»Das kommt der Wahrheit schon ein wenig näher, aber es ist bei weitem noch nicht die ganze Wahrheit.«

»Nun, was auch immer der Grund sein mag, ich bin Ihnen dankbar dafür.« Augusta grinste plötzlich, als sie begriff, daß ihr nichts widerfahren würde und ebensowenig ihrer Freundin Rosalind Morrissey. Dann ging ihr plötzlich auf, daß immer noch eine sehr entscheidende Frage unbeantwortet geblieben war. »Woher wußten Sie, was ich heute nacht hier vorhatte, Mylord?«

Jetzt lächelte Graystone. Dabei verzog er seltsam die Mundwinkel, und ein Schauer der Sorge lief eiskalt über Augustas Rücken.

»Mit etwas Glück sollte diese Frage Sie heute nacht noch eine ganze Weile wach bleiben lassen, Miss Ballinger. Denken Sie gründlich darüber nach. Vielleicht tut es Ihnen gut, an der Tatsache herumzugrübeln, daß die Geheimnisse einer Dame immer Gerüchten und Klatsch zum Opfer fallen. Eine kluge junge Frau sollte daher nicht die Form von Gefahren eingehen, die Sie heute nacht eingegangen sind.«

Augusta rümpfte unwillig die Nase. »Ich hätte wissen müssen, daß es zwecklos ist, Ihnen eine solche Frage zu stellen. Ganz offensichtlich kann jemand mit Ihrem hochmütigen Naturell sich nicht verkneifen, bei jeder sich bietenden Gelegenheit Strafpredigten zu halten. Aber diesmal verzeihe ich Ihnen, weil ich Ihnen sowohl für Ihre Hilfe als auch für Ihr Schweigen dankbar bin.«

»Ich verlasse mich darauf, daß Sie auch weiterhin Dankbarkeit verspüren werden.«

»Ganz gewiß.« Einem plötzlichen Impuls folgend, eilte Augusta zum Schreibtisch zurück und blieb direkt vor ihm stehen. Sie zog sich auf die Zehenspitzen und preßte ihm einen schnellen, zarten Kuß auf das feste Kinn. Graystone stand wie versteinert da, als ihm diese sanfte Liebkosung widerfuhr. Sie wußte, daß sie ihn wahrscheinlich bis ins Mark schockiert hatte, und sie konnte ein gemeines kleines Kichern nicht unterdrücken. »Gute Nacht, Mylord.«

Ihre eigene Kühnheit und der Erfolg ihres Beutezugs begeisterten sie, und sie wirbelte herum und raste zur Tür.

»Miss Ballinger?«

»Ja, Mylord?« Sie blieb stehen, drehte sich noch einmal zu ihm um und hoffte, in dem schlechten Licht würde er nicht bemerken, daß ihr Gesicht flammendrot war.

»Sie haben vergessen, Ihren Kerzenhalter mitzunehmen. Sie werden das Licht auf der Treppe brauchen.« Er nahm die Kerze und hielt sie ihr hin.

Augusta zögerte und ging dann dorthin zurück, wo er stand und sie erwartete. Sie riß ihm die Kerze wortlos aus der Hand und eilte aus der Bibliothek.

Sie war froh darüber, daß sie nicht auf der Liste seiner potentiellen Ehefrauen stand, sagte sie sich inbrünstig, als sie die Treppen hinauf und durch den Gang zu ihrem Schlafzimmer hastete. Eine Ballinger aus Northumberland konnte sich unmöglich an einen so altmodischen und unbeugsamen Mann ketten.

Selbst wenn man von den auffälligen Unterschieden in ihrer beider Naturell absah, hatten sie immer noch wenige gemeinsame Interessen. Graystone war ein kultivierter Sprachwissenschaftler, der Altphilologie studiert hatte, genau wie ihr Onkel, Sir Thomas Ballinger. Der Earl widmete sich dem Studium der alten Griechen und Römer und brachte imposante Bücher und wissenschaftliche Abhandlungen heraus, die von Leuten, die sich mit solchen Dingen auskannten, sehr gut aufgenommen wurden.

Wenn Graystone einer der aufregenden neuen Dichter gewesen wäre, deren lodernde Prosa derzeit so sehr gefragt war, dann hätte Augusta verstanden, daß er sie faszinierte. Aber er war keineswegs einer dieser Schriftsteller. Statt dessen verfaßte er langweilige Werke mit Titeln wie *Eine Erörterung einiger Elemente in Tacitus' Abhandlungen* und *Ein Diskurs über gewisse Abschnitte aus Plutarchs Leben*. Beide waren vor kurzem veröffentlicht und von der Kritik begeistert aufgenommen worden.

Und aus irgendwelchen unerklärlichen Gründen hatte Augusta beide nahezu verschlungen.

Augusta löschte die Kerze und schlich sich leise in das Schlafzimmer, das sie mit Claudia teilte. Sie schlich sich auf Zehenspitzen zum Bett und zog ihren Morgenmantel aus. Mondschein drang durch einen Spalt in den schweren Vorhängen, und sie konnte die schlafende Gestalt ihrer Cousine erkennen.

Claudia hatte das blaßgoldene Haar des Zweigs der Familie Ballinger aus Hampshire. Ihr hübsches Gesicht mit den aristokratischen Zügen lag seitlich auf dem Kissen. Die langen, geschwungenen Wimpern verbargen ihre sanften blauen Augen. Sie trug den Titel des Engels zu Recht, den ihr die Gentlemen der Hautevolee voller Bewunderung verliehen hatten.

Augusta empfand persönlich Stolz auf die gesellschaftlichen Erfolge, die ihre Cousine in der letzten Zeit gefeiert hatte. Schließlich war Augusta diejenige gewesen, die es mit vierundzwanzig Jahren auf sich genommen hatte, der jüngeren Claudia zu einem guten Einstieg in die bessere Gesellschaft zu verhelfen. Augusta hatte beschlossen, das sei das mindeste, was sie tun konnte, um sich ihrem Onkel und ihrer Cousine gegenüber erkenntlich zu zeigen, die sie nach dem Tod ihres Bruders vor zwei Jahren in ihrem Haus aufgenommen hatten.

Sir Thomas, der ein Hampshire-Ballinger und daher recht wohlhabend war, hatte das entsprechende Geld und konnte sich die Einführung seiner Tochter in die gute Gesellschaft leisten, und er war so großzügig, auch Augustas Ausgaben zu übernehmen. Als Witwer fehlte es ihm jedoch an den weiblichen Kontakten, die für eine erfolgreiche Debütantinnensaison erforderlich waren. Das war natürlich der Aspekt, in dem Augusta einen enormen Beitrag zu dem Projekt leisten konnte.

Die Hampshire-Ballingers mochten zwar der reiche Familienzweig sein, doch die Northumberland-Ballingers hatten dafür den fehlenden Stil und den Schwung.

Augusta mochte ihre Cousine sehr gern, doch die beiden unterschieden sich in vielerlei Hinsicht wie Tag und Nacht. Claudia wäre im Traum nicht auf den Gedanken gekommen, sich nach Mitternacht ins untere Stockwerk zu schleichen und in der Bibliothek ihres Gastgebers den Schreibtisch aufzubrechen. Claudia hatte keinerlei Interesse daran, Pompeia's beizutreten. Claudia wäre entsetzt von der Vorstellung gewesen, um Mitternacht im Morgenmantel herumzustehen und mit einem distinguierten Gelehrten wie dem Earl of Graystone zu plaudern. Claudia besaß ein sehr ausgeprägtes Gefühl dafür, was sich schickte und was nicht.

Augusta ging auf, daß Claudia wahrscheinlich auf Graystones Liste von potentiellen Ehefrauen stand.

Unten in der Bibliothek blieb Harry noch lange in der Dunkelheit stehen und starrte aus dem Fenster hinaus auf den mondhellen Garten seines Gastgebers. Er hatte die Einladung zu Enfields Wochenendparty nicht annehmen wollen. Normalerweise mied er solche Veranstaltungen nach Möglichkeit. Diese Feste hatten eine Neigung, ganz außerordentlich langweilig zu sein und sich als eine extreme Zeitvergeudung zu erweisen, wie die meisten oberflächlichen gesellschaftlichen Anlässe. Aber in dieser Ballsaison machte er Jagd auf eine Ehefrau, und sein Opfer hatte die verwirrende Angewohnheit, an den unvorhergesehensten Orten aufzutauchen.

Nicht etwa, daß er sich heute abend gelangweilt hätte, rief sich Harry verschmitzt ins Gedächtnis zurück. Die Aufgabe, seine zukünftige Braut vor Scherereien zu bewahren, hatte diesen kleinen Ausflug aufs Land wahrhaft lohnenswert gestaltet. Er fragte sich, wie viele solcher mitternächtlichen Rendezvous er wohl noch überstehen mußte, ehe er mit ihr verheiratet und sich ihrer sicher sein würde.

Dieses kleine Luder konnte einen um den Verstand bringen. Sie hätte schon vor Jahren mit einem willensstarken Mann verheiratet werden müssen. Sie brauchte einen Mann, der sie fest in der Hand hatte. Man konnte nur hoffen, daß es noch nicht zu spät war, um gegen ihre Unbesonnenheit und ihren Leichtsinn anzugehen.

Augusta Ballinger war vierundzwanzig Jahre alt und aus den verschiedensten Gründen immer noch unverheiratet. Dazu zählte eine Reihe von Todesfällen in der Familie. Sir Thomas, ihr Onkel, hatte erklärt, Augusta hätte ihre Eltern in dem Jahr verloren, in dem sie achtzehn wurde. Das Paar war bei einem Kutschenunfall gemeinsam ums Leben gekommen. Augustas Vater war ein wildes, halsbrecherisches Rennen gefahren. Seine Frau hatte darauf bestanden, ihn zu begleiten. Ein solcher Leichtsinn war, wie Sir Thomas zugab, leider typisch für den Familienzweig aus Northumberland.

Augusta und ihrem älteren Bruder Richard war nur sehr wenig Geld geblieben. Anscheinend zeichneten sich die Northumberland-Ballingers auch durch eine gewisse leichtsinnige Haltung in wirtschaftlichen und finanziellen Angelegenheiten aus.

Richard hatte sein unbedeutendes Erbe bis auf ein kleines Häuschen, in dem er und Augusta lebten, restlos verkauft. Er hatte das Geld dafür benutzt, ein Offizierspatent zu erstehen. Und dann war er ums Leben gekommen, aber nicht etwa in einer der Schlachten auf dem Kontinent, sondern auf einer Landstraße nicht weit von dem Häuschen hatte ihn ein Straßenräuber getötet. Richard hatte zu der Zeit Urlaub gehabt und war auf dem Heimweg von London gewesen, um seine Schwester zu besuchen.

Augusta war, nach Angaben von Sir Thomas, untröstlich über Richard Ballingers Tod gewesen. Sie war allein auf Erden. Sir Thomas hatte darauf beharrt, sie müßte zu ihm und seiner Tochter ziehen. Augusta hatte schließlich eingewilligt. Monatelang hatte es den Eindruck erweckt, als sei sie in eine tiefe Melancholie versunken, aus der sie nichts herausholen konnte. All das Feuer und der Schwung, der so typisch für den Familienzweig aus Northumberland waren, schienen gelöscht und entwichen zu sein.

Und dann hatte Sir Thomas die zündende Idee. Er hatte Augusta gebeten, die Aufgabe zu übernehmen, seine Tochter in die Gesellschaft einzuführen. Claudia, ein hübscher Blaustrumpf, war bereits zwanzig Jahre alt und hatte nie die Gelegenheiten gehabt, die sich anderen Mädchen aus der besseren Gesellschaft in der Stadt boten, da ihre eigene Mutter zwei Jahre zuvor gestorben war. Die Zeit werde knapp, hatte Sir Thomas Augusta ernst erklärt. Claudia hatte es verdient, eine Ballsaison zu erleben. Aber da sie von der intellektuellen Seite der Familie abstammte, hatte sie keine Ahnung, wie sie sich in der Gesellschaft zu bewegen hatte. Augusta besaß das Geschick und hatte den richtigen Instinkt und – durch ihre neu geschlossene Freundschaft mit Sally, Lady Arbuthnott – die Kontakte, und sie konnte ihre Cousine anlernen.

Augusta hatte anfangs ein gewisses Widerstreben bekundet, doch schon bald hatte sie sich mit echtem Enthusiasmus auf ihre Aufgabe gestürzt. Sie hatte Tag und Nacht daran gearbeitet, Claudia zu einem großen Erfolg zu verhelfen. Die Resultate waren spektakulär und gewissermaßen unerwartet. Nicht nur, daß der spröde und wohlerzogene Blaustrumpf Claudia augenblicklich zum Engel gekürt worden war, auch Augusta hatte große Erfolge gefeiert.

Sir Thomas hatte Harry anvertraut, daß er sehr zufrieden sei und damit rechne, daß die beiden jungen Damen angemessene Ehen eingehen würden.

Harry hatte gewußt, daß es nicht ganz so einfach sein würde. Er hatte den ausgeprägten Verdacht, daß zumindest Augusta sehr wenig geneigt war, sich einen passenden Ehemann zu suchen. Sie hatte zuviel Spaß.

Mit ihrem schimmernden kastanienbraunen Haar und diesen lebhaften, schelmischen Topasaugen hätte Miss Augusta Ballinger inzwischen ein Dutzend Ehemänner haben können, wenn sie wirklich eine Heirat angestrebt hätte. Dessen war sich der Earl ganz sicher.

Sein eigenes unbestreitbares Interesse an ihr verwunderte ihn. Auf den ersten Blick entsprach sie ganz entschieden nicht seinen Anforderungen an eine Ehefrau, doch er schien sie nicht aus seinen Gedanken verbannen zu können. Von dem Moment an, in dem Lady Arbuthnott vorgeschlagen hatte, Augusta auf Harrys Liste von potentiellen Ehefrauen zu setzen, war er fasziniert von ihr gewesen.

Er hatte sogar privat Freundschaft mit Sir Thomas geschlossen, um seiner zukünftigen Frau näherzukommen. Nicht etwa, daß Augusta sich über die Gründe im klaren gewesen wäre, die hinter der neuen Verbindung zwischen ihrem Onkel und Harry gesteckt hätten. Die wenigsten Menschen waren sich je über Harrys subtile Intrigen oder die Gründe im klaren, die sich dahinter verbargen, solange er sich nicht von sich aus entschloß, sich zu offenbaren.

Durch seine Gespräche mit Sir Thomas und Lady Arbuthnott hatte Harry erfahren, daß Augusta, wenn sie auch noch so willensstark und leichtsinnig war, unerschütterlich loyal hinter ihrer Familie und ihren Freunden stand. Harry hatte schon vor langer Zeit begriffen, daß Loyalität von so unschätzbar hohem Wert war wie Tugendhaftigkeit. Tatsächlich war sie in seiner Vorstellung ein Synonym von Tugend.

Man konnte sogar über gelegentliche schafsköpfige Eskapaden wie die hinwegsehen, die sich heute nacht abgespielt hatte, wenn man wußte, daß man der Dame vertrauen konnte. Nicht etwa, daß Harry die Absicht gehabt hätte zu erlauben, daß derartiger Unsinn weiterhin betrieben wurde, nachdem er erst einmal mit Augusta verheiratet war.

In den allerletzten Wochen war Harry zu dem Schluß gelangt, daß er, obwohl er es zwischendurch bestimmt bitterlich bereuen würde, Augusta heiraten würde. Intellektuell konnte er nicht widerstehen. Sie würde ihn niemals langweilen. Zu ihrer Anlage zu enormer Loyalität kam noch hinzu, daß sie faszinierend und unberechenbar war. Harry, den Rätsel immer in ihren Bann gezogen hatten, hatte festgestellt, daß er dieses Mädchen beim besten Willen nicht ignorieren konnte.

Endgültig wurde sein Schicksal dadurch besiegelt, daß er sich die unbestreitbare Tatsache eingestehen mußte, wie glühend er sich zu Augusta hingezogen fühlte. Sein ganzer Körper spannte sich jedesmal vor fühlbarem Verlangen an, wenn sie in seiner Nähe war.

Augusta strahlte eine Form von weiblicher Energie aus, die seine Sinne gefangennahm. Ihr Bild hatte begonnen, durch seinen Kopf zu spuken, wenn er nachts allein war. Wenn er in ihrer Nähe war, stellte er immer wieder fest, daß sein Blick auf der Rundung ihrer Brüste verweilte, die in den skandalös tief ausgeschnittenen Kleidern, die sie mit einer so natürlichen Anmut trug, viel zu deutlich zur Schau gestellt wurden. Ihre schmale Taille und ihre sanft geschwungenen Hüften wirkten verlockend und betörend, wenn sie sich mit einem subtilen Wiegen bewegte, einem Hüftschwung, der ausnahmslos dazu führte, daß sich die Muskeln in seinem Unterkörper anspannten.

Und doch war sie keine Schönheit, sagte er sich zum hundertsten Mal – zumindest keine der vielbewunderten klassischen Schönheiten. Er räumte jedoch ein, daß ihre leicht mandelförmigen Augen, ihre Stupsnase und ihr lachender Mund einen unbestreitbaren Charme und Lebhaftigkeit besaßen. In der letzten Zeit gelüstete es ihn mehr und mehr, diesen Mund zu kosten.

Harry unterdrückte einen Fluch. Es hatte viel mit dem zu tun, was Plutarch früher einmal über Kleopatra geschrieben hatte. Sie war an sich keine bemerkenswerte Schönheit, doch ihr Charme und ihre Ausstrahlung waren unwiderstehlich, ja behexend. Er war zweifellos verrückt, wenn er plante, Augusta zu heiraten. Er war ursprünglich auf der Suche nach einer gänzlich anderen Frau gewesen. Einem ausgeglichenen, ernsthaften und kultivierten Wesen. Jemandem, der Meredith, seinem einzigen Kind, eine gute Mutter sein würde. Einer Frau, die sich Heim und Herd verschreiben würde. Das Entscheidendste war, daß er beabsichtigt hatte, eine Frau zu heiraten, der nicht der geringste Makel anhaftete, der niemand etwas nachsagen konnte.

Frühere Graystone-Bräute hatten Katastrophen und Skandale über den Titel hereinbrechen lassen und ein Erbe von Unglück hinterlassen, das sich über Generationen zurück erstreckte. Harry hatte nicht die Absicht, eine Frau zu heiraten, die diese betrübliche Tradition fortführte. Die nächste Graystone-Braut mußte über jeden Vorwurf erhaben sein. Und über jeden Verdacht.

Wie Cäsars Frau.

Er hatte sich vorgenommen, diese Kostbarkeit zu finden, die intelligente Männer schon immer für wertvoller als Rubine erachtet hatten: eine tugendhafte Frau.

Statt dessen war er auf ein leichtsinniges, halsstarriges, außerordentlich lebhaftes Wesen namens Augusta gestoßen, das das Potential besaß, ihm das Leben zur Hölle zu machen.

Leider, erkannte Harry, schien er das Interesse an allen anderen Frauen auf seiner Liste verloren zu haben.

2. *Kapitel*

Augusta stand am Tag nach ihrer Rückkehr nach London um kurz nach drei vor der Tür von Lady Arbuthnotts imposantem Stadthaus. Sie hatte Rosalind Morrisseys Tagebuch sicher in ihrer Tasche verstaut und konnte es kaum erwarten, ihrem Vater mitzuteilen, daß alles gutgegangen war.

»Ich bleibe heute nicht lange, Betsy«, sagte sie zu ihrer jungen Zofe, als sie die Stufen hinaufstieg. »Wir haben es eilig, wieder nach Hause zu kommen, um Claudia bei den Vorbereitungen für die Soiree bei den Burnetts zu helfen. Für sie wird das ein sehr wichtiger Abend werden. Die begehrtesten Junggesellen in der ganzen Stadt werden zweifellos dort erscheinen, und wir wollen, daß sie so hübsch wie möglich aussieht.«

»Ja, Ma'am. Miss Claudia sieht ohnehin immer aus wie ein Engel, wenn sie ausgeht. Ich kann mir nicht vorstellen, daß es heute anders sein wird.«

Augusta grinste breit. »Wie wahr.«

Die Tür wurde in dem Moment geöffnet, in dem Betsy anklopfen wollte. Scruggs, Lady Arbuthnotts älterer Butler mit den gebeugten Schultern, sah die Neuankömmlinge finster an, als er zwei andere junge Frauen zur Tür hinausließ.

Augusta erkannte Belinda Renfrew und Felicity Oatley, als sie die Stufen hinunterkamen. Beide waren regelmäßige Besucherinnen in Lady Arbuthnotts Haus, wie auch etliche andere Damen von guter Herkunft. Die leidende Lady Arbuthnott konnte, wie die Nachbarn häufig feststellten, nie über einen Mangel an Besuchern klagen.

»Guten Tag, Augusta«, sagte Felicity fröhlich. »Du siehst heute nachmittag wirklich gut aus.«

»Ja, das kann man wohl sagen«, murmelte Belinda mit einem forschenden Blick, mit dem sie Augusta musterte, die über einem himmelblauen Kleid einen modischen dunkelblauen Mantel mit Pelzbesatz trug. »Es freut mich, daß du hier bist. Lady Arbuthnott erwartet dein Eintreffen bereits voller Spannung.«

»Ich dächte im Traum nicht daran, sie zu enttäuschen«, sagte Augusta, als sie mit einem strahlenden Lächeln an Belinda vorbeiging. »Und Miss Norgrove auch nicht.« Augusta wußte, daß Belinda Renfrew mit Daphne Norgrove um zehn Pfund gewettet hatte, daß das Tagebuch seiner Besitzerin nicht wieder ausgehändigt würde.

Belinda bedachte sie noch einmal mit einem scharfen Blick. »Dann ist bei der Party in Enfields Haus alles gutgegangen?«

»Selbstverständlich. Ich hoffe doch sehr, daß wir uns heute abend wiedersehen, Belinda.«

Das entlockte Belinda ein schmerzliches Lächeln. »Darauf kannst du dich verlassen, Augusta. Und Miss Norgrove auch. Auf Wiedersehen.«

»Auf Wiedersehen. Ach, hallo, Scruggs.« Augusta wandte sich lächelnd an den finster blickenden Butler mit dem Schnurrbart, als die Tür hinter ihr geschlossen wurde.

»Miss Ballinger, Lady Arbuthnott erwartet Sie natürlich schon.«

»Ja, selbstverständlich.« Augusta war nicht bereit, sich von dem reizbaren alten Mann einschüchtern zu lassen, der die Haustür der Arbuthnotts bewachte.

Scruggs war im Haushalt von Lady Arbuthnott das einzige männliche Wesen und konnte es sich als eine große Ehre anrechnen, der einzige Mann zu sein, den Lady Arbuthnott in zehn Jahren eingestellt hatte. Er war in dieser Saison neu zu ihrem Bedienstetenstab hinzugekommen, und anfangs hatte niemand so recht verstanden, warum Sally ihn eingestellt hatte. Von ihrer Seite aus war es offensichtlich eine freundliche Geste, denn der alternde Butler war entschieden rein körperlich nicht in der Lage, viele seiner Aufgaben zu übernehmen. Es gab ganze Tage und Abende, an denen er aufgrund seines Rheumatismus' und diverser anderer Leiden überhaupt nicht an der Tür erschien.

Zu den wenigen Dingen, die Scruggs offensichtlich Freude bereiteten, gehörte es, sich ständig zu beklagen. Er klagte über alles: seine schmerzenden Gelenke, das Wetter, seine Pflichten im Haushalt, den mangelnden Beistand, den er bei der Erfüllung dieser Pflichten bekam, und den angeblich kärglichen Lohn, den Lady Arbuthnott ihm zahlte.

Mit der Zeit hatten die Damen jedoch beschlossen, daß Scruggs das i-Tüpfelchen war, das sie von Anfang an gebraucht hatten. Er war ein Egozentriker, ein Original und ganz außerordentlich unterhaltsam. Sie hatten ihn von ganzem Herzen angenommen und sahen ihn jetzt als eine wertvolle Bereicherung des Haushalts an.

»Wie geht es Ihrem Rheuma heute, Scruggs?« fragte Augusta, während sie ihren neuen Hut mit den Federn absetzte.

»Was war das?« Scruggs sah sie finster an. »Erheben Sie die Stimme, wenn Sie eine Frage stellen wollen. Ich verstehe einfach nicht, warum Damen immer nuscheln müssen.«

»Ich fragte, wie es Ihrem Rheumatismus heute geht, Scruggs.«

»Danke, ich habe ganz außerordentlich üble Schmerzen, Miss Ballinger. Es ist selten schlimmer gewesen.« Scruggs sprach immer mit einer tiefen, krächzenden Stimme, die klang, als würde Kies unter den Rädern einer Kutsche zermalmt. »Und es wird nicht gerade besser davon, daß ich fünfzehn Mal in der Stunde die Tür öffnen muß, soviel kann ich Ihnen versichern. All dieses Kommen und Gehen hier in diesem Haus reicht aus, um einen geistig gesunden Mann geradewegs ins Irrenhaus zu bringen, wenn Sie mich fragen. Ich verstehe einfach nicht, warum Frauen nicht länger als fünf Minuten an einem Fleck bleiben können.«

Augusta schnalzte mitfühlend mit der Zunge, während sie in ihre Tasche griff und ein kleines Fläschchen herauszog. »Ich habe Ihnen ein Mittel mitgebracht, das Sie vielleicht ausprobieren möchten. Es ist nach einem Rezept meiner Großmutter hergestellt. Sie hat es für meinen Großvater zubereitet, der es sehr wirksam fand.«

»Ach, wirklich? Was ist aus Ihrem Großvater geworden, Miss Ballinger?« Scruggs nahm das Fläschchen mit einem mißtrauischen Gesichtsausdruck entgegen und untersuchte es gründlich.

»Er ist vor ein paar Jahren gestorben.«

»Ich wage zu behaupten, daß es an der Wirkung dieser Medizin lag.«

»Er war fünfundachtzig, Scruggs. Es wird behauptet, er sei mit einem der Dienstmädchen tot im Bett aufgefunden worden.«

»Ist das wirklich wahr?« Scruggs beäugte die Flasche mit neuerwachtem Interesse. »Wenn das so ist, werde ich das Mittel augenblicklich ausprobieren.«

»Tun Sie das. Ich wünschte nur, ich hätte etwas ähnlich Wirksames, was ich Lady Arbuthnott geben könnte. Wie geht es ihr heute, Scruggs?«

Scruggs zog die buschigen weißen Augenbrauen hoch, und dann senkten sie sich wieder. In seinen blauen Augen schimmerte ein Anflug von Traurigkeit. Augusta war immer wieder fasziniert von diesen wunderschönen aquamarinblauen Augen. In seinem Gesicht mit den tiefen Falten und dem Schnurrbart erschienen sie ihr erstaunlich scharf und verwirrend jugendlich.

»Heute scheint sie einen guten Tag zu haben, Miss. Ich glaube, Sie werden feststellen, daß sie Ihrem Besuch mit größter Spannung entgegensieht.«

»Dann werde ich sie nicht länger warten lassen.« Augusta warf ihrer Zofe einen Blick zu. »Trink eine Tasse Tee mit deinen Freundinnen in der Küche, Betsy. Ich werde dich von Scruggs holen lassen, wenn ich bereit zum Aufbruch bin.«

»Ja, Ma'am.«

Betsy machte einen Knicks und lief eilig los, um sich den anderen Zofen und Lakaien anzuschließen, die ihre Herrinnen zu den nachmittäglichen Besuchen begleiteten. In Lady Arbuthnotts Küche mangelte es einem nie an Gesellschaft.

Scruggs lief qualvoll langsam und ähnlich wie ein Krebs auf die Tür zum Salon zu. Er öffnete die Tür und zuckte heftig zusammen, weil diese Geste ihm körperliche Leiden bereitete. Augusta ging durch die offene Tür und betrat eine andere Welt.

Es war eine Welt, in der sie, zumindest für ein paar Stunden täglich, ein Gefühl der Dazugehörigkeit verspüren konnte. Nach diesem Gefühl hatte sie sich seit dem Tod ihres Bruders gesehnt.

Augusta wußte, daß Sir Thomas und Claudia sich sehr bemüht hatten, ihr das Gefühl zu geben, daß sie bei ihnen zu Hause war, und sie hatte sich ihrerseits ebensosehr angestrengt, die beiden in dem Glauben zu wiegen, sie empfände sich als einen Teil der Familie. Aber in Wirklichkeit empfand sie sich als Außenseiterin. Mit ihrer ernsthaften und intellektuellen Art und ihrem nüchternen und zuvorkommenden Verhalten würden Sir Thomas und Claudia Augusta niemals wirklich verstehen.

Aber hier, auf der anderen Seite der Tür zu Lady Arbuthnotts Salon, hatte Augusta das Gefühl, wenn sie schon kein wahres Zuhause gefunden hatte, zumindest unter ihresgleichen zu sein.

Das hier war Pompeia's, einer der neuesten, ungewöhnlichsten und exklusivsten Clubs ganz Londons. Eine Mitgliedschaft konnte man selbstverständlich nur dadurch erhalten, daß man zum Beitritt aufgefordert wurde, und wer nicht Mitglied war, machte sich keine wirkliche Vorstellung davon, was genau eigentlich in Lady Arbuthnotts Salon vor sich ging.

Außenstehende nahmen an, daß Lady Arbuthnott sich damit unterhielt, einen der vielen eleganten Salons zu führen, die sich bei den Damen der Londoner Gesellschaft so großer Beliebtheit erfreuten. Aber Pompeia's war weit mehr als nur das. Es war ein Club, der nach dem Vorbild von Herrenclubs gestaltet war und den Bedürfnissen von modern denkenden Frauen der Oberschicht entsprach, die gewisse unkonventionelle Auffassungen teilten.

Auf Augustas Vorschlag hin war der Club nach Cäsars Frau, derjenigen, die geschieden wurde, weil sie nicht gänzlich über jeden Verdacht erhaben war, benannt worden. Der Name paßte glänzend zu den Mitgliedern. Die Damen, die Pompeia's beigetreten waren, waren alle von guter Herkunft und gesellschaftlich gut gestellt, doch sie wurden im allgemeinen als Originale angesehen, um es gelinde auszudrücken.

Pompeia's war in einigen Aspekten sorgsam den eleganten Herrenclubs nachgestaltet worden. Doch die Einrichtung und die Ausstattung hatten deutlich eine weibliche Note.

An den Wänden, die in einem warmen Gelbton gehalten waren, hingen Gemälde von berühmten Frauen aus der Frühgeschichte. An einem Ende des Raumes hing ein liebevoll gemaltes Porträt von Panthia, der Heilerin. Daneben hing ein wunderbar ausgeführtes Bild von Eurydike, der Mutter von Philipp II. von Makedonien. Sie war festgehalten worden, als sie gerade der Bildung ein Denkmal weihte.

Eine Darstellung Sapphos, die mit einer Leier in den Händen ihre Gedichte verfaßte, hing über dem Kamin. Kleopatra auf dem Thron Ägyptens zierte das entgegengesetzte Ende des langen Raumes. Andere Gemälde und Statuen stellten die Göttinnen Artemis, Demeter und Iris in einer Vielfalt von anmutigen Posen dar.

Die Einrichtung war ganz im klassischen Stil gehalten, und die verschiedensten, sorgsam aufgestellten Piedestals, Vasen und Säulen waren kunstvoll verstreut, um dem Salon das Aussehen eines griechischen Tempels zu verleihen.

Der Club bot seinen ständigen Besuchern viele der Annehmlichkeiten, die White's, Brooks's und Watier's anboten. In einer Nische gab es ein Café, in einer anderen ein Kartenzimmer. Spät abends konnte man häufig Clubmitglieder, die eine Vorliebe für Whist oder Macao hatten, an den Tischen mit der grünen Flanellbespannung vorfinden, und sie trugen dann immer noch die eleganten Kleider, die sie am früheren Abend auf einem Ball getragen hatten.

Von dem Spielen um hohe Einsätze wurde jedoch von der Clubdirektion energisch abgeraten. Lady Arbuthnott stellte deutlich klar, sie wollte nicht, daß erzürnte Ehemänner an ihre Tür klopften, um sich nach den hohen Verlusten ihrer Frauen in ihrem Salon zu erkundigen.

Eine große Auswahl von Tageszeitungen und Zeitschriften, darunter auch die *Times* und die *Morning Post*, war immer im Club erhältlich, ebenso ein kaltes Büfett, Tee, Sherry und Fruchtlikör.

Augusta betrat den Salon und wurde augenblicklich von der angenehmen und entspannten Atmosphäre eingehüllt. Eine rundliche Frau mit blondem Haar, die an dem Schreibtisch saß, blickte auf, und Augusta nickte ihr zu, als sie an ihr vorbeiging.

»Wie kommst du mit deinen Gedichten voran, Lucinda?« erkundigte sich Augusta. In der letzten Zeit schien es, als sei es der glühende Ehrgeiz sämtlicher Clubmitglieder, selbst zu schreiben. Lediglich Augusta war dem Ruf der Muse entkommen. Sie begnügte sich gern damit, die neuesten Romane zu lesen.

»Sehr gut, danke. Du scheinst heute in blendender Form zu sein. Dürfen wir davon ausgehen, daß du gute Nachrichten für uns hast?« Lucinda sah sie vielsagend an.

»Danke, Lucinda. Ja, ihr dürft das Beste annehmen. Es ist absolut erstaunlich, was ein Wochenende auf dem Lande für die Stimmung tun kann.«

»Oder für den Ruf.«

»Ganz genau.«

Augusta schwebte durch den langen Raum auf zwei Frauen zu, die vor dem Feuer saßen und Tee tranken.

Lady Arbuthnott, die Mäzenin des Salons, die alle Clubmitglieder von Pompeia's Sally nannten, trug über ihrem eleganten rostroten Kleid eine warme indische Stola. Sie hatte sich auf dem Sessel niedergelassen, der den Flammen am nächsten stand. Von diesem günstigen Aussichtspunkt aus konnte sie den gesamten Salon überblicken. Ihre Haltung war elegant und anmutig, und ihr Haar war zu einer modischen Frisur aufgesteckt. Lady Arbuthnotts Reize waren früher einmal das gewesen, worauf die gute Gesellschaft angestoßen hatte.

Als wohlhabende Frau, die kurz nach ihrer Eheschließung vor dreißig Jahren mit einem berüchtigten Vicomte verwitwet war, konnte Sally es sich leisten, ein Vermögen für ihre Kleidung auszugeben, und das tat sie auch. Doch alle edlen Seiden- und Musselinstoffe auf Erden konnten die unterschwellige Ermattung und die ungesunde Magerkeit nicht verbergen, die eine Folge der Schwindsucht waren, die sie langsam von innen heraus zerstörte.

Augusta fand Sallys Krankheit fast so unerträglich, wie Sally sie fand. Augusta wußte, daß sie den Verlust Sallys so empfinden würde, als müßte sie ihre Mutter ein zweites Mal verlieren.

Die beiden Frauen hatten sich ursprünglich in einer Buchhandlung kennengelernt, in der beide in Bänden über historische Themen herumgestöbert hatten. Zwischen ihnen hatte sich augenblicklich eine Freundschaft herausgebildet, die sich im Laufe der Monate schnell vertieft hatte. Zwar trennten sie Jahre voneinander, doch sie wurden durch gemeinsame Interessen, Exzentrizitäten und eine Abenteuerlust miteinander verbunden, die sie schnell zueinander hingezogen hatten. Für Augusta wurde Sally zu einem Ersatz für die Mutter, die sie verloren hatte. Und für Sally war Augusta die Tochter, die sie nie gehabt hatte.

Sally hatte in vieler Hinsicht die Rolle des Mentors übernommen, und der nicht unbedeutendste Aspekt hatte darin bestanden, die Türen der exklusivsten Salons der oberen Zehntausend zu öffnen. Sallys gesellschaftliche Kontakte waren unermeßlich. Sie hatte Augusta enthusiastisch in den Strudel der guten Gesellschaft hineingezogen. Augustas angeborene Fähigkeiten im gesellschaftlichen Umgang hatten ihr ihren Stand in dieser Gesellschaftsschicht gesichert.

Monatelang hatten die beiden Frauen enormen Spaß daran gehabt, sich in ganz London herumzutreiben. Und dann hatte Sally begonnen, leicht zu ermüden. Innerhalb von kürzester Zeit hatte sich deutlich herausgestellt, daß sie ernstlich krank war. Sie hatte sich in ihr eigenes Haus zurückgezogen, und Augusta hatte Pompeia's zu ihrer Unterhaltung ins Leben gerufen.

Trotz der verheerenden Auswirkungen ihrer Krankheit waren Sallys Sinn für Humor und ihre wache Intelligenz noch ausgesprochen ungetrübt. Ihre Augen drückten Freude und Belustigung aus, als sie den Kopf umdrehte und Augusta sah.

Die junge Frau, die neben Lady Arbuthnott saß, blickte ebenfalls auf, und Sorge trat in ihre hübschen dunklen Augen. Rosalind Morrissey war nicht nur die Erbin eines beträchtlichen Vermögens, sondern mit ihrem kastanienbraunem Haar und ihrer vollbusigen Figur war sie noch dazu attraktiv und reizend.

»Ah, meine liebe Augusta«, sagte Sally voller tiefer Zufriedenheit, als Augusta sich herunterbeugte und sie liebevoll auf die Wange küßte. »Etwas sagt mir, daß dir Erfolg beschieden war, stimmt's? Unsere arme Rosalind ist in den letzten Tagen ziemlich durcheinander gewesen. Du mußt sie von ihrem Elend erlösen.«

»Mit dem allergrößten Vergnügen. Hier ist dein Tagebuch, Rosalind. Nicht direkt mit den herzlichsten Grüßen von Lord Enfield, aber was heißt das schon?« Augusta reichte ihr das kleine Buch mit dem ledernen Einband.

»*Du hast es gefunden.*« Rosalind sprang auf und riß ihr das Tagebuch aus der Hand. »Ich kann es kaum glauben.« Sie schlang die Arme um Augusta und drückte sie kurz an sich. »Was für eine enorme Erleichterung. Wie kann ich dir dafür bloß danken? Hat es Probleme gegeben? Weiß Enfield, daß du es an dich genommen hast?«

»Nun, die Dinge sind nicht gerade plangemäß verlaufen«, gab Augusta zu, als sie sich Sally gegenüber hinsetzte. »Und wir sollten wahrscheinlich am besten gleich darüber reden.«

»Was ist schiefgegangen?« fragte Sally interessiert. »Bist du ertappt worden?«

Augusta rümpfte die Nase. »Als ich das Tagebuch an mich bringen wollte, bin ich ausgerechnet von Lord Graystone erwischt worden. Wer hätte gedacht, daß er sich um diese nachtschlafende Zeit herumtreibt? Man hätte meinen sollen, er sei damit beschäftigt, eine weitere wissenschaftliche Abhandlung über irgendeinen vermodernden alten Griechen zu schreiben, wenn er um diese Stunde unbedingt noch wach sein muß. Aber nein, er ist einfach in die Bibliothek spaziert, so lässig, wie man es sich nur irgend vorstellen kann. Ich kniete gerade hinter Enfields Schreibtisch.«

»*Graystone?*« Rosalind sank mit entsetzter Miene wieder auf ihren Sessel. »Dieser gräßliche Pedant? Er hat dich gesehen? Er hat mein Tagebuch gesehen?«

Augusta schüttelte tröstlich den Kopf. »Mach dir keine Sorgen, Rosalind. Er wußte nicht, daß es von dir ist, aber es stimmt, er hat mich in der Bibliothek ertappt.« Sie drehte sich mit finsterer Miene zu Sally um. »Ich muß schon sagen, das war alles äußerst mysteriös. Anscheinend wußte er, daß ich mich dort aufhalten würde, und er hat sogar gewußt, daß ich etwas aus dem Schreibtisch holen wollte. Er hat doch tatsächlich ein Stück Draht hervorgezogen und das Schloß geknackt. Aber er hat sich geweigert, mir seine Informationsquelle zu nennen.«

Rosalinds Augen wurden vor Schreck und Sorge groß. »Gütiger Himmel, wir müssen einen Spion in unserer Mitte haben.«

Sally gab beschwichtigende Laute von sich. »Ich bin ziemlich sicher, daß kein Grund zur Panik besteht. Ich kenne den Mann schon seit Jahren. Graystones Stadthaus steht gleich am anderen Ende der Straße, versteht ihr. Ich kann aus Erfahrung sagen, daß er nahezu davon besessen ist, die ungewöhnlichsten Informationen an sich zu bringen.«

»Er hat mir sein Wort darauf gegeben, keiner Menschenseele etwas von dem Vorfall zu berichten, und ich bin geneigt, ihm zu glauben«, sagte Augusta bedächtig. »Er hat sich in den letzten Monaten eng mit meinem Onkel angefreundet, versteht ihr, und ich nehme an, er hat geglaubt, er täte Sir Thomas einen Gefallen, wenn er mich bei den Enfields im Auge behält.«

»Ein guter Charakterzug an Graystone ist«, sagte Sally seelenruhig, »daß man sich darauf verlassen kann, daß er ein Geheimnis für sich behält.«

»Bist du ganz sicher?« Rosalind sah sie besorgt an.

»Absolut sicher.« Sally hob die Teetasse an ihre bleichen Lippen, trank einen Schluck und stellte die Tasse mit der Untertasse energisch auf einen Beistelltisch. »Also, denn, meine kühnen jungen Freundinnen. Dank Augustas Wagemut und meiner eigenen Fähigkeit, für Bekannte auf die Schnelle Einladungen zu erwirken, ist es uns gelungen, diese unselige Geschichte erfolgreich abzuwickeln. Schließlich war

Lady Enfield mir einen Gefallen schuldig. Dennoch habe ich das Gefühl, ich sollte diese Gelegenheit ergreifen, um etwas klarzustellen.«

»Ich glaube, ich weiß, was du jetzt sagen wirst«, murmelte Augusta und schenkte sich eine Tasse Tee ein. »Aber das ist vollkommen überflüssig. Nicht nur, daß Lord Graystone es für angemessen erachtet hat, mir eine langweilige Strafpredigt zu halten, ich kann dir zudem auch noch versichern, daß ich aus der mißlichen Lage der armen Rosalind etwas gelernt habe. Ich für meinen Teil werde niemals in meinem Leben etwas schriftlich niederlegen, was später gegen mich verwendet werden kann.«

»Und auch ich werde das nie mehr tun.« Rosalind Morrissey preßte sich das Tagebuch eng an die Brust. »Was für eine Bestie dieser Mann doch ist.«

»Wer? Enfield?« Sally lächelte grimmig. »Ja, er ist ganz entschieden ein Mistkerl, wenn es um Frauen geht. Das ist er schon immer gewesen. Aber es läßt sich nicht bestreiten, daß er im Krieg tapfer gekämpft hat.«

»Ich weiß nicht, was ich je in ihm gesehen habe«, bemerkte Rosalind. »Ich ziehe die Gesellschaft von jemandem wie Lord Lovejoy bei weitem vor. Was weißt du über ihn, Sally? Deine Informationen sind immer die aktuellsten, obwohl du nur selten die Annehmlichkeiten deines eigenen Hauses verläßt.«

»Ich habe es nicht nötig, aus dem Haus zu gehen, um die neuesten Gerüchte zu erfahren.« Sally lächelte. »Früher oder später werden sie alle durch die Eingangstür von Pompeia's hereingeweht. Was Lovejoy angeht, so habe ich erst kürzlich erstmals von seinen Reizen gehört. Nach allem, was man mir gesagt hat, sind sie vielfältig und zahlreich.« Sie warf einen Blick auf Augusta. »Das kannst du doch bestätigen, oder nicht, Augusta?«

»Ich habe letzte Woche auf dem Ball der Lofenburys mit ihm getanzt«, sagte Augusta und erinnerte sich wieder an den lachenden rothaarigen Baron mit den leuchtend grünen Augen. »Ich muß gestehen, daß es ziemlich aufregend war, mit ihm einen Walzer zu tanzen. Und er ist, soweit ich gehört habe, reichlich geheimnisvoll. Niemand scheint viel über ihn zu wissen.«

»Er ist, glaube ich, der letzte seines Familienzweiges. Es hieß, es gäbe Güter in Norfolk.« Sally schürzte die Lippen. »Aber ich habe keine Ahnung, wie einträglich seine Ländereien sind. Paß besser auf, daß du dich nicht noch einmal in einen Mitgiftjäger verliebst, Rosalind.«

Rosalind stöhnte. »Wie kommt es bloß, daß alle wirklich interessanten Männer den einen oder anderen schwerwiegenden Charakterfehler haben?«

»Manchmal ist es genau umgekehrt«, sagte Augusta seufzend. »Manchmal nimmt der interessanteste Mann, der überhaupt herumläuft, an einer gewissen Frau, die sich zufällig sehr zu ihm hingezogen fühlt, einen schwerwiegenden Charakterfehler wahr.«

»Reden wir wieder über Graystone?« Sally bedachte Augusta mit einem gerissenen Blick.

»Ich fürchte, ja«, gab Augusta zu. »Wißt ihr, daß er sich nahezu dazu bekannt hat, eine Liste von angemessenen Kandidatinnen zu haben, die er sich ansieht, um zu entscheiden, ob sie sich für den Posten der Gräfin von Graystone eignen?«

Rosalind nickte finster. »Ich habe von dieser Liste gehört. Wer auch immer darauf stehen mag, wird Schwierigkeiten damit haben, den Maßstäben gerecht zu werden, die Catherine gesetzt hat, seine erste Frau. Sie ist im ersten Jahr der Ehe im Kindbett gestorben. Aber in diesem einen einzigen Jahr ist es ihr anscheinend gelungen, bei Graystone einen bleibenden Eindruck zu hinterlassen.«

»Ich vermute, sie war geradezu vorbildlich?« erkundigte sich Augusta.

»Der Inbegriff weiblicher Tugendhaftigkeit, oder so heißt es zumindest«, erklärte Rosalind erbittert. »Frag, wen du willst. Meine Mutter hat die Familie gekannt und hat mir Catherine häufig als Vorbild hingestellt. Ich bin ihr hin und wieder begegnet, als ich jünger war, und ich muß gestehen, daß ich sie zu selbstgefällig fand. Sie war allerdings eine Schönheit. Sie hat ausgesehen wie eine Madonna auf einem dieser italienischen Gemälde.«

»Es heißt, eine tugendhafte Frau sei mehr wert als Rubine«, murmelte Sally. »Aber ich glaube, viele Männer müssen auf die harte Tour lernen, daß Tugendhaftigkeit, ebenso wie Schönheit, oft nur von dem Betrachter so wahrgenommen wird. Es ist durchaus möglich, daß Graystone keine zweite Frau sucht, die ein Inbegriff von Tugend ist.«

»Oh, er will ganz entschieden einen Ausbund an Tugend«, versicherte ihr Augusta. »Und in meinen rationaleren Momenten ist mir klar, daß er für eine Frau mit meiner Spontaneität und Hemmungslosigkeit einen absolut widerlichen und unerträglichen Ehemann abgeben würde.«

»Und wie siehst du das in deinen irrationaleren Momenten?« drang Sally sachte in sie.

Augusta schnitt eine Grimasse. »In meinen finstersten Stunden habe ich tatsächlich erwogen, ernsthafte Studien über Herodot und Tacitus aufzunehmen, all meine Traktate über die Rechte von Frauen wegzuwerfen und mir eine vollständig neue Garderobe anfertigen zu lassen, die nur aus unmodischen Kleidern ohne jeden Ausschnitt besteht. Aber ich habe festgestellt, wenn ich eine Tasse Tee trinke und mich ein paar Minuten lang ausruhe, vergeht ein solcher Wahnsinn schnell wieder.«

»Gütiger Himmel, das sollte man allerdings hoffen. Ich kann mir dich nicht in der Rolle eines Ausbunds an weiblicher Tugend vorstellen.« Sally brach in schallendes Gelächter aus, und dieses Geräusch veranlaßte alle im Salon, sich zu dem Dreiergespann umzudrehen, das vor dem Feuer saß. Die Damen von Pompeia's lächelten einander vielsagend zu. Es war schön zu sehen, daß ihre Mäzenin ihren Spaß hatte.

Scruggs, der in dem Moment die Tür zum Salon geöffnet hatte, hatte das Gelächter offensichtlich auch gehört. Augusta blickte zufällig auf und sah, daß er seine Herrin unter dichten, überhängenden Augenbrauen musterte. Sie glaubte, etwas seltsam Wehmütiges in seinem Gesicht zu lesen.

Dann fielen seine verblüffend blauen Augen auf Augusta, und er neigte einmal kurz den Kopf, ehe er sich abwandte. Sie stellte überrascht fest, daß er sich stumm bei ihr dafür bedankte, Sally dieses Lachen zum Geschenk gemacht zu haben.

Wenige Minuten später blieb Augusta auf ihrem Weg aus dem Club stehen, um sich die letzten Einträge im Wettbuch anzusehen, das auf einem ionischen Piedestal in der Nähe des Fensters in einem Glaskasten lag.

Sie sah, daß eine gewisse Miss L. C. gegen eine Miss D. P. die Summe von zehn Pfund gewettet hatte, Lord Graystone würde noch vor Ablauf des Monats um die Hand »des Engels« anhalten.

Augusta fühlte sich in den kommenden zwei Stunden reichlich gereizt.

»Ich schwöre es dir, Harry, im Wettbuch von Pompeia's ist es eingetragen. Wenn das nicht außerordentlich amüsant ist.« Peter Sheldrake lümmelte sich behaglich und träge in dem Ledersessel und musterte Graystone über den Rand seines Portweinglases.

»Es freut mich, daß es dich amüsiert. Ich finde es nämlich gar nicht komisch.« Harry legte seine Schreibfeder hin und nahm sein eigenes Glas in die Hand.

»Ach, was, wirklich nicht?« fragte Peter grinsend. »Ich muß schon sagen, deine Suche nach einer Ehefrau scheint nur wenige Aspekte zu haben, die dich amüsieren. In jedem Club in der ganzen Stadt werden Wetten abgeschlossen. Da ist es doch wohl kaum erstaunlich, daß auch bei Pompeia's eine Wette ins Buch eingetragen ist. Sallys Sammlung von temperamentvollen Freundinnen arbeitet erschreckend hart daran, die Clubs der Männer nachzuäffen, verstehst du. Ist es wahr?«

»Ist was wahr?« Harry sah den jüngeren Mann finster an. Peter Sheldrake litt ernstlich unter Langeweile. Das war kein ungewöhnliches Problem unter den Männern der oberen Zehntausend, und schon gar nicht unter denen, die wie Peter die letzten Jahre auf dem Kontinent verbracht und Napoleons gefährliche Kriegsspiele gespielt hatten.

»Weich mir nicht aus, Graystone. Wirst du bei Sir Thomas die Genehmigung einholen, um seine Tochter zu werben?« wiederholte Peter geduldig. »Komm schon, Harry. Gib mir einen Tip, damit ich die Situation zu meinem Vorteil nutzen kann. Du kennst mich doch, für eine gute Wette kann ich mich immer begeistern.« Er unterbrach sich kurz und grinste. »Oder für eine tolle Frau, wenn wir gerade dabei sind.«

Harry dachte darüber nach. »Glaubst du, Claudia Ballinger würde eine angemessene Gräfin abgeben?«

»Gütiger Gott, nein, Mann. Wir reden über den Engel. Dieses Mädchen ist ein Ausbund an Tugend. Geradezu vorbildlich. Um es ganz plump zu sagen, sie ist dir zu ähnlich. Ihr beide werdet einander nur in euren übelsten Charakterzügen bestärken. Innerhalb von einem Monat nach der Hochzeit werdet ihr euch beide zu Tode langweilen. Frag Sally, wenn du mir nicht glaubst. Sie ist zufällig meiner Meinung.«

Harry zog die Augenbrauen hoch. »Im Gegensatz zu dir, Peter, brauche ich nicht ständig das Abenteuer. Und ich will ganz bestimmt keine abenteuerlustige Ehefrau.«

»Und genau da irrst du dich in deiner Einschätzung der Situation. Ich habe mir eine Menge Gedanken darüber gemacht, und ich glaube, eine lebhafte und abenteuerlustige Frau ist genau das, was du brauchst.« Peter stand mit hektischen Bewegungen auf und trat an das Fenster.

Die untergehende Sonne schien auf Peters kunstvoll frisierte blonde Locken. Wie üblich war er nach dem letzten Schrei der Mode gekleidet. Sein elegant gebundenes Halstuch und sein Hemd mit den gestärkten Biesen bildeten eine perfekte Ergänzung zu seinem makellos geschnittenen Jackett und der enganliegenden Hose.

»Du bist hier derjenige, der sich nach Spannung und Aufregung sehnt, Sheldrake«, bemerkte Harry ruhig. »Du langweilst dich seit deiner Rückkehr nach London. Du verwendest zuviel Zeit auf deine Kleidung, du hast angefangen, zuviel zu trinken, und du spielst um zu hohe Einsätze.«

»Während du dich in deine Studien dieses Haufens von alten Griechen und Römern vergräbst. Komm schon, Harry, sei ehrlich. Gib zu, daß auch dir das Leben fehlt, das wir auf dem Kontinent geführt haben.«

»Nicht im mindesten. Zufällig mag ich nun mal meine alten Griechen und Römer. Jedenfalls ist Napoleon endlich aus dem Weg geräumt, und ich habe jetzt hier in England meine Pflichten und Verantwortlichkeiten zu erfüllen.«

»Ja, ich weiß. Du mußt dich um deine Güter und Titel kümmern, deinen Verantwortungen nachkommen. Du mußt heiraten und einen Erben zeugen.« Peter trank einen großen Schluck von seinem Wein.

»Ich bin nicht der einzige, der sich um seine Verpflichtungen kümmern muß«, sagte Harry vielsagend.

Peter ging nicht darauf ein. »Um Gottes willen, Mann, du warst einer von Wellingtons Spitzenoffizieren im Nachrichtendienst. Du hast die Kontrolle über Dutzende von Agenten wie mich gehabt, die die Informationen zusammengetragen haben, die du an dich bringen wolltest. Du hast den Schlüssel entwickelt, mit dem wir einige der wichtigsten Geheimcodes dechiffrieren konnten, die die Franzosen hatten. Du hast deinen und meinen Kragen riskiert, um an die Landkarten zu kommen, die für einige der entscheidensten Schlachten auf der Halbinsel benötigt wurden. Erzähl mir jetzt bloß nicht, daß du all diese Aufregung nicht vermißt.«

»Ich ziehe es bei weitem vor, Latein und Griechisch zu entziffern, und nicht über militärischen Sendeschreiben zu brüten, die in einem Geheimcode mit Geheimtinte geschrieben sind. Ich versichere dir, daß ich Tacitus' Historiae weitaus anregender finde als das Brüten über die Geistestätigkeit gewisser französischer Agenten.«

»Aber denk doch nur an die Spannung, an die Gefahr, mit der du in den letzten Jahren täglich gelebt hast. Denk an die tödlichen Spiele, die du mit deinem Gegenspieler betrieben hast, dem, den wir die Spinne genannt haben. Wie könntest du all das nicht vermissen?«

Harry zuckte die Achseln. »Was die Spinne angeht, bedauere ich lediglich, daß es uns nie gelungen ist, sie zu demaskieren und Gerechtigkeit zu üben. Was die Aufregung angeht, so bin ich nie darauf aus gewesen. Die Aufgaben, die ich übernommen habe, sind mir mehr oder weniger aufgedrängt worden.«

»Aber du hast sie brillant ausgeführt.«

»Ich habe meine Pflichten nach bestem Können erfüllt, und jetzt ist der Krieg vorbei. Und von mir aus hätte er viel eher enden können. Du bist hier derjenige, der immer noch auf ungesunde Spannung aus ist, Sheldrake. Und ich muß sagen, daß du sie an den merkwürdigsten Orten findest. Macht es dir Spaß, Butler zu sein?«

Peter schnitt eine Grimasse. Seine blauen Augen funkelten humorvoll, als er sich zu seinem Gastgeber umwandte. »Die Rolle des Scruggs ist bestimmt nicht so faszinierend, wie die Frau eines französischen Offiziers zu verführen oder Geheimdokumente zu stehlen, aber sie hat ihren eigenen Reiz. Und es ist viel wert zu sehen, wie Sally sich amüsiert. Ich fürchte, sie wird nicht mehr allzu lange unter uns weilen, Harry.«

»Ich weiß. Sie ist wahrhaft eine tapfere Frau. Die Informationen, die sie hier in England während des Krieges aus gewissen Kreisen herausholen konnte, waren von unschätzbarem Wert. Sie ist für ihr Land große Risiken eingegangen.«

Peter nickte und schaute jetzt versonnen. »Sally hat schon immer Intrigen geliebt. Genau wie ich. Sie und ich, wir haben viel miteinander gemeinsam, und es macht mir Spaß, die Portale ihres hochgeschätzten Clubs zu bewachen. Pompeia's ist ihr derzeit sehr wichtig. Es bereitet ihr viel Vergnügen. Dir ist klar, daß du dich dafür bei deiner unbezähmbaren kleinen Freundin bedanken kannst, oder nicht?«

Harrys Mund verzog sich kläglich. »Sally hat erklärt, daß die schwachsinnige Vorstellung eines Damenclubs, der nach dem Modell von Herrenclubs gestaltet ist, ganz und gar Augusta Ballingers Idee war. Irgendwie überrascht mich das nicht.«

»Ha. Das würde niemanden überraschen, der Augusta Ballinger kennt. Um sie herum geschehen ganz von allein die seltsamsten Dinge, falls du verstehst, was ich meine.«

»Ich fürchte leider, daß ich es verstehe.«

»Ich bin fest davon überzeugt, daß sich Miss Ballinger den Club ausschließlich hat einfallen lassen, um Sally zu unterhalten.« Peter zögerte und schaute nachdenklich. »Miss Ballinger ist wirklich sehr nett. Sogar zu den Dienstboten. Heute hat sie mir Medizin gegen meinen Rheumatismus mitgebracht. Die wenigsten Damen der oberen Zehntausend hätten sich lange genug Gedanken über einen Dienstboten gemacht, um sich etwas gegen seinen Rheumatismus einfallen zu lassen.«

»Ich wußte noch gar nicht, daß du an Rheumatismus leidest«, sagte Harry trocken.

»Ich leide nicht daran. Scruggs ist davon geplagt.«

»Paß bloß auf, daß du Pompeia's gut bewachst, Sheldrake. Ich möchte nicht, daß Miss Ballinger wegen dieses lächerlichen Clubs gesellschaftliche Schwierigkeiten bekommt.«

Peter zog eine Augenbraue hoch. »Du bist wegen deiner Freundschaft mit ihrem Onkel um ihren Ruf besorgt?«

»Nicht nur.« Harry spielte geistesabwesend mit der Schreibfeder auf seinem Schreibtisch und fügte dann leise hinzu: »Ich habe noch einen anderen Grund dafür, sie vor Skandalen zu bewahren.«

»Aha. Wußte ich es doch.« Peter sprang auf den Schreibtisch zu und schmetterte sein leeres Glas mit einem triumphierenden Knall auf die blankpolierte Oberfläche. »Dann wirst du also Sallys und meinen Rat annehmen und sie auf deine Liste setzen, stimmt's? Gib es zu. Augusta Ballinger wird deiner berüchtigten Liste von potentiellen Kandidatinnen für die Rolle der Gräfin von Graystone hinzugefügt.«

»Es übersteigt mein Vorstellungsvermögen, warum ganz London sich plötzlich für meine Heiratspläne interessiert.«

»Das ist doch klar – es liegt nur daran, wie du an die Sache herangehst, dir eine Frau zu suchen. Jeder hat von deiner Liste gehört. Ich habe es dir doch gesagt, in der ganzen Stadt werden Wetten darüber abgeschlossen.«

»Ja, das hast du mir gesagt.« Harry sah versonnen seinen Wein an. »Wie hat die Wette in dem Wettbuch von Pompeia's genau gelautet?«

»Zehn Pfund, daß du noch vor Ablauf des Monats um die Hand des Engels anhältst.«

»Ich habe tatsächlich die Absicht, noch heute nachmittag um Miss Ballingers Hand anzuhalten.«

»Zum Teufel, Mann.« Peter war sichtlich entsetzt. »Doch nicht Claudia. Ich weiß, daß du den Eindruck hast, sie würde dir eine sehr angemessene Gräfin abgeben, aber eine Dame mit Flügeln und einem Heiligenschein ist doch nicht das, was du wirklich brauchst. Du brauchst eine Frau von einer ganz anderen Sorte. Und der Engel braucht einen Mann von einer ganz anderen Sorte. Sei kein Dummkopf, Harry.«

Harry zog die Augenbrauen hoch. »Hast du je erlebt, daß ich eine echte Dummheit begehe?«

Peter kniff die Augen zusammen. Dann breitete sich ein Grinsen auf seinem Gesicht aus. »Nein, wahrhaftig nicht. So sieht das also aus, was? Ganz ausgezeichnet. Wirklich *ausgezeichnet*. Es wird dir nicht leid tun.«

»Da wäre ich mir nicht so sicher«, sagte Harry kläglich.

»Laß es mich so sagen. Du wirst dich zumindest nicht langweilen. Dann wirst du also heute nachmittag Augusta einen Heiratsantrag machen, was?«

»Gütiger Gott, nein. Ich habe nicht die Absicht, Augusta jemals einen Heiratsantrag zu machen. Heute nachmittag werde ich ihren Onkel um die Genehmigung bitten, seine Nichte zu heiraten.«

Peter sah ihn einen Moment lang verständnislos an. »Aber was ist mit Augusta? Du wirst sie doch wohl vorher persönlich fragen müssen? Sie ist vierundzwanzig, Graystone, kein Schulmädchen mehr.«

»Wir waren uns doch beide darüber einig, daß ich kein Dummkopf bin, Sheldrake. Ich denke gar nicht daran, eine derart wichtige Entscheidung einer Ballinger von dem Zweig der Familie zu überlassen, der aus Northumberland stammt.«

Daraufhin wirkte Peter noch einen Moment lang verständnislos, und dann dämmerte es ihm. Er brüllte vor Lachen. »Ich verstehe voll und ganz. Ich wünsche dir viel Glück, Mann. Und wenn du mich jetzt entschuldigen würdest, dann werde ich schnell einen Ausflug in zwei meiner Clubs unternehmen. Ich möchte ein paar Wetten in die Wettbücher eintragen lassen. Es geht doch nichts darüber, ein paar geheime Informationen zu haben, stimmt's?«

»Nein«, stimmte Harry ihm zu und dachte daran, wie oft sein eigenes Leben und die Leben anderer von solchen Informationen abgehangen hatten. Im Gegensatz zu seinem unruhigen Freund war er sehr froh darüber, daß diese Zeiten hinter ihm lagen.

Um drei Uhr am selben Nachmittag wurde Harry in die Bibliothek von Sir Thomas Ballinger geführt.

Sir Thomas war noch immer ein sehr vitaler Mann. Es hatte seiner stämmigen, breitschultrigen Gestalt nichts anhaben können, daß er sein ganzes Leben dem humanistischen Studium gewidmet hatte. Sein einst blondes Haar war jetzt silbrig und auf der Schädeldecke dünn geworden. Sein gepflegter Backenbart war grau. Er trug eine Brille, die er absetzte, als er aufblickte, um zu sehen, wer sein Besucher war. Er strahlte, als er feststellte, daß Harry auf ihn zukam.

»Graystone. Schön, Sie zu sehen. Nehmen Sie Platz. Ich wollte schon zu Ihnen kommen. Ich bin auf eine äußerst faszinierende Übersetzung eines französischen Werks über Cäsar gestoßen, von der ich glaube, daß Sie sie wirklich genießen werden.«

Harry lächelte und setzte sich auf einen der Sessel auf der anderen Seite des Kaminfeuers. »Ich bin ganz sicher, daß mich das Werk faszinieren wird. Aber wir werden ein anderes Mal darüber reden müssen. Heute gilt mein Besuch einem gänzlich anderen Thema, Sir Thomas.«

»Ach, wirklich?« Sir Thomas musterte ihn mit nachsichtiger Aufmerksamkeit, während er zwei Gläser Cognac einschenkte. »Und was könnte das sein, Sir?«

Harry nahm den Cognac und lehnte sich in seinem Sessel zurück. Er musterte seinen Gastgeber lange und gründlich. »Sie und ich, Sir, wir sind in mancher Hinsicht sehr altmodisch. Oder zumindest habe ich das so gehört.«

»Wenn Sie mich fragen, es spricht viel für Althergebrachtes. Lassen Sie uns auf die alten Griechen und die amüsanten Römer trinken.« Sir Thomas hob sein Glas zu einem Trinkspruch.

»Auf die alten Griechen und die amüsanten Römer.« Harry trank gehorsam einen Schluck von seinem Cognac und stellte das Glas hin. »Ich bin gekommen, weil ich bei Ihnen um Miss Ballingers Hand anhalten wollte, Sir Thomas.«

Sir Thomas zog die dichten Augenbrauen hoch. Ein nachdenklicher Ausdruck trat in seine Augen. »Ich verstehe. Weiß sie denn von Ihrem Wunsch?«

»Nein, Sir. Ich habe noch nicht mit ihr darüber gesprochen. Wie ich schon sagte, ich bin in vieler Hinsicht altmodisch. Ich wollte Ihre Zustimmung haben, ehe ich weitere Schritte unternehme.«

»Aber selbstverständlich, Mylord. Wie recht Sie doch haben. Aber Sie können versichert sein, daß ich mit Freuden in diese Heirat einwillige. Claudia ist eine intelligente, ernsthafte junge Frau, wenn ich das einmal so sagen darf. Mit sehr gutem Benehmen. Sie schlägt ihrer Mutter nach, verstehen Sie. Sie versucht sogar, ein Buch zu schreiben, wie es meine Frau auch getan hat. Meine Frau hat Bücher geschrieben, die für den Schulunterricht junger Damen bestimmt waren, verstehen Sie. Und sie war ziemlich erfolgreich darin, was mich natürlich sehr gefreut hat.«

»Lady Ballingers ausgezeichnete Lehrbücher sind mir durchaus bekannt, Sir Thomas. Sie stehen im Schulzimmer meiner eigenen Tochter. Dennoch…«

»Ja, ich habe das sichere Gefühl, daß Claudia eine ganz ausgezeichnete Gräfin für Sie abgeben wird, und es wäre mir eine große Freude, Sie zur Familie zählen zu dürfen.«

»Danke, Sir Thomas, aber wenn Ihre Tochter auch noch so reizend ist, so war es doch nicht Claudias Hand, um die ich anhalten wollte.«

Sir Thomas starrte ihn an. »Nicht Claudia, Mylord? Sie meinen doch nicht etwa… Sie wollen doch gewiß nicht…«

»Es ist meine volle Absicht, Augusta zu heiraten, falls sie mich nimmt.«

»*Augusta?*« Sir Thomas riß die Augen weit auf. Er leerte sein Cognacglas und verschluckte sich prompt. Sein Gesicht verfärbte sich dunkelrot, während er hustete und wild mit der Hand herumfuchtelte. Er schien zwischen Verblüffung und Gelächter hin- und hergerissen zu sein.

Harry erhob sich ruhig von seinem Stuhl und ging zu seinem Gastgeber, um ihm zwischen die Schulterblätter zu klopfen. »Ich weiß, was Sie meinen, Sir Thomas. Es ist irgendwie eine beunruhigende Vorstellung, nicht wahr? Meine eigene Reaktion war ähnlich, als ich erstmals auf diesen Gedanken gekommen bin. Aber inzwischen habe ich mich blendend an die Idee gewöhnen können.«

»*Augusta?*«

»Ja, Sir Thomas, Augusta. Sie geben mir doch Ihre Erlaubnis, oder nicht?«

»Gewiß, Sir«, sagte Sir Thomas augenblicklich. »Sie wird weiß Gott kein besseres Angebot mehr bekommen, nicht in ihrem Alter.«

»Ganz genau«, stimmte Harry ihm zu. »Nun denn, mir scheint, da wir es hier mit Augusta und nicht mit Claudia zu tun haben, müssen wir davon ausgehen, daß ihre Reaktion auf einen Heiratsantrag gewissermaßen, sagen wir, unberechenbar sein könnte.«

»Verdammt unberechenbar.« Sir Thomas wirkte verdrossen. »Die Unberechenbarkeit ist der Ruin des Northumberland-Zweigs der Familie, Graystone. Ein unseliger Charakterzug, aber sie besitzen ihn nun einmal.«

»Ich verstehe. Wenn man diese beklagenswerte Eigenschaft bedenkt, wäre es vielleicht wirksamer, wenn wir Augusta in dieser ganzen Angelegenheit vor ein fait accompli stellen. Es könnte ihr leichter fallen, wenn wir ihr die Entscheidung aus der Hand nehmen, falls Sie verstehen, was ich meine.«

Sir Thomas warf unter seinen dichten Augenbrauen einen gerissenen Blick auf Harry. »Könnte es eventuell sein, daß Sie vorschlagen, ich soll die Zeitungen benachrichtigen, ehe Sie meiner Nichte einen Heiratsantrag gemacht haben?«

Harry nickte. »Wie ich schon sagte, Sir Thomas, alles wird reibungsloser vonstatten gehen, wenn Augusta nicht hinzugezogen wird und tatsächlich eine Entscheidung treffen muß.«

»Das ist verdammt klug«, sagte Sir Thomas tief beeindruckt. »Eine brillante Idee, Graystone. Einfach brillant.«

»Danke. Aber ich habe den vagen Verdacht, daß das erst der Anfang ist, Sir Thomas. Etwas sagt mir, wenn man Augusta einen Schritt voraus sein will, dann wird das eine Menge Klugheit und noch viel mehr Durchsetzungsvermögen erfordern.«

3. Kapitel

»Du hast die Zeitungen benachrichtigt? Onkel Thomas, ich kann es einfach nicht glauben. Das ist eine Katastrophe. Hier liegt doch offensichtlich ein fürchterlicher Irrtum vor.«

Augusta, der von dem betäubenden Schlag, den ihr die beiläufige Ankündigung ihres Onkels versetzt hatte, er hätte in ihrem Namen einen Heiratsantrag angenommen, immer noch schwindelig war, lief in der Bibliothek auf und ab. Sie loderte vor Wut und Energie und schaute furchtbar finster, während sie sich einen Ausweg aus dieser gräßlichen Situation auszudenken versuchte.

Sie war gerade von einem nachmittäglichen Ritt im Park zurückgekommen und trug noch ein umwerfendes neues rubinrotes Reitkostüm, das im militärischen Stil mit goldenen Litzen besetzt war. Der passende Hut mit der flotten roten Feder saß noch auf ihrem Haar, und sie trug auch noch ihre grauen Reitstiefel. Einer der Dienstboten hatte ihr mitgeteilt, Sir Thomas hätte eine Nachricht für sie, und sie war direkt in die Bibliothek geeilt.

Um dort den Schock ihres Lebens zu bekommen.

»Wie konntest du so etwas bloß tun, Onkel Thomas? Wie konnte dir ein solcher Irrtum unterlaufen?«

»Ich glaube nicht, daß da ein Irrtum vorgelegen hat«, sagte Sir Thomas unbestimmt. Nachdem er von seinem Lehnstuhl aus seine Ankündigung gemacht hatte, hatte er sich augenblicklich wieder in das Buch vertieft, das er gerade gelesen hatte, als Augusta gekommen war. »Graystone schien ganz genau zu wissen, was er tut.«

»Aber es muß ein Irrtum vorliegen. Graystone würde niemals um meine Hand anhalten.« Augusta grübelte wie rasend an dem Problem herum, während sie weiterhin unruhig umherlief. »Es ist ganz klar, was passiert ist. Er hat um Claudia angehalten, und du hast ihn mißverstanden.«

»Das glaube ich nicht.« Sir Thomas vertiefte sich nur noch mehr in sein Buch.

»Jetzt hör schon auf, Onkel Thomas. Du weißt doch selbst, daß du gelegentlich ziemlich geistesabwesend sein kannst. Du hast Claudias Namen schon häufig mit meinem verwechselt, vor allem dann, wenn du an einem deiner Bücher arbeitest, wie du es im Moment tust.«

»Was erwartest du eigentlich? Ihr seid beide nach römischen Kaisern benannt worden«, brachte Sir Thomas zu seiner Entschuldigung hervor. »Das muß zwangsläufig zu gelegentlichen Verwechslungen führen.«

Augusta stöhnte. Sie kannte ihren Onkel. Wenn er sich auf die alten Griechen und Römer konzentrierte, war es unmöglich, seine ungeteilte Aufmerksamkeit zu erlangen. Zweifellos war er vorhin, als Graystone zu Besuch gekommen war, ebensosehr anderweitig beschäftigt und in Gedanken vertieft gewesen. Kein Wunder, daß es zu Verwechslungen gekommen war. »Ich kann einfach nicht glauben, daß du etwas getan hast, was meine Zukunft derart drastisch bestimmen wird, ohne auch nur mit mir darüber zu reden.«

»Er wird dir ein solider Ehemann sein, Augusta.«

»Ich will keinen *soliden* Ehemann. Ich will im Grunde genommen überhaupt keinen Ehemann und am allerwenigsten einen *soliden*. Was, zum Teufel, soll das überhaupt heißen? *Solide.* Soll *solide* etwa reizvoll sein?«

»Die Sache ist die, Mädchen, es ist unwahrscheinlich, daß du ein besseres Angebot bekommen wirst.«

»Höchstwahrscheinlich nicht. Aber verstehst du das denn nicht, Onkel Thomas, der Heiratsantrag hat nicht mir gegolten. Da bin ich mir ganz sicher.« Augusta wirbelte herum, und die rubinroten Röcke ihres Reitkostüms schwangen um ihre Stiefel. »Onkel Thomas, ich wollte dir nicht über den Mund fahren. Du hast dich mir gegenüber weiß Gott nie anders als gütig und großmütig erwiesen, und ich werde dir ewig dankbar dafür sein, das weißt du doch sicher.«

»Und ebenso dankbar bin ich dir, meine Liebe, für alles, was du in dieser Saison für Claudia getan hast. Du hast sie aus ihrem Schneckenhaus herausgeholt und sie von einer scheuen kleinen grauen Maus in eine Sensation verwandelt. Ihre Mutter wäre stolz darauf gewesen.«

»Das ist doch nicht der Rede wert, Onkel Thomas. Claudia ist eine schöne und kultivierte Frau. Sie brauchte lediglich Rat, was ihre Kleider angeht und wie sie in der Gesellschaft aufzutreten hat.«

»Und all das konntest du ihr geben.«

Augusta zuckte die Achseln. »Das ist das Erbe meiner Mutter. Sie hat häufig Gäste gehabt und mir viel beigebracht. Außerdem hatte ich Lady Arbuthnotts Beistand, und sie kennt wirklich jeden. Du darfst das alles nicht nur mir zugute halten. Mir ist durchaus klar, daß du mich mit der Aufgabe betraut hast, Claudia zu einem guten Start zu verhelfen, weil du ein Heilmittel gegen meine Melancholie gesucht hast. Das war sehr nett von dir. Das war es wirklich.«

Sir Thomas gab einen Laut des Erstaunens von sich. »Wenn ich mich recht erinnere, habe ich dich lediglich gebeten, Claudia eines Abends zu einer Soiree zu begleiten. Von da an hast du alles in die Hand genommen. Du hast sie zu einem deiner Projekte gemacht. Und wenn du dich auf ein Projekt einläßt, meine Liebe, dann ergeben sich die Dinge ganz von allein.«

»Danke, Onkel Thomas. Aber noch einmal zu Graystone. Ich muß darauf bestehen...«

»Jetzt mach dir wegen Graystone bloß keine Sorgen. Wie ich schon sagte, er wird dir ein solider Mann sein. Der Mann ist so standhaft wie ein Felsen. Er besitzt Verstand und Vermögen. Was könnte sich eine Frau sonst noch wünschen?«

»Onkel Thomas, du verstehst das nicht.«

»Du bist im Moment nur ein wenig aufgewühlt, das ist alles. Der Northumberland-Zweig der Familie war schon immer stark emotional betont.«

Augusta starrte ihren Onkel an und siedete vor Frustration, als sie aus dem Raum eilte, ehe sie in Tränen ausbrach.

Augusta kochte immer noch vor Frustration, als sie sich am späten Abend für eine Vielzahl von Soireen und Parties ankleidete. Aber wenigstens stand sie nicht mehr kurz vor den Tränen, sagte sie sich voller Stolz. Das hier war eine Krise, die nach Taten schrie, nicht nach Emotionen.

Claudia musterte Augustas finstere Miene mit liebevoller Sorge. Dann schenkte sie mit einer Geste voll natürlicher Anmut zwei Tassen Tee ein und reichte ihrer Cousine mit einem beschwichtigenden Lächeln eine der Tassen. »Beruhige dich, Augusta. Es wird schon alles gut ausgehen.«

»Wie, zum Teufel, könnte alles gut ausgehen, wenn ein so gräßlicher Irrtum vorliegt? Lieber Gott, Claudia, verstehst du denn nicht? Eine Katastrophe wird über uns hereinbrechen. Onkel Thomas war ganz aufgeregt, als er die Zeitungen verständigt hat. Morgen früh werden Graystone und ich offiziell miteinander verlobt sein. Wenn diese Nachricht erst im Druck ist, gibt es für ihn keinen ehrenwerten Ausweg mehr aus dieser Regelung.«

»Ich verstehe.«

»Wie kannst du dann einfach dasitzen und Tee einschenken, als sei nichts passiert?« Augusta knallte ihre Tasse und ihre Untertasse auf einen Tisch und sprang auf. Sie lief in ihrem Schlafzimmer auf und ab. Ihre dunklen Augenbrauen waren über zusammengekniffenen Augen zusammengezogen.

Ganz entgegen ihrer Gewohnheiten war sich Augusta kaum darüber bewußt, was sie anhatte. Sie war in einem derartigen inneren Aufruhr gewesen, daß sie sich ganz und gar nicht auf die sonst so angenehme Aufgabe hatte konzentrieren können, jedes einzelne Kleidungsstück sorgsam auszuwählen. Ihre Zofe Betsy hatte das roséfarbene Abendkleid mit dem verwegen tiefen Ausschnitt ausgewählt, der mit winzigen Rosen aus Satin eingefaßt war. Auch die passenden Satinschuhe und die ellbogenlangen Handschuhe hatte Betsy ausgewählt. Und Betsy hatte beschlossen, Augustas dunkles kastanienbraunes Haar im griechischen Stil zu frisieren. Die herabfallenden Ringellöckchen schwangen wild nach allen Seiten, als Augusta auf und ab lief.

»Ich sehe das Problem beim besten Willen nicht«, murmelte Claudia. »Ich hatte den Eindruck, daß dir Graystone recht gut gefällt.«

»Das ist schlichtweg nicht wahr.«

»Jetzt hör aber auf, Augusta. Sogar Papa ist dein Interesse an dem Earl aufgefallen, und gerade erst gestern hat er sich dazu geäußert.«

»Ich habe ihn um eine von Graystones jüngst veröffentlichten wissenschaftlichen Abhandlungen über irgendeinen vermoderten alten Römer gebeten, weil ich sie lesen wollte, das ist alles. Das kann man wohl kaum als ein Zeichen tiefer Zuneigung auffassen.«

»Wie dem auch sein mag, mich wundert nicht, daß Papa sofort darauf eingegangen ist, als Graystone um dich angehalten hat. Er hat damit gerechnet, daß du begeistert bist, und das solltest du auch wirklich sein. Er ist ein ausgezeichneter Fang, Augusta.Das kannst du nicht leugnen.«

Augusta blieb stehen. »Aber verstehst du es denn nicht, Claudia? Es ist alles ein Irrtum. Graystone wäre niemals auf den Gedanken gekommen, um meine Hand anzuhalten. In einer Million Jahren nicht. Er hält mich für einen fürchterlichen Wildfang, für einen unbändigen Fratz, der ständig kurz davor steht, Hals über Kopf in einen Skandal zu stürzen. Für ihn bin ich ein unbändiges kleines Luder. In seinen Augen gäbe ich eine absolut ungeeignete Gräfin ab. Und damit hat er recht.«

»Unsinn. Du würdest eine ganz reizende Gräfin abgeben«, sagte Claudia in ihrer Loyalität.

»Ich danke dir.« Augusta stöhnte frustriert und gequält. »Aber du irrst dich. Graystone war bereits verheiratet, mit einer äußerst passenden Frau, nach allem, was ich gehört habe, und ich verspüre nicht den geringsten Wunsch zu versuchen, den Maßstäben gerecht zu werden, die meine Vorgängerin gesetzt hat.«

»Ach, ja. Er war mit Catherine Montrose verheiratet, nicht wahr? Ich glaube mich zu erinnern, daß Mutter von ihr erzählt hat. Mrs. Montrose hat fest an den Wert von Mutters Büchern für junge Damen geglaubt. Catherine wurde danach erzogen. Und Mutter hat immer behauptet, Catherine Montrose sei ein gutes Beispiel für die Wirksamkeit ihrer Unterweisungstechniken.«

»Was für eine aufbauende Vorstellung.« Augusta trat ans Fenster, blieb dort stehen und schaute hoffnungslos auf die Gärten hinter dem Stadthaus hinaus. »Graystone und ich haben absolut nichts miteinander gemeinsam. In allen zeitgenössischen Fragen vertreten wir kraß entgegengesetzte Standpunkte. Er mag keine freidenkenden Frauen, verstehst du? Das hat er reichlich deutlich klargestellt. Und dabei weiß er so gut wie nichts über mich. Wenn er sich über einiges, was ich getan habe, im klaren wäre, bekäme er zweifellos einen Ohnmachtsanfall.«

»Ich kann mir beim besten Willen nicht vorstellen, daß Lord Graystone einen Ohnmachtsanfall haben könnte, ganz gleich, was passiert, und außerdem finde ich nicht, daß du dich so schlecht benimmst, wie du es hinstellst, Augusta.«

Augusta zuckte zusammen. »Du bist viel zu nett zu mir. Glaube mir, Claudia, Graystone kann mich unmöglich zur Frau wollen.«

»Warum hat er dann um deine Hand angehalten?«

»Ich glaube nicht, daß er das getan hat«, verkündete Augusta grimmig. »Wie ich schon sagte, es war alles ein gräßlicher Irrtum. Er hat zweifellos geglaubt, um deine Hand anzuhalten.«

»Um meine?« Claudias Hand mit der Tasse zitterte. »Gütiger Himmel. Das ist ganz ausgeschlossen.«

»Keineswegs.« Augusta schaute finster. »Ich habe darüber nachgedacht, und ich kann mir ganz genau vorstellen, wie es zu diesem Irrtum gekommen ist. Zweifellos ist Graystone heute nachmittag hier erschienen und hat um die Hand einer *Miss Ballinger* angehalten. Onkel Thomas hat sich eingeredet, daß der Earl mich meint, weil ich die ältere von uns beiden bin. Aber so war es natürlich nicht. Er hat dich gemeint.«

»Also, wirklich, Augusta. Ich bezweifle, daß Papa ein so schwerwiegender Irrtum unterlaufen wäre.«

»Doch, das ist absolut möglich. Onkel Thomas verwechselt uns ständig miteinander. Denk doch nur daran, wie oft er eine von uns beiden mit dem Namen der anderen anredet. Er ist derart in seine Studien vertieft, daß er uns häufig ganz vergißt.«

»So oft kommt das nun auch wieder nicht vor, Augusta.«

»Aber du mußt zugeben, daß es schon passiert ist«, beharrte Augusta. »Und in dieser Situation, in der er sich zweifellos einreden wollte, daß er mich endlich unter die Haube bringt, kann man leicht verstehen, wie es zu diesem Irrtum gekommen ist. Der arme Graystone.«

»Der arme Graystone? Soweit ich gehört habe, ist er ziemlich reich. Ich glaube, er besitzt Ländereien in Dorset.«

»Ich rede nicht von seiner finanziellen Situation«, sagte Augusta unwirsch. »Die Sache ist die, daß er reichlich entsetzt sein wird, wenn er morgen in den Zeitungen die Bekanntmachung liest. Dann sitzt er in der Falle. Ich muß augenblicklich etwas unternehmen.«

»Was, auf Erden, könntest du denn tun? Es ist kurz vor neun. In ein paar Minuten brechen wir zur Soiree der Bentleys auf.«

Augusta biß grimmig entschlossen die Zähne zusammen. »Ich muß Lady Arbuthnott heute abend einen kurzen Besuch abstatten.«

»Du gehst heute abend wieder zu Pompeia's?« In Claudias sanfter Stimme schwang ein unterschwelliger Vorwurf mit.

»Ja. Möchtest du vielleicht mitkommen?« Augusta wußte bereits, wie Claudias Antwort lauten würde.

»Um Himmels willen, nein. Allein schon der Name gibt mir zu denken. *Pompeia's.* All diese schlimmen Assoziationen zu ruchlosem Verhalten, die dieser Name wachruft. Also wirklich, Augusta, ich bin ernstlich der Meinung, daß du zuviel Zeit in diesem Club verbringst.«

»Bitte, Claudia. Nicht heute.«

»Ich weiß, wie gut es dir dort gefällt, und ich weiß, wie gern du Lady Arbuthnott hast. Trotzdem frage ich mich, ob Pompeia's nicht vielleicht gewisse Eigenschaften in dir verstärkt, von denen man weiß, daß sie im Northumberland-Zweig der Familie latent schlummern. Ihr habt sie im Blut. Du solltest daran arbeiten, diesen Hang zur Impulsivität und zum Leichtsinn zu unterdrücken. Vor allem jetzt, denn schließlich wirst du bald eine Gräfin sein.«

Augusta sah ihre hübsche Cousine aus zusammengekniffenen Augen an. Es gab Momente, in denen Claudia eine verblüffende Ähnlichkeit mit ihrer Mutter aufwies, der namhaften Lady Prudence Ballinger.

Augustas Tante Prudence war die Verfasserin etlicher Werke für den Schulunterricht gewesen. Die Bücher trugen Titel wie *Verhaltensmaßregeln für junge Damen* und *Ein Leitfaden für die geistige Entwicklung junger Damen*. Claudia war darauf versessen, in die illustren Fußstapfen ihrer Mutter zu treten, und sie arbeitete hart an einem Manuskript, das den vorläufigen Arbeitstitel *Ein Leitfaden des nützlichen Wissens für junge Damen* trug.

»Sag mir eins, Claudia«, sagte Augusta bedächtig. »Wenn ich dieses gräßliche Durcheinander rechtzeitig entwirren kann, freust du dich dann darauf, Graystone zu heiraten?«

»Es liegt kein Irrtum vor.« Claudia stand auf und lief mit gemäßigten Schritten zur Tür. Für den bevorstehenden Abend hatte sie ein Kleid angezogen, das Augusta ausgewählt hatte, um das Bild zu unterstreichen, das sich andere von ihr gemacht hatten, und sie wirkte tatsächlich wie ein Engel. Das elegant geschnittene Ballkleid aus blaßblauer Seide, das sie trug, wippte sachte über ihren Füßen. Das blonde Haar war mit einem Mittelscheitel versehen worden und verlieh ihr das madonnenhafte Aussehen, das ganz groß in Mode war. Diese Frisur wurde durch einen kleinen Kamm mit Diamanten gekrönt.

»Aber wenn *doch* ein Irrtum vorliegt, Claudia?«

»Ich werde natürlich tun, was Papa wünscht. Ich habe mich immer bemüht, eine gute Tochter zu sein. Aber ich habe wirklich das Gefühl, du wirst feststellen, daß kein Irrtum vorliegt. Du hast mir während der ganzen Saison ausgezeichnete Ratschläge erteilt, Augusta. Jetzt laß dir einen Rat von mir geben. Trachte danach, es Graystone in jeder Hinsicht recht zu machen. Arbeite hart daran, die Formen zu wahren, die einer Gräfin geziemen, und ich glaube, daß der Earl dich einigermaßen gut behandeln wird. Vielleicht wäre es ratsam, wenn du vor deiner Hochzeit ein oder zwei von Mutters Büchern noch einmal liest.«

Augusta unterdrückte einen Fluch, als ihre Cousine das Schlafzimmer verließ und die Tür hinter sich schloß. Manchmal konnte es extrem nervenaufreibend sein, in einem Haushalt zu leben, in dem es von Angehörigen des Hampshire-Zweiges ihrer Familie wimmelte.

Es bestand kein Zweifel daran, daß Claudia Graystone eine perfekte Gräfin abgeben würde. Augusta konnte regelrecht hören, wie ihre Cousine dem Earl am Frühstückstisch gegenübersaß und mit ihm über den geplanten Tagesablauf diskutierte. *Ich werde den Wünschen meines Herrn selbstverständlich Folge leisten.* Die beiden würden sich nach vierzehn Tagen zweifellos zu Tode langweilen.

Aber das war nicht ihr Problem, sagte sich Augusta, als sie vor dem Spiegel stehenblieb. Finster sah sie ihr eigenes Spiegelbild an und stellte fest, daß sie noch keinen Schmuck ausgesucht hatte, um das roséfarbene Kleid damit abzurunden.

Sie öffnete das kleine vergoldete Kästchen auf ihrer Frisierkommode. Darin befanden sich die beiden wertvollsten Dinge, die sie besaß, ein sorgsam zusammengefaltetes Blatt Papier und eine Kette. Auf dem zusammengefalteten Blatt mit den unheilvollen braunen Flecken stand ein eher unerfreuliches kleines Gedicht, das Augustas Bruder kurz vor seinem Tod verfaßt hatte.

Die Kette war seit drei Generationen im Besitz der Ballingers. Zuvor hatte sie Augustas Mutter gehört. Die Kette bestand aus zahllosen blutroten Rubinen, zwischen denen winzige Diamanten funkelten. Das Kernstück bildete ein einziger großer Rubin.

Augusta legte sich die Kette um und machte behutsam den Verschluß zu. Sie trug dieses Stück oft. Es war das einzige, was ihr von ihrer Mutter geblieben war. Alles andere war verkauft worden, um Richards kostbares Offizierspatent zu erwerben. Als der große Rubin direkt über dem Spalt zwischen ihren Brüsten lag, trat Augusta wieder ans Fenster und begann, fieberhaft Pläne zu schmieden.

Harry kam kurz nach Mitternacht von seinem Club zurück, schickte seine Dienstboten zu Bett und verzog sich in seine Bibliothek. Der letzte Brief seiner Tochter, in dem sie ausführlich über die Fortschritte, die sie bei ihren Studien machte, und über das Wetter in Dorset berichtete, lag auf dem Schreibtisch.

Harry schenkte sich ein Glas Cognac ein und setzte sich, um den Brief noch einmal durchzulesen, der in einer peinlich genauen Handschrift abgefaßt war. Er lächelte in sich hinein. Meredith war neun Jahre alt, und er war außerordentlich stolz auf sie. Sie erwies sich als eine gewissenhafte und fleißige Schülerin, die darauf erpicht war, ihrem Vater Freude zu bereiten und sich gut zu führen.

Harry hatte den Lehrplan für Meredith persönlich erstellt und wachte sorgsam darüber, daß er eingehalten wurde. Frivole Dinge wie Aquarellmalerei und das Lesen von Romanen waren erbarmungslos vom Lehrplan gestrichen worden. In Harrys Augen waren genau diese Dinge schuld an der allgemeinen Flatterhaftigkeit und dem Hang zur Romantik, der für die weibliche Bevölkerung so typisch war. Er wollte nicht, daß Meredith dem ausgesetzt wurde.

Die alltäglichen Unterweisungen waren Merediths Gouvernante überlassen, Clarissa Fleming. Clarissa war eine verarmte Verwandte der Flemings, und Harry empfand es als ein enormes Glück, sie zu seinem Haushalt zählen zu dürfen. Tante Clarissa, die von Natur aus ein ernsthafter Blaustrumpf war, teilte seine Ansichten über Erziehung. Sie war bestens geeignet, Meredith all das beizubringen, was sie Harrys Meinung nach lernen sollte.

Harry legte den Brief hin, trank noch einen Schluck von seinem Cognac und überlegte sich, was seinem klar geregelten Haushalt wohl zustoßen mochte, wenn er ihn Augusta überließ.

Vielleicht hatte er wirklich den Verstand verloren.

In der Dunkelheit vor dem Fenster rührte sich etwas. Stirnrunzelnd blickte Harry auf und sah nichts anderes als Schwärze. Dann hörte er ein leises Rascheln.

Harry seufzte und griff nach seinem edlen schwarzen Spazierstock aus Ebenholz, der immer in seiner Reichweite war. London war nicht der Kontinent, und der Krieg war vorbei, doch die Welt war nie ein ganz und gar friedlicher Ort. Seine Erfahrungen mit der menschlichen Natur sagten ihm, daß sie es wahrscheinlich auch nie sein würde.

Mit dem Stock in der Hand stand er auf und löschte das Licht.

Sowie es dunkel im Zimmer war, nahm das raschelnde Geräusch an Lautstärke zu. Es klang jetzt geradezu besessen, entschied Harry. Jemand eilte durch die Sträucher, die dicht am Haus wuchsen.

Im nächsten Moment wurde hektisch an das Fenster gepocht. Harry schaute herunter und sah eine Gestalt in einem Umhang mit Kapuze durch die Scheibe lugen. Der Mondschein fiel auf die kleine Hand, die sich hob, um noch einmal anzuklopfen.

»Verdammt und zum Teufel.« Harry entfernte sich von der Hausmauer und legte den Ebenholzstock auf seinen Schreibtisch. Mit einer unwirschen und zornigen Bewegung öffnete er das Fenster, stemmte sich mit beiden Händen auf das Fenstersims und beugte sich heraus.

»Gott sei Dank, daß Sie noch da sind, Mylord.« Augusta zog sich die Kapuze vom Kopf. Der bleiche Mondschein zeigte deutlich die Erleichterung auf ihrem Gesicht. »Ich habe gesehen, daß Licht brannte, und ich wußte, daß Sie da sind, und dann ist die Lampe urplötzlich ausgegangen, und ich hatte schon gefürchtet, Sie hätten das Zimmer verlassen. Es wäre eine Katastrophe gewesen, wenn ich Sie heute nacht verfehlt hätte. Ich habe über eine Stunde bei Lady Arbuthnott auf Ihre Rückkehr gewartet.«

»Wenn ich gewußt hätte, daß mich eine Dame erwartet, wäre ich selbstverständlich wesentlich eher nach Hause gekommen.«

Augusta rümpfte die Nase. »Ach, du meine Güte. Sie sind wütend, stimmt's?«

»Wie kommen Sie denn auf die Idee?« Harry streckte die Arme aus, packte durch den Stoff des Umhangs ihre Oberarme und hob sie durch das Fenster ins Haus. Erst in dem Moment sah er eine zweite Gestalt, die in den Sträuchern kauerte. »Wer, zum Teufel, ist das?«

»Das ist Scruggs, Mylord, Lady Arbuthnotts Butler«, sagte Augusta atemlos. Sie richtete sich auf, als er sie losließ, und dann strich sie ihren Umhang glatt. »Lady Arbuthnott hat darauf bestanden, daß er mich begleitet.«

»Scruggs. Ich verstehe. Warten Sie hier, Augusta.« Harry schwang ein Bein über das Fensterbrett, dann das andere. Er sprang auf die feuchte Erde und wandte sich an die gebeugte Gestalt, die in den Sträuchern kauerte. »Kommen Sie her, guter Mann.«

»Ja, Eure Lordschaft?« Scruggs kam mit unbeholfenen Bewegungen auf ihn zugehumpelt. Selbst in der Dunkelheit funkelten seine Augen vor Lachen. »Kann ich zu Diensten sein, Sir?«

»Ich glaube, Sie haben für eine Nacht bereits genug für mich getan, Scruggs«, sagte Harry durch zusammengebissene Zähne. Da er sich darüber im klaren war, daß Augusta am offenen Fenster stand, senkte er die Stimme, als er sich erneut an Peter Sheldrake wandte. »Und falls du der Dame jemals wieder bei einem Abenteuer dieser Art behilflich sein solltest, werde ich persönlich dafür sorgen, daß du deine außerordentlich schlechte Haltung beibehältst. Und zwar auf Dauer. Hast du mich verstanden?«

»Ja, Sir. Absolut, Eure Lordschaft. Sie haben sich deutlich genug ausgedrückt.« Scruggs neigte den Kopf zu einer unterwürfigen Verbeugung und wich in einer bemitleidenswert gebeugten Haltung zurück. »Dann werde ich eben hier draußen in der Kälte auf Miss Ballinger warten, Sir. Stören Sie sich nicht daran, daß die Nachtluft den Rheumatismus in diesen alten Knochen unterstützt. Verschwenden Sie bloß keinen Gedanken auf meine Gelenke, Mylord.«

»Ich habe nicht die Absicht, mir Gedanken um deine Gelenke zu machen, solange ich es nicht für notwendig erachte, sie einzeln auseinanderzunehmen. Und jetzt geh wieder zu Sally. Ich werde mich um Miss Ballinger kümmern.«

»Sally hat vor, sie gemeinsam mit ein paar Mitgliedern von Pompeia's in ihrer Kutsche nach Hause zu schicken«, sagte Peter leise mit seiner eigenen Stimme. »Reg dich nicht auf, Harry. Niemand außer Sally und mir weiß, was hier vorgeht. Ich werde Augusta in Sallys Garten erwarten. Wenn du sie dort abgeliefert hast, ist sie in Sicherheit.«

»Du kannst dir gar nicht vorstellen, wie sehr dieses Wissen mich beruhigt, Sheldrake.«

Peters Mund verzog sich unter seinem falschen Schnurrbart zu einem Grinsen. »Schließlich war es nicht meine Idee. Miss Ballinger ist ganz von allein darauf gekommen.«

»Leider fällt es mir nur zu leicht, dir das zu glauben.«

»Sie war nicht davon abzubringen. Sie hat Sally gebeten, ihr zu erlauben, daß sie sich durch die Gärten und die schmale Gasse zu deinem Haus schleicht, und Sally war so weise, darauf zu bestehen, daß ich mitkomme. Viel mehr konnten wir nicht tun, nur dafür sorgen, daß ihr auf dem Weg zu dir nichts zustößt.«

»Verschwinde, Sheldrake. Deine Ausreden sind so faul, daß sie mich nicht wirklich interessieren.«

Peter grinste noch einmal und verschwand dann in der Dunkelheit. Harry trat wieder an das offene Fenster, an dem Augusta stand und in die Nacht hinunterschaute.

»Wohin geht Scruggs?« fragte sie.

»Zurück zum Haus seiner Arbeitgeberin.« Harry kletterte wieder in die Bibliothek und schloß das Fenster.

»Oh, das ist gut. Es war sehr nett von Ihnen, ihn zurückzuschicken.« Augusta lächelte. »Es ist sehr kalt draußen, und es wäre mir nicht lieb, wenn er in der naßkalten Luft herumstünde. Er leidet an Rheumatismus, verstehen Sie.«

»Das ist nicht alles, worunter er leiden wird, wenn er so etwas noch einmal versucht«, murrte Harry, während er die Lampe wieder anzündete.

»Bitte, Sie dürfen Scruggs nicht die Schuld daran geben, daß ich heute nacht hier aufgetaucht bin. Es war ganz und gar meine Idee.«

»Das ist mir schon klar. Gestatten Sie mir, Ihnen zu sagen, daß das eine entschieden fragwürdige Idee war, Miss Ballinger. Eine schwachköpfige, idiotische und durch und durch tadelnswerte Idee. Aber da Sie jetzt schon einmal hier sind, würden Sie mir vielleicht genauer erklären, warum Sie es für notwendig erachtet haben, Ihren Hals und Ihren Ruf zu riskieren, um mich mitten in der Nacht zu sehen?«

Augusta stieß einen kleinen frustrierten Laut aus. »Es wird außerordentlich schwierig werden, das zu erklären, Mylord.«

»Das bezweifle ich nicht.«

Sie wandte sich zu den letzten Holzscheiten um, die noch im Kamin glimmten, und als sie in die Glut schaute, ließ sie zu, daß ihr Umhang sich öffnete. Der große rote Edelstein über ihren Brüsten funkelte im Schein der Flammen.

Harrys Blick fiel auf die reizvollen Rundungen, die der tiefe Ausschnitt von Augustas Kleid deutlich zeigte, und er starrte sie an. *Gütiger Gott, fast konnte er ihre Brustwarzen sehen, die hinter strategisch plazierten Satinrosen hervorlugten.* Seine Phantasie verselbständigte sich und lieferte ihm ein lebhaftes Bild von diesen kaum verborgenen Knospen. Sie mußten fest und reif und für den Mund eines Mannes regelrecht geschaffen sein.

Harry blinzelte und nahm plötzlich wahr, daß er bereits ziemlich erregt war. Er kämpfte um seine gewohnte unerschütterliche Selbstbeherrschung.

»Ich schlage vor, daß Sie mit Ihren Erklärungen, wie auch immer sie lauten mögen, augenblicklich beginnen. Es wird schon spät.« Harry lehnte sich an die Kante seines Schreibtischs. Er verschränkte die Arme vor der Brust und begnügte sich mit einem strengen, vorwurfsvollen Gesichtsausdruck. Es fiel ihm schwer, seine finstere Miene beizubehalten. Am liebsten hätte er Augusta auf den Teppich geworfen und sie geliebt. Er seufzte innerlich. Diese Frau hatte ihn behext.

»Ich bin hergekommen, um Sie zu warnen, daß eine Katastrophe bevorsteht.«

»Dürfte ich mich vielleicht erkundigen, welcher Natur diese Katastrophe ist, Miss Ballinger?«

Sie wandte den Kopf zu ihm um und bedachte ihn mit einem niedergeschlagenen Blick. »Ein gräßliches Mißgeschick ist passiert, ein grandioser Irrtum, Mylord. Es scheint, als hätten Sie meinem Onkel heute nachmittag einen Besuch abgestattet?«

»Ja, das stimmt.« Sie hatte dieses Bravourstück doch bestimmt nicht auf sich genommen, um ihm mitzuteilen, daß sie seinen Antrag ablehnte, dachte Harry, der sich zum ersten Mal ernstlich Sorgen machte.

»Onkel Thomas hat Sie mißverstanden, Sir. Verstehen Sie, er dachte, daß Sie um meine Hand und nicht um die meiner Cousine anhalten. Zweifellos war das von seiner Seite aus reines Wunschdenken. Er regt sich schon seit Ewigkeiten darüber auf, daß ich noch unverheiratet bin.

Und er hat das Gefühl, es sei seine Verpflichtung, mich unter die Haube zu bringen. Wie dem auch sei, ich fürchte, er hat die Nachricht bereits an die Zeitungen weitergegeben. Zu meinem großen Bedauern muß ich Ihnen mitteilen, daß die Bekanntmachung unserer Verlobung sich morgen früh in der ganzen Stadt herumgesprochen haben wird.«

Harry riß den Blick von den Satinrosen los und schaute auf die Spitzen seiner auf Hochglanz polierten Stulpenstiefel herunter. Obwohl seine Lenden sich immer mehr anspannten, gelang es ihm, keine Gefühlsregung in seine Stimme einfließen zu lassen. »Ich verstehe.«

»Glauben Sie mir, bitte, Mylord, von seiten meines Onkels handelt es sich um ein echtes Mißverständnis. Ich habe ihn gründlich ausgefragt, und er war ganz sicher, daß Sie um meine Hand angehalten haben. Sie wissen ja, wie er ist. Er lebt die meiste Zeit in einer anderen Welt. Er kann sich an die Namen aller seiner alten Griechen und Römer erinnern, aber er kann unerfreulich ungenau sein, was die Namen der Mitglieder seines eigenen Haushalts angeht. Ich gehe davon aus, daß Sie das verstehen können.«

»Mhm.«

»Ja, ich dachte mir gleich, daß Sie das verstehen. Zweifellos haben Sie dasselbe Problem. Also gut.« Augusta machte eine abrupte Drehung, wobei ihr Umhang sich um sie bauschte wie ein Segel aus schwarzem Samt. »Noch ist nicht alles verloren. Für uns beide wird es morgen schwierig werden, wenn die Welt die Neuigkeit erfährt, aber ich habe einen Plan.«

»Gott steh mir bei«, murmelte Harry tonlos.

»Wie bitte?« Sie heftete einen finsteren Blick auf ihn.

»Nichts weiter, Miss Ballinger. Sie sprachen gerade von einem Plan?«

»Richtig. Hören Sie mir jetzt genau zu. Ich weiß, daß Sie aufgrund Ihres Interesses an wissenschaftlichen Angelegenheiten nicht viel Erfahrung mit Intrigen und dergleichen haben, und daher müssen Sie mir jetzt Ihre volle Aufmerksamkeit schenken.«

»Ich vermute, Sie haben Erfahrungen in diesen Dingen gesammelt?«

»Nun, nicht direkt in diesen Dingen«, gestand sie ein, »aber ich habe Erfahrung, was Ränke im allgemeinen angeht, falls Sie verstehen, was ich meine. Es gibt eine Voraussetzung für erfolgreiche Intrigen – Dreistigkeit. Man muß so tun, als sei überhaupt nichts Ungewöhnliches vorgefallen, als sei alles in bester Ordnung. Man darf nicht einen Augenblick die Ruhe verlieren. Können Sie mir folgen, Mylord?«

»Ich glaube ja. Warum weihen Sie mich nicht in groben Zügen in Ihren Plan ein, damit ich mir eine vage Vorstellung machen kann?«

»Also gut.« Sie zog konzentriert die Stirn in Falten und betrachtete eine Europakarte, die an der Wand hing. »Die Sache ist die, daß Sie nicht ehrenhaft von Ihrem Antrag zurücktreten können, wenn die Bekanntmachung unserer Verlobung erst einmal von den Zeitungen abgedruckt worden ist.«

»Das ist wahr«, räumte er ein. »Ich dächte gar nicht daran.«

»Ja, Sie sitzen wirklich in der Falle. Aber andererseits kann ich von dem Vorrecht einer Dame Gebrauch machen und die Verlobung lösen, und genau das werde ich tun.«

»Miss Ballinger...«

»Ja, ich weiß, es wird viel Gerede geben, und man wird mir nachsagen, ich hätte Ihnen den Laufpaß gegeben – und noch vieles andere mehr. Es könnte sein, daß ich eine Zeitlang die Stadt verlassen muß, aber das gehört nicht zur Sache. Für Sie wird es darauf hinauslaufen, daß Sie Ihre Freiheit wieder haben. Tatsächlich werden alle mit Ihnen mitfühlen. Wenn sich die Wogen geglättet haben, können Sie dann um die Hand meiner Cousine anhalten, wie Sie es ursprünglich vorhatten.« Augusta sah ihn erwartungsvoll an.

»War das schon alles, Miss Ballinger?« fragte Harry, nachdem er ein Weilchen nachgedacht hatte.

»Ich fürchte ja«, sagte sie in einem besorgten Tonfall. »Was meinen Sie, ist mein Plan noch nicht genügend ausgereift? Vielleicht könnten wir noch ein wenig daran herumfeilen und unsere Sache geschickter anstellen. Aber im großen und ganzen bin ich geneigt zu glauben, je simpler ein Plan ist, desto leichter läßt er sich ausführen.«

»Ihre Instinkte in solchen Angelegenheiten sind zweifellos stärker ausgeprägt als meine«, murmelte Harry. »Sind Sie denn so sehr darauf versessen, die Verlobung zu lösen?«

Sie errötete verräterisch, und ihr Blick löste sich von ihm. »Darum geht es nicht, Sir. Es geht nur darum, daß Sie nicht die Absicht hatten, sich mit mir zu verloben. Sie haben um Claudias Hand angehalten. Und wer könnte Ihnen das vorwerfen? Ich verstehe Sie vollkommen. Ich muß Sie jedoch warnen. Ich bin nicht sicher, daß Sie gut zusammenpassen. Sie sind einander zu ähnlich, falls Sie verstehen, was ich meine.«

Harry hielt eine Hand hoch, um ihrem Redefluß Einhalt zu gebieten. »Vielleicht sollte ich etwas klarstellen, ehe wir diese Intrige weiter ausarbeiten.«

»Und das wäre?«

Ein Moment lang lächelte er spöttisch, und er war rasend neugierig darauf, was nun passieren würde. »Ihrem Onkel ist kein Irrtum unterlaufen. Ich habe um Ihre Hand angehalten, Miss Ballinger.«

»Um *meine*?«

»Ja.«

»Um meine Hand? Sie haben um *meine Hand* angehalten, Mylord?« Verwirrung stand in ihren Augen, als sie ihn ansah.

Harry hielt es nicht mehr aus. Er stieß sich von der Schreibtischkante ab und kam auf sie zu. Er nahm eine ihrer bebenden Hände und führte sie an seine Lippen. »Um deine Hand, Augusta.«

Ihm fiel auf, daß Augustas Finger sehr kalt waren. Dann nahm er den Umstand wahr, daß sie von Kopf bis Fuß zitterte. Wortlos zog er sie langsam in seine Arme. Sie fühlte sich überraschend zart an, fand er. Ihr Rückgrat war anmutig gebogen, und er konnte den zarten Schwung ihrer Hüften durch das roséfarbene Kleid fühlen, das sie trug.

»Mylord, ich verstehe Sie nicht«, hauchte sie.

»Das ist Ihnen deutlich anzusehen. Vielleicht kann ich hiermit etwas klarstellen.«

Harry senkte den Kopf und küßte sie. Es war das erste Mal, daß er sie wirklich umarmte. Den kurzen Kuß, den sie ihm in der Nacht in Enfields Bibliothek gegeben hatte, konnte er wirklich nicht mitzählen.

Er gab ihr den Kuß, den er sich in den letzten Nächten ausgemalt hatte, wenn er allein und wach im Bett gelegen hatte.

Harry ließ sich jede Menge Zeit und streifte Augustas geteilte Lippen zart und flüchtig mit seinem Mund. Er nahm ihre Anspannung wahr, aber auch ihre tiefe weibliche Neugier und Unsicherheit. Die Bandbreite ihrer Gefühle erregte ihn und weckte gleichzeitig einen ausgeprägten Beschützertrieb. Er sehnte sich danach, über sie herzufallen, und gleichzeitig lechzte alles in ihm danach, sie vor allem Bösen zu bewahren. Diese unselige Kombination mächtiger Begierden ließ seinen Kopf schwirren.

Sanft und liebevoll legte er Augustas kleine Hand auf seine Schulter. Ihre Finger gruben sich in ihn. Harry vertiefte den Kuß und verweilte genüßlich auf ihren üppigen Lippen.

Ihr Geschmack war unbeschreiblich. Süß, würzig und unglaublich weiblich, und er brachte all seine Sinne in Aufruhr. Ehe ihm wirklich klar war, was er tat, ließ Harry seine Zunge in die intimen Tiefen ihres Mundes gleiten. Seine Hand preßte sich fester auf ihre schmale Taille und zerknitterte die roséfarbene Seide. Er konnte spüren, wie sich die Satinrosen an sein Hemd schmiegten. Unter dem Stoff fühlte er die strammen kleinen Brustwarzen.

Augusta stieß einen leisen Schrei aus und hob abrupt beide Arme, um sie ihm um den Hals zu schlingen. Ihr Umhang fiel über ihre Schultern zurück und legte den oberen Ansatz ihrer Brüste frei. Harry nahm ihren persönlichen Duft und den ihres Parfüms wahr. Plötzlich spannte sich sein gesamter Körper erwartungsvoll an.

Er nahm einen der winzigen Ärmel von Augustas Gewand und zog ihn über ihre Schulter. Ihre linke Brust, klein, aber wunderbar geformt, quoll aus dem nahezu nicht vorhandenen Mieder heraus. Harry umschloß die pralle Frucht mit seiner Handfläche. Was ihre Brustwarzen anging, hatte er recht gehabt. Das, was er hier mit einer Fingerspitze berührte, war so einladend wie eine reife rote Beere.

»Oh, mein Gott. *Harry*. Ich meine, Mylord.«

»Gegen Harry habe ich nicht das geringste einzuwenden.« Er ließ den Daumen noch einmal über die knospende Brustwarze gleiten und spürte, wie Augusta als Reaktion darauf augenblicklich ein Schauer überlief.

Der Schein des Kaminfeuers tanzte auf den roten Steinen ihrer funkelnden Kette. Harry schaute auf den schönen Anblick herunter, den Augusta im Feuerschein mit den blutroten Edelsteinen bot. Er sah die erwachende Sinnlichkeit in ihren Augen, und sein Verstand beschwor betörende Bilder von legendären Königinnen der Antike herauf. »Meine Kleopatra«, murmelte er mit belegter Stimme.

Augusta zuckte steif zusammen und wollte sich von ihm lösen. Harry berührte noch einmal zart und einschmeichelnd ihre Brustwarze. Er küßte ihren geschwungenen Hals.

»*Harry*«, keuchte Augusta, und dann erschauerte sie und ließ sich schwer an ihn sinken. Ihre Arme schlossen sich fest um seinen Nacken. »O Harry. Ich habe mich gefragt, wie es wohl wäre...« Sie küßte seinen Hals und klammerte sich an ihn.

Das plötzliche Aufflackern der Leidenschaft in ihr bestätigte all seine männlichen Instinkte. Harry wurde klar, daß etwas in seinem Innern von Anfang an gewußt hatte, daß sie so auf ihn reagieren würde. Was er dabei nicht in Betracht gezogen und womit er nicht gerechnet hatte, war, wie ihre Reaktion sich auf ihn auswirken würde. Die Realität ihres vollerblühten Verlangens sog seine Sinne in sich auf wie ein Schwamm.

Harry hielt Augustas Brust weiterhin umfaßt, als er sie sachte auf den

Teppich zog. Sie klammerte sich an seine Schultern und blickte durch gesenkte Wimpern zu ihm auf. In ihren wunderschönen Topasaugen standen Sehnsucht, Verwunderung und noch etwas, was Furcht hätte sein können.

Harry stöhnte, als er sich neben ihr ausstreckte und nach dem Saum ihres Kleids griff.

»Mylord...« Die Worte waren kaum mehr als ein Flüstern, das über ihre Lippen kam.

»Harry«, verbesserte er sie und küßte die rosige Brustwarze, die er mit seinem Daumen gekostet hatte. Langsam zog er die roséfarbene Seide bis zu ihren Knien hoch und legte Strümpfe mit einem zarten Streifenmuster frei.

»Harry, bitte, ich muß dir etwas sagen. Etwas Wichtiges. Ich möchte nicht, daß du mich heiratest und dich dann betrogen fühlst.«

Er erstarrte abrupt, und ein eisiges Feuer bemächtigte sich seiner Eingeweide. »Was ist es, was ich deiner Meinung nach wissen sollte, Augusta? Hast du bei einem anderen Mann gelegen?«

Sie blinzelte und war einen Moment lang verständnislos. Dann färbte eine warme Röte ihre Wangen. »Gütiger Himmel, nein, Mylord. Das ist absolut nicht das, worüber ich reden wollte.«

»Ausgezeichnet.« Harry lächelte matt, als Erleichterung und Glückseligkeit ihn durchzuckten. Natürlich war sie mit keinem anderen zusammen gewesen. Das hatten ihm all seine Instinkte schon vor Wochen gesagt. Und dennoch war es ein gutes Gefühl, diese Bestätigung zu bekommen. Ein Problem weniger, mit dem er sich befassen mußte, dachte er nicht ohne eine gewisse Selbstzufriedenheit. Es gab keinen früheren Geliebten, mit dem er wetteifern mußte. Augusta würde ihm ganz und gar gehören.

»Die Sache ist die, Harry«, fuhr Augusta in vollem Ernst fort, »daß ich fürchte, ich werde dir eine sehr schlechte Ehefrau werden. Schon in der Nacht, in der du mich in Enfields Bibliothek ertappt hast, habe ich versucht, dir zu erklären, daß ich mich an die üblichen Einschränkungen, die einem die Gesellschaft auferlegt, nicht gebunden fühle. Du mußt immer daran denken, daß ich eine Northumberland-Ballinger bin. Ich bin ganz und gar nicht der Engel, der meine Cousine ist. Ich richte mich nicht nach den Anstandsregeln, und du hast deutlich klargestellt, daß du eine Frau von der sehr anständigen Sorte suchst.«

Harry zog den Saum ihres Kleids auf ihren Beinen ein wenig höher. Seine Finger fanden die unglaublich zarten Innenseiten ihrer Oberschenkel. »Ich glaube, ein wenig Privatunterricht reicht, und du wirst eine sehr anständige Ehefrau sein.«

»Dessen wäre ich mir keineswegs sicher, Sir«, sagte sie, und ihre Worte klangen niedergeschlagen. »Es ist sehr schwer, sein Naturell zu ändern, verstehen Sie.«

»Das verlange ich auch nicht von dir.«

»Nein?« Sie sah ihm forschend ins Gesicht. »Du magst mich wirklich so, wie ich bin?«

»Ja, sogar sehr.« Er küßte ihre Schulter. »Es gibt vielleicht ein oder zwei Gebiete, die mir Sorgen bereiten. Aber ich bin fest davon überzeugt, daß alles gutgehen wird und daß du mir eine ausgezeichnete Gräfin abgeben wirst.«

»Ich verstehe.« Sie biß sich auf die Lippen und preßte die Beine zusammen. »Harry, liebst du mich?«

Er seufzte, und seine Hand blieb still auf ihrem Oberschenkel liegen. »Augusta, mir ist bewußt, daß viele moderne junge Damen wie du glauben, die Liebe sei ein mystisches und einzigartiges Gefühl, das sich ohne jeden rationalen Prozeß und ohne jede Erklärung wie ein Zauber herabsenkt. Aber ich bin in dem Punkt gänzlich anderer Meinung.«

»Ja, selbstverständlich.« Die Enttäuschung zeichnete sich deutlich in ihren Augen ab. »Ich vermute, Sie glauben überhaupt nicht an die Liebe, nicht wahr, Mylord? Schließlich sind Sie ein Gelehrter. Sie haben Aristoteles und Plato und all diese anderen furchtbar logischen Kerle studiert. Ich muß Sie warnen, Sir, zuviel rationales und logisches Denken kann dem Verstand ernstlichen Schaden zufügen.«

»Ich werde es mir merken.« Er küßte ihre Brust und begeisterte sich dafür, wie ihre Haut sich anfühlte. Bei Gott, sie faßte sich gut an. Er konnte sich nicht erinnern, wann er das letzte Mal eine Frau so sehr begehrt hatte, wie er diese Frau heute nacht begehrte.

Inzwischen war er ungeduldig. Sein Körper pochte vor Verlangen, und der schwache beißende Geruch von Augustas Erregung betörte ihn. *Sie wollte ihn.* Er drängte sie behutsam, wieder die Beine zu spreizen, und sachte glitten seine Finger in ihre feuchte Glut.

Augusta stieß schockiert einen kleinen Schrei aus und umklammerte seine Schultern. Ihre Augen wurden vor Erstaunen groß. *»Harry.«*

»Magst du das, Augusta?« Er bedeckte ihre Brust mit kleinen Küssen, während er mit dem Finger die zarten, weichen Blütenblätter streichelte, die ihre intimsten Geheimnisse bewachten.

»Ich bin nicht sicher«, brachte sie mühsam und erstickt heraus. »Es ist ein ganz seltsames Gefühl. Ich weiß nicht, ob...«

Die große Standuhr in der Ecke schlug die volle Stunde. Es war, als hätte jemand einen Eimer kaltes Wasser über Harry ausgeschüttet. Er kam abrupt wieder zu Sinnen.

»Gütiger Gott. Was, zum Teufel, tue ich?« Harry setzte sich abrupt auf und riß den Saum von Augustas Kleid auf ihre Knöchel. »Sieh dir bloß an, wie spät es geworden ist. Lady Arbuthnott und dein Freund Scruggs erwarten dich bestimmt schon lange. Ich weiß beim besten Willen nicht, was sich die beiden inzwischen denken.«

Augusta lächelte unsicher, als er sie auf die Füße zog und ihr Kleid zurechtrückte und glattstrich. »Es besteht kein Grund zur Sorge, Mylord. Lady Arbuthnott ist eine sehr aufgeschlossene und moderne Frau, genau wie ich. Und Scruggs ist ihr Butler. Er wird kein Wort sagen.«

»Und was er nicht alles sagen wird«, murmelte Harry, während er sich damit abmühte, die Satinrosen auf ihrem Mieder glattzustreichen und ihr den Umhang über die Schultern zu ziehen. »Der Teufel soll dieses Kleid holen. Du fällst ja geradezu von selbst heraus. Gestatte mir, dir mitzuteilen, daß wir als erstes nach unserer Hochzeit eine neue Garderobe für dich anschaffen werden.«

»Harry...«

»Eil dich, Augusta.« Er nahm sie an der Hand und zerrte sie zum Fenster. »Wir müssen dafür sorgen, daß du ohne jede weitere Verzögerung zu Lady Arbuthnott zurückkehrst. Das letzte, was ich mir wünsche, ist, daß du ins Gerede kommst.«

»Ja, selbstverständlich, Mylord.« Ihr Tonfall war jetzt ein klein wenig frostig.

Harry ignorierte ihre Gereiztheit. Er kletterte durch das Fenster und streckte die Arme aus, um Augusta auf das Gras herunterzuheben. Sie fühlte sich üppig und warm in seinen Händen an, und er stöhnte. Er war immer noch qualvoll erregt. Er spielte kurz mit dem Gedanken, sie nach oben in sein Schlafzimmer zu tragen, statt sie zu Sally zurückzubringen. Aber das war heute nacht wirklich ausgeschlossen.

Bald, gelobte er sich, als er sie an der Hand nahm und sie durch die Gärten zum Tor führte. Diese Heirat würde schon sehr bald stattfinden müssen. Diese Form von Folter würde er nicht lange überstehen.

Gütiger Himmel, was hatte diese Frau bloß angerichtet?

»Harry, wenn dir jedes Gerede solche Sorgen macht und wenn du nicht glaubst, daß du mich liebst, warum, auf Erden, willst du mich dann heiraten?« Augusta hüllte sich eng in den Umhang und machte große Sätze, um mit ihm Schritt zu halten.

Die Frage überraschte ihn. Außerdem verdroß sie ihn, obwohl er wußte, daß er damit hätte rechnen müssen. Augusta war nicht der Typ Frau, der ein Thema so leicht wieder fallenließ.

»Es gibt unzählige stichhaltige und logische Gründe dafür«, teilte er ihr barsch mit, als er vor dem Tor stehenblieb, um sich zu vergewissern, daß die Gasse menschenleer war. »Und es ist keiner darunter, den ich heute nacht näher ausführen könnte, weil mir die Zeit dafür fehlt.« Kalter Mondschein ließ das Kopfsteinpflaster deutlich erkennen. Am anderen Ende des schmalen Pfads schimmerte warmes Licht in den Fenstern von Sallys Haus. Niemand war zu sehen. »Zieh dir die Kapuze über den Kopf, Augusta.«

»Ja, Mylord. Wir wollen doch nicht etwa riskieren, daß mich jemand mit Ihnen hier draußen herumlaufen sieht, stimmt's?«

Er hörte den spröden, beleidigten Tonfall aus ihrer Stimme heraus und zuckte zusammen. »Verzeih mir, daß ich nicht so romantisch bin, wie du es vielleicht wünschenswert fändest, Augusta, aber ich bin gewissermaßen in Eile.«

»Das sehe ich selbst.«

»Vielleicht ist Ihnen Ihr Ruf gleich, Miss Ballinger, aber mir ist er nicht gleich.« Er konzentrierte sich ganz darauf, sie durch die schmale Gasse unbeobachtet zum Hintereingang von Lady Arbuthnotts Garten zu bringen. Das Tor war nicht abgeschlossen. Harry zog Augusta durch das Tor. Er sah einen Schatten, der sich von der Hauswand löste und mit den Bewegungen eines Krebses auf sie zukam. Scruggs war immer noch vollständig kostümiert, stellte er lakonisch fest.

Harry schaute auf seine frischgebackene Verlobte hinunter. Er versuchte, ihren Gesichtsausdruck zu erkennen, stellte jedoch fest, daß das unmöglich war, weil die Kapuze ihr Gesicht verbarg. Er war sich voll und ganz über die Tatsache bewußt, daß er sich wahrscheinlich nicht gerade so benahm, wie sich jedes junge Mädchen einen romantischen Ehemann erträumte.

»Augusta?«

»Ja, Mylord?«

»Wir sind uns doch einig, nicht wahr? Du wirst morgen nicht die Verlobung lösen, ist das klar? Falls du das nämlich tun solltest, dann muß ich dich warnen...«

»Meine Güte, nein, Mylord.« Sie reckte das Kinn in die Luft. »Wenn

Sie sich mit der Vorstellung aussöhnen können, eine frivole Frau zu heiraten, deren Kleider viel zu tief ausgeschnitten sind, dann nehme ich an, daß ich mich mit einem muffigen, verknöcherten, nüchternen und unromantischen Gelehrten abfinden kann. Ich habe den Verdacht, in meinem Alter sollte ich dankbar für alles sein, was ich kriegen kann. Aber ich knüpfe eine Bedingung daran, Mylord.«

»Und wie, zum Teufel, lautet die?«

»Ich muß auf einer langen Verlobungszeit bestehen.«

»Wie lange?« fragte er und wurde plötzlich mißtrauisch.

»Ein Jahr?« Sie beäugte ihn mit einem abschätzenden Schimmer in den Augen.

»Gütiger Gott. Ich habe nicht die Absicht, ein Jahr lang auf diese Heirat zu warten, Miss Ballinger. Es sollte nicht mehr als drei Monate dauern, die Vorbereitungen für die Hochzeit zu treffen.«

»Sechs.«

»Verdammt und zum Teufel. Vier Monate, und das ist mein letztes Angebot.«

Augusta reckte das Kinn in die Luft. »Wie äußerst großzügig von Ihnen, Mylord«, bemerkte sie bissig.

»Ja, allerdings. Bei weitem zu großzügig. Und jetzt gehen Sie ins Haus, Miss Ballinger, ehe ich meine Großzügigkeit bedaure und etwas Drastisches unternehme, was uns beiden zweifellos extrem leid tun würde.«

Harry wandte sich ab, lief durch den Garten und trat wieder auf den Weg. Bei jedem Schritt, den er machte, siedete er bei dem Gedanken daran, daß er gerade eben wie ein Fischverkäufer um die Dauer seiner eigenen Verlobungszeit gefeilscht hatte. Er fragte sich, ob Antonius wohl so zumute gewesen war, als er es mit Kleopatra zu tun gehabt hatte.

Harry war geneigt, heute nacht mehr Mitgefühl als jemals zuvor mit Mark Anton zu haben. Bisher hatte er den Römer immer als ein Opfer seiner eigenen ungezügelten Lust angesehen. Aber Harry begann jetzt zu verstehen, wie eine Frau die Selbstbeherrschung eines Mannes untergraben konnte.

Das war eine beunruhigende Erkenntnis, und Harry wußte, daß er auf der Hut sein mußte. Augusta hatte eindeutig eine Begabung, ihn an seine Grenzen zu treiben.

Stunden später, als sie wohlbehalten in ihrem Bett lag, war Augusta immer noch hellwach und starrte die Decke an. Sie konnte nach wie vor die gebieterische Wärme von Harrys Mund auf ihren Lippen spüren. Ihr Körper erinnerte sich ganz genau, an welchen Stellen er sie berührt hatte. Sie wurde von einem seltsamen neuen Verlangen gepeinigt, dem sie keinen Namen geben konnte. In ihren Adern schien eine Glut zu fließen, die in ihrem Unterkörper zusammenströmte.

Mit einem Schauer erkannte sie, daß sie wünschte, Harry wäre jetzt bei ihr, um das zu beenden, was er auf dem Fußboden seiner Bibliothek begonnen hatte, was auch immer das gewesen sein mochte.

Das war mit Leidenschaft gemeint, dachte sie. Das war der Stoff, aus dem epische Gedichte und romantische Romane gesponnen wurden.

Trotz all ihrer lebhaften Phantasie hatte sie sich nicht wirklich vorstellen können, wie faszinierend es sein würde, aber auch nicht, wie gefährlich so etwas war. Eine Frau konnte sich an diese Form von schillernder und unwiderstehlicher Spannung verlieren.

Und Harry war auf eine Heirat versessen.

Augusta spürte, wie eine Woge von Panik in ihr aufstieg. Eine Ehe? Mit Harry? Das war ganz ausgeschlossen. Es konnte niemals gutgehen. Es würde sich als ein furchtbarer Fehler entpuppen. Sie mußte eine Möglichkeit finden, um ihrer beider willen diese Verlobung zu lösen. Augusta beobachtete die Schatten auf der Decke und sagte sich warnend, daß sie sehr behutsam und sehr klug vorgehen mußte.

4. Kapitel

Harry lehnte mit einer Schulter an der Wand des Ballsaals und trank gedankenversunken ein Glas Champagner, während er zusah, wie seine Verlobte sich schon wieder von einem anderen Mann in die Arme ziehen ließ.

Augusta, die in einem hauchdünnen Seidenkleid in einem dunklen Korallenrot blendend aussah, lächelte vor Freude, als ihr großer, gutaussehender rothaariger Partner sie zu einem schmissigen Walzer herumwirbelte. Es ließ sich nicht bestreiten, daß das Paar auf der überfüllten Tanzfläche einen attraktiven Anblick bot.

»Was weißt du über Lovejoy?« fragte Harry Peter, der mit einem gelangweilten Ausdruck auf dem gutgeschnittenen Gesicht lässig neben ihm stand.

»Diese Frage solltest du besser einer der Damen stellen.« Peters Blick glitt unruhig über den überfüllten Ballsaal. »Soweit ich gehört habe, genießt er bei dem zarteren Geschlecht ein ziemlich hohes Ansehen.«

»Offenkundig. Er hat heute abend mit jeder begehrenswerten Frau im ganzen Saal getanzt. Bisher hat ihm noch nicht eine einzige von ihnen einen Korb gegeben.«

Peters Mund verzog sich. »Ich weiß. Noch nicht einmal der Engel.« Sein Blick verweilte kurz auf Augustas spröder Cousine mit dem goldblonden Haar, die gerade mit einem älteren Baron tanzte.

»Mir ist egal, ob er mit Claudia Ballinger tanzt, aber es könnte sein, daß ich eingreifen muß, um zu verhindern, daß er noch einen Walzer mit Augusta tanzt.«

Peter zog spöttisch die Augenbrauen hoch. »Du glaubst, daß du das fertigbringst? Augusta Ballinger hat ihren eigenen Willen, wie du inzwischen wissen solltest.«

»Sei dem, wie es will, aber sie ist mit mir verlobt. Es ist an der Zeit, daß sie lernt, sich ein wenig gehöriger zu benehmen.«

Peter grinste. »Nachdem du dir jetzt eine Braut ausgesucht hast, willst du also aus ihr eine Frau von der Sorte machen, von der du glaubst, daß du sie willst, ist es das? Das sollte äußerst interessant werden. Denk immer daran, daß Miss Augusta Ballinger von dem wilden Familienzweig der Ballingers abstammt. Nach allem, was ich gehört habe, konnte diese wilde Sippe mit Anstand nie viel anfangen. Augustas Eltern haben die Gesellschaft mit einer skandalösen Heirat schockiert – sie sind, nach allem, was Sally mir erzählt hat, ausgerissen, um zu heiraten.«

»Das ist eine alte Geschichte, die heute niemanden mehr zu interessieren braucht.«

»Tja, wie steht es dann mit aktuelleren Nachrichten?« sagte Peter, der jetzt begann, ein gewisses Interesse an dem Gespräch zu zeigen. »Da hätten wir die eher mysteriösen Umstände, unter denen Miss Ballingers Bruder vor zwei Jahren getötet worden ist.«

»Er ist auf dem Heimweg von London von einem Straßenräuber erschossen worden.«

»So lautet die offizielle Version. Es ist einiges vertuscht worden, aber nach Sallys Informationen sind damals gewisse Spekulationen angestellt worden, daß der junge Mann in äußerst fragwürdige Betätigungen verwickelt gewesen sein soll.«

Harry schaute ihn finster an. »Es führt zwangsläufig zu Spekulationen und Gerüchten, wenn ein junger Lebemann eines gewaltsamen Todes stirbt. Es ist allgemein bekannt, daß Richard Ballinger ein hitzköpfiger Kerl war, der immer aufs Ganze gegangen ist, wie vor ihm schon sein Vater.«

»Tja, also, wo wir gerade von seinem Vater reden«, murmelte Peter mit großem Behagen, »hast du schon darüber nachgedacht, in welchem Ruf dieser Mann gestanden hat, weil er aufgrund des Hangs seiner Frau,

Aufmerksamkeiten der falschen Sorte auf sich zu lenken, viele Duelle ausgefochten hat? Und du fürchtest nicht, in der folgenden Generation könnte sich ein derartiges Problem fortsetzen? Manche Leute behaupten, Augusta sei ihrer Mutter sehr ähnlich.«

Harry biß die Zähne zusammen, denn ihm war klar, daß Peter ihn vorsätzlich ködern wollte. »Ballinger war ein leichtsinniger Idiot. Nach allem, was mir Sir Thomas erzählt hat, hat der Mann keinerlei Kontrolle über seine Frau gehabt. Er hat es ihr erlaubt, ins Kraut zu schießen. Ich habe nicht die Absicht, Augusta zu gestatten, sich in Schwierigkeiten zu bringen, die mich zwingen könnten, mich im Morgengrauen zu verabreden. Nur Dummköpfe geraten in die Situation, Duelle um Frauen auszutragen.«

»Ein Jammer. Ich glaube, du würdest dich ziemlich gut halten. In Duellen, meine ich. Es hat Zeiten gegeben, in denen ich tatsächlich geglaubt habe, daß du statt Blut Eis in den Adern hast, Harry. Und es ist allgemein bekannt, daß kaltblütige Männer sich bei Duellen besser halten als heißblütige.«

»Das ist eine Theorie, die ich nicht persönlich auf die Probe zu stellen gedenke.« Harry runzelte die Stirn, als er beobachtete, wie Lovejoy Augusta auf seine ganz spezielle hemmungslose Art über die Tanzfläche wirbelte. »Wenn du mich jetzt entschuldigst, dann glaube ich, ich werde einen Tanz von meiner Verlobten fordern.«

»Tu das. Du kannst sie mit erbaulichen Predigten über Sitte und Anstand unterhalten.« Peter stieß sich von der Wand ab. »Ich glaube, in der Zwischenzeit werde ich dem Engel den Abend verderben, indem ich um einen Tanz bitte. Fünf zu eins, daß sie mir den Tanz rundheraus ausschlägt.«

»Versuch, mit ihr über das Buch zu reden, an dem sie schreibt«, schlug Harry geistesabwesend vor, während er sein Glas auf einem Tablett abstellte, das gerade vorbeigetragen wurde.

»Was ist das für ein Buch?«

»Ich glaube, Sir Thomas hat gesagt, der Titel lautet *Ein Leitfaden des nützlichen Wissens für junge Damen.*«

»Gütiger Himmel.« Peter schien reichlich entsetzt zu sein. »Schreiben denn alle Frauen in London Bücher?«

»Es scheint so. Laß den Kopf nicht hängen«, riet ihm Harry. »Du könntest so manches Nützliche lernen.«

Er bahnte sich einen Weg durch die farbenfrohe Menschenmenge. Sein Vorankommen wurde mehrfach durch Bekannte behindert, die darauf beharrten, ihn lange genug aufzuhalten, um ihm zu seiner Verlobung zu beglückwünschen.

In den letzten zwei Tagen, eigentlich sogar schon seit dem Erscheinen der Bekanntmachung in den Zeitungen, war Harry durchaus bewußt geworden, daß die Gesellschaft von dieser unerwarteten Verbindung ziemlich fasziniert war.

Lady Willoughby, eine stämmige Matrone, klatschte mit ihrem Fächer von hinten auf den Ärmel von Harrys Abendanzug, als er vorbeikam. »Dann ist also Miss Augusta Ballinger diejenige, die es geschafft hat, an die Spitze Ihrer Liste aufzurücken, was, Mylord? Ich hätte niemals geglaubt, daß Sie sich mit ihr zusammentun könnten. Aber andererseits sind Sie ja schon immer ein Tiefgründiger gewesen, stimmt's, Graystone?«

»Ich nehme an, Sie wollen mir damit zu meiner Verlobung gratulieren«, sagte Harry kühl.

»Ja, selbstverständlich, Sir. Die gesamte gute Gesellschaft gratuliert Ihnen mit Freuden. Wir erwarten uns von dieser Verbindung reichlich Unterhaltung für die ganze Saison, verstehen Sie.«

Harry kniff die Augen zusammen. »Nein, Madam, ich verstehe nicht.«

»Jetzt hören Sie aber auf, Mylord. Sie müssen doch zugeben, daß es zwangsläufig herrlich amüsant werden wird. Sie und Augusta Ballinger sind ein so ungleiches Paar, oder etwa nicht? Es wird enorm interessant sein mitanzusehen, ob es Ihnen gelingt, sie vor den Altar zu schleifen, ohne daß Sie sich vorher gezwungen sehen, irgendwelche Duelle auszutragen oder ihren Onkel zu bitten, daß er sie aufs Land schickt. Sie ist eine Northumberland-Ballinger, verstehen Sie. Der macht einem viel Ärger, dieser Familienzweig.«

»Meine Verlobte ist eine Dame«, sagte Harry mit ruhiger Stimme. Er sah der Frau einen fröstelnden Moment lang fest in die Augen und gestattete sich nicht, sich auch nur irgendein Gefühl ansehen zu lassen. »Ich kann doch wohl erwarten, daß die Leute diese Tatsache nicht außer acht lassen, wenn sie über sie reden. Sie werden sich das doch merken, nicht wahr, Madam?«

Lady Willoughby blinzelte verunsichert und lief dunkelrot an. »Ja, selbstverständlich, Mylord. Es war nicht als Beleidigung gedacht. Ich wollte Sie nur necken. Unsere Augusta ist eine lebhafte junge Frau, aber wir mögen sie alle gern und wünschen ihr nur das Beste.«

»Danke. Ich werde ihr diese Information übermitteln.« Harry neigte mit eisiger Höflichkeit den Kopf und wandte sich ab. Innerlich stöhnte er. Es bestand kein Zweifel daran, daß Augustas enthusiastische Haltung gegenüber dem Leben ihr einen unseligen Ruf für ihren Leichtsinn eingetragen hatte. Er würde ihre Zügel straffen müssen, ehe sie sich in Schwierigkeiten brachte.

Endlich erwischte er sie am anderen Ende des Ballsaals, wo sie mit Lovejoy stand und lachend plauderte. Als spürte sie seine Nähe, ließ sie einen Satz in der Mitte abreißen und drehte sich um, um Harry ins Gesicht zu sehen. Ein forschender Schimmer trat in ihre Augen, und dann entfaltete sie mit laszıver Anmut ihren Fächer.

»Ich habe mich schon gefragt, wann Sie heute abend wohl erscheinen werden, Mylord«, sagte Augusta. »Haben Sie schon Lord Lovejoys Bekanntschaft gemacht?«

»Wir sind einander schon begegnet.« Harry nickte dem anderen Mann unwirsch zu. Die verschlagene Belustigung in Lovejoys Gesicht gefiel ihm nicht. Und ihm paßte auch nicht, wie dicht der Mann neben Augusta stand.

»Ja, selbstverständlich. In manchen Clubs sind wir beide Mitglieder, nicht wahr, Graystone?« Lovejoy wandte sich an Augusta und nahm mit einer galanten Geste ihre behandschuhte Hand. »Ich nehme an, ich muß Sie jetzt Ihrem zukünftigen Herrn und Meister überlassen, meine Liebe«, sagte er, als er ihre Finger an seine Lippen führte. »Mir wird jetzt klar, daß, was mich angeht, alles verloren ist. Ich kann nur hoffen, daß Sie in Ihrem Herzen ein gewisses Mitgefühl für mich verspüren, weil Sie mir mit Ihrer Verlobung mit unserem guten Graystone hier einen so verheerenden Schlag versetzt haben.«

»Ich bin sicher, daß Sie sich schnell davon erholen werden, Sir.« Augusta zog ihre Finger zurück und entließ Lovejoy mit einem Lächeln. Sie wandte sich an Harry, als der Baron in der Menge verschwand.

In ihren Augen stand ein herausforderndes Funkeln, und sie wirkte ein wenig erhitzt. Harry fiel auf, daß Augusta diese seltsam gerötete Gesichtsfarbe bei den kurzen Gelegenheiten gehabt hatte, bei denen er ihr seit der Bekanntmachung der Verlobung begegnet war.

Er glaubte, den Grund für ihr Erröten zu kennen. Jedesmal, wenn Augusta ihn ansah, erinnerte sie sich offensichtlich wieder an das mitternächtliche Rendezvous mit ihm, bei dem sie schließlich in seinen Armen auf dem Fußboden der Bibliothek gelegen hatte. Es war eindeutig, daß Miss Ballinger diese Erinnerung, obwohl sie von dem Familienzweig aus Northumberland abstammte, entsetzlich peinlich war. Das war ein gutes Zeichen, entschied Harry. Es wies darauf hin, daß die Dame doch ein Gefühl für Sitte und Anstand besaß.

»Ist es dir zu warm, Augusta?« fragte Harry mit höflicher Sorge.

Sie schüttelte eilig den Kopf. »Nein, nein, es ist alles in Ordnung mit mir, Mylord. Sind Sie vielleicht hergekommen, um mich um einen Tanz zu bitten, Sir? Oder wollten Sie mir eine Predigt über eine Spitzfindigkeit in den Anstandsregeln halten?«

»Letzteres.« Harry nahm sie an der Hand und führte sie durch die offene Flügeltür in den Garten.

»Das hatte ich schon befürchtet.« Augusta spielte mit ihrem Fächer, als sie über die Terrasse liefen. Dann klappte sie ihn zusammen. »Ich habe mir eine ganze Menge Gedanken gemacht, Mylord.«

»Ich mir ebenfalls.« Harry hielt sie vor einer steinernen Bank zurück. »Setz dich, meine Liebe. Ich finde, wir sollten miteinander reden.«

»Ach du meine Güte. Wußte ich doch, daß es so kommen wird. *Es war mir einfach klar.*« Sie schaute finster zu ihm auf, während sie sich anmutig auf die Bank sinken ließ. »Mylord, das kann niemals etwas werden. Es wäre das beste, wenn wir uns gleich darüber klar werden und die ganze Geschichte vergessen.«

»Woraus wird niemals etwas werden?« Harry stellte einen Fuß, der in einem Stiefel steckte, auf die Bank und stützte einen Ellbogen auf sein Knie. Er musterte Augustas ernstes Gesicht, als sie diese Auseinandersetzung begann. »Sprichst du rein zufällig von unserer Verlobung?«

»Ja, allerdings. Ich habe mir diese Angelegenheit immer wieder durch den Kopf gehen lassen, und ich kann mir nicht helfen, aber ich glaube, daß Sie wirklich einen schweren Fehler begehen. Ich möchte Ihnen deutlich sagen, daß Ihr Antrag mich ganz außerordentlich ehrt, aber ich habe wirklich das Gefühl, es wäre für uns beide das beste, wenn ich die Verlobung auflöse.«

»Es wäre mir lieber, wenn du das nicht tätest, Augusta«, sagte Harry.

»Aber, Mylord, nachdem Sie jetzt Zeit hatten, sich Gedanken über diese Angelegenheit zu machen, sehen Sie doch gewiß selbst ein, daß aus einer Verbindung zwischen uns beiden nichts werden kann.«

»Ich glaube, daß sich dagegen etwas tun läßt.«

Augusta kniff die Lippen zusammen. Sie sprang auf. »Was Sie meinen, Sir, ist, daß Sie glauben, Sie könnten mich zwingen, daß ich mich Ihren Vorstellungen von angemessenem weiblichen Verhalten anpasse.«

»Leg mir keine Worte in den Mund, Augusta.« Harry nahm ihren Arm und zwang sie mit sanfter Gewalt, sich wieder auf die Bank zu setzen. »Was ich meinte, ist, daß ich glaube, wenn wir hier und da ein paar kleine Angleichungen vornehmen, werden wir sehr gut miteinander auskommen.«

»Und was stellen Sie sich vor – wer von uns beiden wird diese *Angleichungen* vornehmen, Mylord?«

Harry seufzte und richtete den Blick nachdenklich auf die dichte Hecke hinter Augusta. »Wir werden uns zweifellos beide den kleinen Veränderungen unterwerfen, die eine Ehe erfordert.«

»Ich verstehe. Lassen Sie uns versuchen, in dem Punkt deutlicher zu werden. Welche speziellen Angleichungen schweben Ihnen vor, die ich vornehmen müßte, Sir?«

»Zuerst einmal finde ich, es wäre das beste, wenn du mit Lovejoy keinen Walzer mehr tanzt. Der Mann hat etwas an sich, was mir nicht so recht gefällt. Und mir ist heute abend aufgefallen, daß er begonnen hat, dir viel Aufmerksamkeit zu widmen.«

»*Wie können Sie es wagen, Sir!*« Augusta sprang wieder vor Entrüstung auf. »Ich werde Walzer tanzen, mit wem ich will, und Sie sollten am besten gleich wissen, daß ich es meinem Ehemann oder irgendeinem anderen Mann niemals erlauben würde, mir die Wahl meiner Tanzpartner vorzuschreiben. Es tut mir leid, wenn diese Form von Verhalten für Ihren Geschmack zu unkultiviert ist, Sir, aber ich gelobe Ihnen, das ist nur ein kleiner Vorgeschmack auf die Form von Unschicklichkeit, zu der ich in der Lage bin.«

»Ich verstehe. Natürlich bereitet es mir größte Sorge, das zu hören.«

»Sie machen sich über mich lustig, Graystone?« Augustas Augen loderten vor Wut.

»Nein, meine Liebe, keineswegs. Sei so gut und setz dich wieder.«

»Genau das will ich nicht. Ich habe nicht die geringste Absicht, mich wieder hinzusetzen. Ich gehe jetzt sofort wieder in den Ballsaal zurück, suche meine Cousine und gehe nach Hause. Und wenn ich dort angekommen bin, habe ich die Absicht, meinem Onkel mitzuteilen, daß ich die Verlobung augenblicklich auflösen werde.«

»Das kannst du nicht tun, Augusta.«

»Und warum nicht, können Sie mir das vielleicht verraten?«

Harry nahm wieder ihren Arm und drängte sie sanft, aber entschieden, sich wieder auf die steinerne Bank zu setzen. »Weil ich dich trotz deiner hitzköpfigen Art für eine ehrbare junge Frau halte. Eine Frau, die einem Mann unter gar keinen Umständen eine gewisse Gunst erlauben und ihm dann den Laufpaß geben würde.«

»Eine gewisse Gunst?« Augustas Augen weiteten sich vor Entsetzen. »Wovon reden Sie?«

Es war, beschloß Harry, jetzt an der Zeit für ein paar sachte Drohungen, vielleicht sogar mit einem Hauch von Erpressung versehen. Augusta brauchte einen Stoß in die angebrachte Richtung. Sie widersetzte sich ganz offensichtlich der Vorstellung, ihn zu heiraten. »Ich glaube, du kennst die Antwort auf diese Frage sehr wohl. Oder hast du, weil es dir gut in den Kram paßt, vergessen, was sich vor zwei Nächten auf dem Fußboden meiner Bibliothek abgespielt hat?«

»*Auf dem Fußboden Ihrer Bibliothek*? Gütiger Himmel.« Augusta saß regungslos auf der Bank und starrte ihn an. »Mylord, Sie können unmöglich glauben, bloß, weil ich es Ihnen gestattet habe, mich zu küssen, mich meine Ehre jetzt zwingt, mit Ihnen verlobt zu bleiben.«

»Wir haben beträchtlich mehr als nur einen Kuß miteinander geteilt, Augusta, und ich glaube, das ist dir durchaus bewußt.«

»Ja, nun, ich gebe zu, daß die Dinge ein klein wenig zu weit gegangen sind.« Allmählich begann sie zu verzweifeln.

»Ein klein wenig? Am Schluß warst du nur noch äußerst unvollständig bekleidet«, erinnerte Harry sie mit berechnender Erbarmungslosigkeit. »Und wenn die Uhr nicht eins geschlagen hätte, dann wären wir wahrscheinlich noch viel weiter gegangen. Ich weiß, daß du stolz auf dein modernes Verhalten bist, Augusta, aber du bist doch bestimmt nicht grausam.«

»Grausam? Daran war nichts Grausames«, fauchte sie. »Zumindest nicht von meiner Seite. Sie haben mich ausgenutzt, Sir.«

Harry zuckte die Achseln. »Ich dachte, wir seien verlobt. Dein Onkel hatte meinen Antrag angenommen, und du hast mir mitten in der Nacht einen Besuch abgestattet. Was hätte ich denn glauben sollen? Manche Leute würden sagen, daß du mich zu diesen Aufmerksamkeiten aufgefordert hast und mehr als großzügig mit der Gunst umgesprungen bist, die du mir erwiesen hast.«

»Ich kann es einfach nicht glauben. Die ganze Reihenfolge der Ereignisse gerät hier durcheinander. Ein für alle Mal, ich habe Ihnen meine Gunst nicht erwiesen, Graystone.«

»Du unterschätzt dich, meine Liebe.« Er lächelte humorig. »Ich habe es als eine wahrhaft große Gunst angesehen. Ich werde nie vergessen, wie sich deine hübsche Brust unter meiner Hand angefühlt hat. Zart und fest und voll. Und sie war mit einer vollkommenen Rosenknospe gekrönt, die unter meinen Fingern aufgeblüht ist.«

Augusta stieß einen schrillen Entsetzensschrei aus. »*Mylord.*«

»Glaubst du wirklich, ich könnte den wohlgeformten Schwung deiner Schenkel vergessen?« fuhr Harry fort, dem durchaus bewußt war, was seine intime Aufzählung bei Augusta anrichtete. Er redete sich ein, es sei höchste Zeit, der Dame eine harte Lektion zu erteilen. »Rund und wohlgeformt wie die einer griechischen Statue. Ich werde es ewig hoch zu schätzen wissen, daß du mir das gewaltige Privileg gestattet hast, deine wunderschönen Schenkel zu berühren, meine Süße.«

»Aber ich habe Ihnen nicht erlaubt, sie zu berühren«, protestierte Augusta. »Sie haben es einfach getan, ohne mich zu fragen.«

»Und du hast nicht einen Finger gerührt, um mich davon abzuhalten. Du hast mich sogar wirklich äußerst liebevoll geküßt, man könnte sogar schon von bereitwilliger Leidenschaft sprechen, oder etwa nicht?«

»Nein, das habe ich nicht getan, Sir.« Sie machte jetzt den Anschein, gleich in Panik auszubrechen.

Harry zog die Augenbrauen hoch. »Du hast nichts empfunden, als du mich geküßt hast? Das verletzt mich tief. Und es enttäuscht mich bitter, glauben zu müssen, daß du mir so viel gegeben und dabei nichts empfunden hast, weil ich dir nichts geben konnte. Für mich war das ein leidenschaftliches Rendezvous. Ich werde es niemals vergessen.«

»Ich habe nicht gesagt, daß ich nichts empfunden habe. Ich meinte nur, daß das, was ich empfunden habe, nicht gerade liebevoll und leidenschaftlich gewesen ist. Ich bin überrumpelt worden, das ist alles. Mylord, Sie interpretieren diese Situation nicht richtig. Sie hätten diesen Vorfällen keine derart große Bedeutung beimessen dürfen.«

»Soll das heißen, du hast so häufig mitternächtliche Rendezvous, daß du solche intimen Begegnungen nicht mehr ernst nimmst?«

»Ich habe nichts dergleichen gemeint.« Augusta, die jetzt ganz und gar außer sich war, sah ihn finster und unwillig an. »Sie versuchen bewußt, mir das Gefühl zu geben, ich müßte weiterhin mit Ihnen verlobt bleiben, und das nur, weil wir uns auf dem Fußboden Ihrer Bibliothek ein wenig haben mitreißen lassen.«

»Ich habe das Gefühl, daß in jener Nacht gewisse Versprechen gegeben worden sind«, sagte Harry.

»Ich habe nichts versprochen.«

»Ich kann dir nicht zustimmen. Ich hatte das Gefühl, du seist ganz entschieden bindende Versprechungen eingegangen, als du mir die intimen Privilegien eines Verlobten gestattet hast. Was hätte ich denn sonst glauben sollen? Du gabst mir jeden erdenklichen Hinweis darauf, daß du mich als Geliebten und als Gatten willkommen heißt.«

»Ich habe keinerlei solche Hinweise gegeben«, gab sie matt zurück.

»Ich bitte um Verzeihung, Miss Ballinger. Ich kann mich einfach nicht dazu durchringen zu glauben, daß Sie sich in jener Nacht nur mit mir amüsiert haben. Und ebensowenig können Sie mich davon überzeugen, daß Sie so tief gesunken sind, auf dem Fußboden einer Bibliothek mit den Gefühlen eines Mannes zu spielen. Sie mögen zwar von Natur aus leichtsinnig sein, aber ich weigere mich zu glauben, daß Sie herzlos oder frei von jeder Rücksicht auf Ihre weibliche Ehre sind.«

»Selbstverständlich bin ich nicht frei von jeder Rücksicht auf meine Ehre«, erwiderte sie durch zusammengebissene Zähne. »Wir Ballingers aus Northumberland geben sehr viel auf unsere Ehre. Wir würden darum bis auf den Tod kämpfen.«

»Dann bleibt die Verlobung also bestehen. Wir haben uns jetzt beide gebunden. Wir sind zu weit gegangen. Es gibt kein Zurück mehr.«

Als ein lautes Geräusch zu vernehmen war, schaute Augusta auf ihren Fächer herunter. Sie hatte ihn so fest umklammert, daß die zarten Stäbe geborsten waren. »Verdammter Mist!«

Harry lächelte und streckte die Hand aus, um sie unter ihr Kinn zu legen. Sie hob sofort die langen Wimpern, und er konnte ihren tief besorgten und gehetzten Blick sehen. Er senkte den Kopf und streifte ihre geteilten Lippen mit einem flüchtigen Kuß. »Verlaß dich auf mich, Augusta. Wir werden sehr gut miteinander auskommen.«

»Dessen bin ich mir ganz und gar nicht sicher, Mylord. Ich habe mir eine Menge Gedanken darüber gemacht, und ich konnte nur zu dem Schluß kommen, daß wir einen gewaltigen Fehler begehen.«

»Es ist kein Fehler.« Harry hörte die ersten Klänge eines Walzers, die durch die offenen Flügeltüren drangen. »Wirst du mir die Ehre geben, diesen Tanz mit mir zu tanzen, meine Liebe?«

»Ja, ich denke schon«, sagte Augusta ungnädig, während sie aufsprang. »Ich habe nicht den Eindruck, daß mir viel anderes übrig bleibt. Wenn ich mich weigere, werden Sie mir zweifellos erzählen, daß es der Anstand verlangt, den Walzer mit Ihnen zu tanzen, und das nur, weil wir miteinander verlobt sind.«

»Du kennst mich doch«, murmelte Harry, als er ihren Arm nahm. »Mit den Anstandsformen nehme ich es pedantisch genau.«

Ihm war bewußt, daß Augusta immer noch die Zähne zusammenbiß, als er sie wieder in den hell erleuchteten Ballsaal führte.

Wesentlich später am selben Abend stieg Harry in der St. James Street aus seiner Kutsche und ging die Stufen zu einem gewissen eleganten Etablissement hinauf. Die Tür wurde augenblicklich geöffnet, und er trat schnell in die einmalig behagliche, durch und durch männliche Atmosphäre, die nur ein Club für Herren bieten konnte, der ordentlich geführt wurde.

Es gab wirklich nichts Vergleichbares, dachte sich Harry, als er in der Nähe des Feuers Platz nahm und sich ein Glas Cognac einschenkte. Kein Wunder, daß Augusta auf die Idee gekommen war, Sally und ihre Freundinnen mit einer Nachahmung eines Clubs in der St. James Street zu amüsieren. Ein Herrenclub war eine Bastion gegen die Welt, eine Zuflucht, ein zweites Zuhause, wo man entweder allein sein oder Gesellschaft finden konnte, je nach Lust und Laune des einzelnen.

In einem Club konnte sich ein Mann mit Freunden entspannen, an den Tischen ein Vermögen gewinnen oder verlieren oder seine privatesten Angelegenheiten regeln, überlegte sich Harry. Letzteres hatte er persönlich in den vergangenen Tagen wahrhaft zur Genüge betrieben.

Er war zwar gezwungen gewesen, während des Krieges einen großen Teil seiner Zeit auf dem Kontinent zu verbringen, doch jedesmal, wenn er in London gewesen war, war es sein oberstes Anliegen gewesen, in seine Clubs zu schauen. Und wenn es ihm nicht möglich gewesen war, persönlich auf dem laufenden zu bleiben, dann hatte er dafür gesorgt, daß in den wichtigeren Etablissements ein oder zwei seiner Agenten eine Mitgliedschaft besaßen. Welche geheimen Informationen man in dieser Umgebung an sich bringen konnte, versetzte Harry bis heute in Erstaunen.

Einmal hatte er in eben diesem Club den Namen eines Mannes erfahren, der für den Tod einer seiner wertvollsten Offiziere im Nachrichtendienst verantwortlich gewesen war. Der Mörder war kurz darauf einem bedauerlichen Unfall zum Opfer gefallen.

In einem anderen ebenso eleganten Etablissement in der St. James Street war es Harry gelungen, das ganz private Tagebuch einer gewissen Kurtisane zu erwerben. Er hatte gehört, die Dame hätte ihren Spaß daran, die vielen französischen Spione zu empfangen, die während des gesamten Krieges als Emigranten verkleidet über ganz London verteilt gewesen waren.

Während er dabei gewesen war, den kindisch einfachen Code zu knacken, in dem die Dame ihre Memoiren geschrieben hatte, war Harry erstmals auf den Namen *die Spinne* gestoßen. Die Frau war umgebracht worden, ehe Harry Gelegenheit gehabt hatte, mit ihr zu reden. Ihre Zofe hatte ihm unter Tränen erklärt, einer der Liebhaber der Kurtisane hätte ihre Herrin in einem Anfall von Eifersucht erstochen. Nein, das fassungslose Mädchen hatte absolut keine Ahnung, welcher der vielen Liebhaber ihrer Arbeitgeberin die Tat begangen haben könnte.

Der Deckname *die Spinne* hatte Harry während der Dauer seiner Arbeit für die Krone wie ein Spuk verfolgt. Männer waren in finsteren Gassen mit diesem Namen auf den Lippen gestorben. Briefe von französischen Agenten, in denen es um die geheimnisvolle Spinne ging, waren bei Geheimkurieren gefunden worden, die sie am Leib trugen. Berichte über Truppenbewegungen und Landkarten, von denen man glaubte, sie seien der Spinne zugedacht, waren abgefangen worden.

Doch schließlich war die Identität des Mannes, in dem Harry von Anfang an seinen persönlichen Gegenspieler auf dem großen Schachbrett des Kriegs gesehen hatte, ein Geheimnis geblieben. Leider fiel es ihm ausgesprochen schwer, mit ungelösten Rätseln zu leben, sagte sich Harry. Er hätte viel dafür gegeben, die Wahrheit über die Spinne zu erfahren.

Seine Instinkte hatten ihm von Anfang an versichert, daß der Mann Engländer und nicht etwa Franzose gewesen war. Es ärgerte Harry, daß sich der Verräter seiner Entlarvung entzogen hatte. Zu viele gute Agenten und zu viele aufrechte Soldaten waren durch die Spinne ums Leben gekommen.

»Versuchen Sie, in den Flammen Ihre Zukunft zu lesen, Graystone? Ich bezweifle, daß Sie dort die Antworten finden werden.«

Harry blickte auf, als Lovejoys gedehnte Stimme ihn aus seinen stillen Überlegungen herausriß. »Ich dachte mir schon, daß Sie früher oder später auftauchen, Lovejoy. Ich wollte mit Ihnen reden.«

»Ach, wirklich?« Lovejoy schenkte sich einen Cognac ein und lehnte sich dann lässig an den Kaminsims. Er ließ die goldene Flüssigkeit in seinem Glas kreisen, und seine grünen Augen funkelten gehässig. »Vorher müssen Sie mir erlauben, Ihnen zu Ihrer Verlobung zu gratulieren.«

»Danke.« Harry wartete.

»Miss Ballinger scheint überhaupt nicht Ihr Typ zu sein. Ich fürchte, sie hat die Neigung ihrer Familie zum Leichtsinn und zum Unfug geerbt. Eine seltsame Konstellation, wenn ich mir erlauben darf, das einmal so zu sagen.«

»Sie dürfen es sich nicht erlauben.« Harry lächelte kühl. »Außerdem habe ich etwas dagegen, daß Sie mit meiner Verlobten Walzer tanzen.«

Lovejoy musterte ihn boshaft und schadenfroh. »Miss Ballinger tanzt sehr gern Walzer. Sie hat mir gesagt, ich sei ihr ein angenehmer Partner, weil ich gut tanzen kann.«

Harry starrte wieder in das Kaminfeuer. »Es wäre für alle Beteiligten das beste, wenn Sie sich jemand anderen suchen, den Sie mit Ihrem tänzerischen Können beeindrucken.«

»Und wenn ich es nicht tue?« höhnte Lovejoy behutsam.

Harry stieß einen tiefen Seufzer aus und stand von seinem Stuhl auf. »Wenn Sie es nicht tun, dann zwingen Sie mich, andere Maßnahmen zu ergreifen, um meine Verlobte vor Ihren Aufmerksamkeiten zu bewahren.«

»Und Sie glauben wirklich, daß Ihnen das gelingt?«

»Ja«, sagte Harry. »Das glaube ich. Und ich werde es auch tun.« Er griff nach seinem Cognacglas und leerte es. Dann wandte er sich wortlos ab und ging zur Tür.

Soviel zu meinen voreiligen Bemerkungen, ich würde mich nicht wegen einer Frau duellieren, dachte Harry kläglich. Er wußte, daß er gerade eben sehr kurz davor gestanden hatte, Lovejoy zu einem Duell herauszufordern. Wenn Lovejoy nicht auf seine Andeutungen reagierte, dann konnte es ohne weiteres zu einem ärgerlichen melodramatischen Vorfall kommen – Pistolen im Morgengrauen.

Harry schüttelte den Kopf. Er war erst seit zwei Tagen verlobt, und bereits jetzt brachte Augusta sein ruhiges, geordnetes Dasein reichlich durcheinander. Da mußte man sich allerdings fragen, wie das Leben wohl nach der Heirat mit dieser Frau aussehen würde.

Augusta hatte sich auf dem blauen Lehnstuhl neben dem Fenster der Bibliothek zusammengerollt und schaute finster auf den Roman herab, der aufgeschlagen auf ihrem Schoß lag. Seit mindestens fünf Minuten versuchte sie, die Seite zu lesen, auf die ihr Blick fiel. Doch jedesmal, wenn sie den ersten Absatz zur Hälfte durchgelesen hatte, ließ ihre Konzentration nach, und sie mußte noch einmal von vorn beginnen.

In der letzten Zeit war es ihr nicht möglich, an irgendein anderes Thema als an Harry zu denken. Sie konnte nicht glauben, daß eine Reihe von Ereignissen, die sich überstürzt hatten, sie in die Situation gebracht hatten, in der sie sich jetzt befand.

Am allerwenigsten konnte sie ihre eigene Reaktion auf diese Ereignisse verstehen. Von dem Moment an, als sie plötzlich und unerwartet in Harrys Bibliothek auf dem Fußboden gelegen hatte und sich von einem ersten Vorgeschmack auf Leidenschaft hatte mitreißen lassen, lief sie benommen durch die Gegend und konnte nicht mehr klar denken.

Jedesmal, wenn sie die Augen schloß, durchlebte sie von neuem, wie aufregend Harrys Kuß gewesen war. Die Glut seines Mundes versengte sie selbst jetzt noch. Die Erinnerung an seine schockierend intimen Berührungen besaß immer noch die Macht, ihre Knie weich werden zu lassen.

Und Harry beharrte immer noch auf einer Eheschließung.

Als die Tür aufging, blickte sie erleichtert auf.

»Hier bist du, Augusta. Ich habe dich überall gesucht.« Claudia lächelte, als sie den Raum betrat. »Was liest du gerade? Ich nehme an, auch diesmal wieder einen Roman?«

»*Der Altertümler.*« Augusta klappte das Buch zu. »Sehr unterhaltsam und voller Abenteuer, und es gibt eine verschollene Erbin, und immer wieder gelingt ein Entkommen erst im allerletzten Moment.«

»Ach ja. Der neue Roman von Waverly. Ich hätte es mir ja denken können. Versuchst du immer noch, hinter die Identität des Autors zu kommen?«

»Es muß Walter Scott sein. Ich bin felsenfest davon überzeugt.«

»Anscheinend geht es vielen anderen Leuten auch so. Ich sage es dir, der Umstand, daß der Autor seine Identität geheimhält, trägt wahrscheinlich enorm zu den hohen Verkaufszahlen seiner Bücher bei.«

»Das glaube ich nicht. Es sind äußerst erfreuliche Geschichten. Sie verkaufen sich aus demselben Grund, aus dem sich Byrons epische Gedichte verkaufen. Es macht Spaß, sie zu lesen. Selbst wenn man das Buch aus der Hand legen will, muß man unwillkürlich weiterblättern, um zu erfahren, was als nächstes passiert.«

Claudia bedachte sie mit einem vorwurfsvollen Blick. »Meinst du nicht, nachdem du jetzt verlobt bist, solltest du etwas Erbaulicheres lesen? Vielleicht wäre eines von Mutters Büchern angemessener für eine Dame, die demnächst einen ernsthaften und gebildeten Mann heiraten wird. Du willst den Earl doch gewiß nicht mit uninformierter Konversation in Verlegenheit bringen.«

»Wenn du mich fragst, könnte Graystone uninformierte Konversation nur zu gut gebrauchen«, murrte Augusta. »Der Mann ist viel zu sittenstreng und prüde. Weißt du, daß er mir allen Ernstes gesagt hat, ich sollte keinen Walzer mehr mit Lovejoy tanzen?«

»Hat er das wirklich getan?« Claudia setzte sich ihrer Cousine gegenüber und schenkte sich aus der Kanne auf dem Beistelltisch eine Tasse Tee ein.

»Er hat mir regelrecht befohlen, es nicht mehr zu tun.«

Claudia dachte darüber nach. »Vielleicht ist das gar kein so übler Rat. Lovejoy ist sehr attraktiv, das muß ich dir lassen, aber ich glaube einfach, ob ich will oder nicht, daß er sich nicht zu gut wäre, eine Dame auszunutzen, die ihm zu viele Freiheiten gestattet.«

Augusta hob den Blick zum Himmel und betete um Geduld. »Lovejoy ist äußerst umgänglich und durch und durch ein Gentleman.« Sie biß sich auf die Lippen. »Claudia, würde es dir sehr viel ausmachen, wenn ich dir eine heikle Frage stelle? Ich hätte gern einen Rat, was die guten Sitten angeht, und mir fällt, offen gestanden, niemand ein, der mir zu diesen Dingen klarere Auskünfte erteilen könnte als du.«

Claudia, deren Rücken ohnehin schon kerzengerade war, nahm eine noch aufrechtere Haltung ein und schien ernst und aufmerksam zu lauschen. »Ich werde mein Bestes versuchen, dir mit Rat und Tat beizustehen, Augusta. Was bedrückt dich?«

Augusta wünschte plötzlich, sie hätte nicht davon angefangen. Aber jetzt war es zu spät. Sie stürzte sich mit einem Kopfsprung in das Thema, das ihren Schlaf nach dem Ball gestern abend so enorm beeinträchtigt hatte. »Glaubst du, es ist wahr, daß einem Gentleman das Recht zusteht, gewisse Versprechen daraus abzuleiten, daß eine Dame ihm erlaubt, sie zu küssen?«

Claudia zog die Stirn in Falten und dachte gründlich über diese Frage nach. »Offensichtlich sollte eine Dame niemand anderem als ihrem Verlobten oder ihrem Ehemann gestatten, sich solche Freiheiten herauszunehmen. Mutter hat das in ihren *Verhaltensmaßregeln für junge Damen* deutlich klargestellt.

»Ja, ich weiß«, sagte Augusta, die allmählich ungeduldig wurde. »Aber laß uns den Fall einmal realistisch betrachten. Es kommt eben vor. Paare rauben draußen im Garten zwischendurch einen Kuß. Das wissen wir alle. Und solange sie die Diskretion wahren, hat niemand das Gefühl, sie müßten hinterher ihre Verlobung bekanntgeben.«

»Ich vermute, wir reden rein hypothetisch darüber?« sagte Claudia und bedachte sie plötzlich mit einem scharfen Blick.

»Ganz und gar.« Augusta winkte die Frage ungezwungen mit der Hand ab. »Die Frage ist bei einer Diskussion mit ein paar, äh, Freundinnen von mir bei Pompeia's angesprochen worden, und wir waren alle bemüht, zu einer angemessenen Schlußfolgerung zu gelangen, was in einer solchen Situation von einer Frau erwartet wird.«

»Es wäre zweifellos das beste, wenn du Abstand davon nehmen würdest, dich in Diskussionen dieser Art hineinziehen zu lassen, Augusta.«

Augusta biß die Zähne zusammen. »Zweifellos. Aber hast du eine Antwort auf diese Frage?«

»Nun, ich nehme an, man könnte sagen, es ist ein Beispiel für beklagenswertes Verhalten, einem Mann einen Kuß zu gestatten, aber es geht nicht unbedingt über die Grenzen des Erlaubten hinaus. Es wäre wünschenswert gewesen, wenn die Dame mehr Gefühl für Sittsamkeit besessen hätte, aber für einen geraubten Kuß würde man sie nicht durch und durch verdammen. Zumindest täte ich das nicht.«

»Ja, genauso stehe ich dazu auch«, sagte Augusta eifrig. »Und der dazugehörige Gentleman hat doch gewiß nicht das Recht zu glauben, die fragliche Dame hätte ihm die Ehe versprochen, bloß weil er ein solcher Lump war, ihr einen Kuß zu rauben.«

»Nun...«

»Ich bin weiß Gott oft genug während eines Balls in den Garten geschlendert und habe Herren und Damen gesehen, die einander umarmten. Und sie sind keineswegs alle in den Ballsaal zurückgeeilt und haben ihre Verlobung bekanntgegeben.«

Claudia nickte zögernd. »Nein, ich halte es nicht für fair, wenn ein Gentleman glaubt, bloß wegen eines Kusses hätte die Dame ihm ein Heiratsversprechen gegeben.«

Augusta lächelte erleichtert und zufrieden. Ich bin ja so froh, daß du meiner Meinung bist.«

»Wenn natürlich«, fuhr Claudia nachdenklich fort, »die beiden auch nur ein klein wenig über einen Kuß hinausgegangen sind, dann würde das ein gänzlich anderes Licht auf die gesamte Angelegenheit werfen.«

Augusta fühlte sich plötzlich elend. »Ach, wirklich?«

»Ja, ganz entschieden.« Claudia trank einen Schluck Tee, während sie über die Feinheiten der hypothetischen Situation nachdachte. »Ganz entschieden. Falls die fragliche Dame auf ein solches Verhalten von seiten des Gentleman auch nur mit dem geringsten Entgegenkommen reagiert – das heißt, wenn sie beispielsweise weitere Intimitäten zuläßt oder ihn in irgendeiner Form ermutigt...«

»Ja?« stachelte Augusta sie an, denn ihr graute die Richtung, die das Gespräch einzuschlagen schien.

»Dann würde ich es für durchaus fair halten, wenn der fragliche Gentleman davon ausgeht, daß die Dame seine Zuneigung tatsächlich erwidert. Dann hätte er allen Grund zu glauben, daß sie durch ein solches Vorgehen eine Verlobung besiegelt.«

»Ich verstehe.« Augusta starrte bedrückt auf den Roman, der auf ihrem Schoß lag. Plötzlich zogen vor ihren Augen Bilder davon auf, wie sie schändlich hingebungsvoll auf dem Fußboden seiner Bibliothek in Graystones Armen gelegen hatte. Sie konnte die Glut in ihren Wangen spüren und nur beten, daß ihre Cousine nichts davon bemerken und sich nicht dazu äußern würde. »Was ist, wenn der Gentleman in seinen Annäherungsversuchen etwas zu hitzig gewesen wäre?« wagte sie endlich, behutsam weiterzufragen. »Was ist, wenn er die Dame mehr oder weniger überredet, ihm Intimitäten zu gestatten, die zuzulassen sie ursprünglich niemals in Betracht gezogen hätte?«

»Eine Dame ist für ihren eigenen Ruf selbst verantwortlich«, sagte Claudia mit einer selbstsicheren Überheblichkeit, die Augusta sehr an Tante Prudence erinnerte. »Sie muß immer die allergrößte Sorgfalt darauf verwenden, sich derart sittsam zu benehmen, daß es zu solchen unerfreulichen Situationen gar nicht erst kommt.«

Augusta rümpfte die Nase und sagte nichts dazu.

»Und wenn es sich bei dem fraglichen Herrn«, fuhr Claudia gewichtig fort, »etwa um einen Mann von ausgezeichneter Herkunft und einem makellosen Ruf handeln sollte, was Ehre und Sittenstrenge angeht, dann wäre der Fall natürlich nur um so klarer.«

»Ach, wirklich?«

»Oh, ja. Es wäre doch nur zu verständlich, wie er zu dem Glauben gelangt ist, gewisse Versprechen seien abgegeben worden. Und ein Gentleman von Rang und Würden, mit einem ausgeprägten Feingefühl, würde selbstverständlich erwarten, daß die Dame sich an ihr Versprechen hält. Ihre eigene Ehre würde es von ihr verlangen.«

»Das gehört zu den Dingen, die ich schon immer an dir bewundert habe, Claudia. Du bist vier ganze Jahre jünger als ich, aber du hast solche scharfsichtigen Vorstellungen davon, was sich gehört.« Augusta schlug ihren Roman auf und lächelte ihre Cousine gepreßt an. »Sag mir eins: Findest du nicht manchmal, daß ein Leben, das sich ganz und gar diesen Anstandsregeln beugt, ein klein wenig langweilig sein könnte?«

Claudia lächelte liebevoll. »Das Leben ist kein bißchen langweilig gewesen, seit du zu uns gezogen bist, Augusta. In deiner Nähe scheint sich immer etwas Interessantes abzuspielen. Und jetzt habe ich dir eine Frage zu stellen.«

»Und die wäre?«

»Ich würde gern deine Meinung zu Peter Sheldrake hören.«

Augusta schaute erstaunt zu ihr auf. »Meine Meinung kennst du doch. Ich habe es schließlich arrangiert, daß er dir vorgestellt wird. Ich mag ihn sehr. Er erinnert mich an meinen Bruder Richard.«

»Gerade das bereitet mir Sorgen«, gestand Claudia. »Er hat wahrhaft eine gewisse leichtsinnige und sorglose Art an sich. Und in der letzten Zeit häufen sich die Aufmerksamkeiten, mit denen er mich überschüttet. Ich bin nicht ganz sicher, ob ich ihn ermutigen sollte.«

»An Sheldrake ist nichts auszusetzen. Er ist der Erbe des Titels und der Würde eines Vicomte und zudem eines ansehnlichen Reichtums. Und was noch besser ist, er hat Sinn für Humor, was mehr ist, als ich über seinen Freund Graystone sagen könnte.«

5. Kapitel

»Ich glaube nicht, bereits erwähnt zu haben, daß ich in den Genuß des Privilegs gekommen bin, Ihrem Bruder ein paar Monate vor seinem Tod zu begegnen, Miss Ballinger.« Lovejoy lächelte sie über den Kartentisch hinweg an, während er die nächste Runde austeilte.

»Richard? Sie haben meinen Bruder gekannt?« Augusta, die sich gerade gesagt hatte, es sei an der Zeit, das Kartenzimmer zu verlassen und sich in Lady Leebrooks elegantem Ballsaal wieder unter die Menge zu mischen, blickte betroffen auf. Augenblicklich war jeder Gedanke an Karten und Spielstrategien vergessen.

Ihr Magen schnürte sich zusammen, als sie abwartete, was Lovejoy als nächstes sagen würde. Wie immer, wenn der Name ihres Bruders fiel, ging sie sofort in die Defensive und war bereit, jeden anzugreifen, der auf die Idee kommen sollte, Richards Ehre in Zweifel zu ziehen.

Sie war die einzige Ballinger, die noch am Leben war und Richards Namen und sein Gedenken in Ehren halten konnte, und immer, wenn das Thema angesprochen wurde, gab sie alles, um ihn zu verteidigen.

Sie hatte eine halbe Stunde mit Lovejoy Karten gespielt, nicht etwa, weil sie eine begeisterte Kartenspielerin war, sondern eher, weil sie gehofft hatte, Graystone könnte in den Ballsaal spazieren und sich auf die Suche nach ihr machen. Sie wußte, daß er gereizt und vielleicht sogar ein wenig schockiert reagieren würde, denn es war fragwürdig, ob es schicklich war, daß eine Dame in einer derart förmlichen Umgebung mit einem Herrn Karten spielte.

Es war nicht direkt ungehörig. Schließlich waren im selben Raum etliche andere Kartenspiele im Gange. Von einigen der Damen, die mitspielten, wußte man, daß sie schon ebenso hohe Summen verloren hatten wie ihre Ehemänner gelegentlich in den Clubs. Aber diejenigen unter den oberen Zehntausend, die sich pedantisch strikt an die Anstandsregeln hielten, und dazu gehörte Graystone ganz bestimmt, billigten ein solches Treiben keineswegs. Und Augusta war ziemlich sicher, daß der Earl sich wirklich ärgern würde, wenn er sie ausgerechnet mit Lovejoy an einem Spieltisch vorfand.

Es war nur eine kleine Rache dafür, daß er sie am vergangenen Abend im Garten so anmaßend und selbstherrlich behandelt hatte, als er darauf beharrt hatte, ihre Ehre erforderte es, die Verlobung unter gar keinen Umständen zu lösen, aber es war anzunehmen, daß ihr keine weiteren Möglichkeiten zur Verfügung standen, sich an ihm zu rächen. Die Argumente zu ihrer Verteidigung hatte sie sich bereits gründlich zurechtgelegt. Sie freute sich jetzt schon darauf, sie vorbringen zu dürfen.

Wenn Graystone sie dafür zur Rechenschaft zog, daß sie mit Lovejoy Karten spielte, hatte Augusta die Absicht hervorzuheben, er habe wohl kaum Grund, sich zu beschweren, da er ihr nur verboten hätte, mit dem Baron Walzer zu tanzen. Er hatte ihr keine Einschränkungen auferlegt, was das Kartenspiel anging. Graystone war ein Mann, der sich mit seiner Logik brüstete. Sollte er diesmal schwer daran schlucken!

Und wenn er fand, das Kartenspiel sei wirklich so anstößig, daß er es nicht dulden könnte, dann konnte er sie immer noch von ihrem *indirekten* Versprechen entbinden und ihr erlauben, die Verlobung zu lösen.

Es schien jedoch, als hätte Graystone sich entschlossen, den eleganten Empfang der Leebrooks heute abend nicht zu besuchen, und dann waren ihre gesamten Bemühungen, ihn zu provozieren, umsonst. Das Kartenspiel langweilte Augusta bereits, obwohl sie gewann. Lovejoys Gesellschaft war durchaus angenehm, doch sie konnte an nichts anderes denken als daran, daß Graystone nicht erschienen war.

Der Gedanke, das Spiel zu beenden und in den Ballsaal zurückzukehren, verflog jedoch bei der Erwähnung von Richards Namen augenblicklich.

»Ich habe Ihren Bruder nicht gut gekannt, verstehen Sie«, sagte Lovejoy beiläufig, während er lässig die Karten austeilte. »Aber er schien mir recht liebenswert zu sein. Ich glaube, ich bin ihm bei einem Rennen begegnet. Er hat eine beträchtliche Summe auf ein Pferd gesetzt, von dem ich sicher war, es würde verlieren, und er hat gewonnen.«

Augusta lächelte betrübt. »Richard mochte alle erdenklichen Sportarten.« Sie nahm ihre Karten in die Hand und schaute sie an, ohne sie zu sehen. Sie konnte sich nicht auf ihr Blatt konzentrieren. Ihre Gedanken drehten sich ausschließlich um Richard. *Er war unschuldig.*

»Ja, das dachte ich mir schon. Er ist Ihrem Vater nachgeschlagen, wenn ich mich nicht irre?«

»Ja. Mutter hat immer behauptet, sie seien aus demselben Holz geschnitzt. Echte Northumberland-Ballingers. Immer auf ein Abenteuer aus und regelrecht auf Spannung versessen.« Wenn sie Glück hatte, ahnte Lovejoy nichts von den Gerüchten, die eine Zeitlang im Umlauf gewesen waren, nachdem ihr Bruder auf dieser einsamen Landstraße umgebracht worden war. Schließlich hatte der Baron den größten Teil der letzten Jahre mit seinem Regiment auf dem Kontinent verbracht.

»Es hat mir leid getan, vom vorzeitigen Tod Ihres Bruders vor zwei Jahren zu erfahren«, fuhr Lovejoy fort und schaute mit einem nachdenklichen Stirnrunzeln auf das Blatt herunter, das er in der Hand hielt.

»Ich möchte Ihnen nachträglich mein Beileid aussprechen, Miss Ballinger.«

»Danke.« Augusta tat so, als sei sie in ihr Blatt vertieft, während sie abwartete, ob Lovejoy sonst noch etwas sagen würde. All die alten Erinnerungen an Richards Gelächter und seine Freundlichkeit stürmten auf sie ein und blendeten das Wabern der Gespräche im Raum aus. Die gemunkelten Anschuldigungen waren so unfair gewesen. Man brauchte Richard nur zu kennen, um sich darüber klar zu sein, daß er sein Land niemals verraten hätte.

Schweigen senkte sich über den Kartentisch herab. Da sie in ihre Erinnerungen an Richard und ihre Erbitterung über die ungerechten Vorwürfe gegen ihn vertieft war, konnte Augusta sich nicht im geringsten auf ihr Blatt konzentrieren. Zum ersten Mal an diesem Abend verlor sie.

»Es sieht so aus, als hätte mein Glück mich verlassen, Sir.« Sie wollte sich von ihrem Stuhl erheben, da Lovejoy gerade in einer einzigen Runde den größten Teil der zehn Pfund zurückgewonnen hatte, die sie ihm erfolgreich abgenommen hatte.

»Das bezweifle ich.« Lovejoy lächelte, nahm die Karten vom Tisch und mischte sie erneut.

»Ich glaube, wir sind in etwa quitt, Mylord«, sagte Augusta. »Ich schlage vor, wir belassen es bei diesem Unentschieden und kehren in den Ballsaal zurück.«

»Es sind gewisse betrübliche Gerüchte in Umlauf gewesen, was den Tod Ihres Bruders angeht, nicht wahr?«

»*Lügen.* Nichts weiter als Lügen, Mylord.« Augusta ließ sich langsam wieder auf den Stuhl sinken. Ihre Finger zitterten, als sie die Hand hob und die Rubinkette ihrer Mutter berührte.

»Selbstverständlich. Ich habe nicht einen Moment lang daran geglaubt.« Lovejoy sah sie ernst an. »Sie können sich darauf verlassen, Miss Ballinger.«

»Danke.« Der Krampf in Augustas Magen begann, sich zu lösen. Wenigstens glaubte Lovejoy nicht das Schlimmste, dachte sie.

Wieder senkte sich Stille herab, und ihr fiel nichts mehr ein, was sie noch hätte sagen können. Sie schaute auf das Blatt herunter, das er gerade ausgeteilt hatte, und mit zitternden Fingern nahm sie automatisch die Karten in die Hand.

»Ich habe gehört, zum Zeitpunkt seines Todes hätte man anscheinend gewisse Dokumente bei ihm gefunden.« Lovejoy sah stirnrunzelnd seine Karten an. »Dokumente, in denen es um militärische Geheimnachrichten ging.«

Augusta erstarrte. »Ich glaube, man hat sie ihm absichtlich in die Taschen gesteckt, damit es so aussieht, als hätte er sich des Verrats schuldig gemacht. Eines Tages werde ich Beweise dafür finden, Mylord.«

»Ein hehres Ziel. Aber wie wollen Sie das anstellen?«

»Ich weiß es nicht«, gestand Augusta mit gepreßter Stimme ein. »Aber wenn es Gerechtigkeit auf Erden gibt, dann wird mir dazu etwas einfallen.«

»Ah, meine liebe Miss Ballinger. Haben Sie noch nicht begriffen, daß es auf dieser Welt sehr wenig Gerechtigkeit gibt?«

»Das kann ich einfach nicht glauben, Sir.«

»Welche Unschuld! Vielleicht möchten Sie mir mehr darüber erzählen. Ich habe in diesen Angelegenheiten einige Erfahrungen gesammelt, verstehen Sie.«

Augusta blickte verblüfft auf. »Ach, wirklich?«

Lovejoy lächelte nachsichtig. »Als ich auf dem Kontinent gedient habe, ist mir gelegentlich die Aufgabe zugewiesen worden, Untersuchungen über Vorfälle krimineller Natur anzustellen, zu denen es im Regiment gekommen ist. Verstehen Sie, ab und zu eine Messerstecherei in einer dunklen Gasse einer fremden Stadt, oder auf einen Offizier fällt der Verdacht, er könnte Informationen an den Feind verkauft haben. Wenn solche Dinge auch noch so unerfreulich sind, dann geschehen sie doch zu Kriegszeiten, Miss Ballinger. Und die Nachforschungen müssen mit hundertprozentiger Diskretion durchgeführt werden. Die Ehre des Regiments steht immer auf dem Spiel, verstehen Sie.«

»Ja, ich verstehe.« Augusta spürte, wie sich in ihr ein Hoffnungsschimmer breitmachte. »War Ihnen bei der Durchführung solcher Nachforschungen viel Erfolg beschieden, Mylord?«

»Beträchtlicher Erfolg.«

»Es ist viel verlangt, aber hätten Sie rein zufällig Interesse daran, mir zu helfen, die Unschuld meines Bruders zu beweisen?« fragte sie und wagte kaum, Atem zu holen.

Lovejoy zog die Stirn in Falten, als er die Karten vom Tisch nahm und die nächste Runde austeilte. »Ich bin nicht sicher, ob ich Ihnen eine große Hilfe sein könnte, Miss Ballinger. Ihr Bruder ist umgebracht worden, kurz bevor Napoleon 1814 vom Thron abgesetzt worden ist, nicht wahr?«

»Ja, das ist richtig.«

»Es wäre sehr schwierig, jetzt noch anzufangen, seinen Kontakten und Beziehungen damals auf die Spur kommen zu wollen. Ich bezweifle, daß man noch auf Anhaltspunkte stoßen würde.« Lovejoy unterbrach sich und sah sie forschend an. »Es sei denn, Sie hätten eine Vorstellung davon, wie man an die Sache herangehen könnte.«

»Nein. Nicht die leiseste. Ich vermute, es ist aussichtslos.« Augustas flüchtiger Hoffnungsschimmer erlosch.

Sie schaute niedergeschlagen auf den grünen Stoff, mit dem der Tisch bezogen war, und dabei dachte sie an das Gedicht, das sie in dem Schmuckkasten auf ihrer Frisierkommode versteckt hatte. Die seltsamen Verse auf dem Blatt, das mit Richards eigenem Blut befleckt war, waren das einzige, was ihr von ihrem Bruder geblieben war. Gewiß boten sie keinen Anhaltspunkt. Es war zwecklos, dieses Gedicht auch nur zu erwähnen. Sie hatte es nur aufbewahrt, weil es das letzte war, was Richard ihr gegeben hatte.

Lovejoy lächelte tröstlich. »Warum erzählen Sie mir nicht trotzdem alles, was Sie wissen, und dann werde ich sehen, ob mir dazu irgend etwas einfällt.«

Augusta begann zu reden, während das Kartenspiel weiterging. Sie strengte sich mächtig an, die diversen Fragen zu beantworten, die Lovejoy nebenbei aussprach. Sie versuchte, sich an die Namen aller Freunde und Bekannten ihres Bruders zu erinnern und auch daran, wo er in den letzten Monaten vor seinem Tod seine Zeit verbracht hatte.

Aber Lovejoy sah anscheinend in nichts von dem, was sie sagte, einen bedeutsamen Anhaltspunkt. Dennoch stellte er ihr weiterhin Fragen, und während er sie behutsam aushorchte, fuhr er fort, Karten auszuteilen. Augusta spielte automatisch jedes Blatt aus, das ihr ausgehändigt wurde, eines nach dem anderen, ohne einen einzigen Gedanken auf das Spiel zu vergeuden. Ihre Aufmerksamkeit galt ausschließlich den Fragen, die Lovejoy ihr zu Richard stellte.

Als ihr endlich jegliche Informationen ausgingen, schaute Augusta auf den Block herunter, auf dem Lovejoy die Punkte festgehalten hatte, und ihr wurde klar, daß sie ihm tausend Pfund schuldete.

Eintausend Pfund.

»Gütiger Gott.« Sie schlug sich vor Entsetzen die Hand auf den Mund. »Allmächtiger, ich fürchte, eine solche Summe habe ich momentan nicht zur Hand.« *Und auch niemals sonst.* Es gab kein Mittel auf Erden, eine so hohe Summe aufzubringen.

Die Vorstellung, zu ihrem Onkel zu gehen und ihn zu bitten, ihre Schulden zu begleichen, war so gräßlich, daß sie sie noch nicht einmal in Betracht ziehen wollte. Sir Thomas war erstaunlich großzügig gewesen, seit sie sich in seinem Haushalt eingegliedert hatte. Sie konnte ihm seine Güte unmöglich damit vergelten, daß sie ihn bat, Spielschulden von tausend Pfund für sie zu begleichen. Das war absolut undenkbar. Ihre Ehre ließ es nicht zu.

»Machen Sie sich deshalb bitte keine Sorgen, Miss Ballinger.« Lovejoy sammelte seelenruhig die Karten auf. »Es hat keine große Eile. Wenn Sie mir heute abend Ihr Wort geben, warte ich gern einen Zeitpunkt ab, zu dem es Ihnen gelegen kommt, Ihre Schulden zu begleichen. Ich bin sicher, daß wir uns problemlos einigen werden.«

Wortlos vor Entsetzen über die Enormität dessen, was sie angerichtet hatte, und mit pochendem Herzen schrieb Augusta einen Schuldschein über tausend Pfund aus und unterschrieb ihn mit ihrem Namen. Dann stand sie auf und stellte fest, daß sie fürchterlich zitterte.

»Wenn Sie mich jetzt bitte entschuldigen würden, Sir«, gelang es ihr, mit anerkennenswerter Ruhe hervorzubringen. »Aber ich muß wirklich in den Ballsaal zurückkehren. Meine Cousine wird sich schon fragen, wo ich wohl stecke.«

»Selbstverständlich. Lassen Sie mich wissen, wenn Sie bereit sind, sich Ihrer Schulden anzunehmen. Wir werden eine Regelung finden, die für beide Seiten diskutabel ist.« Lovejoy lächelte einschmeichelnd.

Augusta fragte sich, warum ihr das unangenehme Funkeln in seinen fuchsgrünen Augen bisher nie aufgefallen war. Sie wappnete sich, ehe sie ihn um einen Gefallen bat. »Würden Sie mir Ihr Wort als Gentleman geben, Sir, diesen Vorfall gegenüber niemandem zu erwähnen? Es wäre mir nicht lieb, wenn mein Onkel... oder gewisse andere Personen etwas davon erfahren.«

»Andere Personen wie beispielsweise Ihr Verlobter? Ich kann Ihre Sorge gut verstehen. Graystone brächte wohl kaum Nachsicht für die Spielschulden einer Dame auf, stimmt's? So genau, wie er es mit dem Anstand nimmt, würde er es wahrscheinlich ebenfalls nicht billigen, daß Damen Karten spielen.«

Augusta sank das Herz noch tiefer. In was für eine fürchterliche Lage hatte sie sich gebracht! »Nein, wohl kaum.«

»Sie können versichert sein, daß ich das Schweigen bewahren werde.« Lovejoy neigte mit spöttischer Galanterie den Kopf. »Ich gebe Ihnen mein Wort darauf.«

»Danke.«

Augusta wandte sich ab und floh den hellen Lichtern und dem Gelächter des Ballsaals entgegen. Ihr schwirrte der Kopf, weil ihr klar war, was für ein Dummkopf sie gewesen war.

Natürlich war Harry der erste Mensch, den sie sah, als sie das Kartenzimmer verließ. Er entdeckte sie und bahnte sich durch die schillernde Masse einen Weg auf sie zu. Augusta warf nur einen einzigen Blick auf ihn und wurde von dem übermächtigen Verlangen erfüllt, sich ihm in die Arme zu werfen, alles zu gestehen und ihn um Rat zu bitten.

In seinem strengen Abendanzug mit dem makellos gefalteten weißen Halstuch und dem vortretenden Adamsapfel wirkte Graystone so furchteinflößend, als hätte er es mit zwei oder drei Lovejoys aufnehmen und sie alle mühelos ins Jenseits befördern können. Ihr Verlobter strahlte eine wohltuende Kraft und Standfestigkeit aus, erkannte Augusta. Das war ein Mann, auf den man sich verlassen konnte, wenn man sich nicht durch reine Dummheit in eine üble Lage gebracht hatte.

Leider hatte Graystone keine Nachsicht, wenn es um Dummheit ging.

Augusta straffte die Schultern. Sie hatte sich dieses Problem selbst aufgehalst, und jetzt war sie gezwungen, einen Weg zu finden, wie sie ihre Schulden selbst bezahlen konnte. Sie konnte Harry unmöglich in dieses Fiasko hineinziehen. Eine Northumberland-Ballinger verteidigte ihre Ehre persönlich.

Augusta beobachtete wehmütig, wie Harry sich einen Weg durch die Menge bahnte und ihre Richtung einschlug. Voller Unbehagen stellte sie fest, daß er verstimmt wirkte. Aus zusammengekniffenen Augen fiel sein Blick über ihre Schulter auf den Eingang zum Kartenzimmer, ehe er sie durchdringend ansah.

»Ist alles in Ordnung mit dir, Augusta?« fragte er mit scharfer Stimme.

»Ja, einigermaßen. Ich muß schon sagen, es ist wirklich warm hier, nicht wahr?« Sie faltete ihren Fächer auseinander und wedelte sich eifrig Luft zu. Rasend suchte sie nach einem Gesprächsthema, mit dem sie seine Aufmerksamkeit vom Kartenzimmer ablenken konnte. »Ich hatte mich schon gefragt, ob Sie heute abend überhaupt noch kommen. Sind Sie schon lange hier, Mylord?«

»Ich bin vor ein paar Minuten gekommen.« Seine Augen kniffen sich nachdenklich zusammen, während er ihr gerötetes Gesicht musterte. »Ich glaube, sie haben gerade für ein spätes Abendessen die Türen geöffnet. Möchtest du vielleicht etwas essen?«

»Das wäre wunderbar. Ich würde mich auch gern ein paar Minuten lang hinsetzen.« In Wahrheit wollte sie sich setzen, ehe sie umfiel. Als Harry ihr seinen Arm anbot, klammerte sie sich daran, als sei er eine Rettungsleine in einem tosenden Meer.

Während sie an einer Hummerpastete knabberte und gekühlten Punsch trank, den Harry ihr besorgt hatte, beruhigte sich Augusta endlich so weit, daß sie allmählich wieder klar denken konnte. Es gab wirklich nur eine Lösung für ihr Dilemma: die Rubinkette ihrer Mutter.

Die Vorstellung, sich davon zu trennen, ließ Tränen in Augustas Augen aufsteigen, doch sie sagte sich, daß sie dieses Leid verdient hatte. Sie hatte eine Dummheit begangen, und jetzt mußte sie den Preis dafür bezahlen.

»Augusta, bist du wirklich ganz sicher, daß dir nichts fehlt?« fragte Harry noch einmal.

»Ganz sicher, Mylord.« Die Hummerpastete schmeckte nach Sägemehl, stellte sie fest.

Harry zog die Augenbrauen ein wenig hoch. »Du hättest natürlich keine Hemmungen, mir zu sagen, wenn dich etwas bedrückt, oder doch, meine Liebe?«

»Das käme darauf an, Mylord.«

»Worauf?« Aus Harrys normalerweise gefühlloser Stimme war unerwartet Stahl herauszuhören.

Augusta ruckelte unruhig auf ihrem Stuhl herum. »Darauf, ob ich glaube, Sie könnten geneigt sein, freundlich, verständnisvoll und hilfreich zu reagieren, oder nicht.«

»Ich verstehe. Und wenn du fürchtetest, ich würde nicht so reagieren?«

»Dann würde ich es zweifellos unterlassen, Ihnen auch nur das geringste zu erzählen, Sir.«

Harry kniff die Augen ein wenig zusammen. »Muß ich dich daran erinnern, daß wir miteinander verlobt sind, Augusta?«

»An diesen Umstand brauchen Sie mich nicht zu erinnern, Mylord. Ich versichere Ihnen, daß ich dies nicht so schnell vergessen werde.«

Es gab nur einen Ort, an den sie gehen konnte, um sich Rat zu holen, wie man es anstellte, eine wertvolle Halskette zu verpfänden. Am Tag nach der entsetzlichen Katastrophe im Kartenzimmer begab sich Augusta geradewegs zu Pompeia's.

Die Tür wurde ihr von einem übellaunigen Scruggs geöffnet, der sie unter buschigen Augenbrauen ansah.

»Sie sind es, Miss Ballinger? Ich nehme an, Sie wissen, daß die Mitglieder alle damit beschäftigt sind, die Wetten zu begleichen, die sie im Hinblick auf Ihre Verlobung abgegeben haben.«

»Es freut mich zu hören, daß jemand etwas davon hat«, murrte Augusta, als sie an ihm vorbeilief. Sie blieb in der Eingangshalle stehen, weil ihr die Medizin wieder einfiel, die sie ihm vor ein paar Tagen mitgebracht hatte. »Fast hätte ich es vergessen. Hat der Trunk gegen Ihren Rheumatismus geholfen, Scruggs?«

»Er hat Wunder gewirkt, nachdem ich ihn mit einer Flasche von Lady Arbuthnotts bestem Cognac heruntergespült habe. Leider konnte ich keine der Hausangestellten dazu überreden, gemeinsam mit mir die Nebenwirkungen der Behandlung zu überprüfen.«

Augusta lächelte trotz ihrer gedrückten Stimmung flüchtig.

»Hier entlang, Miss Ballinger.« Scruggs öffnete die Türen zu Pompeia's.

Eine Handvoll Damen hielt sich im Club auf, und die meisten waren damit beschäftigt, Zeitungen zu lesen oder an den Schreibtischen vor sich hinzukritzeln. Die Gerüchte, die sich um das skandalöse Liebesleben von Byron und Shelley drehten, hatten die Entschlossenheit der ehrgeizigen Schreiber unter den Clubmitgliedern, publiziert zu werden, nur noch mehr angefeuert.

Es war schon seltsam, wie Tugend oder der Mangel an selbiger einen beeinflussen konnte, dachte sich Augusta. Die entschieden unsittsamen romantischen Abenteuer eines Byron oder Shelley konnten durchaus einem der Mitglieder von Pompeia's die Inspiration geben, die erforderlich war, damit die eigenen Werke gedruckt wurden.

Augusta eilte durch den Saal. Wie üblich loderte im Kamin ein fröhliches Feuer, obwohl es ein schöner Tag war. Sally schien inzwischen bei jeder Witterung zu frieren. Sie saß auf ihrem Sessel vor dem Feuer, und es war Augustas Glück, daß sie momentan keine Gesellschaft hatte. Ein Buch lag aufgeschlagen auf ihrem Schoß.

»Hallo, Augusta. Wie geht es dir heute?«

»Absolut fürchterlich. Sally, ich habe mich in eine abscheuliche Situation gebracht, und ich bin gekommen, weil ich dich um Rat bitten wollte.« Augusta setzte sich dicht neben die ältere Frau und beugte sich vor, um zu flüstern. »Ich möchte von dir wissen, wie man es anstellt, eine Halskette zu verpfänden.«

»Ach, du meine Güte, das klingt ganz so, als sei es ernst.« Sally schlug ihr Buch zu und sah Augusta fragend an. »Vielleicht solltest du mir besser alles von Anfang an erzählen?«

»Ich habe mich absolut idiotisch benommen.«

»Ja, nun, das passiert uns allen früher oder später. Warum erzählst du mir nicht einfach die ganze Geschichte? Ich gestehe, daß ich mich heute nachmittag ein wenig gelangweilt habe.«

Augusta holte tief Atem und berichtete sämtliche unerfreulichen Einzelheiten der Katastrophe. Sally lauschte aufmerksam und nickte dann, um ihr absolutes Verständnis zu bekunden.

»Natürlich mußt du diese Schulden begleichen, meine Liebe«, sagte sie. »Das ist Ehrensache.«

»Ja, ganz genau. Mir bleibt gar nichts anderes übrig.«

»Und die Halskette deiner Mutter ist dein einziger wertvoller Besitz, den du verpfänden könntest?«

»Ich fürchte, ja. All meine anderen Schmuckstücke hat mir Onkel Thomas geschenkt, und mir wäre nicht wohl dabei zumute, sie zu verkaufen.«

»Und du hast nicht das Gefühl, zu ihm gehen und ihn bitten zu können, dir in dieser Angelegenheit beizustehen?«

»Nein. Onkel Thomas wäre fassungslos, wenn er von dieser schrecklichen Geschichte erfährt, und das könnte ich ihm nicht verübeln. Er wäre außerordentlich enttäuscht von mir. Tausend Pfund sind viel Geld. Er ist ohnehin schon viel zu großzügig gewesen.«

»Er wird durch den Ehevertrag eine beträchtliche Summe von Graystone erhalten«, hob Sally trocken hervor.

Augusta blinzelte vor Erstaunen. »Wirklich?«

»Ja, das glaube ich schon.«

»Das wußte ich nicht.« Augusta schaute finster. »Wie kommt es bloß, daß Männer über solche Dinge nie mit den Frauen reden, um die es geht? Sie behandeln uns, als seien wir schwachköpfig. Zweifellos gibt es ihnen ein Gefühl von Überlegenheit, uns so zu behandeln.«

Sally lächelte. »Das spielt sicher auch eine Rolle, aber ich glaube, daß noch mehr dahintersteckt. Ich denke, zumindest, wenn wir es mit Männern wie deinem Verlobten und deinem Onkel zu tun haben, dann benehmen sie sich so, weil sie uns beschützen wollen.«

»Blödsinn. Aber wie dem auch sei, diese Regelungen werden in den kommenden vier Monaten getroffen werden. So lange kann ich nicht warten. Ich habe das sichere Gefühl, daß Lovejoy schon sehr bald anfangen wird, mich zu Zahlungen zu drängen.«

»Ich verstehe. Und du hast nicht das Gefühl, mit Graystone über diese Angelegenheit reden zu können?«

Augusta starrte sie voller Bestürzung an. »Ich soll Graystone sagen, daß ich tausend Pfund an Lovejoy verloren habe? Bist du verrückt geworden? Machst du dir auch nur die geringste Vorstellung davon, wie er auf eine solche Information reagieren würde? Mir ist selbst der Gedanke an die Explosion unerträglich, zu der es kommen würde, wenn ich ihm das gestünde.«

»Da könntest du recht haben. Er würde sich nicht gerade darüber freuen, stimmt's?«

»Ich könnte seinen Mißmut wahrscheinlich noch verkraften«, sagte Augusta bedächtig. »Wer weiß? Vielleicht könnte ihn das sogar dazu bringen, mich die Verlobung lösen zu lassen. Aber ich könnte in einer Million Jahren die Demütigung nicht ertragen, ihm zu erklären, daß ich mich in meinem Bestreben, ihm eine Lektion zu erteilen, absolut lächerlich gemacht habe.«

»Ja, das verstehe ich voll und ganz. Eine Frau hat ihren Stolz. Laß mich einen Moment lang darüber nachdenken.« Sally pochte versonnen mit den Fingern auf den Ledereinband des Buches, das auf ihrem Schoß lag. »Ich glaube, das einfachste wäre es, wenn du mir die Kette bringst.«

»Dir? Aber ich muß sie verpfänden, Sally.«

»Genau das wirst du auch tun. Aber es ist schwierig für eine Dame, einen kostbaren Gegenstand zu verpfänden, ohne daß jemand etwas davon erfährt. Wenn du dagegen mir die Kette bringst, kann ich Scruggs für dich zum Pfandleiher schicken. Er wird den Mund halten.«

»Oh, ich verstehe, was du meinst.« Augusta lehnte sich halbwegs erleichtert auf ihrem Stuhl zurück. »Ja, das könnte klappen. Es ist sehr nett von dir, daß du mir dabei behilflich bist, Sally. Wie kann ich mich dafür jemals erkenntlich erweisen?«

Sally lächelte, und einen Moment lang zeigte sich auf ihren fein geschnittenen Zügen eine Spur der strahlenden Schönheit, die einst ganz London auf sie hatte anstoßen lassen. »Ich bin hier diejenige, die froh ist, mich ein klein wenig für all das erkenntlich zu zeigen, was du für mich getan hast, Augusta. Und jetzt lauf los, und hol die Halskette deiner Mutter. Du wirst deine tausend Pfund noch vor Anbruch der Dunkelheit haben.«

»Danke.« Augusta legte eine Pause ein und sah ihre Freundin forschend an. »Sag mir eins, Sally, hältst du es für möglich, daß Lord Lovejoy dieses Gespräch über meinen Bruder und die Nachforschungen, die er dazu anstellen könnte, bewußt eingesetzt hat, um mich zu hohen Einsätzen zu verleiten? Ich suche keine Entschuldigungen für mich, aber ich frage mich unwillkürlich...«

»Ich halte das für durchaus möglich. Manche Männer sind außerordentlich skrupellos. Wahrscheinlich hat er deine Schwäche wahrgenommen und sie genutzt, dich abzulenken.«

»Dann war sein Versprechen von Anfang an nicht ernst gemeint, er würde mir bei dem Versuch helfen zu beweisen, daß Richard kein Verräter war, stimmt's?«

»Ich halte es für hochgradig unwahrscheinlich, daß er dir helfen wollte. Wie könnte er das tun? Augusta, du mußt diese Angelegenheit realistisch betrachten. Nichts auf Erden wird dir Richard wiedergeben, und du hast keine Möglichkeit, seinen Namen jemals reinzuwaschen, es sei denn, in deinem eigenen Herzen. Du weißt, daß er unschuldig war, und du mußt dich mit dieser tiefen inneren Gewißheit begnügen.«

Augustas Hand ballte sich auf ihrem Schoß zu einer kleinen Faust. »Es muß eine Möglichkeit geben.«

»Ich habe in solchen Angelegenheiten die Erfahrung gemacht, daß Stillschweigen die beste Lösung ist.«

»Aber das ist nicht fair«, protestierte Augusta.

»Die meisten Dinge im Leben sind nicht fair, meine Liebe. Wenn du gehst, Augusta, würdest du Scruggs auf dem Weg bitten, daß er mir von einem der Mädchen meine Medizin bringen läßt?«

Urplötzlich traten Augustas Probleme in den Hintergrund. Sie wurde von einem tiefen Schmerz gepackt, für den es keine Linderung gab. Sallys Heiltrank wurde aus dem Saft des Mohns gebraut, aus Opium. Der Umstand, daß sie schon so früh am Tag darum bat, bedeutete, daß die Schmerzen schlimmer wurden.

Augusta nahm eine von Sallys zarten Händen in ihre Hand. Sie hielt sie eine Zeitlang ganz fest. Keine der beiden Frauen sagte ein Wort.

Nach einer Weile stand Augusta auf und ging, um Scruggs Bescheid zu geben, damit Sally ihre Medizin bekam.

»Ich sollte ihr den Hintern so fest versohlen, daß sie eine Woche lang auf keinem Pferd sitzen kann. Sie sollte eingesperrt werden, und man sollte sie nicht unbeaufsichtigt vor die Tür lassen. Diese Frau stellt eine Bedrohung dar. Sie wird mir das Leben zur Hölle machen.« Harry pirschte durch Sallys kleine Bibliothek, stellte fest, daß ihm ein Bücherregal den Weg abschnitt, machte kehrt und lief wieder in die andere Richtung zurück.

»Sie wird dein Leben interessant gestalten.« Sally trank ihren Sherry und machte sich nicht die Mühe, ein belustigtes Lächeln zu verbergen. »Um Augusta herum passieren die seltsamsten Dinge ganz von selbst. Ich finde das wirklich ziemlich faszinierend.«

Harry schmetterte die Faust auf den Kaminsims aus grauem Marmor. »Ziemlich ärgerlich und aufreizend, das meinst du doch.«

»Jetzt beruhige dich wieder, Harry. Ich habe dir doch nur von dem Vorfall berichtet, weil du wissen wolltest, was hier vorgeht, und ich habe befürchtet, du könntest anfangen, selbst Nachforschungen anzustellen. Wenn du Nachforschungen anstellst, bekommst du im allgemeinen Antworten. Daher habe ich den Prozeß abgekürzt und dir freiwillig die Antworten gegeben.«

»Augusta wird meine Frau. Es ist mein volles Recht zu erfahren, was, zum Teufel, sie zu jedem beliebigen Zeitpunkt im Schilde führt, verdammt noch mal!«

»Ja, gut, und jetzt weißt du es, und damit muß Schluß sein. Du wirst dich nicht in diese Angelegenheit einmischen, hast du verstanden? Für Augusta ist das eine Ehrensache, und sie wäre außer sich, wenn du einschreitest und den Fall für sie aus der Welt schaffst.«

»Ehre? Was hat denn Ehre damit zu tun? Sie hat sich mir absichtlich widersetzt und mit Lovejoy geflirtet, und damit hat sie sich in ernstliche Schwierigkeiten gebracht.«

»Augusta ist sich durchaus darüber im klaren, daß sie gewissermaßen leichtsinnig gehandelt hat. Sie braucht keine Strafpredigten von dir. Es geht um Spielschulden, Harry. Sie müssen beglichen werden. Erlaube ihr, es auf ihre Art zu regeln. Du willst doch ihren Stolz nicht verletzen, oder?«

»Dieser Zustand ist unerträglich.« Harry blieb vor seiner alten Freundin stehen und schaute finster auf sie herunter. »Ich kann doch nicht einfach tatenlos dastehen und zusehen. Ich werde mir Lovejoy persönlich vornehmen.«

»Nein.«

»Ein Mann ist für die Schulden seiner Frau verantwortlich«, rief ihr Harry ins Gedächtnis zurück.

»Augusta ist noch nicht deine Frau. Laß sie das selbst regeln. Es sollte sich schnell aus der Welt schaffen lassen, und ich versichere dir, daß sie ihre Lektion gelernt hat.«

»Wenn ich das nur glauben könnte«, murrte Harry. »Dieser verfluchte Lovejoy. Er hat genau gewußt, was er tut.«

Sally dachte kurz darüber nach. »Ja, das glaube ich eigentlich auch. Und Augusta ist mit der Zeit von selbst dahintergekommen. Sie ist kein Dummkopf. Es war kein Zufall, daß er das Thema ihres Bruders angesprochen hat, als sie gerade vom Tisch aufstehen und wieder in den

Ballsaal gehen wollte. Wenn es eins gibt, was ihre Aufmerksamkeit garantiert in Anspruch nimmt, dann ist das die Frage von Richard Ballingers Unschuld.«

Harry fuhr sich mit einer zerstreuten Bewegung durch das Haar. »Sie hat ihrem Bruder, diesem Lebemann, anscheinend sehr nahe gestanden.«

»Er war alles, was sie noch hatte, nachdem ihre Eltern bei dem Kutschenunfall umgekommen waren. Sie hat ihn angebetet. Sie hat nie aufgehört, an seine Unschuld zu glauben, und sie würde alles dafür geben, seinen Ruf von dem Makel zu befreien, er hätte die Geheimnisse seines Landes verkauft.«

»Nach allem, was ich gehört habe, war Ballinger unbändig und leichtsinnig, genau wie sein Vater.« Harry hörte auf, durch die Bibliothek zu laufen. Jetzt trat er ans Fenster und blieb dort stehen. Es war schon nach Mitternacht, und draußen regnete es. Er fragte sich, ob Augusta jetzt, in diesem Moment, ihre Spielschulden bezahlte. »Es ist durchaus möglich, daß er bloß, weil er sich davon ein Abenteuer versprochen hat, in etwas Ernsthaftes verwickelt worden ist. Vielleicht war er sich gar nicht über die Natur dessen im klaren, was er tut.«

»Dieser Zweig der Familie Ballinger ist immer ein wenig leichtsinnig gewesen, aber niemand hat je irgendeinem Ballinger vorgeworfen, ein Verräter zu sein. Die Ballingers haben ganz im Gegenteil ihre Ehre immer glühend verteidigt.«

»Gewisse Dokumente sind, glaube ich, bei seiner Leiche gefunden worden?«

»So heißt es.« Sally legte eine Pause ein. »Augusta war diejenige, die ihn gefunden hat, verstehst du. Sie hat den Schuß gehört. Auf dem Land sind Geräusche über eine große Entfernung zu hören. Sie ist aus dem Haus geeilt. Richard ist in ihren Armen gestorben.«

»Gütiger Himmel.«

»Die Dokumente wurden von dem Richter entdeckt, der hinzugerufen worden ist, um die Untersuchung durchzuführen. Sowie alle begriffen hatten, was bei ihm gefunden worden war, hat Sir Thomas seinen gesamten Einfluß geltend gemacht, um die Fakten nicht an die Öffentlichkeit kommen zu lassen. Offensichtlich hatte er jedoch nicht genug Einfluß, um sämtliche Gerüchte zum Schweigen zu bringen. Aber seitdem sind zwei Jahre vergangen, und die meisten Leute haben den Zwischenfall vergessen.«

»Dieser Mistkerl.«

»Wer? Lovejoy?« Wie üblich bereitete es Sally keine Probleme, Harrys Gedankengängen zu folgen. »Ja, das ist er, meinst du nicht auch? Es gibt viele wie ihn unter den oberen Zehntausend, Harry. Sie machen Jagd auf anfällige junge Frauen. Das weißt du doch. Aber Augusta wird sich selbst aus dieser üblen Lage befreien, und sie hat, wie ich schon sagte, ganz entschieden ihre Lektion gelernt.«

»Das halte ich für ziemlich unwahrscheinlich«, sagte Harry mit einem resignierten Seufzen. Aber er hatte seinen Entschluß gefaßt. »Also gut, ich werde es Augusta erlauben, ihre Schulden zu bezahlen, ihren Schuldschein an sich zu bringen und ihren Stolz zu bewahren.«

Sally zog eine Augenbraue hoch. »Und was dann?«

»Dann werde ich selbst ein paar Worte mit Lovejoy wechseln.«

»Das dachte ich mir gleich. Übrigens gibt es da noch etwas, was du vielleicht gern für Augusta tätest.«

Harry sah sie an. »Und das wäre?«

Sally lächelte und nahm das kleine Samtsäckchen in die Hand, das auf einem Tisch neben ihrem Stuhl lag. Sie löste die Schnur, mit der das Säckchen zugebunden war, und dann ließ sie die Halskette in ihre Hand gleiten. Rote Steine funkelten auf ihrer Handfläche. »Vielleicht möchtest du gern die Halskette ihrer Mutter auslösen.«

»Du hast die Kette noch? Ich dachte, du hättest sie an einen Juwelier weitergegeben.«

»Augusta weiß nichts davon, aber ich habe in dem Fall persönlich den Geldverleiher gespielt.« Sally zuckte die Achseln. »Das war das einzige, was ich unter den gegebenen Umständen für sie tun konnte.«

»Weil dir der Gedanke unerträglich war, daß sie sich von der Kette trennen muß?«

»Nein, sondern weil das Ding keine tausend Pfund wert ist«, sagte Sally unverblümt. »Es ist nicht echt.«

»Die Steine sind nicht echt? Bist du ganz sicher?« Harry lief durch den Raum und nahm Sally die Kette aus der Hand. Er hielt sie gegen das Licht und untersuchte sie gründlich. Sally hatte recht. Die roten Steine funkelten zwar verlockend, doch es war kein Feuer in ihren Tiefen.

»Ganz sicher. Ich kenne mich mit Edelsteinen aus, Harry. Die arme Augusta hält die Steine in dieser Kette jedoch für echt, und ich möchte unter keinen Umständen, daß sie die Wahrheit erfährt. Das Ding besitzt für sie einen großen Wert als ihr einziges Erinnerungsstück.«

»Ich weiß.« Harry ließ die Kette wieder in das Säckchen fallen. Er zog nachdenklich die Stirn in Falten. »Ich vermute, ihr Bruder hat die echten Rubine verpfändet, als er das Offizierspatent erworben hat.«

»Nicht unbedingt. Diese Kette ist handwerklich ganz ausgezeichnet gearbeitet, und man arbeitet heute nicht mehr mit diesen Techniken. Wahrscheinlich ist das Stück schon vor vielen Jahren gefertigt worden. Ich habe den Verdacht, die echten Rubine sind irgendwann in der Vergangenheit verkauft worden, vielleicht schon vor zwei oder drei Generationen. Die Northumberland-Ballingers haben eine lange Tradition, von ihrer Geistesgegenwart und von sonst nichts weiter zu leben.«

»Ich verstehe.« Harrys Hand schloß sich fest um das Säckchen. »Dann schulde ich dir jetzt also tausend Pfund für eine Kette aus unechten Rubinen und unechten Diamanten, sehe ich das richtig?«

»Ganz genau.« Sally lachte in sich hinein. »O Harry, das macht ja alles solchen Spaß. Ich unterhalte mich ganz blendend.«

»Es freut mich, daß wenigstens irgend jemand seinen Spaß daran hat.«

6. Kapitel

Augusta, die ein smaragdgrünes Kleid mit passenden langen grünen Handschuhen und eine grüne Feder im Haar trug, stand erstarrt im Theaterfoyer. Sie blickte zu Lovejoy auf, den sie gerade erfolgreich abgefangen hatte. Sie konnte einfach nicht glauben, was er gerade zu ihr gesagt hatte.

»Sie gestatten mir nicht, meine Schulden zu bezahlen? Das kann nicht Ihr Ernst sein. Ich habe die Halskette meiner Mutter verpfändet, um Sie auszubezahlen. Das war das einzige Andenken, das ich an sie hatte.«

Lovejoy lächelte ohne jede Spur von Freundlichkeit. »Ich habe nicht gesagt, ich würde Ihnen nicht gestatten, Ihre Schulden zu bezahlen, meine liebe Augusta. Ich bin ganz Ihrer Meinung, daß diese Schulden bezahlt werden müssen. Schließlich geht es hier um Spielschulden. Ich habe lediglich gesagt, daß ich Ihr Geld nicht annehme. Das wäre unter diesen Umständen gewissenlos. Die Kette Ihrer Mutter, nicht mehr und nicht weniger. Gütiger Himmel, das kann ich unmöglich annehmen und dann mit mir selbst weiterleben.«

Augusta schüttelte den Kopf und wußte absolut nicht weiter. Sie war am frühen Abend zu Pompeia's gegangen, um sich das Geld abzuholen, das Scruggs für die Kette bekommen hatte, als er sie am späten Nachmittag versetzt hatte. Dann war sie mit der klaren Absicht ins Theater geeilt, Lovejoy auszubezahlen.

Und jetzt weigerte er sich, das Geld anzunehmen.

»Ich verstehe nicht, wovon Sie reden«, zischte Augusta leise, da sie größten Wert darauf legte, in dem Gedränge im Foyer nicht belauscht zu werden.

»Das ist ganz einfach. Nachdem ich es mir recht überlegt habe, ist mir klargeworden, daß ich unmöglich tausend Pfund von Ihnen annehmen kann, meine gute Miss Ballinger.«

Augusta musterte ihn mißtrauisch. »Das ist sehr freundlich von Ihnen, Sir, aber ich muß darauf bestehen.«

»In dem Fall müssen wir dafür sorgen, daß wir diese Angelegenheit in einer intimeren Atmosphäre besprechen können.« Lovejoy sah sich vielsagend in der Menschenmenge um, die sich im Foyer drängte. »Das hier ist gewiß weder der rechte Zeitpunkt noch der rechte Ort.«

»Aber ich habe eine schriftliche Zahlungsanweisung über diesen Betrag bei mir.«

»Ich sagte Ihnen doch gerade, daß ich Ihr Geld nicht annehmen kann.«

»Sir, ich verlange, daß Sie mir gestatten, diese Schuld zu begleichen.« Augusta war inzwischen reichlich frustriert und verzweifelt. »Sie müssen mir den Schuldschein über die tausend Pfund aushändigen.«

»Sie wollen Ihren Schuldschein unbedingt wieder an sich bringen, stimmt's?«

»Ja, selbstverständlich will ich das. Bitte, Mylord, die Situation ist wirklich sehr peinlich.«

Lovejoys Augen funkelten boshaft und amüsiert, als er über ihre Forderung nachzudenken schien. »Also gut, ich glaube, da läßt sich eine Regelung finden. Sie werden Ihren Schuldschein bekommen, falls Sie sich bequemen, mich übermorgen nacht aufzusuchen. Sagen wir, etwa um elf Uhr abends? Kommen Sie allein, Miss Ballinger, und wir werden die Schuld begleichen.«

Augusta fröstelte plötzlich von Kopf bis Fuß, als ihr klar wurde, was er da sagte. Sie feuchtete sich die trockenen Lippen an und bemühte sich, mit ruhiger Stimme zu reden. Ihre Stimme klang unnatürlich dünn, sogar in ihren eigenen Ohren. »Ich kann Sie unmöglich um elf Uhr abends allein aufsuchen. Das wissen Sie sehr gut, Mylord.«

»Sorgen Sie sich nicht um unwesentliche Kleinigkeiten wie Ihren

Ruf, Miss Ballinger. Ich versichere Ihnen, Ihren Besuch niemandem gegenüber zu erwähnen. Und am allerwenigsten gegenüber Ihrem Verlobten.«

»Sie können mich nicht dazu zwingen«, flüsterte sie.

»Jetzt kommen Sie schon, Miss Ballinger. Wo bleiben denn die Abenteuerlust und der Hang zum Leichtsinn, diese Eigenschaften, die Ihrer Familie allgemein nachgesagt werden? Sie sind doch bestimmt nicht zu furchtsam, um ein kleines spätnächtliches Rendezvous im Haus eines Freundes zu wagen.«

»Mylord, seien Sie vernünftig.«

»Oh, ja, das bin ich, meine Liebe. Vernünftig und einsichtig. Ich erwarte Sie übermorgen nacht um elf. Enttäuschen Sie mich nicht, oder ich werde mich gezwungen sehen, öffentlich bekanntzugeben, daß die letzte der Northumberland-Ballingers ihre Spielschulden nicht begleicht. Denken Sie nur an die Demütigung, Augusta. Und daran, wie leicht sie sich durch einen kurzen Besuch verhindern läßt.«

Lovejoy wandte sich ab und verschwand in der Menge.

Augusta starrte ihm nach, und ihr Magen rebellierte.

»Ach, da bist du ja, Augusta«, sagte Claudia, die von hinten auf ihre Cousine zukam. »Sollen wir uns jetzt den Haywoods in ihrer Loge anschließen? Die Vorstellung wird gleich beginnen.«

»Ja. Ja, natürlich.«

Edmund Kean war auf der Bühne so fesselnd wie immer, aber Augusta hörte nicht ein Wort von der Darbietung. Sie brachte die gesamte Zeit mit dem Versuch zu, mit der neuen Wendung der Katastrophe zurechtzukommen, die über sie hereingebrochen war.

Ganz gleich, unter welchem Gesichtspunkt sie die Situation auch betrachtete, es blieb bei der furchtbaren Tatsache, daß Lovejoy schriftlich in der Hand hatte, sie schuldete diesem hassenswerten Mann eintausend Pfund, und er hatte nicht die Absicht, ihr diesen Schuldschein zurückzugeben, es sei denn, sie kompromittierte sich.

Augusta war leichtsinnig, aber sie war alles andere als naiv. Sie glaubte nicht einen Moment lang, daß Lovejoy mit ihrem spätnächtlichen Besuch keine Absichten verfolgte. Der Mann würde eindeutig mehr als nur eine freundschaftliche Unterhaltung von ihr verlangen.

Es stand fest, daß Lord Lovejoy kein Gentleman war. Man konnte unmöglich sagen, was er mit ihrem Schuldschein anfangen würde, wenn sie übermorgen nicht bei ihm erschien. Aber sie hatte das furchtbare Versprechen in seinen Augen gesehen. Früher oder später würde er ihren Schuldschein auf heimtückische Art gegen sie verwenden.

Vielleicht würde er mit ihrem Schuldschein zu Graystone gehen. Augusta schloß die Augen und erschauderte bei diesem Gedanken. Harry würde wütend auf sie werden. Der Beweis ihrer Dummheit würde seine schlimmsten Befürchtungen bestätigen, was ihren Charakter betraf.

Es würde erniedrigend sein, doch sie konnte Harry die ganze Geschichte gleich erzählen. Er würde äußerst ungehalten über ihr Benehmen sein, ja, sogar entrüstet. Dieser Vorfall würde zweifellos den letzten Anstoß geben, den er brauchte, ihr zu gestatten, die Verlobung zu lösen.

Bei diesem Gedanken hätte ihr vor Erleichterung schwindeln müssen, aber aus irgendeinem Grund kam es nicht dazu. Augusta zwang sich, diesen Grund näher zu untersuchen. Sie wollte doch gewiß nicht wirklich, daß die Verlobung bestehen blieb. Von Anfang an hatte sie sich gegen diese Vorstellung verwahrt.

Nein, entschied sie standhaft, es lag nicht daran, daß sie noch glaubte, eine Ehe mit Harry sei eine vernünftige Idee, sondern es kam nur daher, daß sie sich vor ihm nicht demütigen und erniedrigen wollte.

Sie besaß schließlich ihren Stolz. Sie war die letzte des stolzen, verwegenen und draufgängerischen Zweigs des Ballinger-Clans. Sie würde ihre Ehre verteidigen.

Auf dem Heimweg in der Kutsche der Haywoods gelangte Augusta zu einem grimmigen Abschluß. Sie mußte einen Weg finden, den belastenden Schuldschein an sich zu bringen, ehe Lovejoy Möglichkeiten fand, sie damit in Verlegenheit zu bringen und sie zu demütigen.

»Wo, zum Teufel, hast du gesteckt, Graystone? Ich habe dich heute abend auf jedem verdammten Ball und auf jeder Soiree in der ganzen Stadt gesucht. Da bricht diese verfluchte Katastrophe über dich herein, und du sitzt seelenruhig hier in deinem Club und trinkst Bordeaux.« Peter Sheldrake ließ sich in den Sessel fallen, der Harry gegenüberstand, und dann fuhr er fort, unwillig vor sich hinzumurren, während er nach der Flasche griff. »Ich hätte es gleich hier versuchen sollen.«

»Ja, das hättest du tun sollen.« Harry blickte von den Notizen über Cäsars Feldzüge auf, die er in einem Buch vermerkte. »Ich habe beschlossen, hier noch ein Weilchen Karten zu spielen, ehe ich nach Hause gehe. Wo vermutest du ein Problem, Sheldrake? So aufgeregt habe ich dich seit der Nacht nicht mehr gesehen, in der du beinahe mit der Frau dieses französischen Offiziers ertappt worden wärst.«

»Es ist nicht mein Problem.« Peters Augen funkelten vor Genugtuung. »Es ist dein Problem.«

Harry stöhnte und ahnte das Schlimmste. »Sollten wir rein zufällig über Augusta reden?«

»Ich fürchte, ja. Sally hat mich losgeschickt, damit ich dich suche, als sich herausgestellt hat, daß du leider nicht zu Hause warst. Deine Verlobte hat sich einen neuen Beruf zugelegt, Graystone. Sie ist auf dem besten Weg, Einbrecherin zu werden.«

Harry erstarrte. »So ein Blödsinn. Wovon redest du überhaupt, Sheldrake?«

»Nach Sallys Angaben ist deine Verlobte gerade eben dabei, in das Haus einzubrechen, das Lovejoy für die Ballsaison gemietet hat. Es scheint, sie habe versucht, ihre Schulden zurückzuzahlen, aber Lovejoy hat sich geweigert, das Geld anzunehmen. Und er wollte ihr auch den Schuldschein nicht aushändigen, solange sie ihn sich nicht persönlich abholt. In seinem Haus. Um elf Uhr morgen abend, wenn du es genau wissen willst. Sie ist ausdrücklich angewiesen worden, allein zu ihm zu kommen. Man kann sich vorstellen, was er im Sinne hatte.«

»Dieser Mistkerl.«

»Ja, ich fürchte, er spielt ein ziemlich gefährliches Spiel mit deiner Miss Ballinger. Du brauchst jedoch nichts zu befürchten. Deine unerschrockene und grenzenlos einfallsreiche Verlobte hat beschlossen, die Dinge selbst in die Hand zu nehmen. Sie ist heute nacht dort hingegangen, um sich ihren Schuldschein zu holen, solange Lovejoy sich nicht in der Stadt aufhält.«

»Diesmal bekommt sie wirklich Ärger.« Harry stand auf und ignorierte Peters schalkhaftes Lächeln, als er auf die Tür zuging. *Und hinterher werde ich mir dann Lovejoy vornehmen.*

Augusta, die sich für diesen Anlaß eine Hose und ein Hemd ihres Bruders angezogen hatte, kauerte unter Lovejoys Gartenfenster und erkundete die Lage.

Das Fenster von Lovejoys kleiner Bibliothek hatte sich leicht öffnen lassen. Sie hatte gefürchtet, eine der kleinen Glasscheiben einschlagen zu müssen, um sich gewaltsam Zutritt zu verschaffen. Doch einer der Hausangestellten hatte anscheinend vergessen, das Fenster bei Einbruch der Dunkelheit zu verriegeln.

Augusta stieß einen Seufzer der Erleichterung aus und sah sich noch einmal in dem kleinen Garten um, um sich zu vergewissern, daß sie immer noch unbeobachtet war. Alles war still, und die Fenster in dem Stockwerk über ihr waren immer noch dunkel. Lovejoys kleiner Stab von Bediensteten lag entweder im Bett, oder sie waren ausgegangen. Lovejoy selbst war, wie Sally ihr bestätigen konnte, auf der Soiree der Beltons und würde zweifellos nicht vor dem Morgengrauen nach Hause kommen.

Mit der festen Überzeugung, daß die ganze Angelegenheit sich leicht und reibungslos abwickeln lassen würde, sprang Augusta auf das Fensterbrett, schwang die Beine über das Sims und landete lautlos auf den dicken Teppichen.

Sie blieb einen Moment lang still stehen und versuchte, in dem dunklen Raum die Orientierung zu finden. Die Stille war erdrückend. Nirgendwo im Haus war auch nur ein Laut zu hören. Draußen auf der Straße konnte sie das ferne Klappern von Kutschen und das Rascheln des Laubs vor dem offenen Fenster vernehmen, doch sonst gar nichts.

Es fiel genug Mondschein durch das Fenster, um Lovejoys Schreibtisch und ein paar andere Möbelstücke erkennen zu lassen. Ein breiter Ohrensessel stand neben dem Kamin. Zwei Bücherregale erhoben sich im Dunkeln, doch nur eine Handvoll Bücher stand auf den Regalen. Ein großer Globus mit einem schweren Holzfuß stand in einer Ecke.

Augusta sah sich in dem kleinen Zimmer um und vergewisserte sich, daß die Tür geschlossen war.

Ihre Beobachtungen des männlichen Geschlechts hatten sie schon vor Jahren zu dem Schluß gelangen lassen, daß Herren einen starken Hang verspürten, ihre wertvollsten Unterlagen im Schreibtisch ihrer Bibliothek einzuschließen. Ihr Vater, ihr Bruder und ihr Onkel hatten alle diese Strategie verfolgt. Eben diese Beobachtung hatte sie in die Lage versetzt zu erraten, wo Rosalind Morrisseys gestohlenes Tagebuch sich höchstwahrscheinlich befinden würde. Augusta war sicher, daß sie ihren Schuldschein heute nacht in Lovejoys Schreibtisch finden würde.

Es war ein Jammer, daß sie Harry nicht hatte bitten können, sie zu diesem Wagnis zu begleiten, dachte sie, als sie zum Schreibtisch ging und sich dahinter auf den Boden kauerte. Sein Wissen, wie man ein Stück Draht einsetzte, um Schlösser zu öffnen, wäre sehr praktisch gewesen. Sie fragte sich, wo er diese Kunstfertigkeit wohl erlernt hatte.

Augusta zog sachte an der Schublade, die abgesperrt war. Sie rümpfte die Nase, als sie den Schreibtisch genauer betrachtete. Sie konnte sich

Harrys Reaktion deutlich ausmalen, wenn sie ihn heute nacht um seine Hilfe gebeten hätte. Der Mann war frei von jeder Abenteuerlust.

Das Schloß an Lovejoys Schreibtisch war in der Dunkelheit schlecht zu sehen. Augusta spielte mit dem Gedanken, eine Kerze anzuzünden. Wenn sie die Vorhänge zuzog, würde höchstwahrscheinlich niemand das Licht im Fenster der Bibliothek entdecken.

Sie stand auf und machte sich auf die Suche nach einer Lichtquelle. Ihr Rücken war dem offenen Fenster zugewandt, und sie griff gerade nach etwas, was auf einem Regal hoch oben stand und ein Kerzenhalter zu sein schien, als sie spürte, daß sie nicht allein war. *In dieser Bibliothek hält sich außer mir noch jemand auf. Ich bin ertappt worden.*

Schock und Furcht durchzuckten Augusta. Ein Aufschrei blanker Panik stieg in ihre Kehle und drohte sie zu ersticken. Aber ehe sie herumwirbeln oder auch nur einen Schrei ausstoßen konnte, legte sich eine starke Hand fest über ihren Mund.

»Diese Angewohnheit wird mir allmählich außerordentlich lästig«, knurrte Harry in ihr Ohr.

»*Graystone.*« Augusta sackte vor Erleichterung in sich zusammen, als sich seine Hand von ihren Lippen löste. »Herr im Himmel, du hast mir einen fürchterlichen Schrecken eingejagt. Ich dachte schon, es sei Lovejoy.«

»Du kleiner Dummkopf. Er hätte es ohne weiteres sein können. Es kann sogar gut sein, daß du wünschst, er sei es gewesen, wenn ich erst einmal mit dir fertig bin.«

Sie drehte sich zu ihm um. Er ragte als eine große dunkle Silhouette vor ihr im Dunkeln auf. Er trug von Kopf bis Fuß schwarz, bis hin zu den schwarzen Lederstiefeln und einem langen schwarzen Mantel, der seine Kleidung verbarg. Ihr fiel auf, daß er seinen Ebenholzstock bei sich hatte, doch sie sah, daß er ausnahmsweise kein gestärktes weißes Halstuch trug. Es war das erste Mal, daß sie ihn ohne Halstuch sah. In seiner schwarzen Kleidung war der Earl im Dunkeln kaum zu sehen.

»Was auf Erden hast du hier zu suchen?« fragte sie leise.

»Man sollte meinen, das sei augenscheinlich. Ich bemühe mich, meine zukünftige Frau vor dem Newgate Gefängnis zu bewahren. Hast du gefunden, was du gesucht hast?«

»Nein, ich bin eben erst gekommen. Der Schreibtisch ist abgeschlossen. Ich wollte gerade eine Kerze suchen, als du dich von hinten an mich herangeschlichen hast.« Augusta schaute finster, als ihr ein Gedanke durch den Kopf ging. »Woher hast du gewußt, daß ich hier bin?«

»Das ist im Moment nicht von Bedeutung.«

»Es ist hochgradig beunruhigend, daß du immer weißt, was ich gerade treibe. Man könnte fast glauben, du könntest Gedanken lesen.«

»Das ist keine große Leistung, soviel kann ich dir versichern. Wenn du dich wirklich anstrengst, würde ich wetten, daß du heute nacht sogar meine Gedanken lesen kannst. Was beispielsweise denke ich in diesem Augenblick, was glaubst du wohl, Augusta?« Harry trat wieder ans Fenster und schloß es leise. Dann trat er an den Schreibtisch.

»Du bist wohl wütend auf mich«, wagte sich Augusta vor, während sie ihm durch den Raum folgte. »Aber ich kann alles erklären.«

»Deine Erklärungen haben Zeit, obwohl ich bezweifle, daß sie diesen Unsinn in meinen Augen entschuldigen.« Harry ließ sich hinter dem Schreibtisch auf ein Knie sinken und fischte ein Stück Draht aus der Tasche, das ihr bekannt vorkam. »Aber laß uns erst diese Angelegenheit erledigen und von hier verschwinden.«

»Eine ganz ausgezeichnete Idee.« Augusta kauerte sich neben ihn und beobachtete gebannt, was er tat. »Brauchst du denn keine Kerze, um zu sehen, was du tust?«

»Nein. Das ist nicht der erste Schreibtisch, den ich mit Fingerspitzengefühl knacke. Wenn du dich recht erinnerst, durfte ich bereits an Enfields Schreibtisch üben.«

»Ja, allerdings. Wobei mir einfällt, Harry, wo hast du bloß gelernt, einen...«

Ein leises Klicken war aus dem kleinen Schlüsselloch zu hören. Der Schreibtisch war offen.

»Ah«, sagte Harry leise.

Augusta war von Bewunderung erfüllt. »Wo hast du gelernt, das so geschickt zu bewerkstelligen? Ich muß schon sagen, das ist eine ganz bemerkenswerte Kunstfertigkeit. Ich habe mit einer meiner Haarnadeln an Onkel Thomas' Schreibtisch geübt, aber dieses Maß an Geschicklichkeit habe ich nie erlangt.«

Harry warf ihr einen Blick zu, der sie zum Schweigen brachte, während er die Schreibtischschublade herauszog. »Die Fähigkeit, den Schreibtisch eines anderen aufzubrechen, ist keine bewunderungswürdige Leistung. Ich sehe darin nicht gerade eine der Fertigkeiten, die eine junge Dame erlernen sollte.«

»Nein, ganz bestimmt nicht, stimmt's, Graystone? Du glaubst, nur Männer sollten auf dieser Welt die spannenden Dinge unternehmen dürfen.« Augusta schaute in die Schreibtischschublade. Zwischen den sorgsam geordneten Papieren fand sie nichts, was auch nur die geringste Ähnlichkeit mit ihrem Schuldschein aufwies. Sie streckte die Hand aus, um die wenigen Gegenstände in der Schublade näher zu überprüfen.

Harrys Hand schloß sich über ihrer. »Warte. Das Suchen übernehme ich.«

Augusta seufzte. »Ich vermute, das heißt, du weißt, wonach ich suche?«

»Nach deinem Schuldschein über die tausend Pfund, die du Lovejoy schuldest.« Harry ging den Inhalt der obersten Schublade eilig durch. Als er nichts fand, schloß er sie und begann, die anderen Schreibtischschubladen zu öffnen.

Offensichtlich wußte Harry alles. Augusta beschloß, gleich mit ihren Erklärungen anzufangen. »Die Sache ist die, Graystone, daß es ein schrecklicher Fehler war.«

»Darüber sind wir uns einig. Ein sehr dummer Fehler.« Er hatte die letzte Schublade durchstöbert und richtete sich mit finsterer Miene auf. »Aber jetzt haben wir es mit einem noch größeren Problem zu tun. Dein Schuldschein ist nicht auffindbar.«

»Oh, nein. Ich war ganz sicher, daß er ihn hier aufbewahrt. Alle Männer, die ich je gekannt habe, bewahren ihre wertvollen Unterlagen im Schreibtisch in ihrer Bibliothek auf.«

»Du hast entweder nicht allzu viele Männer gekannt, oder du warst nicht in all ihre Geheimnisse eingeweiht. Viele Männer bewahren ihre Wertsachen in einem Tresor auf.« Harry ging um den Schreibtisch herum und auf die Bücherregale zu.

»Ein Tresor. Ja, natürlich. Warum bin ich darauf nicht von selbst gekommen? Glaubst du, Lovejoy hat einen Tresor?«

»Zweifellos.« Harry rückte einige Bücher auf den Regalen zur Seite. Er zog ein paar größere Bücher heraus und schlug sie auf. Als sich herausstellte, daß sie nur Seiten enthielten, stellte er sie wieder genauso ins Regal, wie er sie vorgefunden hatte.

Als sie sah, was er tat, nahm Augusta sich ein anderes Regalbrett vor. Sie fand nichts. Jetzt war sie in Sorge, sie könnten ihren Schuldschein schließlich doch nicht finden, und als sie sich aufgeregt zu Harry umdrehte, stieß sie gegen den Globus und wäre fast gestolpert. Sie streckte eilig die Hände aus, um sich festzuhalten.

»Meine Güte, ist der schwer«, murmelte sie.

Harry drehte sich um, und sein Blick heftete sich auf den Globus. »Natürlich. Er hat genau die richtige Größe.«

»Wovon redest du?« Augusta beobachtete voller Erstaunen, wie er sich vor den Globus kniete. Plötzlich wurde ihr klar, was er sich dachte. »Was für ein kluger Einfall. Glaubst du, das ist Lovejoys Tresor?«

»Ich halte es für möglich.« Harry beschäftigte sich bereits mit dem Mechanismus, der den Globus in dem Holzgestell festhielt. Seine Finger glitten mit der Behutsamkeit eines Liebhabers über das Holz. Dann hielt er inne. »Ah, ja. Da haben wir es.«

Im nächsten Moment gab eine verborgene Sprungfeder nach, und die obere Hälfte des Globus öffnete sich. Er war innen hohl. Ein Strahl Mondschein fiel auf ein paar Papiere und ein kleines Schmuckkästchen, das im Globus versteckt war.

»*Harry.* Das ist er. Da ist mein Schuldschein.« Augusta griff hinein und zog ihren Schuldschein hinaus. »Ich habe ihn.«

»Gut. Dann laß uns von hier verschwinden.« Harry klappte den Globus zu. »Verdammt noch mal.«

Er verharrte regungslos, als er das leise Geräusch hörte, mit dem sich die Haustür öffnete und dann wieder schloß. Stiefel liefen durch den Gang.

»Lovejoy ist nach Hause gekommen.« Augusta sah Harry in die Augen, als sie das sagte. »Schnell. Durch das Fenster.«

»Keine Zeit. Er kommt schon auf die Bibliothek zu.«

Harry sprang auf. Er packte seinen Spazierstock und Augustas Handgelenk und zerrte sie zu dem Sofa am anderen Ende des Raumes. Dann stieß er sie dahinter und kauerte sich mit dem Stock in der Hand neben sie.

Sie schluckte schwer und rührte sich keinen Millimeter vom Fleck.

Die Schritte hielten vor der Tür der Bibliothek inne. Augusta hielt den Atem an und war unermeßlich froh darüber, daß Harry bei ihr war.

Die Tür ging auf, und jemand betrat die Bibliothek. Augusta stellte das Atmen gänzlich ein. *Lieber Gott, was für eine abscheuliche Lage. Und es ist alles meine Schuld. Heute nacht könnte es mir durchaus gelingen, den Earl of Graystone, diesen Ausbund an Tugend, in einen Skandal zu verwickeln. Das würde er mir nie verzeihen.*

Harry, der neben ihr kauerte, rührte sich nicht. Falls ihm die Aussicht auf eine drohend bevorstehende Demütigung und eine gesellschaftliche Katastrophe übermäßige Sorge bereiteten, dann zeigte er es nicht. Er schien unnatürlich ruhig zu sein, ja, sogar gleichgültig, als die Situation auf den kritischen Punkt zusteuerte.

Die Schritte überquerten den Teppich. Glas klirrte, als jemand die Cognac-Karaffe neben dem Ohrensessel in die Hand nahm. Wer es auch sein mochte, gleich würde er sich umdrehen und Licht machen, dachte Augusta voller Entsetzen.

Aber im nächsten Moment wandten sich die Schritte wieder der Tür zu. Sie schloß sich leise, und die Schritte entfernten sich im Korridor.

Augusta und Harry waren wieder allein in der Bibliothek.

Harry wartete ein paar Herzschläge lang, und dann sprang er auf und zog Augusta auf die Füße. Er versetzte ihr einen kleinen Stoß. »Durchs Fenster. Beeil dich.«

Augusta rannte zum Fenster und öffnete es. Harry packte sie um die Taille und hob sie auf die Fensterbank.

»Woher, zum Teufel, hast du diese Hose?« murmelte er.

»Sie hat meinem Bruder gehört.«

»Besitzt du denn gar kein Gefühl für Schicklichkeit?«

»Sehr wenig, Graystone.« Augusta landete auf dem Gras und drehte sich um und beobachtete, wie er aus dem Fenster sprang.

»In einer kleinen Gasse, die von der Straße abgeht, wartet eine Kutsche.« Harry schloß das Fenster hinter sich und nahm ihren Arm. »Komm schon.«

Augusta warf noch einen Blick über die Schulter und sah, wie in einem der Fenster im oberen Stockwerk ein Licht anging. Lovejoy machte sich bereit, ins Bett zu gehen. Sie waren nur knapp davongekommen, und noch hatten sie es nicht geschafft. Wenn Lovejoy zufällig einen Blick aus dem Fenster warf und in den kleinen Garten hinunterschaute, konnte er mühelos sehen, wie zwei verschwommene Gestalten auf das Tor zurannten.

Aber es ertönte kein wütender Schrei, der das ganze Haus aufweckte, als Harry und Augusta durch das Gartentor verschwanden.

Augusta konnte spüren, daß sich Harrys Finger wie Fesseln um ihren Oberarm spannten, als er sie schnell über die Straße führte.

Eine Mietsdroschke fuhr an ihnen vorbei, dann ein Einspänner mit zwei offensichtlich angeheiterten jungen Gecken. Aber niemand schenkte dem Mann in dem schwarzen Mantel oder seiner Begleiterin auch nur die geringste Beachtung.

Auf halber Strecke riß Harry Augusta abrupt herum und bog mit ihr in eine schmale Gasse ein, kaum mehr als ein Fußweg. Der Pfad wurde fast gänzlich von einer vornehmen geschlossenen Kutsche versperrt, die ein bekanntes Wappen zierte.

»Das ist doch Lady Arbuthnotts Kutsche, oder nicht?« Augusta wandte sich verblüfft zu Harry um. »Was hat sie denn hier zu suchen? Ich weiß, daß du mit ihr befreundet bist, aber du hast sie doch gewiß nicht um eine solche Tageszeit aus dem Haus gelockt. Sie ist viel zu krank für Ausflüge.«

»Sie ist nicht da. Sie war nur so freundlich, mir die Kutsche zu leihen, damit mein eigenes Wappen nicht in diesem Stadtteil gesehen wird. Steig ein. Schnell.«

Augusta wollte ihm gerade gehorchen, doch dann blieb sie noch einmal stehen und schaute zu der Gestalt auf, die auf dem Kutschbock saß und ihr durchaus vertraut war. Der Mann war in einen Umhang aus vielen Lagen Stoff gehüllt und trug einen Hut, den er sich tief über die buschigen Augenbrauen gezogen hatte, doch Augusta erkannte ihn sofort.

»Scruggs, sind Sie das?«

»Ja, Miss Ballinger, ich fürchte, ich bin es«, knurrte Scruggs gekränkt. »Man hat mich aus meinem warmen Bett geholt, ja, wirklich, ohne mich auch nur zu fragen, ob es mir recht ist. Ich halte mir zugute, ein erstklassiger Butler zu sein, aber ich werde nicht dafür bezahlt, die Leute durch die Gegend zu kutschieren. Trotzdem hat man mir heute nacht befohlen, den Kutscher zu spielen, und ich werde mein Bestes tun, obwohl ich mir nicht vorstellen kann, daß ich dafür ein lohnendes Trinkgeld bekomme.«

»Sie sollten die Nachtluft wirklich meiden«, sagte Augusta stirnrunzelnd. »Sie tut Ihrem Rheumatismus nicht gut.«

»Ja, das ist nur zu wahr«, stimmte Scruggs ihr griesgrämig zu. »Aber versuchen Sie mal, dies diesen großspurigen Kerlen klarzumachen, die glauben, mitten in der Nacht durch die Stadt rasen zu müssen.«

Harry riß die Kutschentür auf. »Ich bitte dich, mach dir wegen Scruggs' Rheumatismus keine Sorgen, Augusta.« Er umfaßte ihre Taille. »Wenn du dir hier um jemanden Sorgen machen solltest, dann um dich selbst.«

»Aber, Harry... ich meine, Mylord... uff.« Augusta landete mit einem Aufprall auf den Kissen, die mit grünem Samt bezogen waren, als Harry sie ziemlich unsanft in die dunkle Kutsche stieß. Sie hörte, wie er mit Scruggs sprach, als sie sich ordentlich hinsetzte.

»Fahren Sie durch die Gegend, bis ich Ihnen sage, daß wir zu Lady Arbuthnott zurückfahren.«

»Wohin soll ich denn fahren, Mann?« Da sie durch die Kutschenwände drang und gedämpft war, klang Scruggs' Stimme jetzt anders als sonst. Das heisere Krächzen war verschwunden.

»Das interessiert mich nicht weiter«, fauchte Harry. »Durch einen der Parks oder in Richtung Stadtrand. Das ist ganz egal. Sehen Sie nur zu, daß Sie keine Aufmerksamkeit erregen. Ich habe Miss Ballinger einiges zu sagen, und mir fällt kein anderer Ort ein, an dem ich so ungestört und ausgiebig mit ihr reden kann wie in dieser Kutsche.«

Scruggs räusperte sich. Als er wieder etwas sagte, klang seine Stimme immer noch ungewohnt und dennoch seltsam vertraut. »Äh, Graystone, vielleicht sollten Sie es sich noch einmal anders überlegen und nicht ziellos durch die Nacht fahren. Sie sind im Moment nicht gerade bester Laune.«

»Wenn ich Ihren Rat wünsche, Scruggs, dann werde ich Sie darum bitten.« Harrys Stimme war messerscharf. »Habe ich mich deutlich genug ausgedrückt?«

»Ja, Mylord«, sagte Scruggs trocken.

»Ausgezeichnet.« Harry sprang in die Kutsche und schlug die Tür zu. Er streckte die Hand aus und zog die Vorhänge vor.

»Es war nicht nötig, ihn derart anzufauchen«, sagte Augusta vorwurfsvoll, als Harry auf den Sitz ihr gegenüber sank. »Er ist ein alter Mann, und sein Rheumatismus macht ihm schwer zu schaffen.«

»Scruggs' Rheumatismus interessiert mich keinen Pfifferling.« Harry sprach viel zu leise. »Was mir im Moment Sorgen macht, das bist du, Augusta. Was, zum Teufel, hast du dir bloß dabei gedacht, heute nacht in Lovejoys Haus einzubrechen?«

Jetzt erst dämmerte es Augusta, wie wütend Harry in Wirklichkeit war. Zum ersten Mal begann sie, sich zu wünschen, sie sei wieder heil und gesund in ihrem eigenen Schlafzimmer. »Ich hatte den Eindruck, Ihnen war klar, was ich dort zu suchen hatte, Mylord. Sie schienen zu wissen, daß mein Schuldschein in Lovejoys Besitz war. Ich vermute, Sie wissen auch, wie ich die tausend Pfund an ihn verloren habe. Hat Sally es Ihnen gesagt?«

»Du mußt Sally verzeihen. Sie war in tiefer Sorge.«

»Ja, also, ich habe versucht, die Schulden zurückzuzahlen, aber Lovejoy hat sich geweigert, das Geld anzunehmen. Ich hatte ganz entschieden den Eindruck, daß er tückische Pläne hatte, den Schuldschein dazu zu nutzen, mich oder vielleicht sogar Sie zu demütigen. Ich hielt es für das beste, den Schuldschein an mich zu bringen.«

»Verdammt und zum Teufel, Augusta, du hättest dich überhaupt nicht erst von Lovejoy zu einem Kartenspiel verleiten lassen sollen.«

»Ja, wenn ich jetzt zurückblicke, sehe ich wirklich ein, daß das ein Fehler war. Aber ich muß sagen, daß ich mich gut gehalten habe, Sir. Ich habe auch tatsächlich gewonnen, bis ich mich von einer anderen Frage habe ablenken lassen. Wir haben angefangen, über meinen Bruder zu reden, verstehen Sie, und urplötzlich habe ich festgestellt, daß ich eine reichlich große Summe verloren hatte.«

»Augusta, eine Dame, die auch nur die geringste Vorstellung davon hat, was der Anstand gebietet, hätte sich niemals in eine solche Lage gebracht.«

»Da haben Sie zweifellos recht, Mylord. Aber ich habe Sie gewarnt und Ihnen gesagt, daß ich keine Frau von der Sorte bin, mit der Sie eine Heirat auch nur in Erwägung ziehen sollten, oder etwa nicht?«

»Darum geht es jetzt nicht«, sagte Harry durch zusammengebissene Zähne. »Es ist eine Tatsache, daß wir heiraten werden, und erlaube mir, dir hier und jetzt zu sagen, Augusta, daß ich einen weiteren solchen Vorfall nicht dulden werde. Habe ich mich deutlich genug ausgedrückt?«

»Sehr klar und deutlich, Sir. Aber ich meinerseits würde gern hervorheben, daß es hier um meinen Stolz und um meine Ehre ging. Ich mußte etwas unternehmen.«

»Du hättest dich sofort an mich wenden sollen.«

Augusta kniff die Augen zusammen. »Nehmen Sie es mir nicht übel, Mylord, aber ich glaube nicht, daß das eine glänzende Idee gewesen wäre. Wozu hätte das gut sein sollen? Sie hätten mir ja doch nur eine Strafpredigt gehalten und mir eine äußerst unerfreuliche Szene gemacht, wie Sie es im Moment gerade tun.«

»Ich hätte die Angelegenheit für dich geregelt«, sagte Harry grimmig. »Und du hättest nicht deinen Hals und deinen Ruf riskiert, wie du es heute nacht getan hast.«

»Mir scheint, Mylord, unser beider Hals und Ruf hat heute nacht auf dem Spiel gestanden.« Augusta versuchte sich zögernd an einem beschwichtigenden Lächeln. »Und ich muß sagen, Sie waren beeindrukkend. Ich bin sehr froh darüber, daß Sie dort erschienen sind, Sir. Ich hätte meinen Schuldschein nicht gefunden, wenn Sie nicht den Verdacht geschöpft hätten, der Globus sei ein Geheimtresor. Mir scheint, es hat sich alles zum Besten gewendet, und wir sollten beide dankbar dafür sein, daß die Geschichte aus der Welt geschafft ist.«

»Glaubst du wirklich, daß ich die Dinge auf sich beruhen lasse?«

Augusta richtete sich zu einer stolzen Haltung auf. »Ich habe natürlich vollstes Verständnis dafür, wenn Sie finden, mein Vorgehen heute nacht sei weit über die Grenzen des Erlaubten hinausgegangen. Sollten Sie das Gefühl haben, daß Ihnen die Vorstellung unerträglich ist, mich zu heiraten, dann steht mein ursprüngliches Angebot immer noch. Ich bin jederzeit bereit, die Verlobung zu lösen und Sie von Ihrem Versprechen zu entbinden.«

»Mich zu entbinden?« Harry streckte eine Hand aus und packte ihr Handgelenk. »Ich fürchte, das ist jetzt nicht mehr möglich. Ich bin zu dem Schluß gekommen, daß ich mich niemals von dir werde freimachen können. Du wirst mich für den Rest meines Lebens behexen, und wenn das nun einmal mein Los ist, dann kann ich nur dafür sorgen, daß ich für das, was zu ertragen ich gezwungen bin, reichlich entschädigt werde.«

Ehe Augusta die Zeit fand, seine Absichten zu erkennen, hatte Harry sie an sich gerissen. Im nächsten Moment lag sie auf seinen kräftigen Schenkeln. Sie klammerte sich an seinen Schultern fest, als sich sein Mund auf ihre Lippen senkte.

7. Kapitel

»Harry.«

Augustas verblüffter Ausruf wurde von Harrys Lippen erstickt, die sich glühend auf ihren Mund preßten. Im selben Moment nahm er all ihre Sinne gefangen. Ihr betäubtes Erstaunen wich augenblicklich flimmernder Erregung, genauso wie bei jenem ersten Mal auf dem Fußboden seiner Bibliothek.

Augusta schlang langsam die Arme um Harrys Hals, als sie sich von ihrem ersten Schock erholt hatte. Er verlangte den Zutritt zu ihrem Mund, und gehorsam teilte sie die Lippen. In dem Moment, in dem sie es tat, war er auch schon in ihr und forderte ihre Wärme für sich. Augusta erschauerte.

Ihr Körper reagierte so schnell, daß sie nicht mehr klar denken konnte. Irgendwo in ihrem Innern nahm sie das Schwingen und Rumpeln des Fahrzeugs wahr, das Knirschen der Räder und das Klappern von Pferdehufen auf Stein. Aber hier in der Kutsche, in Harrys Umarmung, war sie in einer anderen Welt.

Es war eine Welt, in die zurückzukehren sie sich insgeheim schon sehnte, seit Harry sie das erste Mal so in seinen Armen gehalten hatte. Die Stunden, in denen sie diese Intimitäten in ihrer Phantasie noch einmal durchlebt hatte, verblichen jetzt, als die Realität an ihre Stelle trat. Ein euphorisches Gefühl machte sich in ihr breit, als sie begriff, daß sie wieder einmal Gelegenheit haben würde, das Wunder zu erleben, das Harrys Küsse bewirkte.

Offensichtlich hatte er ihr die unangenehme Geschichte mit Lovejoy und ihren Schulden verziehen, dachte Augusta beseligt. Gewiß hätte Harry sie nicht so geküßt, wenn er noch wütend auf sie gewesen wäre. Sie klammerte sich an ihn, und ihre Finger sanken tief in den schweren Stoff seines schwarzen Mantels.

»Gütiger Gott, Augusta.« Harry hob ein wenig den Kopf, und seine Augen glänzten in der Dunkelheit. »Du wirst mich noch um den Verstand bringen. Im einen Moment könnte ich dich mit dem größten Vergnügen an den Schultern packen und schütteln, und im nächsten Moment löst du in mir den Wunsch aus, dich in das nächstbeste Bett zu zerren.«

Sie legte eine Hand auf seine Wange und lächelte wehmütig. »Würdest du mich bitte noch einmal küssen, Harry? Ich mag es so gern, wenn du mich küßt.«

Mit einem erstickten Fluch senkte sich Harrys Mund wieder auf ihre

Lippen. Sie nahm wahr, daß seine Hand über ihre Schulter glitt und sie zart streichelte, und einen Moment lang erstarrte sie, als seine Finger durch den Stoff des Hemds ihre Brust berührten. Aber sie wich nicht zurück.

»Magst du das, mein leichtsinniger kleiner Wildfang?« Harrys Stimme war belegt, als er begann, ihr Hemd aufzuknöpfen.

»Ja«, hauchte sie. »Ich möchte, daß du mich küßt und nie mehr damit aufhörst. Ich sage dir, es ist einfach faszinierend.«

»Ich bin sehr froh, daß du das so siehst.«

Dann glitt seine Hand in das offene Hemd und legte sich auf ihre nackte Brust. Augusta schloß die Augen und holte hörbar Luft, als Harrys Daumen ihre Brustwarze umkreiste.

»Mein Gott«, flüsterte Harry heiser. »Wie die süßesten aller reifen Früchte.«

Dann senkte er wieder den Kopf, um die rosige Knospe in den Mund zu nehmen, und als er es tat, stöhnte Augusta.

»Psst, mein Liebling«, murmelte er, und seine Hand glitt tiefer, um ihre Hose zu öffnen.

Augusta nahm verschwommen wahr, daß sie sich irgendwo auf einer belebten Straße befanden und in einer Kutsche saßen und daß Scruggs kaum mehr als einen Meter von ihnen entfernt war und in seliger Unwissenheit darüber schwebte, was sich in der Kutsche abspielte. Sie wußte, daß sie leise hätte sein sollen, doch sie konnte beim besten Willen nicht jedes überraschte Keuchen ersticken. Harrys Berührungen ließen ihren Körper vor Lust summen. Eine unerträgliche Gier regte sich in ihr und erschuf eine Spannung, die zu neu und zu seltsam war, als daß sie völlig lautlos damit hätte umgehen können.

Als sie Harrys Finger in ihrer aufgeknöpften Hose spürte, wie sie die warmen Geheimnisse zwischen ihren Schenkeln erkundeten, schnappte Augusta nach Luft und rief leise aus: »O Harry.«

Harry reagierte darauf mit einem Stöhnen, das zur Hälfte Gelächter und zur anderen Hälfte ein Fluch war. »Sei leise, meine Süße. Du mußt aufpassen, Liebling.«

»Es tut mir leid, aber ich kann anscheinend nicht still sein, wenn du mich so berührst. Es ist ein ganz seltsames Gefühl, Harry. Ich kann nur sagen, so etwas habe ich noch nie empfunden.«

»Verdammt und zum Teufel, Frau. Du hast wohl nicht die leiseste Ahnung, was du mir antust, oder?« Harry rutschte auf dem Sitz herum und nahm eilig eine andere Haltung ein. Er zog sich den Mantel von den Schultern und breitete ihn auf den grünen Polstern aus. Dann streckte er Augusta auf seinem Mantel aus. Durch die beengten Verhältnisse mußte sie die Knie anziehen.

Als Augusta die Augen aufschlug, kauerte Harry neben ihr. Er beugte sich vor und spreizte ihr Hemd mit fiebriger Ungeduld auseinander, um ihre Brüste zu entblößen.

Augusta gewöhnte sich gerade erst daran, daß er ihren Oberkörper berührte, als sie sich des Umstandes bewußt wurde, daß Harry ihr die Schuhe von den Füßen riß und ihr die Hose über die Schenkel zog.

»Mylord? Was tun Sie da?« Sie rutschte unruhig auf dem Polster herum und war benommen von der Vielfalt der sinnlichen Wahrnehmungen, die über sie hereinströmte. Harrys warme Hand legte sich mit schockierender Intimität zwischen ihre Schenkel, und sie erschauerte.

»Sag mir noch einmal, daß du mich willst«, murmelte er mit den Lippen auf ihrer Brust.

»Ich will dich. Ich habe nie in meinem ganzen Leben etwas so sehr gewollt.« Sie wölbte sich seiner Hand entgegen und hörte sein Stöhnen. Alle Einwände schwanden erneut und wurden von rasendem Verlangen abgelöst. Sie schrie wieder auf, und plötzlich lag Harrys Mund auf dem ihren und brachte sie behutsam zum Schweigen.

Augusta erschauderte, als sie spürte, wie er seine Haltung wieder veränderte. Er kniete jetzt zwischen ihren Beinen. Sie nahm wahr, daß er sich eilig an seiner Hose zu schaffen machte.

»Harry?«

»Psst. Liebling. Psst.«

Sie keuchte, als sich sein Gewicht auf sie herabsenkte und sie in die Polster preßte. Er hatte sich zwischen ihre Schenkel gezwängt, ehe sie sich vollauf über seine Absichten klar wurde.

Seine Finger glitten zwischen ihre Körper, streichelten sie drängend und teilten sie. »Ja, Liebling, das ist es. Öffne dich mir. Genauso. Mein Gott, bist du zart. So weich und feucht für mich. Laß mich dich fühlen, Liebling.«

Die heiseren, einschmeichelnden Worte fluteten über sie hinweg. Augusta spürte etwas Hartes und Unnachgiebiges, das sich langsam, aber beharrlich gegen ihre weiche Weiblichkeit preßte.

Einen Moment lang loderte Panik in ihr auf. Sie sollte ihn zurückhalten, dachte sie verschwommen. Er würde es am nächsten Morgen bestimmt bereuen und vielleicht wieder ihr die Schuld daran geben, wie er es beim letzten Mal getan hatte. »Harry, ich glaube nicht, daß wir das tun sollten. Du wirst mich hinterher für wollüstig halten.«

»Nein, mein Liebling. Ich werde dich nur ganz süß und reizend finden. Und so zart.«

»Du wirst behaupten, ich hätte dich ermutigt.« Sie schnappte nach Luft, als er sich fester an sie preßte. »Du wirst wieder behaupten, ich hätte dir gewisse Versprechen gemacht.«

»Die Versprechen sind bereits gemacht worden, und sie werden eingehalten. Du gehörst mir, Augusta. Wir sind miteinander verlobt. Du hast nichts zu befürchten, wenn du dich dem Mann hingibst, der später einmal dein Ehemann sein wird.«

»Bist du ganz sicher?«

»Absolut sicher. Schling die Arme um mich, Liebling«, murmelte Harry mit den Lippen auf ihrem Mund. »Halt mich fest. Nimm mich ganz in dir auf. Zeig mir, daß du mich wahrhaft willst.«

»O Harry, ich will dich wirklich. Und wenn du sicher bist, daß du mich willst, wenn du nicht glauben wirst, daß es mir in betrüblichem Maße an Tugend mangelt...«

»Ich will dich, Augusta. Ich will dich, weiß Gott, so sehr, daß ich nicht glaube, den kommenden Morgen zu erleben, wenn ich dich nicht heute nacht noch nehme. Nichts ist mir jemals derart richtig erschienen.«

»O *Harry*.« Er wollte sie, dachte Augusta, und sie war von dieser Erkenntnis benommen. Er lechzte verzweifelt nach ihr. Und sie sehnte sich danach, sich ihm hinzugeben, verzehrte sich danach zu wissen, was für ein Gefühl es war, ganz und gar von ihm besessen zu werden.

Augustas Arme schlangen sich fester um seinen Nacken, und sie bog sich ihm zögernd entgegen.

Das war alles an Ansporn, was Harry brauchte.

»Mein Gott, ja, Augusta. *Ja.*« Sein Mund heftete sich auf ihren, als er sich heftig in sie stieß.

Augusta, die sich von ihren lodernden sinnlichen Wahrnehmungen hatte mitreißen lassen, fühlte sich, als sei sie plötzlich in eiskaltes Wasser geworfen worden. Der Schock dieser intimen Invasion erschütterte sie. *Das war nicht das, was sie erwartet hatte.*

Sie keuchte und stieß vor Erstaunen und Entsetzen einen Schrei aus. Ihr Protest beschränkte sich jedoch auf ein gedämpftes Quietschen, da Harry den Mund weiterhin brutal auf ihre Lippen preßte. Er schluckte ihre kleinen Schreie und beschwichtigte sie mit seinem Kuß. Keiner von beiden rührte sich.

Nach einem Moment hob Harry vorsichtig den Kopf. Der schwache Lichtschein in der Kutsche zeigte den Schweiß auf seiner Stirn und seine zusammengebissenen Zähne.

»Harry?«

»Ganz ruhig, Liebling, ganz ruhig. Gleich wird alles wieder gut sein. Verzeih mir, meine Süße, daß ich die Dinge so eilig vorantreibe.« Er preßte ihr heiße, drängende Küsse auf die Wangen und den Hals. Seine

Hände spannten sich fest um sie. »Ich bin vor Verlangen nach dir trunken, und wie jeder Betrunkene habe ich mich unbeholfen bewegt, und dabei hätte ich sanfter und geschickter vorgehen müssen.«

Augusta sagte nichts darauf. Sie war zu sehr damit beschäftigt, sich an das seltsame Gefühl zu gewöhnen, Harry tief in sich zu haben.

Einen endlosen Moment lang lag Harry weiterhin absolut reglos auf ihr. Augusta konnte die enorme Spannung in ihm spüren, als er sich zurückhielt.

»Augusta?«

»Ja, Harry?«

»Ist alles in Ordnung mit dir, Liebes?« erkundigte er sich durch zusammengebissene Zähne. Es klang, als müßte er jeden Funken Selbstbeherrschung aufbieten, den er besaß.

»Ja. Ich glaube schon.« Augusta zog die Stirn in Falten, als ihr Körper sich langsam an das Gefühl gewöhnte, über alle Maße gestreckt und gedehnt zu werden, über die Grenzen des Unmöglichen hinaus. Nie hatte sie vergleichbar gefühlt.

In dem Moment machte die Kutsche einen gewaltigen Ruck, als ein Rad in einem Loch in der Straße steckenblieb. Durch diese unerwartete Bewegung gelangte Harry unfreiwillig noch tiefer in Augusta hinein. Er stöhnte. Augusta schnappte nach Luft.

Harry murmelte tonlos etwas vor sich hin und schmiegte seine Stirn an Augustas Stirn. »Es wird gleich besser. Ich gebe dir mein Wort darauf, Augusta. Du bist so süß, so empfänglich. Sieh mich an, meine Süße.« Er wiegte ihr Gesicht zwischen seinen Handflächen. »Verdammt noch mal, Augusta, mach die Augen auf und sieh mich an. *Sag mir, daß du mich immer noch willst.* Das allerletzte, was ich wollte, war, dir weh zu tun.« Sie gehorchte und hob die Wimpern, um in sein starres Gesicht zu sehen. Ihr wurde klar, daß er sich selbst jetzt, während er noch darum kämpfte, sich zu beherrschen, bereits Vorwürfe dafür machte, ihr Unbehagen bereitet zu haben. Sie lächelte zärtlich und war von seiner liebevollen Rücksichtnahme tief ergriffen. Kein Wunder, daß sie ihn liebte, dachte sie plötzlich.

»Reg dich nicht auf, Harry. Es ist wirklich nicht so schlimm. Ich bezweifle, daß ein echter Schaden entstanden ist. Nicht alle Abenteuer laufen reibungslos ab, wie wir beide heute abend in Lovejoys Bibliothek festgestellt haben.«

»Gütiger Gott, Augusta. Was soll ich bloß mit dir anfangen?« Harry schmiegte sein Gesicht an ihren Hals und begann, sich in ihr zu bewegen.

Augusta mochte dieses neue Gefühl anfangs nicht besonders, aber allmählich überlegte sie es sich anders – und sie begann sogar tatsächlich, all das recht erträglich zu finden – als es urplötzlich vorbei war.

»*Augusta.*« Harry drang ein letztes Mal in sie ein, drückte den Rükken durch und wurde vollkommen starr. Augusta war fasziniert von seiner Kraft und dem barbarischen Ausdruck rauher Männlichkeit, der auf seinem kantigen Gesicht stand. Sie erkannte, daß er die Zähne zusammenbiß, um einen heiseren Aufschrei zu unterdrücken, und dann stöhnte er und brach schwer auf ihr zusammen.

Einen Moment lang nahm sie nur das stetige Schaukeln der Kutsche und die fernen Laute auf der Straße wahr. Augusta streichelte beschwichtigend Harrys Rücken, als sie lauschte, wie er tief und abgehackt Atem holte und die Luft schluckte. Sie beschloß, daß es ihr gefiel, ihn warm und schwer auf sich zu fühlen, obwohl er sie in die Polster preßte. Sogar seinen Geruch mochte sie. Er hatte etwas unverwechselbar Männliches an sich.

Insbesondere gefiel ihr die seltsame Intimität der Situation. Sie fühlte sich jetzt fast als ein Teil von Harry, erkannte sie. Es war, als hätten sie einander etwas von sich selbst gegeben und seien jetzt in irgendeiner undefinierbaren Form aneinandergebunden, die nichts mit den Formalitäten einer Verlobung zu tun hätte.

Es dauerte ein paar Sekunden, bis Augusta genauer bestimmen

konnte, was sie eigentlich empfand, doch dann wußte sie es plötzlich. Es war das köstliche Gefühl zu wissen, wohin sie gehörte. Sie und Harry waren jetzt zusammen, als hätten sie in der heutigen Nacht den Grundstein zu einer neuen Familie gelegt. Einer Familie, zu der sie voll und ganz gehören konnte.

»Himmel«, murmelte Harry. »Ich kann es einfach nicht glauben.«

»Harry«, murmelte Augusta versonnen, »werden wir das in den nächsten vier Monaten unserer Verlobungszeit häufig tun, was meinst du? Wenn ja, dann sollten wir uns vielleicht einen anderen Kutscher suchen.« Sie kicherte leise in sich hinein. »Ich kann mir nicht vorstellen, daß es Scruggs recht ist, uns jede Nacht durch die Stadt zu fahren, was meinst du? Du weißt schon, sein Rheumatismus.«

Harry erstarrte. Er riß abrupt den Kopf hoch, und in seinen Augen stand eindeutig ein Ausdruck von Betroffenheit. Als er etwas sagte, war jede Spur des zärtlichen Drängens eines Liebhabers aus seiner Stimme entwichen. »*Vier Monate?* Das ist völlig ausgeschlossen.«

»Was ist?«

Er zog sich hoch und erhob sich, ehe er sich mit den Fingern durch das zerzauste Haar fuhr. »Nichts, was sich nicht beheben ließe. Ich brauche ein paar Minuten Zeit, um nachzudenken. Setz dich hin, Augusta. Eil dich, es tut mir leid, daß ich dich dränge, aber du mußt dich unbedingt wieder anziehen.«

Harrys ungeduldiger und gebieterischer Tonfall brachte es fertig, einen großen Teil des Gefühls von Intimität zu nehmen, das Augusta nach wie vor verspürt hatte. Sie zuckte zusammen, als sie sich unbeholfen in eine aufrechte Lage hochzog und begann, mit ihren Kleidungsstücken herumzufummeln.

»Also, wirklich, Harry. Das verstehe ich nicht. Warum bist du so wütend?« Augustas Finger hielten auf ihrer Kleidung inne, als sie plötzlich auf einen fürchterlichen Gedanken kam. »Wirst du mir jetzt doch die Schuld an dem zuschieben, was vor ein paar Minuten passiert ist?«

»Verdammt und zum Teufel, ich bin nicht wütend auf dich, Augusta. Oder wenigstens nicht deshalb.« Er beschrieb mit einer unwirschen Geste das Kuscheninnere und alles, was sich dort abgespielt hatte. »Dein Einbruch in Lovejoys Haus ist etwas ganz anderes, und ich habe nicht die Absicht, das Thema zu begraben.«

Er knöpfte seine Hose zu und rückte sein Hemd zurecht, und dann wollte er ihr dabei behilflich sein, sich wieder anzuziehen. Seine Hand blieb kurz auf ihrem Oberschenkel liegen.

Augusta lächelte, als sie spürte, daß er zwischen widersprüchlichen Gefühlen hin- und hergerissen war. »Was ist? Wolltest du noch mehr?«

»Noch viel mehr.« Er schüttelte grimmig den Kopf, als er ihr die Hose hochzog. »Und ich halte es niemals noch vier volle Monate aus, ehe ich mir wieder nehme, was ich will, soviel steht fest.«

»Dann werden wir das also häufig tun?«

Er blickte auf, und das sinnliche Versprechen in seinen Augen war unmißverständlich. »Zweifellos. Aber nicht mitten in London in irgendeiner verdammten Kutsche. Hier, zieh dir das Hemd ordentlich an, Augusta.« Er begann, es für sie zuzuknöpfen. »Ich werde so schnell wie möglich eine Sondergenehmigung einholen, und in ein oder zwei Tagen sind wir verheiratet.«

»*Verheiratet.* Mit einer Sondergenehmigung?« Augusta starrte ihn an. Es schien, als könne sie beim besten Willen keinen klaren Gedanken fassen. Alles überschlug sich. »Oh, nein, Harry. Was ist mit unserer Verlobungszeit?«

»Ich fürchte, es ist uns bestimmt, reichlich kurz miteinander verlobt zu sein, weit kürzer als gewöhnlich. Genau genommen so kurz, wie es sich nur irgend machen läßt.«

»Die Sache ist aber die, daß ich keineswegs sicher bin, ob ich die Verlobungszeit verkürzen möchte.«

»Deine Einstellung zu diesen Dingen hat keine allzu große Bedeutung mehr«, teilte er ihr behutsam mit. »Ich habe dich gerade geliebt, und ich werde zweifellos in allernächster Zukunft versucht sein, es wieder zu tun. Daher werden wir augenblicklich heiraten. Ich warte nicht vier Monate, ehe ich dich wieder nehmen kann. Das steht mit absoluter Sicherheit fest. Diese Marter würde ich nicht überleben.«

»Aber, Harry…«

Er hielt eine Hand hoch, um sie zum Schweigen zu bringen. »Genug. Kein Wort mehr. Die Angelegenheit ist geregelt. Diese Situation habe ich mir voll und ganz selbst zuzuschreiben, und ich werde tun, was getan werden muß.«

»Nun, was das angeht«, sagte Augusta versonnen, »so glaube ich, ich könnte nicht behaupten, daß alles nur deine Schuld war. Du hast schon bei verschiedenen Gelegenheiten erwähnt, es fehle mir in mancher Hinsicht betrüblicherweise an moralischem Empfinden, und es ist allgemein bekannt, daß ich einen Hang zu einem gewissen Leichtsinn habe. Es ist zum Teil auch meine Schuld, Harry. Tatsächlich«, fügte sie verdrossen hinzu, als sie daran dachte, wie Claudia auf diese Neuigkeiten reagiert hätte, »wären manche Menschen der Meinung, daß alles meine Schuld ist.«

»Ich sagte doch schon, daß ich kein Wort mehr darüber hören will.« Harry wollte gerade seinen Mantel von der Sitzbank der Kutsche aufheben, doch er hielt inne und starrte die kleinen feuchten Flecken darauf an. Dann holte er tief Atem.

»Ist etwas nicht in Ordnung, Harry?«

»Ich möchte mich bei dir entschuldigen, Augusta.« Seine Stimme klang mürrisch. »Ich hatte kein Recht, dich heute nacht auszunutzen. Ich weiß nicht, was meiner Selbstbeherrschung zugestoßen ist. Du hättest für deine erste Erfahrung in der Liebe ein anständiges Bett und das ganze Drum und Dran von Flitterwochen verdient gehabt.«

»Reg dich darüber bloß nicht auf. Um die Wahrheit zu sagen, es war ziemlich aufregend, diese ganze Angelegenheit so zu beginnen.« Sie stieß den Vorhang vor dem Fenster zur Seite und schaute auf die Straße hinaus. »Ich frage mich, in wie vielen der anderen Kutschen, die dort draußen herumfahren, Paare genau dasselbe tun, was wir gerade eben getan haben.«

»Schon allein der Gedanke ist schauerlich.« Harry stieß die Dachluke mit seinem Ebenholzstock auf. »Scruggs, bringen Sie uns augenblicklich zurück zu Lady Arbuthnott.«

»Es ist aber auch an der Zeit«, murrte Scruggs vom Kutschbock. »Das hätten Sie sich eigentlich schon eher überlegen sollen, stimmt's, Sir?«

Harry gab sich nicht die Mühe, ihm zu antworten. Er ließ die Dachluke mit einem lauten Knall zufallen. Dann saß er Augusta eine Zeitlang schweigend gegenüber. »Ich kann einfach nicht glauben, daß ich gerade mitten auf der Straße in einer Kutsche, die durch London fährt, mit meiner Verlobten geschlafen habe.«

»Armer Harry.« Augusta musterte den seltsamen Ausdruck auf seinem kantigen Gesicht. »Ich nehme an, es wird sehr schwierig werden, das mit deinem ausgeprägten Anstandsgefühl zu vereinbaren, stimmt's?«

»Solltest du mich etwa auslachen, Miss Ballinger?«

»Nein, Sir. Ich dächte im Traum nicht daran.« Sie rang darum, das Grinsen zu verbergen, das an ihren Mundwinkeln zog. Sie fragte sich, warum sie sich nach einem derart verblüffenden Vorfall so beschwingt und fröhlich fühlte.

Harry fluchte leise. »Ich fange an zu glauben, daß wenn ich nicht ganz außerordentlich vorsichtig bin, du einen unglaublich schlechten Einfluß auf mich haben wirst, Augusta.«

»Ich werde mich nach Kräften bemühen«, murmelte sie. Dann wurde sie wieder nüchtern. »Aber was die Sondergenehmigung betrifft – ich halte es wirklich nicht für notwendig, etwas derart Drastisches zu unternehmen, Harry.«

»Nein?« Er zog die Augenbrauen hoch. »Nun, ich aber. Und nur darum geht es hier. Ich werde dir morgen den Ort und die Zeit mitteilen. Und ich werde mit deinem Onkel reden und ihm erklären, daß es jetzt keine andere Wahl mehr gibt.«

»Aber genau das ist es ja, Harry. Wir haben eine andere Wahl. Ich habe es nicht besonders eilig. Und eine Heirat ist etwas so Endgültiges, nicht wahr? Ich will, daß du ganz genau weißt, was du tust.«

»Du meinst, du hast immer noch Bedenken.«

Sie biß sich auf die Lippen. »Das habe ich so nicht gesagt.«

»Du brauchst es nicht zu sagen. Du hast von Anfang an versucht, Zeit herauszuschinden, schon seit dem Tag unserer Verlobung. Aber jetzt sind die Dinge zu weit gegangen, und für keinen von uns beiden gibt es eine ehrbare Alternative dazu, die Heirat so schnell wie möglich zu bewerkstelligen.«

Augusta spürte, wie ihr die Furcht einen Stich versetzte. »Ich hoffe, du drängst jetzt nicht darauf, weil du das Gefühl hast, alles wieder gutmachen und das Richtige tun zu müssen. Mir ist klar, daß du sehr heikel bist, wenn es um Fragen von Anstand und Schicklichkeit geht, aber es besteht wirklich keine Notwendigkeit für diese Hast.«

»Sei keine dumme Gans, Augusta. Es besteht die allergrößte Notwendigkeit, diese Heirat vorzuverlegen. Du könntest jetzt schon schwanger sein.«

Ihre Augen wurden groß. »Gütiger Himmel, daran habe ich überhaupt nicht gedacht.« *Was nur ein Beweis dafür ist, welches Chaos heute nacht in meinem Kopf herrscht*, dachte sie. *Ich könnte schwanger sein. Ein Baby von Harry bekommen.* Instinktiv legte sie schützend ihre Hand auf ihren Bauch.

Harrys Blick folgte ihrer Geste. Er lächelte. »Offensichtlich war dir diese Möglichkeit zwischenzeitlich entfallen.«

»Wir könnten doch eine Weile warten und sichergehen«, wagte sie sich vor.

»Wir werden keinen Tag länger als nötig warten.«

Sie hörte den unerbittlichen Tonfall und wußte, daß jeder weitere Einwand zwecklos war. Sie war noch nicht einmal sicher, ob sie weitere Diskussionen wollte. Sie wußte in dem Moment absolut nicht, was sie wollte.

Wie es wohl sein würde, ein Baby von Harry zu bekommen?

Augusta saß angespannt und still da, bis die Kutsche vor Lady Arbuthnotts Haus vorfuhr.

Beim Aussteigen wandte sich Augusta ein letztes Mal an Harry. »Es ist noch nicht zu spät, um es sich anders zu überlegen. Ich bitte dich, triff vor morgen früh keine Entscheidungen. Es könnte gut sein, daß du die Dinge dann anders siehst.«

»Ich werde morgen viel zuviel damit zu tun haben, eine Sondergenehmigung einzuholen und mich gewisser Angelegenheiten anzunehmen, und daher werde ich ohnehin keine Zeit finden, es mir anders zu überlegen«, teilte er ihr mit. »Komm, ich begleite dich durch den Garten zu einer Hintertür. Du kannst dich in einem von Sallys Schlafzimmern umziehen, und dann wird sie dich mit einem Begleiter in ihrer Kutsche nach Hause schicken.«

»Was soll das heißen, du wirst morgen zuviel zu tun haben?« erkundigte sie sich, als er eilig mit ihr auf die Hintertür des Hauses zulief. »Was hast du denn morgen noch vor, außer die Sondergenehmigung einzuholen?«

»Ich habe unter anderem vor, Lovejoy einen Besuch abzustatten. Versuch doch bitte, dich etwas schneller zu bewegen, Augusta. Es bereitet mir großes Unbehagen, mit dir in deinem Aufzug im Freien herumzulaufen.«

Aber Augusta grub plötzlich ihre Fersen, die in Stiefeln steckten, in den Boden und blieb ganz und gar stehen. »*Lovejoy?* Was, zum Teufel, soll das heißen – du willst ihm einen Besuch abstatten?« Sie hob die Hände und packte seine Rockschöße. »Harry, du wirst ihn doch nicht zum Duell herausfordern, oder doch?«

Er schaute auf sie herunter, und seine Augen waren in der Dunkelheit unergründlich. »Du findest, das ist eine dumme Idee?«

»Gütiger Gott. Eine außerordentlich dumme Idee. Das kommt gar nicht in Frage. Einfach undenkbar. Harry, du darfst nichts Dergleichen tun. Hast du mich gehört? Ich lasse es nicht zu.«

Er musterte sie nachdenklich. »Warum nicht?« fragte er schließlich.

»*Weil etwas Gräßliches passieren könnte*«, keuchte sie. »Du könntest getötet werden. Und es wäre alles nur meine Schuld. Das könnte ich niemals ertragen, Graystone. Hast du verstanden? Damit will ich mein Gewissen nicht belasten. Die ganze Schuldenfrage war mein Problem, und jetzt ist sie aus der Welt geschafft. Es besteht keine Notwendigkeit, Lovejoy herauszufordern. Bitte, Harry, ich flehe dich an. Versprich mir, daß du es nicht tust.«

»Nach allem, was ich gehört habe, würde ich die Vermutung wagen, daß dein Vater oder dein Bruder sich im Morgengrauen mit Lovejoy getroffen hätten«, bemerkte Harry leise.

»Aber das ist absolut nicht dasselbe. Sie waren Männer von einer ganz anderen Sorte.« Augusta war verzweifelt. »Sie waren Männer von der leichtsinnigen und draufgängerischen Sorte, vielleicht manchmal sogar etwas zu tollkühn. Und überhaupt würde ich auch von ihnen nicht wollen, daß sie Lovejoy herausfordern. Wie ich bereits sagte, ich habe mir die ganze Katastrophe selbst eingebrockt.«

»Augusta...«

Sie gab dem Revers seines Fracks einen heftigen, scheltenden Ruck. »Ich will nicht, daß jemand für etwas, was ganz und gar meine Schuld ist, den Hals riskiert. Es wäre mir unerträglich, wenn dir meinetwegen etwas zustoßen würde.«

»Du scheinst ziemlich sicher zu sein, daß ich derjenige wäre, der aus einem solchen Duell als Verlierer hervorginge«, sagte er. »Ich denke, dein Mangel an Vertrauen in mein Geschick im Umgang mit einer Pistole sollte mich verletzen.«

»Nein, nein, das ist es nicht.« Sie schüttelte rasend den Kopf und war eifrig darauf aus, ihm gut zuzureden, damit er nicht in Verlegenheit geriet. »Es ist nur so, daß manche Männer, wie mein Bruder, von Natur aus einen größeren Hang zu gefährlichen Dingen haben. Den hast du nicht. Du bist ein Gelehrter, kein heißblütiger Draufgänger und auch kein Korinther.«

»Allmählich glaube ich wirklich, daß du etwas für mich übrig hast, Augusta, wenn du auch nicht gerade eine hohe Meinung von meinen Fähigkeiten im Duell hast.«

»Natürlich habe ich eine hohe Meinung von dir, Harry. Ich habe schon immer eine hohe Meinung von dir gehabt. Ich habe dich in der letzten Zeit sogar irgendwie ins Herz geschlossen.«

»Ich verstehe.«

Sie spürte, wie die Glut in ihre Wangen stieg, als sie den leisen Spott aus seinen Worten heraushörte. Sie hatte es diesem Mann gerade gestattet, sie auf den Polstern einer Kutsche zu lieben, und jetzt erzählte sie ihm, daß sie ihn irgendwie ins Herz geschlossen hatte.

Er mußte sie für die allerletzte dumme Gans halten. Auf der anderen Seite konnte sie ihm wohl kaum sagen, daß sie rasend in ihn verliebt war. Das hier war wahrhaft nicht die rechte Zeit oder der rechte Ort für eine so leidenschaftliche Enthüllung. Alles war zu chaotisch.

»Harry, du bist mir heute abend eine große Hilfe gewesen, und ich würde nicht wollen, daß dir etwas zustößt, was auf mich zurückzuführen ist«, schloß Augusta beherzt.

Harry schwieg wieder lange. Dann lächelte er grimmig. »Ich mache ein Geschäft mit dir, Augusta. Ich werde es unterlassen, Lovejoy morgen früh zum Duell herauszufordern, wenn du mir dein Wort gibst, daß du keine Einwände mehr dagegen erhebst, mich übermorgen mit einer Sondergenehmigung zu heiraten.«

»Aber, Harry...«

»Sind wir uns einig, meine Liebe?«

Sie holte tief Atem und wußte, daß sie in der Falle saß. »Ja, wir sind uns einig.«

»Ausgezeichnet.«

Augusta kniff plötzlich argwöhnisch die Augen zusammen. »Graystone, wenn ich es nicht besser wüßte, würde ich schwören, daß du ein außerordentlich gerissener und hinterhältiger Kerl bist.«

»Ah, aber du kennst mich doch gut genug, um nicht zu diesem Schluß zu gelangen, nicht wahr, meine Liebe? Ich bin nichts weiter als ein ziemlich langweiliger Gelehrter, ein Altphilologe.«

»Der Frauen in Kutschen liebt und rein zufällig weiß, wie man Schlösser und Geheimtresore knackt.«

»Man lernt aus Büchern die erstaunlichsten Dinge.« Er drückte ihr einen Kuß auf die Nasenspitze. »Und jetzt lauf ins Haus und sieh zu, daß du diese verfluchte Hose ausziehst. Sie ist äußerst unpassend für eine Dame. Ich ziehe es vor, meine zukünftige Gräfin in anständigen Frauenkleidern zu sehen.«

»Das überrascht mich nicht.« Sie wandte sich ab, um zu gehen.

»Augusta?«

Sie warf einen Blick über die Schulter zurück und sah, daß Harry die Hand in seine Manteltasche steckte. Er zog ein kleines Säckchen heraus. »Ja, Harry?«

»Ich glaube, das gehört dir. Ich verlasse mich darauf, daß du dich nicht noch einmal in eine Lage bringst, in der du es wieder verpfänden mußt.«

»*Meine Kette.*« Sie lächelte ihn strahlend an, als sie ihm das Säckchen aus der Hand nahm. Dann zog sie sich auf die Zehenspitzen, um ihm einen zarten Kuß auf das Kinn zu drücken. »Ich danke dir, Harry. Du kannst unmöglich ahnen, was sie mir bedeutet. Wie ist es dir bloß gelungen, die Kette zu finden?«

»Der Pfandleiher hat sich nur zu gern davon getrennt«, sagte Harry trocken.

»Ich werde dir natürlich die tausend Pfund geben, die ich dafür bekommen habe, als ich die Kette versetzte«, sagte Augusta eilig. Sie war glücklich, die Kette wieder in ihrem Besitz zu haben.

»Mach dir wegen der tausend Pfund keine Gedanken. Du kannst sie als einen Teil dessen ansehen, was dir für diese Heirat zusteht.«

»Das ist sehr großzügig von dir. Aber ich kann unmöglich zulassen, daß du mir ein so wertvolles Geschenk machst.«

»Du kannst es zulassen, und du wirst es zulassen«, sagte Harry kühl. »Ich bin dein Verlobter, wenn du dich recht erinnerst. Es ist mein Privileg, dir gelegentlich Geschenke zu machen. Und ich sähe mich reichlich entschädigt, wenn du deine Lektion heute nacht gelernt hast.«

»Du meinst Lovejoy? Keine Angst, ich habe meine Lektion ganz eindeutig gelernt, was ihn angeht. Ich werde nie mehr mit ihm Karten spielen.« Augusta unterbrach sich, und auch ihr war danach zumute, sich außerordentlich großzügig zu zeigen. »Und ich werde auch in Zukunft nicht mehr mit ihm tanzen.«

»Augusta, du wirst in Zukunft nicht einmal mehr mit ihm reden. Hast du verstanden?«

»Ja, Harry.«

Seine Gesichtszüge wurden etwas milder, als seine Augen über sie glitten. Die Besitzgier in seinem Blick ließ Augusta einen sinnlichen Schauer über den Rücken laufen.

»Und jetzt lauf los, meine Liebe«, sagte Harry. »Es wird schon spät.«

Augusta wandte sich ab und floh ins Haus.

Harry wurde am nächsten Vormittag kurz vor der Mittagszeit in Lovejoys kleine Bibliothek geführt. Er sah sich unauffällig in dem Raum um und stellte fest, daß alles noch so war, wie er es letzte Nacht verlassen hatte, und auch der Globus stand noch vor dem Bücherregal.

Lovejoy lehnte sich auf seinem Stuhl hinter dem Schreibtisch zurück und musterte seinen unerwarteten Gast anscheinend mit mäßigem Interesse, doch in seinen grünen Augen stand ein Schimmer von Wachsamkeit. »Guten Morgen, Graystone. Was führt Sie zu mir?«

»Eine persönliche Angelegenheit. Es wird nicht lange dauern.« Harry setzte sich auf den Ohrensessel vor dem Kamin. Ganz im Gegensatz zu Augustas Mutmaßung in der vergangenen Nacht hatte er keineswegs die Absicht gehabt, Lovejoy heute morgen zum Duell herauszufordern. Er glaubte fest daran, daß man einen Feind genau kennen sollte, ehe man sich entschied, welches die angemessene Methode war, mit ihm fertig zu werden.

»Eine persönliche Angelegenheit, sagen Sie. Ich muß gestehen, ich bin überrascht. Ich hätte nicht gedacht, daß Miss Ballinger sich wegen dieser Kleinigkeit an Sie wendet. Dann hat sie Sie also gebeten, Ihre Spielschulden zu bezahlen, Sir?«

Harry zog fragend eine Augenbraue hoch. »Keineswegs. Ich weiß nichts von derartigen Schulden, Sir. Aber bei Miss Ballinger sollte man seiner Sache nie zu sicher sein. Meine Verlobte ist unberechenbar.«

»Das Gefühl hat man mir auch vermittelt.«

»Ich dagegen bin in meinem Handeln durch und durch berechenbar. Ich denke, das sollten Sie wissen, Lovejoy. Wenn ich sage, daß ich etwas unternehme, dann wird es im allgemeinen auch geschehen.«

»Ich verstehe.« Lovejoy spielte mit einem Briefbeschwerer aus getriebenem Silber. »Und was haben Sie vor?«

»Meine Verlobte vor gewissen Spielchen zu bewahren, die Sie offensichtlich gern mit Frauen spielen.«

Lovejoy beachtete ihn mit einem zutiefst verletzten Blick. »Graystone, es ist nicht meine Schuld, daß Ihre Verlobte gelegentlich gern ein paar Runden Karten spielt. Wenn Sie wirklich darauf aus sind, die Dame zu heiraten, dann täten Sie gut daran, sich über ihren Charakter klar zu werden. Sie hat einen Hang zu leichtsinniger Unterhaltung. Diese Neigung ist in der ganzen Familie verbreitet, wenn ich recht gehört habe. Zumindest im Northumberland-Zweig des Clans.«

»Was mir Sorgen bereitet, ist nicht, daß meine Verlobte gern Karten spielt.«

»Nein? Ich hätte gedacht, daß Ihnen das tiefe Sorge bereitet, Graystone. Wenn Ihr Vermögen erst einmal zu ihrer Verfügung steht, wird sie zweifellos noch lieber Karten spielen.« Lovejoy lächelte vielsagend.

Harry erwiderte sein Lächeln mit ausdrucksloser Miene. »Wie ich schon sagte, mir geht es nicht darum, womit sie sich gern die Zeit vertreibt. Was mich heute zu Ihnen führt, ist, daß Sie sie mit dem Tod ihres Bruders zum Narren gehalten haben.«

»Sie hat Ihnen also davon berichtet, wirklich?«

»Mir ist mitgeteilt worden, daß Sie ihr mehr oder weniger versprochen haben, ihr bei den Nachforschungen zu helfen, die zu diesem Todesfall geführt haben. Ich bezweifle ernstlich, daß Sie ihr von Nutzen sein können. Und ich will auch nicht, daß in der Vergangenheit herumgewühlt wird. Das hätte nur den Erfolg, daß meiner Verlobten Leid bereitet wird, und das lasse ich unter gar keinen Umständen zu. Sie werden diese Angelegenheit ruhen lassen, Lovejoy. Haben Sie verstanden?«

»Woher nehmen Sie die Sicherheit, daß ich ihr nicht helfen kann, den Ruf ihres Bruders von dem Zweifel reinzuwaschen, mit dem er seit dem Zeitpunkt seines Todes behaftet ist?«

»Wir wissen beide, daß man nicht in der Zeit zurückgehen und Ballingers Schuld beweisen oder widerlegen kann. Besser ist es, die ganze Geschichte zu begraben.« Harry sah Lovejoy fest in die Augen. »Es sei denn, versteht sich«, sagte er mit ruhiger Stimme, »Sie haben genauere Kenntnisse über den Vorfall, und wenn das so ist, dann werden Sie mir alles erzählen. Wissen Sie etwas, Lovejoy?«

»Gütiger Gott, nein.«

»Das dachte ich mir schon.« Harry stand auf. »Ich verlasse mich darauf, daß Sie mir die Wahrheit gesagt haben, denn es wäre mir gar nicht lieb, wenn ich das Gegenteil erfahren müßte. Ich wünsche Ihnen noch einen schönen Tag. Übrigens habe ich zwar nicht die Absicht, meiner Verlobten ein gelegentliches Kartenspiel zu verbieten, aber ich untersage es ihr, noch einmal mit Ihnen zu spielen. Sie müssen Ihre Tricks an anderen Opfern ausprobieren, Lovejoy.«

»Wie langweilig. Ich finde Miss Ballingers Gesellschaft äußerst unterhaltsam. Und außerdem ist da noch diese Kleinigkeit mit den tausend Pfund, die sie mir schuldet. Sagen Sie, Graystone, wenn man von den Gerüchten ausgeht, daß Sie von Ihrer nächsten Gräfin außerordentlich tugendhaftes Benehmen verlangen, versetzt es Sie dann nicht in Panik, mit einer jungen Frau verlobt zu sein, die gern um hohe Summen spielt?«

Harry lächelte matt. »Sie müssen sich irren, Lovejoy. Meine Verlobte schuldet Ihnen kein Geld. Und gewiß keine tausend Pfund.«

»Seien Sie sich nicht zu sicher.« Lovejoy stand auf, und in seinen Augen stand ein selbstzufriedener Ausdruck. »Möchten Sie sich vielleicht den Schuldschein selbst ansehen?«

»Falls Sie mir einen Schuldschein zeigen können, werde ich die Schulden selbstverständlich auf der Stelle begleichen. Aber ich bezweifle, daß Sie mir ein derartiges Dokument vorlegen können.«

»Einen Moment.«

Harry sah interessiert zu, als Lovejoy auf den Globus zuging und einen Schlüssel aus der Tasche holte. Er steckte ihn in das verborgene Schloß, und die obere Hälfte des Globus sprang auf, genau wie letzte Nacht.

Es trat akute Stille ein, als Lovejoy dastand und lange in die untere Hälfte des Globus starrte. Dann drehte er sich langsam zu Harry um. Sein Gesicht war absolut ausdruckslos.

»Ich scheine mich geirrt zu haben«, sagte Lovejoy leise. »Ich habe doch keinen Schuldschein von Ihrer Verlobten.«

»Das dachte ich mir gleich. Ich glaube, wir haben einander bestens verstanden, nicht wahr, Lovejoy? Ich wünsche Ihnen hiermit noch einmal einen schönen Tag. Übrigens dürfen Sie mir gratulieren. Ich werde morgen heiraten.«

»So bald schon?« Lovejoy konnte nicht ganz überspielen, daß er überrascht zusammenzuckte. Er kniff die Augen zusammen. »Sie versetzen mich in Erstaunen, Sir. Ich hätte Sie nicht für derart vorschnell gehalten. Nach allem, was man so hört, muß jemand, der Miss Augusta Ballinger heiratet, auf eine Menge Abenteuer gefaßt sein.«

»Das wird für mich zweifellos eine interessante Abwechslung werden. Man sagt mir immer wieder, ich hätte mich zu viele Jahre lang hinter meinen Büchern versteckt. Vielleicht ist es an der Zeit, daß mir endlich etwas Abenteuerliches zustößt.« Ohne eine Antwort abzuwarten, öffnete Harry die Tür und verließ die Bibliothek. Er hörte, wie hinter ihm die obere Halbkugel des Globus so hart zugeschlagen wurde, daß im Korridor ein Echo zu vernehmen war.

Es war interessant, daß sich Lovejoy für seine abscheulichen kleinen Spielchen ausgerechnet Augusta als Opfer ausgewählt hatte, dachte Harry, als er das Haus verließ. Er beschloß, es sei an der Zeit, ein paar Nachforschungen über die Vergangenheit des Mannes anzustellen. Peter Sheldrake, den er mit dieser Aufgabe betrauen würde, hatte dann etwas Nützlicheres zu tun, als den Butler Scruggs zu spielen.

8. Kapitel

Claudia kam in Augustas Schlafzimmer und blieb ruhig inmitten des Trubels stehen, der sich dort abspielte. Über ein Meer von Kleidern, Schuhen, Hutschachteln und Federn hinweg sah sie ihre Cousine mit gerunzelter Stirn an.

»Ich verstehe die Notwendigkeit für all dies Packen und den ganzen

Rummel nicht, Augusta. Es ist vollkommen unsinnig, mit einer Sondergenehmigung zu heiraten, wenn sich die Pläne für deine Hochzeit in vier Monaten sehr gut entwickeln. Solche Angelegenheiten sollte man wirklich nicht überstürzt betreiben. Gerade Graystone sollte das doch verstehen.«

»Wenn du irgendwelche Fragen hast, dann schlage ich vor, daß du dich damit direkt an Graystone wendest. Es ist alles seine Idee.« Augusta, die vollauf damit beschäftigt war, die rasenden Aktivitäten von ihrem Gefechtsstand in der Nähe der Garderobe aus zu organisieren, sah ihre Zofe finster an. »Nein, nein, Betsy, pack meine Ballkleider in die andere Truhe. In diese kommen die Petticoats. Sind meine Bücher schon verpackt?«

»Ja, Miss, ich habe sie heute morgen eigenhändig eingepackt.«

»Gut. Ich will mich nicht in Dorset wiederfinden und nur die Bibliothek meines zukünftigen Mannes zur Verfügung haben. Ich kann mir vorstellen, daß sie eine ganze Menge Bücher über alte Griechen und Römer und nicht einen einzigen Roman enthält.«

Betsy hievte einen Berg Seide und Satin aus einer der Truhen und ließ ihn in eine andere sinken. »Ich wüßte nicht, wofür Sie diese Ballkleider auf dem Land gebrauchen könnten, Miss.«

»Es ist immer gut, für jeden Anlaß vorbereitet zu sein. Vergiß nicht, die passenden Schuhe und Handschuhe zu jedem einzelnen der Kleider zu packen.«

»Ja, Miss.«

Claudia watete durch die Stapel von Truhen und Hutschachteln und kämpfte sich mühsam um das Bett herum, das mit Petticoats, Strümpfen und Strumpfgürteln übersät war. »Augusta, ich möchte mit dir reden.«

»Dann rede schon.« Augusta drehte sich um und rief durch die offene Schlafzimmertür: »Nan, bist du das? Würdest du bitte reinkommen und Betsy zur Hand gehen?«

Ein Hausmädchen streckte den Kopf zur Tür herein. »Sie wollen, daß ich beim Packen helfe, Miss?«

»Ja, bitte. Es gibt jede Menge zu tun, und die Zeit wird allmählich knapp. Mein Verlobter hat mich benachrichtigt, daß wir uns morgen früh gleich nach der Hochzeit auf den Weg machen.«

»Ach, du meine Güte, Miss. Da bleibt wirklich nicht mehr viel Zeit, das kann man wohl sagen.« Nan huschte in das Zimmer und begann, sich von Betsy Anweisungen geben zu lassen, die mit den Nerven herunter war.

»Augusta, bitte«, sagte Claudia entschieden, »in diesem Durcheinander können wir nicht reden. Laß uns unten in der Bibliothek eine Tasse Tee trinken.«

Augusta rückte ihre Musselinhaube mit den Rüschen zurecht und sah sich im Schlafzimmer um. Es blieb noch so viel zu tun, und sie hatte das sichere Gefühl, Harry würde sich keineswegs darüber freuen, wenn er gezwungen war, ihre Abreise zu verschieben, weil sie mit dem Pakken nicht fertig geworden war. Andererseits konnte sie eine Tasse starken Tee nur zu gut gebrauchen. »Also gut, Claudia. Ich glaube, die Lage ist unter Kontrolle. Laß uns nach unten gehen.«

Fünf Minuten später sank Augusta in einen Lehnstuhl, legte die Füße, die in Pantoffeln steckten, auf einen Hocker und trank einen großen Schluck Tee. Mit einem Seufzer stellte sie die Tasse und die Untertasse hin. »Du hast recht gehabt, Claudia. Das war eine ganz ausgezeichnete Idee. Ich brauche eine kleine Pause. Ich habe das Gefühl, schon seit dem Morgengrauen herumzurennen. Ich sage es dir, ich werde schon vor der Abreise nach Dorset vollkommen erschöpft sein.«

Claudia musterte ihre Cousine über den Rand ihrer Teetasse hinweg. »Ich wünschte, du würdest mir sagen, wozu all diese Hast notwendig ist. Ich habe unwillkürlich das Gefühl, daß hier etwas nicht stimmt.«

»Wie ich schon sagte, du mußt Graystone selbst fragen.« Augusta massierte sich matt die Schläfen. »Ich persönlich glaube, daß der Mann ein wenig aus dem Gleichgewicht geraten ist, was gewiß nichts Gutes für meine Zukunft als seine Ehefrau verspricht, oder? Ich frage mich, ob dieser leichte Dachschaden erblich ist.«

»Das kann doch nicht dein Ernst sein.« Claudia wirkte echt und ehrlich besorgt. »Du glaubst, er ist wirklich verrückt geworden?«

Augusta stöhnte. Claudias Familienzweig hatte einen gewissermaßen beschränkten Sinn für Humor. Ähnlich wie Graystone, wenn sie genauer darüber nachdachte. »Gütiger Himmel, nein. Ich war nur sarkastisch. Die Sache ist die, Claudia, daß ich selbst eigentlich keine wirkliche Notwendigkeit für eine Sondergenehmigung und all diese Eile sehe. Mir wäre es viel lieber gewesen, die nächsten vier Monate damit zuzubringen, Graystone besser kennenzulernen und ihm die Möglichkeit zu geben, mich kennenzulernen.«

»Ganz genau.«

Augusta nickte verdrossen. »Ich kann nicht gegen das Gefühl an, daß er sich mit dieser Heirat ein paar herbe Schocks einhandelt. Und nach der Hochzeit kann er kaum noch etwas unternehmen, stimmt's? Dann hat er sich die Suppe eingebrockt.«

»Ich habe Graystone nicht für einen Mann von der voreiligen Sorte gehalten. Warum verzehrt ihn plötzlich das Verlangen, so überstürzt zu heiraten?«

Augusta räusperte sich und betrachtete ihre Zehen. »Ich fürchte, es ist wie üblich alles meine Schuld, obwohl er es diesmal galant bestreitet.«

»Deine Schuld? Augusta, was soll das heißen?«

»Erinnerst du dich noch, wie wir einmal über die Probleme diskutiert haben, die sich stellen können, wenn man einem Mann ein paar harmlose Intimitäten erlaubt?«

Claudia zog die Augenbrauen zusammen, und eine leichte Röte trat auf ihre Wangen. »Ich erinnere mich noch sehr gut an diese Diskussion.«

»Ja. Also, paß auf, Claudia, es läuft alles darauf hinaus, daß ich mich letzte Nacht aufgrund unvorhergesehener Umstände versehentlich allein mit Graystone in einer dunklen Kutsche wiedergefunden habe. Es muß genügen, wenn ich sage, daß ich ihm diesmal mehr als ein paar Küsse erlaubt habe. Viel mehr.«

Claudia wurde erst blaß und dann knallrot. »Soll das heißen, daß du... *Augusta*, ich kann es einfach nicht glauben. Ich weigere mich, das zu glauben.«

»Ich fürchte, es war so.« Augusta seufzte tief. »Aber ich sage dir gleich, wenn ich es noch einmal tun müßte, würde ich es mir gründlich überlegen. Es war eigentlich nicht ganz so toll, obwohl es ziemlich angenehm begonnen hat. Aber Graystone versichert mir, daß es mit der Zeit angenehmer wird, und ich muß mich eben darauf verlassen, daß er weiß, wovon er redet.«

»Augusta, willst du mir im Ernst erzählen, daß dieser Mann dich in einer Kutsche geliebt hat?« Claudias Stimme war nur noch ein Flüstern.

»Ich weiß, daß du diese Vorstellung abscheulich und absolut verwerflich finden mußt, aber so ist es mir zu dem Zeitpunkt nicht wirklich vorgekommen. Ich vermute, man muß es selbst erlebt haben, um das zu verstehen.«

»Graystone hat dich verführt?« fragte Claudia, deren Stimme jetzt fester wurde.

Augusta zog die Stirn in Falten. »Ich würde nicht direkt sagen, daß ich verführt worden bin. Wenn ich mich recht erinnere, hat die ganze Geschichte damit begonnen, daß er mir eine außerordentlich strenge Strafpredigt über meinen allgemeinen Mangel an Anstandsgefühl gehalten hat. Er war sehr verärgert über mich. Man könnte sagen, er hat glühende Wut auf mich gehabt. Und die eine Form von Leidenschaft hat zu einer anderen geführt, falls du verstehst, was ich meine.«

»Gütiger Himmel. Er ist über dich *hergefallen*?«

»Himmel, nein, Claudia. Ich habe dir doch gerade erklärt, daß er mich in der Kutsche geliebt hat. Das ist etwas ganz anderes, verstehst du.« Augusta unterbrach sich, um noch einen Schluck Tee zu trinken. »Obwohl ich mich hinterher eine Zeitlang selbst gefragt habe, worin der Unterschied besteht. Ich gestehe, daß ich ein bißchen steif war und daß mir nicht besonders wohl dabei zumute war. Aber nachdem ich heute morgen ein Bad genommen habe, fühle ich mich viel besser. Ich glaube jedoch, ich sollte heute nachmittag trotzdem nicht im Park ausreiten.«

»Es ist eine Schande.«

»Darüber bin ich mir durchaus bewußt. Ich nehme an, daß sich dahinter irgendeine Moral verbirgt. Tante Prudence hätte sie uns zweifellos auf einen kurzen Nenner gebracht. Kurz und bündig und doch sehr prägnant. Vielleicht so etwas wie: *Fahr niemals mit einem Gentleman in einer geschlossenen Kutsche aus, oder du wirst feststellen, daß du überstürzt heiraten mußt und alle Zeit auf Erden hast, um es zu büßen.*«

»Ich vermute, unter den gegebenen Umständen mußt du Graystone dankbar dafür sein, daß er dich noch heiraten will«, gab Claudia spröde von sich. »Manche Männer könnten den Standpunkt einnehmen, daß ein so lockeres Benehmen von seiten der Frau vor der Ehe auf einen großen Mangel an Tugend schließen läßt.«

»Ich fürchte, was Graystone schockiert hat, ist sein eigenes Benehmen. Der arme Mann. Verstehst du, er nimmt es so pedantisch genau mit den Anstandsregeln. Er war außerordentlich wütend auf sich und hat das Gefühl, daß er mit Sicherheit wieder sündigt, ehe die vier Monate unserer Verlobungszeit abgelaufen sind. Deshalb veranstalten wir heute morgen diesen ganzen Trubel und bereiten uns auf eine Heirat mit einer Sondergenehmigung vor.«

»Ich verstehe.« Claudia zögerte. »Bist du wirklich unglücklich über den Lauf, den die Dinge genommen haben, Augusta?«

»Nicht wirklich, aber ich gestehe, daß die ganze Angelegenheit mir größte Sorge bereitet«, gab Augusta zu. »Ich wünschte, ich hätte die nächsten vier Monate, um sicher zu sein, was hier auf mich zukommt. Ich weiß nicht, ob Graystone mich liebt, verstehst du. Er hat letzte Nacht mit keinem Wort von Liebe gesprochen, noch nicht einmal...« Sie ließ ihren Satz abreißen, und ihr Gesicht glühte.

Claudias Augen wurden groß. »Graystone liebt dich nicht?«

»Ich habe meine Zweifel. Er beteuert, daß ihn ein solcher Unsinn nicht interessiert, verstehst du. Und die Sache ist die, Claudia, daß ich nicht sicher bin, ob ich ihn lehren kann, mich zu lieben. Das ist es, was mich so sehr daran erschreckt, überstürzt zu heiraten.« Augusta schaute niedergeschlagen aus dem Fenster. »Ich wünschte so sehr, er würde mich lieben. Das wäre sehr beruhigend.«

»Solange er dir ein guter Ehemann ist, glaube ich kaum, daß du Grund zur Klage hast«, sagte Claudia steif.

»Ich wußte doch, daß eine Hampshire-Ballinger das sagen wird.«

»Nur sehr wenige Menschen aus unseren Kreisen heiraten aus Liebe. Gegenseitige Achtung und ein gewisses Maß an Zuneigung ist alles, was man verlangen kann. Viele Paare haben noch nicht einmal das. Das weißt du doch selbst, Augusta.«

»Ja. Aber ich vermute, ich habe mir im Laufe der Jahre ein paar dumme Träume gestattet. Ich wollte eine Ehe wie die meiner Eltern führen. Viel Liebe, viel Gelächter, viel herzliche Zuneigung. Ich bin nicht ganz sicher, worauf ich mich mit Graystone einlasse. Mir ist in der letzten Zeit klargeworden, daß ein Teil von ihm mir verschlossen bleibt.«

»Was für eine seltsame Feststellung.«

»Ich kann es nicht genau erklären, Claudia. Ich weiß nur, daß ein großer Teil von Graystone tief im Schatten verborgen ist. In der letzten Zeit habe ich angefangen, mich zu fragen, wieviel Dunkel in ihm herrschen könnte.«

»Dennoch fühlst du dich zu ihm hingezogen, richtig?«

»Vom ersten Moment an«, stimmte Augusta ihr zu. »Was vermutlich nicht gerade für meine Intelligenz spricht.« Sie stellte ihre Tasse klirrend ab. »Und dann ist da noch diese Sache mit seiner Tochter. Ich habe sie noch nie gesehen, und ich frage mich natürlich immer wieder, ob sie mich mögen wird.«

»Alle mögen dich, Augusta.«

Augusta blinzelte. »Es ist nett von dir, daß du das sagst.« Sie lächelte tapfer. »Aber jetzt genug von diesem morbiden Gespräch. Ich werde morgen heiraten, und das ist alles. Ich werde eben das Beste daraus machen müssen, nicht wahr?«

Claudia zögerte, und dann beugte sie sich vor, um leise hervorzusprudeln: »Augusta, wenn dir die Vorstellung, Graystone zu heiraten, wirklich Sorgen bereitet, dann solltest du vielleicht mit Papa reden. Du weißt doch, daß er dich sehr gern hat und dich nicht gegen deinen Willen zu dieser Ehe zwingen würde.«

»Ich glaube, selbst Onkel Thomas könnte Graystone jetzt nicht mehr überreden, die Hochzeit hinauszuschieben. Der Mann hat seinen Entschluß gefaßt, und er hat einen ziemlich starken Willen.« Augusta schüttelte kläglich den Kopf. »Ich fürchte, es ist so oder so zu spät für mich, um jetzt noch einen Rückzieher zu machen. Ich bin jetzt besudelt, verstehst du. Ein gefallenes Mädchen. Ich kann nur dankbar dafür sein, daß der Herr, der mir beigestanden hat, die Tugendhaftigkeit zu verlieren, gewillt ist, es durch eine Heirat wiedergutzumachen.«

»Aber du hast auch einen starken Willen, und niemand kann dich zu dieser Eheschließung zwingen...« Claudia unterbrach sich mitten im Satz und starrte sie an. »Ach, du meine Güte. Jetzt merke ich es gerade. Du bist wirklich in Graystone verliebt, stimmt's?«

»Merkt man mir das so schrecklich an?«

»Nur jemand, der dich gut kennt«, versicherte Claudia ihr sanft.

»Das ist allerdings eine Erleichterung. Ich bin keineswegs sicher, daß Graystone eine schmachtende Frau lieb wäre. Wahrscheinlich würde er das als eine große Belastung empfinden.«

»Dann wirst du also dem Ruf deines Familienzweigs gerecht werden, vorschnell und leichtsinnig zu handeln, und du wirst dich Hals über Kopf in diese Ehe stürzen.« Claudia machte einen nachdenklichen Eindruck.

Augusta schenkte sich noch eine Tasse Tee ein. »Eine Zeitlang wird alles ziemlich schwierig werden. Ich wünschte nur, ich müßte nicht in die Fußstapfen einer so tugendhaften und schicklichen Frau treten, wie es meine Vorgängerin anscheinend war. Ich habe Vergleiche dieser Art schon immer ziemlich widerlich gefunden, und in meinem Fall werden diese Vergleiche zwangsläufig angestellt werden.«

Claudia nickte verständnisvoll. »Ja, ich kann mir vorstellen, daß es außerordentlich schwierig für dich wird, den hohen Maßstäben gerecht zu werden, die Graystones erste Frau gesteckt hat. Nach allem, was ich gehört habe, war Catherine Montrose ein Inbegriff weiblicher Tugenden. Aber Graystone wird dir zweifellos in deinen Bemühungen beistehen, dich auf ihr Niveau aufzuschwingen.«

Augusta zuckte zusammen. »Zweifellos.« Eine Zeitlang herrschte Stille in der Bibliothek. »Weißt du, Claudia, was mir im Moment die größte Sorge bereitet, ist, daß ich Sally in den nächsten Wochen nicht besuchen kann. Sie ist wirklich sehr krank, verstehst du. Und ich mag sie so gern. Ich werde mir große Sorgen um ihr Wohlergehen machen.«

»Du weißt ja, daß ich deine Verbindung zu ihr und dem Club, den sie betreibt, nie allzu sehr gebilligt habe«, sagte Claudia bedächtig. »Aber mir ist klar, daß du sie als eine gute Freundin ansiehst. Wenn du willst, werde ich es auf mich nehmen, sie öfters zu besuchen, solange du fort bist. Ich kann Nachrichten weitergeben und dir schreiben, wie es um ihre Verfassung bestellt ist.«

Augusta verspürte ein Gefühl von enormer Erleichterung. »Das tätest du für mich, Claudia?«

Claudia bog die Schultern zurück. »Ich wüßte nicht, warum ich es nicht tun sollte. Vielleicht freut sie sich, wenn ich sie in deiner Abwesenheit gelegentlich besuche. Und dir wäre eine Last von der Seele genommen, wenn du wüßtest, daß ich sie im Auge behalte.«

»Ich kann dir gar nicht sagen, wie lieb mir das wäre, Claudia. Warum besuchen wir sie nicht heute nachmittag? Ich kann dich bei ihr einführen.«

»Heute? Aber du bist doch vollauf mit den Vorbereitungen für deine Abreise beschäftigt.«

Augusta lachte. »Die Zeit für diesen Besuch kann ich mir nehmen. Ich möchte ihn mir sogar um keinen Preis auf Erden entgehen lassen. Ich glaube, dir steht eine Überraschung bevor, Claudia. Du weißt ja gar nicht, was du dir hast entgehen lassen.«

Peter Sheldrake bediente sich aus Harrys Bordeauxkaraffe und drehte sich zu seinem Gastgeber um. »Du willst, daß ich mir Lovejoys Werdegang genauer ansehe? Warum, zum Teufel, hältst du das für nötig, Graystone?«

»Das läßt sich schwer erklären. Laß uns einfach sagen, daß ich den Mann nicht leiden kann und daß es mir nicht paßt, wie er sich für seine unerfreulichen Spielchen ausgerechnet Augusta ausgesucht hat.«

Peter zuckte die Achseln. »Sie mögen zwar unerfreulich sein, aber wir wissen beide, daß sie nicht ungewöhnlich sind. Männer von Lovejoys Schlag spielen ständig solche Spielchen mit den Damen. Im allgemeinen sind sie lediglich darauf aus, sich damit zu amüsieren, daß sie mit der Frau eines anderen Mannes flirten. Sorg dafür, daß Augusta nicht in seine Reichweite kommt, und ihr kann nichts passieren.«

»Wenn es auch noch so unglaublich erscheint, dann sieht es doch ganz so aus, als hätte meine Verlobte ihre Lektion gelernt, was Lovejoy angeht. Augusta hat zwar einen Hang zu einem gewissen Leichtsinn, aber sie ist nicht dumm. Sie wird ihm nicht noch einmal vertrauen.« Harry ließ einen Finger über den Rücken eines Buchs gleiten, das auf seinem Schreibtisch lag.

Das Buch, das den Titel *Bemerkungen zu Livius' Geschichte Roms* trug, war ein schmales Bändchen, das er selbst geschrieben hatte. Es war erst kürzlich veröffentlicht worden, und er war sehr zufrieden damit, obwohl er wußte, daß es niemals die Form von allgemeiner Beliebtheit erlangen würde, mit der die neuesten Romane Waverlys oder ein episches Gedicht von Byron aufgenommen wurden. Augusta würde das Buch zweifellos todlangweilig finden. Harry tröstete sich mit dem Wissen, daß er für einen anderen Leserkreis schrieb.

Peter bedachte Harry mit einem nachdenklichen Blick und trat unruhig ans Fenster. »Wenn du das Gefühl hast, deine Miss Ballinger hätte ihre Lektion gelernt, warum machst du dir dann noch Sorgen?«

»Mein Instinkt sagt mir, daß hinter Lovejoys heimtückischen kleinen Spielchen mehr stecken könnte als nur der Wunsch, mit Augusta zu flirten und sie vielleicht zu verführen. Hinter der gesamten Geschichte steckt eine Form von Berechnung, die mir nicht paßt. Und als ich ihn aufsuchte, hat er betont darauf angespielt, wie unpassend Augusta als Frau für mich ist.«

»Als hätte er vor, sich an Erpressung zu versuchen. Vielleicht hat er geglaubt, du würdest viel mehr als tausend Pfund für Augustas Schuldschein bezahlen, um die ganze Geschichte zu vertuschen. Du stehst in dem Ruf, reichlich sittenstreng zu sein, wenn ich das einmal so sagen darf.«

»Weshalb solltest du dich zurückhalten und das nicht erwähnen? Augusta wirft mir diesen Umstand bei jeder sich bietenden Gelegenheit an den Kopf.«

Peter grinste. »Ja, das kann ich mir lebhaft vorstellen. Aber noch einmal zurück zu Lovejoy – was hoffst du herauszufinden?«

»Wie ich schon sagte, ich bin nicht sicher. Sieh, was du herausfinden kannst. Niemand scheint allzuviel über ihn zu wissen. Sogar Sally gibt zu, daß der Mann geheimnisumwittert ist.«

»Sally wäre die erste, die etwas über ihn hören würde.« Peter sah sich einen Moment lang versonnen im Raum um. »Vielleicht werde ich sie um Hilfe bei meinen Nachforschungen bitten. Sie wird sich für das Projekt begeistern. Es wird sie an alte Zeiten erinnern.«

»Handele nach deinem eigenen Urteil, aber ermüde sie nicht. Sie hat nur noch sehr wenig Kraft.«

»Das ist mir klar. Aber Sally ist eine Frau, die es vorziehen würde, bis zum letzten Moment jede Minute auszukosten und nicht ihre Kräfte zu schonen, indem sie sich ins Bett legt.«

Harry nickte und schaute aus dem Fenster auf den Garten. »Ich glaube, das siehst du richtig. Also gut. Schau, ob sie noch einmal auf den Geschmack der alten Zeiten kommen will.« Er warf einen scharfen Blick auf seinen Freund. »Ich erwarte selbstverständlich von euch beiden, daß ihr in dieser Angelegenheit außerordentlich diskret vorgeht.«

Peters Miene verzog sich zu einem Ausdruck verletzter Unschuld. »Diskretion zählt zu meinen wenigen Tugenden. Das weißt du doch.« Dann kicherte er verrucht. »Ganz im Gegensatz zu einem gewissen Gentleman, den ich beim Namen nennen könnte und der heute eine Sondergenehmigung einholen muß, weil er eine einzigartige Indiskretion begangen hat, die sich in einer geschlossenen Kutsche abgespielt hat.«

Harrys finstere Miene war eine Warnung. »Wenn dir über die vergangene Nacht auch nur ein Wort herausrutscht, Sheldrake, dann kannst du dich gleich ans Werk machen, deinen eigenen Nachruf zu verfassen.«

»Keine Sorge. Ich kann zu gewissen Themen schweigen wie ein Grab. Ich wünschte, du hättest deinen Gesichtsausdruck sehen können, als du mit Miss Ballinger aus dieser Kutsche gestiegen bist. Er war unbezahlbar. Absolut unbezahlbar.«

Harry fluchte leise vor sich hin. Jedesmal, wenn er an die letzte Nacht dachte – und er hatte seitdem kaum an etwas anderes gedacht –, war er entgeistert. Er konnte immer noch nicht glauben, daß er sich derart schändlich benommen hatte. Nie war er so sehr seinem eigenen körperlichen Verlangen ausgeliefert gewesen. Und das allerschlimmste war, daß ihm die ganze Geschichte noch nicht einmal leid tat.

Er kostete genüßlich das Wissen aus, daß Augusta ihm jetzt gehörte, wie sie nie einem anderen Mann gehört hatte. Außerdem hatte ihm der Vorfall den Vorwand geliefert, den er gebraucht hatte, um auf eine vorzeitige Heirat zu drängen.

Er bereute nur eins, und diese Reue ging tief, nämlich, daß der Verlust seiner Selbstbeherrschung dazu geführt hatte, daß Augusta dieses Erlebnis nicht wirklich genossen hatte. Aber er würde schon bald den schlechten Eindruck korrigieren, den er bei ihr hinterlassen hatte, sagte er sich zuversichtlich. Nie hatte eine Frau so auf ihn reagiert wie sie. Sie hatte ihn begehrt. Und sie hatte sich ihm mit einer liebevollen und eifrigen Unschuld hingegeben, an die er sich für den Rest seines Lebens erinnern würde.

Ganz im Gegensatz zu diesem trügerischen Weibsstück, dieser Catherine.

Peter wandte sich dem Fenster wieder zu. »Ich habe mir Gedanken gemacht, Graystone. Ich frage mich, wie die Chancen stehen, den Engel allein in eine geschlossene Kutsche zu locken.«

»Ich könnte mir vorstellen, daß es davon abhängt, wieviel Interesse du an dem Buch zeigst, das sie gerade schreibt«, murmelte Harry.

»Glaube mir, seit du das erwähnt hast, habe ich nichts anderes getan, als bei jeder sich bietenden Gelegenheit über *Ein Leitfaden des nützlichen Wissens für junge Damen* zu reden. Verdammt noch mal, Harry, warum mußte ich mich ausgerechnet in die falsche Miss Ballinger verlieben?«

»Nur gut, daß du dir den Engel ausgesucht hast. Die andere Miss Ballinger ist nicht zu haben. Benachrichtige mich in Dorset, falls du etwas Interessantes über Lovejoy herausfindest.«

»Augenblicklich«, willigte Peter ein. »Und jetzt muß ich mich auf den Weg machen. Scruggs muß in einer Stunde seinen Dienst an der Haustür zu Pompeia's antreten, und es kostet mich eine ganze Weile, dieses verdammte Kostüm anzulegen und mir den falschen Schnurrbart anzukleben.«

Harry wartete, bis Peter gegangen war, und dann schlug er *Bemerkungen zu Livius' Geschichte Roms* auf und versuchte, die allerersten Seiten zu lesen, weil er sehen wollte, wie sich sein Werk im Druck machte. Aber er kam nicht weit. Er konnte an nichts anderes denken als daran, wie er seine Frau in einem anständigen Bett lieben würde.

Nach einer Weile beschloß Harry, nicht in der Stimmung zu sein, einen Diskurs über römische Geschichte zu lesen, selbst dann nicht, wenn er ihn persönlich geschrieben hatte. Er schlug sein eigenes Buch zu und trat vor ein Bücherregal, um ein Exemplar von Ovid herauszuziehen.

»Die Sache ist die, Claudia«, sagte Augusta, als sie und ihre Cousine die Stufen zu Lady Arbuthnotts Haus heraufstiegen. »Pompeia's hat als eine Art Salon begonnen. Und dann ist mir eines Tages plötzlich aufgegangen, daß es viel mehr Spaß machen könnte, daraus einen echten Club zu machen wie die Etablissements in der St. James Street. Es könnte dir ein wenig, nun ja, ungewöhnlich erscheinen.«

»Ich bin absolut auf Pompeia's vorbereitet. Ich versichere dir, daß ich mich anstrengen werde, dich nicht in Verlegenheit zu bringen«, murmelte Claudia trocken.

»Ja, ich weiß, aber gelegentlich hast du außerordentlich klare Vorstellungen davon, was sich gehört, und manche Dinge, die du dort siehst, könnten dein Anstandsgefühl verletzen.«

»Was zum Beispiel?«

»Zum Beispiel der Butler«, murmelte Augusta, als Scruggs die Tür öffnete.

»Aber, aber, Miss Ballinger«, murrte Scruggs, als er Augusta auf der

Schwelle erspähte. »Es wundert mich ein wenig, Sie heute hier zu sehen. Ich habe gehört, daß Sie, wie manche Leute sagen würden, mit ungehöriger Hast heiraten werden.«

»Das geht Sie nichts an, mein guter Mann«, bemerkte Claudia streng und nachdrücklich.

Scruggs sprang der Mund vor Erstaunen auf, als er endlich Claudia wahrnahm, die neben Augusta stand. Seine leuchtend blauen Augen wurden groß und kniffen sich dann sofort überrascht zusammen. Er fand augenblicklich die Fassung wieder. »Gütiger Gott. Sagen Sie bloß nicht, der Engel stattet Pompeia's einen Besuch ab. Sie steigen in die niederen Regionen herab, Miss Ballinger? Was wird aus dieser Welt werden? Kann mir das jemand sagen?«

Es kam zu einem kurzen, spannungsgeladenen Schweigen, als Claudia Scruggs mit einem mißbilligenden Blick bedachte. Dann wandte sie sich mit majestätischer Geringschätzung an Augusta. »Wer, um alles in der Welt, ist dieses uralte Geschöpf?«

»Das ist Scruggs«, erklärte Augusta und verbarg ein zufriedenes Lächeln. »Und du darfst ihn nicht weiter beachten. Lady Arbuthnott hält ihn sich nur, um dem Club eine noch interessantere Atmosphäre zu verleihen. Sie mag Egozentriker, verstehst du.«

»Offensichtlich.« Claudia musterte Scruggs gründlich von Kopf bis Fuß und rauschte an ihm vorbei in die Eingangshalle. »Ich kann es kaum erwarten, mir anzusehen, was ich hier sonst noch an bizarren Dingen vorfinden werde. Geh voraus, Augusta.«

Augusta verkniff sich ihr Gelächter. »Miss Ballinger ist ein neues Mitglied von Pompeia's, Scruggs. Sie hat sich gütigerweise anerboten, Lady Arbuthnott zu besuchen, solange ich nicht in der Stadt bin, und mich über ihren Gesundheitszustand auf dem laufenden zu halten.«

»Und ich dachte schon, es könnte vielleicht ein bißchen langweilig werden, wenn Sie nicht da sind, um Schwung in den Laden zu bringen und ihre Ladyschaft zu unterhalten.« Scruggs ließ Claudia, die gebieterisch neben der Tür zum Salon stand, nicht einen Moment lang aus den Augen.

Augusta lächelte, als sie ihren modischen großen Hut mit dem Blumengesteck absetzte. »Ja, ich zweifle nicht daran, daß es weiterhin amüsant zugehen wird. Ich bedaure nur, daß ich nicht hier sein werde und es selbst beobachten kann.«

Scruggs lächelte glückstrahlend, als er die Tür zu Pompeia's öffnete. Augusta und Claudia betraten Sallys Salon.

Augusta nahm wahr, daß sich ihre Cousine genau umsah, während sie zielstrebig auf Sally zugingen, die vor dem Feuer saß.

»Wie außergewöhnlich«, rief Claudia leise aus, und ihr Blick ruhte auf den Gemälden berühmter Griechinnen und Römerinnen.

Sally schlug das Buch auf ihrem Schoß zu, rückte ihr indisches Tuch zurecht und schaute Augusta und Claudia erwartungsvoll entgegen. »Guten Tag, Augusta. Hast du uns ein neues Mitglied mitgebracht?«

»Meine Cousine Claudia.« Augusta stellte die beiden einander schnell vor. »Im Laufe der nächsten Wochen wird sie dich an meiner Stelle besuchen, Sally.«

»Ich freue mich jetzt schon auf Ihre Besuche, Miss Ballinger.« Sally lächelte Claudia an. »Wir werden Augusta natürlich vermissen. Sie sorgt hier für Leben.«

»Ja, ich weiß«, sagte Claudia.

»Setzen Sie sich doch.« Sally wies mit einer anmutigen Geste auf einen Sessel in ihrer Nähe.

Augusta warf einen Blick auf das Buch, das Sally bei ihrem Eintreten gelesen hatte. »Oh, du hast eine Ausgabe von Coleridges *Kubla Khan*. Ich habe die Absicht, das Buch bald zu lesen. Was hältst du davon?«

»Es ist ganz außerordentlich. Ziemlich fesselnd. Er behauptet, die ganze Geschichte sei ihm zugefallen, als er aus einem Opiumrausch erwacht ist, verstehst du. Ich finde die Bilder, mit denen er die Geschichte ausmalt, faszinierend. Sie kommen mir fast vertraut vor. Ich kann es nicht erklären, aber es liegt ein gewisser Trost darin.« Sie wandte sich an Claudia und lächelte. »Genug von solchen Überlegungen. Sagen Sie, was halten Sie bisher von unserem kleinen Club?«

»Ich glaube«, sagte Claudia nachdenklich, »daß Ihr Butler mich an jemanden erinnert, dem ich schon begegnet bin.«

»Ich vermute, das liegt an seinem Humpeln«, sagte Augusta lässig. »Wenn du dich erinnern würdest, Claudia, unser eigener Gärtner bewegt sich genauso unbeholfen. Rheumatismus, du weißt schon.«

»Vielleicht hast du recht«, sagte Claudia.

Sally wandte sich prompt an Augusta. »Dann wirst du also mit einer Sondergenehmigung heiraten und nach Dorset entführt werden, meine Liebe.«

»Es ist unglaublich, wie schnell sich Gerüchte in der Oberschicht ausbreiten.«

»Und hier bei Pompeia's landen«, schloß Sally. »Ich hätte wissen müssen, daß du nicht auf die gewohnte und allgemein anerkannte Weise an die Dinge herangehst.«

»Es war nicht meine Idee. Es war Graystones Idee. Ich hoffe nur, daß er seine Entscheidung nicht im nachhinein bereuen wird.« Augusta unterbrach sich und neigte den Kopf ein wenig zur Seite, als sie eine Teetasse entgegennahm. »Andererseits stellt es fast eine Erleichterung dar, zu sehen, daß mein Verlobter auch einen Hang zum Ungestüm hat.«

»Ungestüm?« Sally dachte einen Moment lang darüber nach. »Ich glaube, das ist nicht ganz das richtige Wort, um Graystone zu beschreiben.«

»Was ist denn das richtige Wort für ihn?« fragte Augusta neugierig.

»Hinterhältig. Gerissen. Manchmal vielleicht hart. Ein äußerst ungewöhnlicher Mann, dieser Graystone.« Sally trank ihren Tee.

»Ich bin im großen und ganzen deiner Meinung, und ich muß sagen, daß das sehr beunruhigend sein kann«, sagte Augusta. »Weißt du, daß er die enervierende Angewohnheit hat, sich immer darüber im klaren zu sein, welche Ränke ich zufällig gerade schmiede und was ich als nächstes in Bewegung setzen werde? Ganz gleich, wie verstohlen ich auch vorgehe. Ich schwöre dir, es ist fast so, als würde man von Nemesis persönlich verfolgt.«

Sally verschluckte sich an ihrem Tee und betupfte ihre bleichen Lippen schnell mit einem Taschentuch. Ihre Augen funkelten vor Lachen. »Nemesis, na, so was! Was für eine seltsame Bemerkung.«

Nemesis. Augusta grübelte am nächsten Nachmittag immer noch darüber, als Graystones Kutsche nach Dorset rollte.

Das Trauungszeremoniell am Morgen war schnell und schmerzlos vollzogen worden. Graystone hatte geistesabwesend gewirkt und nur sehr wenig Notiz von ihrem sorgsam ausgewählten weißen Musselinkleid genommen. Er hatte ihr noch nicht einmal ein Kompliment zu den züchtigen Rüschen gemacht, die sie in den tiefen Ausschnitt hatte einnähen lassen. Soviel zu ihrem ersten Versuch, ihren Ehemann mit ihrer Sittsamkeit zu beeindrucken.

Graystone hatte darauf bestanden, augenblicklich zu den Flitterwochen aufzubrechen, die sie auf seinem Anwesen verbringen würden. Jetzt saß er Augusta in der Kutsche gegenüber. Schon seit ihrem Aufbruch in London war er tief in seine eigenen Gedanken versunken.

Es war das erste Mal, daß sie miteinander allein waren, seit sie sich in der Kutsche geliebt hatten.

Augusta ruckelte unruhig herum und konnte absolut nicht lesen oder sich allzu lange auf die Landschaft konzentrieren. Sie zupfte an den Litzen ihres kupferfarbenen Reisekostüms und fummelte in ihrer Handtasche herum. Während dieser Aktivitäten warf sie verstohlene Blicke auf Graystone. In seinen blitzblanken Stiefeln, der enganliegenden Kniebundhose und dem elegant geschnittenen Frack wirkte er schlank und kräftig. Sein gestärktes weißes Halstuch war so makellos gefaltet wie immer. Ein Ausbund an vollendeter Form.

Vollendete Formen, dachte Augusta betrübt. Wie sollte sie Harrys Maßstäben jemals gerecht werden? fragte sie sich.

»Fehlt dir etwas, Augusta?« erkundigte sich Harry schließlich.

»Nein, nichts.«

»Bist du ganz sicher?« fragte er liebevoll.

Sie zuckte gekünstelt die Achseln. »Es ist nur so, daß ich das ganz seltsame Gefühl habe, als sei heute alles nicht ganz real. Ich fühle mich, als würde ich jeden Moment wach werden und feststellen, daß ich das alles nur geträumt habe.«

»Ich verlasse mich fest darauf, daß das kein Wunschdenken ist, meine Liebe. Du bist jetzt eindeutig verheiratet.«

»Ja, allerdings.«

Er holte tief Luft. »Du bist besorgt, nicht wahr?«

»Ja, irgendwie schon.« Sie dachte an alles, was vor ihr lag: eine Tochter, der sie noch nie begegnet war, ein neues Zuhause, ein Ehemann, dessen erste Frau nach allem, was bekannt war, ein Inbegriff weiblicher Tugend gewesen war. Tapfer straffte sie die Schultern. »Ich werde versuchen, dir eine gute Ehefrau zu sein, Harry.«

Er lächelte matt. »Hast du das wirklich vor? Das sollte interessant werden.«

Ihr zaghaftes Lächeln verschwand. »Ich bin mir durchaus darüber im klaren, daß ich in deinen Augen viele Fehler habe, und mir ist auch klar, daß mir eine schwierige Aufgabe bevorsteht. Es wird selbstverständlich sehr schwierig werden, den hohen Maßstäben gerecht zu werden, die deine erste Frau gesetzt hat. Aber ich habe das sichere Gefühl, mit genug Zeit und Geduld kann ich ein gewisses Maß an...«

»Meine erste Frau war ein verlogenes, hinterhältiges, treuloses Miststück«, sagte Harry seelenruhig. »Das allerletzte, was ich von dir will, ist, daß du in ihre Fußstapfen trittst.«

9. Kapitel

Augusta starrte Harry an und schwieg schockiert. »Das verstehe ich nicht«, brachte sie schließlich mühsam hervor. »Ich – eigentlich geht es allen so –, ich hatte den Eindruck, daß deine erste Frau eine äußerst bewundernswerte Frau war.«

»Das ist mir klar. Ich habe keinen Grund gesehen, die ganze Welt von dieser Meinung abzubringen und sie eines Besseren zu belehren. Vor der Heirat habe auch ich Catherine für ein Musterbild weiblicher Tugend gehalten.« Harrys Mund verzog sich bitter. »Du kannst sicher sein, daß sie sich während unserer Verlobungszeit gehütet hat, mir mehr als ein paar keusche Küsse zu gestatten. Natürlich habe ich ihren Mangel an Wärme für wahre Tugend gehalten.«

»Ich verstehe.« Augusta errötete glühend, als sie sich daran erinnerte, wieviel sie Harry vor der Hochzeit gestattet hatte.

»Erst als ich in unserer Hochzeitsnacht festgestellt habe, daß sie so kalt war wie während unserer Verlobungszeit, ist mir endlich klargeworden, daß sie nicht die geringste Zuneigung zu mir verspürt hat. Außerdem hatte ich den starken Verdacht, daß es einen anderen gab. Als ich sie daraufhin angesprochen habe, ist sie in Tränen ausgebrochen und hat mir erklärt, daß sie wirklich einen anderen liebt und sich ihm hingegeben hat, als sie sich gezwungen sah, mich zu heiraten.«

»Warum hat sie sich gezwungen gesehen, dich zu heiraten?«

»Aus den üblichen praktischen Gründen, nämlich wegen meines Titels und Vermögens. Catherines Eltern haben auf der Heirat bestanden, und sie hat eingewilligt. Ihr Geliebter hat so gut wie keinen Penny besessen, und Catherine war nicht frei genug von jedem gesunden Menschenverstand, um wirklich mit ihm auszureißen.«

»Was für ein Jammer. Für euch beide.«

»Du kannst mir glauben, daß ich gewünscht habe, sie wäre mit dem Kerl ausgerissen. Ich hätte ihn mit Freuden dafür bezahlt, daß er sie mir wegnimmt, wenn ich mein eigenes Los im voraus gekannt hätte. Aber was geschehen war, war geschehen.« Harry zuckte die Achseln. »Sie hat mir gesagt, daß sie alles bereut, sich jedoch anstrengen wird, mir eine gute Frau zu sein. Ich habe ihr geglaubt. Zum Teufel, ich wollte ihr glauben.«

»Und es wäre nicht richtig gewesen, wenn du ihr vorgehalten hättest, daß sie ihre Jungfräulichkeit verloren hatte«, sagte Augusta mit einem ernsten Stirnrunzeln. »Es sei denn, du selbst warst noch... äh... unberührt.«

Harry zog eine Augenbraue hoch und ging nicht auf diese Bemerkung ein. »Wie dem auch sei, ich konnte wenig an der Situation ändern und nur versuchen, das Beste daraus zu machen.«

»Ich verstehe. Die Ehe ist etwas, was Bestand hat.«

»Ich glaube, Catherine und ich hätten etwas daraus machen können, wenn Catherine mich nicht von Anfang an belogen hätte. Unaufrichtigkeit ist etwas, was ich nicht verzeihen oder gutheißen kann.«

»Nein, ich kann mir vorstellen, daß es dir sehr schwer fallen würde, einer Frau oder sonst jemandem Lügen nachzusehen. Du bist in manchen Dingen sehr strikt.«

Er musterte sie mit einem scharfen Blick. »Catherine hatte, wie die Dinge nun einmal standen, nicht die geringste Absicht, je zu versuchen, mir eine wahre Frau zu sein. Das einzige, was ich zu ihren Gunsten sagen kann, ist, daß sie wenigstens nicht von ihrem Geliebten schwanger war, als sie zu mir gekommen ist. Sie ist jedoch in unserer Hochzeitsnacht schwanger geworden und war außerordentlich wütend über diesen Umstand. Anscheinend hatte ihr Geliebter das Interesse an ihr verloren, als sie einen dicken Bauch bekam. Um ihn weiterhin an sich zu binden, hat sie angefangen, ihm Geld zu geben.«

»*Harry*. Wie gräßlich. Hast du nicht gemerkt, daß sie das getan hat?«

»Erst nach einer Weile. Catherine konnte außergewöhnlich überzeugend sein. Jedesmal, wenn sie zu mir gekommen ist, weil sie mehr Geld brauchte, hat sie mir erzählt, sie bräuchte die Beträge, um sie in ihre Wohltätigkeitszwecke zu stecken. Wenn man es sich genauer überlegt, war das noch nicht einmal direkt gelogen. Ihr Geliebter war vollkommen mittellos und regelrecht abhängig von ihrer Freigebigkeit.«

»Ach, du meine Güte.«

»Ich habe das Gerücht bestehen lassen, daß sie nach Merediths Geburt am Kindbettfieber gestorben ist«, sagte Harry mit ausdrucksloser Stimme. »In Wahrheit hatte sie sich schon recht gut erholt, als sie erfuhr, daß ihr Geliebter sich mit einer anderen Frau trifft. Sie ist zu früh aus dem Kindbett aufgestanden und hat sich aus dem Haus geschlichen, um sich mit ihm auseinanderzusetzen. Als sie nach Hause zurückkam, war sie außer sich. Zudem hatte sie sich eine Unterkühlung geholt, die ihr auf die Lunge geschlagen ist. Sie hat sich wieder ins Bett gelegt und ist nie mehr gesund geworden. Gegen Ende war sie von Sinnen und hat angefangen, nach ihrem Geliebten zu rufen.«

»Und auf die Art bist du dahintergekommen, wer es war?«

»Ja.«

»Was ist aus ihm geworden?« erkundigte sich Augusta, und eine üble Ahnung drängte sich ihr auf.

»Da ihm seine einzige zuverlässige Geldquelle versiegt war, hat er sich gezwungen gesehen, zum Militär zu gehen. Schon bald darauf hat er es geschafft, auf der Halbinsel einen Heldentod zu sterben.«

»Was für eine grausige Ironie des Schicksals. Niemand weiß etwas von alledem?«

»Bis jetzt habe ich es ganz und gar für mich behalten. Du bist der einzige Mensch, dem ich das je erzählt habe, und ich erwarte selbstverständlich von dir, daß du ebenfalls zu diesem Thema schweigst.«

»Ja, selbstverständlich«, sagte Augusta matt und überlegte sich, wie sehr Harrys Ehre gelitten haben mußte. »Nach einer so katastrophalen

Erfahrung ist es kein Wunder, daß du großen Wert auf Sittenstrenge legst.«

»Mir geht es nicht nur um meinen eigenen Stolz«, sagte Harry rundheraus. »Ich möchte um Merediths willen die Lügengeschichte aufrechterhalten, daß Catherine vorbildlich war. Ein Kind muß in der Lage sein, das Andenken seiner Eltern zu respektieren. Meredith ist neun Jahre alt, und in ihren Augen war Catherine eine liebende Mutter und eine tugendhafte Gattin.«

»Ich verstehe das voll und ganz. Du brauchst dir keine Sorgen zu machen, ich könnte ihren Eindruck von ihrer Mutter verändern wollen.«

Harry lächelte schwach. »Nein, so etwas tätest du nicht. Du bist sehr nett zu Menschen, die deine Zuneigung besitzen, und du bist sehr loyal, nicht wahr? Das ist einer der Gründe, derentwegen ich dich geheiratet habe. Ich hoffe, daß du meine Tochter mit der Zeit ins Herz schließen wirst.«

»Da bin ich mir ganz sicher.« Augusta schaute auf ihre Finger herunter, die in Handschuhen steckten und auf ihrem Schoß ineinander verschlungen waren. »Ich hoffe nur, sie wird es lernen, mich zu lieben.«

»Sie ist ein braves Kind. Sie tut, was man ihr sagt. Sie weiß, daß du ihre neue Mutter sein wirst, und sie wird dir großen Respekt entgegenbringen.«

»Respekt ist nicht dasselbe wie Liebe. Man kann ein Kind bis zu einem gewissen Maß Respekt und gutes Benehmen abnötigen, aber man kann niemanden gewaltsam Liebe aufzwingen, oder?« Sie bedachte ihn mit einem vielsagenden Seitenblick. »Noch nicht einmal einer Ehefrau oder einem Ehemann.«

»Ich begnüge mich mit Respekt und gutem Benehmen, sowohl bei meinem Kind als auch bei meiner Frau«, sagte Harry. »Und außerdem erwarte ich von meiner Frau Loyalität. Habe ich mich klar ausgedrückt?«

»Ja, natürlich.« Augusta zupfte wieder an der Litze ihres Reisekostüms. »Aber ich habe von Anfang an versucht, dir verständlich zu machen, daß ich dir nicht versprechen kann, der Inbegriff von Vollkommenheit zu sein.«

Er lächelte ernst. »Niemand ist vollkommen.«

»Ich bin sehr froh darüber, daß dir das klar ist.«

»Ich erwarte jedoch von dir, daß du in dieser Hinsicht ernstliche Anstrengungen unternimmst«, fügte Harry in trockenem Tonfall hinzu.

Augusta blickte eilig auf. »Willst du mich aufziehen?«

»Gütiger Gott, nein, Augusta. Ich bin ein langweiliger, nüchterner Gelehrter, und mir geht jegliche Leichtigkeit ab, die mich zu solchen Neckereien inspirieren könnte.«

Augusta schaute finster. »Und du ziehst mich doch auf. Harry, ich muß dich etwas fragen.«

»Ja?«

»Du sagst, die Verlogenheit einer Ehefrau sei dir unerträglich, aber ich selbst bin dir gegenüber nicht immer ganz aufrichtig gewesen. Ich habe dir beispielsweise nichts von diesen dummen Spielschulden gesagt, die ich bei Lovejoy hatte.«

»Das war keine vorsätzliche Täuschung. Du hast dich wie gewohnt leichtsinnig verhalten und den Northumberland-Ballingers damit alle Ehre gemacht, und es liegt auf der Hand, daß du dich damit in Schwierigkeiten gebracht hast.«

»Es liegt auf der Hand? Sieh mal, Harry…«

»Wenn du auch nur einen Funken gesunden Menschenverstand besitzt, dann wirst du es unterlassen, mich an diesen Vorfall zu erinnern. Ich bemühe mich, nicht mehr daran zu denken.«

»Das wird schwierig werden, wenn man bedenkt, daß der Umstand, den du als ›Vorfall‹ bezeichnest, direkt dazu geführt hat, daß du gezwungen warst, mich heute morgen überstürzt zu heiraten.«

»Ich hätte dich früher oder später ohnehin geheiratet, Augusta. Das habe ich dir doch gesagt.«

Sie schaute ihn verblüfft an. »Aber warum bloß? Ich verstehe immer noch nicht wirklich, warum du dich für mich entschieden hast, wenn doch so viele andere, weitaus geeignetere Kandidatinnen auf deiner Liste gestanden haben.«

Harry musterte sie nachdenklich. »Im Gegensatz zur Meinung aller anderen waren tadelloses Benehmen und Auftreten nicht die obersten Forderungen, die ich an eine Ehefrau stelle.«

Augustas Augen wurden vor Staunen groß. »Nein?«

»Catherines Benehmen und ihr Auftreten waren beispielhaft. Du kannst jeden fragen, der sie gekannt hat.«

Augusta zog die Stirn in Falten. »Wenn es nicht um vollkommene Manieren und Benehmen ging, was genau hast du dann gesucht?«

»Du hast es in jener Nacht, in der ich dich dabei ertappt habe, wie du dich in Enfields Bibliothek schlichest, selbst gesagt. Alles, was ich wollte, war eine wirklich tugendhafte Frau.«

»Ja, ich weiß. Aber für jemanden wie dich geht weibliche Tugend doch bestimmt Hand in Hand mit einer soliden Kenntnis dessen, was sich schickt, und mit Respekt davor.«

»Nicht notwendigerweise, obwohl ich zugebe, daß es praktisch wäre.« Harry lächelte schwach. »Meiner Ansicht nach begründet sich Tugend bei einer Frau ausschließlich auf ihre Fähigkeit, loyal zu sein. Nach allem, was ich beobachtet habe, hast du zwar leider einen Hang, impulsiv zu handeln, aber du bist auch eine sehr loyale junge Frau. Wahrscheinlich die loyalste, die mir je begegnet ist.«

»*Ich?*« Augusta war verblüfft über diese Bemerkung.

»Ja, du. Mir ist nicht entgangen, daß du deinen Freunden wie Sally gegenüber, aber auch dem Andenken der Northumberland-Ballingers große Loyalität gezeigt hast.«

»Ich schätze, das ist eher die Anhänglichkeit eines Spaniels.«

Er lächelte, als er ihren mürrischen Tonfall hörte. »Zufällig mag ich Spaniels.«

Sie reckte das Kinn in die Luft, und Zorn flackerte in ihr auf. »Mit der Loyalität verhält es sich wie mit der Liebe, zumindest, was mich angeht. Man kann sie nicht zusammen mit einem Ehering kaufen.«

»Ganz im Gegenteil. Genau das habe ich vor ein paar Stunden getan«, sagte er ruhig. »Du tätest gut daran, dir das zu merken, Augusta. Mich interessiert das Gefühl nicht, das du Liebe nennst. Aber ich erwarte von dir dasselbe Maß an Respekt und Loyalität, das du den anderen Mitgliedern deiner Familie entgegenbringst, in der Vergangenheit und in der Gegenwart.«

Augusta richtete sich zu einer stolzen Haltung auf. »Und werde ich dafür dasselbe bekommen?«

»Darauf kannst du dich verlassen. Ich werde meine Pflicht als Ehemann erfüllen.« In seinen Augen funkelte ein sinnliches Versprechen.

Sie kniff die Augen zusammen und weigerte sich, sich von dieser Anspielung umgarnen zu lassen. »Also gut, dann heißt es eben Loyalität. Aber das ist alles, solange ich es mir nicht anders überlege.«

»Was, zum Teufel, willst du mit dieser kryptischen Bemerkung sagen, Augusta?«

Sie schaute resolut aus dem Fenster. »Nur, daß ich, solange du der Liebe keinen Wert beimißt, dir keine Liebe geben werde.« Sie würde ihn zwingen zu begreifen, daß diese Ehe mehr sein mußte als nur ein kalter Austausch von Loyalität, schwor sie sich inbrünstig.

»Du mußt selbst wissen, was du tust«, erwiderte Harry mit einem Achselzucken.

Sie bedachte ihn mit einem schnellen Seitenblick. »Stört es dich denn gar nicht, daß ich nicht vorhabe, dich zu lieben?«

»Nicht, solange du deine Pflichten als meine Frau erfüllst.«

Augusta erschauerte. »Du bist wirklich sehr kalt. Das war mir nicht klar. Aufgrund gewisser Handlungen, die du in der letzten Zeit begangen hast, hatte ich sogar schon zu hoffen begonnen, du könntest leichtsinnig und heißblütig wie jeder Northumberland-Ballinger sein.«

»Niemand ist so leichtsinnig und heißblütig wie die Northumberland-Ballingers«, sagte Harry. »Und ich am allerwenigsten.«

»Was für ein Jammer.« Augusta griff in ihre Handtasche und zog das Buch heraus, das sie eingesteckt hatte, um es auf der langen Fahrt zu lesen. Sie öffnete es auf ihrem Schoß und schaute demonstrativ auf die Seite herunter.

»Was liest du da?« erkundigte Harry sich freundlich.

»Dein neuestes Werk.« Sie ließ sich nicht dazu herab aufzublicken. *»Bemerkungen zu Livius' Geschichte Roms.«*

»Eine ziemlich langweilige Kost für dich, kann ich mir vorstellen.«

»Keineswegs. Ich habe einige deiner anderen Bücher gelesen und finde sie recht interessant.«

»Wirklich?«

»Ja, sicher. Das heißt, wenn man den offenkundigen Makel übersieht, den sie alle haben«, schloß sie schwungvoll.

»*Makel*? Was ist das für ein Makel, könntest du mir das vielleicht beantworten?« Harry war eindeutig entrüstet. »Und wer bist du, dir anzumaßen, daß du das beurteilen kannst, wenn ich fragen darf? Du bist wohl kaum eine Altphilologin.«

»Man braucht kein humanistischer Gelehrter zu sein, um den Makel zu erkennen, der sich durch alle deine Werke zieht.«

»Ach, ja? Warum sagst du mir dann nicht einfach, was ihr Makel ist?« fauchte er sie an.

Augusta zog die Augenbrauen hoch und sah ihm fest in die Augen. Sie lächelte reizend. »Das, was mich am meisten erbost, wenn ich deine historischen Forschungen lese, ist, daß es dir in jedem einzelnen deiner Bücher gelungen ist, die Rolle und den Beitrag von Frauen zu ignorieren.«

»*Frauen*?« Harry sah sie verständnislos an. Er faßte sich sofort wieder. »Frauen machen nicht Geschichte.«

»Diesen Eindruck gewinnt man in erster Linie deshalb, weil die Geschichte von Männern geschrieben wird, von Männern wie dir«, sagte Augusta. »Aus irgendwelchen Gründen entschließen sich männliche Schreiber, den Errungenschaften der Frauen keine Aufmerksamkeit zu widmen. Das ist mir ganz besonders deutlich geworden, als ich Nachforschungen für die Einrichtung von Pompeia's angestellt habe. Es war sehr schwierig, die Informationen zu erhalten, die ich brauchte.«

»Gütiger Himmel, ich traue meinen eigenen Ohren nicht.« Harry stöhnte. Das ging zu weit. Er wurde von einem übertrieben-emotionalen kleinen Fratz, der Scott und Byron las, zur Rechenschaft gezogen. Und dann breitete sich gegen Harrys Willen ein Lächeln auf seinem Gesicht aus. »Etwas sagt mir, daß du eine interessante Bereicherung meines Haushalts sein wirst.«

Graystone, das große Haus auf Harrys Anwesen in Dorset, war so robust und furchteinflößend wie der Mann selbst. Es war ein imposantes Gebäude von klassischen palladianischen Proportionen, das über makellos gepflegten Gärten aufragte. Die letzte Morgensonne schimmerte auf den Fensterscheiben, als die Kutsche die Auffahrt hinauffuhr.

Geschäftiges Treiben brach aus, als die Dienstboten nach draußen eilten, um sich um die Pferde zu kümmern und ihre neue Herrin zu begrüßen. Augusta sah sich eifrig um, als Harry ihr beim Aussteigen aus der Kutsche behilflich war. Das hier war ihr neues Zuhause, sagte sie sich immer wieder. Aus irgendeinem Grunde schien sie die Veränderung noch nicht in vollem Ausmaß zu erfassen, die sich gestern morgen in ihrem Leben vollzogen hatte. Sie war jetzt die Gräfin von Graystone. *Harrys Frau.* Das hier waren ihre Bediensteten.

Sie hatte endlich ein eigenes Zuhause.

Dieser Gedanke ging ihr gerade durch den Kopf, als ein kleines dunkelhaariges Mädchen durch die offene Tür gerannt kam und die Treppen hinunterstürmte. Sie trug ein allzu schlichtes, fast schon strenges weißes Musselinkleid, das keine einzige Rüsche oder Schleife zierte.

»*Papa.* Papa, du bist zu Hause. Ich bin ja so froh.«

Harrys Züge wurden weicher, und er lächelte wahrhaft liebevoll, als er sich bückte, um seine Tochter zu begrüßen. »Ich habe mich schon gefragt, wo du wohl stecken magst, Meredith. Komm mit und laß mich dir deine neue Mutter vorstellen.«

Augusta hielt den Atem an und fragte sich, wie sie wohl willkommen geheißen würde. »Hallo, Meredith. Es freut mich sehr, dich kennenzulernen.«

Meredith wandte den Kopf um und sah Augusta aus intelligenten kristallgrauen Augen an, die sie nur von ihrem Vater haben konnte. Augusta stellte fest, daß sie ein wunderschönes Kind war.

»Du kannst nicht meine Mutter sein«, erklärte Meredith mit unerschütterlicher Logik. »Meine Mutter ist im Himmel.«

»Das ist die Dame, die ihren Platz einnehmen wird«, sagte Harry streng. »Du mußt sie Mama nennen.«

Meredith musterte Augusta mißtrauisch und wandte sich dann wieder an ihren Vater. »Sie ist nicht so schön wie Mama. Ich habe das Porträt in der Galerie gesehen. Mama hatte goldenes Haar und schöne blaue Augen. Ich werde diese Dame nicht Mama nennen.«

Augusta sank das Herz, doch sie zwang sich zu einem Lächeln, als sie sah, daß sich Harrys Miene auf diese Bemerkung hin verfinsterte. »Ich bin gewiß nicht annähernd so hübsch wie deine Mutter, Meredith. Wenn sie so hübsch war wie du, dann muß sie wirklich wunderschön gewesen sein. Aber vielleicht wirst du andere Dinge an mir entdecken, die du magst. Warum redest du mich bis dahin nicht an, wie du willst? Es ist nicht nötig, daß du mich Mama nennst.«

Harry sah sie ärgerlich an. »Meredith soll dir den entsprechenden Respekt erweisen, und das wird sie auch tun.«

»Ja, ich bin sicher, daß sie das tun wird.« Augusta lächelte das kleine Mädchen an, das plötzlich sehr betroffen wirkte. »Aber es gibt viele respektvolle Anreden, die sie verwenden kann, nicht wahr, Meredith?«

»Ja, Madam.« Das Kind warf einen unsicheren Blick auf seinen Vater.

Harry zog streng die Augenbrauen hoch. »Sie wird dich Mama nennen, und dabei bleibt es. Also, Meredith, wo steckt deine Tante Clarissa?«

Eine große, grobknochige Frau in einem schmucklosen, nüchtern geschnittenen Kleid aus schiefergrauem Stoff tauchte oben auf der Treppe auf. »Hier bin ich, Graystone. Willkommen zu Hause.«

Clarissa Fleming kam mit majestätischen Schritten die Stufen herunter. Sie war eine gutaussehende Frau von Mitte Vierzig, deren Haltung eine steife Würde aufwies. Sie schaute aus distanzierten, wachsamen grauen Augen, als wappnete sie sich gegen Enttäuschungen. Ihr Haar, das schon grau wurde, war zu einem strengen Knoten auf dem Hinterkopf aufgesteckt.

»Augusta, das ist Miss Clarissa Fleming«, sagte Harry, der die beiden einander schnell vorstellen wollte. »Ich glaube, ich habe sie schon erwähnt. Sie ist eine Verwandte, die mir den großen Gefallen getan hat, Merediths Gouvernante zu werden.«

»Ja, selbstverständlich.« Augusta brachte ein weiteres Lächeln zustande, als sie die ältere Frau begrüßte, doch innerlich stieß sie einen unglücklichen Seufzer aus. Auch von dieser Seite aus war nicht mit einem herzlichen Willkommen zu rechnen.

»Wir haben die Nachricht über die Hochzeit erst heute morgen durch einen Boten erhalten«, hob Clarissa betont hervor. »Eine reichlich hastige Entscheidung, nicht wahr? Wir hatten bisher den Eindruck, der Termin sei erst in gut vier Monaten.«

»Die Umstände haben sich abrupt verändert«, sagte Harry, ohne eine Entschuldigung oder eine Erklärung abzugeben. Er lächelte sein kühles, distanziertes Lächeln. »Mir ist klar, daß das alles ziemlich überraschend kommt. Dennoch bin ich sicher, daß du meiner Braut das Gefühl geben wirst, hier willkommen zu sein, nicht wahr, Clarissa?«

Clarissa musterte Augusta abschätzend. »Aber natürlich«, sagte sie. »Wenn Sie mir folgen würden, zeige ich Ihnen Ihr Schlafzimmer. Sie wollen sich nach der Reise sicher frisch machen.«

»Danke.« Augusta warf einen Blick auf Harry und sah, daß er bereits damit beschäftigt war, seinen Bediensteten Anweisungen zu erteilen. Meredith stand an seiner Seite und hatte ihre kleine Hand in seine gelegt. Keiner von beiden schenkte Augusta auch nur die geringste Beachtung, als sie fortgeführt wurde.

»Soweit wir gehört haben«, sagte Clarissa, als sie die Stufen hinaufstieg und in die riesige marmorne Eingangshalle voranging, »sind Sie mit Lady Prudence Ballinger verwandt, der Autorin einer ganzen Reihe von nützlichen Schulbüchern für junge Damen.«

»Lady Prudence war meine Tante.«

»Ach, dann sind Sie eine der Hampshire-Ballingers?« fragte Clarissa mit einem Anflug von Begeisterung. »Eine gute Familie, die noch dazu für ihre vielen intellektuellen Familienmitglieder bekannt ist.«

»Genauer gesagt«, sagte Augusta und reckte stolz das Kinn in die Luft, »stamme ich von einem anderen Familienzweig ab. Von den Northumberland-Ballingers, wenn Sie es genau wissen wollen.«

»Ich verstehe«, sagte Clarissa. Das beifällige Leuchten in ihren Augen erlosch.

Am späten Abend saß Harry allein in seinem Schlafzimmer und hielt ein Glas Cognac in der einen Hand und eine Ausgabe von Thukydides' *Der Peleponesische Krieg* in der anderen. Er hatte schon seit einer ganzen Weile kein Wort mehr gelesen. Er konnte an nichts anderes denken als an seine frisch angetraute Ehefrau, die im Nebenzimmer allein in ihrem Bett lag. Schon seit einer ganzen Weile war aus dem angrenzenden Zimmer kein Laut mehr zu hören.

So hatte er sich die erste Nacht mit seiner frisch angetrauten Ehefrau unter seinem eigenen Dach ganz bestimmt nicht ausgemalt.

Er trank einen Schluck von dem Cognac und versuchte, sich auf das Buch zu konzentrieren. Es war aussichtslos. Er schlug den Band mit einem lauten Knall zu und warf ihn auf den Beistelltisch.

Auf der Fahrt hatte er sich immer wieder gesagt, er würde Augusta gegenüber subtil ausdrücken, wie es um seine Selbstbeherrschung stand. Jetzt fragte er sich, ob er nicht etwas zu subtil vorgegangen war.

Sie hatte ihm sozusagen den Fehdehandschuh hingeworfen, als sie ihm die Tatsache an den Kopf geworfen hatte, wie skrupellos er sie in Sallys Kutsche geliebt hatte. Nach Harrys Auffassung hatte sie ihn regelrecht dazu herausgefordert, ihr zu beweisen, daß er kein Sklave seines körperlichen Verlangens nach ihr war. Er würde für diese Kleopatra nicht Mark Anton spielen. So, wie er sie in Sallys Kutsche verführt hatte, war es ihr volles Recht zu schließen, daß er die Finger nicht von ihr lassen konnte. Keine Frau war sich zu schade dafür, diese Form von Macht für sich zu nutzen. Und in den Händen eines dreisten, verwegenen kleinen Luders wie Augusta war eine solche Macht enorm gefährlich.

Daher hatte Harry beschlossen, es sei das beste, in seiner Ehe gleich zu Beginn einen Standpunkt zu beziehen und deutlich klarzustellen, daß es ihm nicht an Selbstbeherrschung mangelte. Fang gleich so an, wie du weiterzumachen gedenkst, hatte er sich gesagt.

Als sie letzte Nacht in einem Gasthaus Rast gemacht hatten, hatte er unter dem Vorwand, sie hätte sicher lieber ihre Zofe bei sich, ein Zimmer für Augusta gebucht. In Wahrheit hatte er sich selbst nicht getraut und war nicht sicher gewesen, ob er seine Hochzeitsnacht wirklich auf seiner eigenen Bettseite verbringen würde.

Heute abend hatte er sich gezwungen, seiner Frau in der Tür ihres Schlafzimmers übertrieben höflich eine gute Nacht zu wünschen. Er hatte ihr bewußt keinen Hinweis auf seine Absichten gegeben. Er fragte sich, ob sie selbst jetzt noch wach lag und wartete, ob er zu ihr kommen würde.

Die Unsicherheit würde ihr guttun, sagte er sich. Die Frau war entschieden zu impulsiv und viel zu schnell mit einer Provokation bei der Hand, wie die ganze verfluchte Geschichte mit den Schulden bei Lovejoy bewies. Sie hatte sich nur deshalb in diese gefährliche Situation gebracht, weil sie versucht hatte, Harry zu demonstrieren, daß sie nicht gezwungen war, sich seinen Wünschen zu beugen.

Harry stand von seinem Stuhl auf und lief durch das Zimmer, um sich noch ein Glas Cognac einzuschenken. Er hatte Augusta bisher viel zu nachsichtig behandelt; darin lag das Problem. Viel zu rücksichtsvoll. Schließlich war sie eine Northumberland-Ballinger. Sie brauchte eine feste Hand. Er war es ihrer beider zukünftigem Glück schuldig, ihre leichtsinnige Ader im Zaum zu halten.

Doch je länger er heute nacht darüber nachdachte, desto öfter fragte sich Harry, ob er die richtige Taktik einschlug, wenn er sich dem Schlafzimmer seiner Frau fernhielt.

Er trank noch einen Cognac und sann über die sengende Glut in seinen Lenden nach.

Es gab noch eine andere Sichtweise seiner momentanen Situation, beschloß er, als ihm der Alkohol eine plötzliche Weisheit eingab. Wenn man das alles einmal ganz logisch betrachtete – und er hielt sich viel auf seine Fähigkeit zu logischem Denken zugute –, dann konnte man erkennen, daß er vielleicht besser daran tat, seine Vorrechte als Ehemann gleich von Anfang an geltend zu machen.

Ja, diese Argumentation war wesentlich stichhaltiger als seine bisherigen Überlegungen zu diesem Thema. Schließlich war das, was er hier unter Beweis stellen mußte, nicht seine Selbstbeherrschung, sondern seine dominante Rolle in der Ehe. Er war der Herr in seinem Haus.

Die Richtung, die seine logischen Gedankengänge jetzt eingeschlagen hatte, überzeugten Harry weit mehr, und er stellte sein Glas ab und lief durch sein Zimmer, um die Tür zum Schlafzimmer seiner Frau zu öffnen.

Er blieb in der Tür stehen und schaute in die tiefe Dunkelheit, die das Bett umgab. »Augusta?«

Keine Antwort.

Harry trat in das Schlafzimmer und stellte fest, daß niemand in dem Himmelbett lag. »Verdammt, Augusta, wo steckst du?«

Als er immer noch keine Antwort bekam, wandte er sich abrupt ab und stellte fest, daß die Tür zum Korridor angelehnt war. Seine Eingeweide schnürten sich zusammen, als ihm klar wurde, daß sie sich nicht in ihrem Zimmer aufhielt.

Was für einen Streich wollte sie ihm heute nacht schon wieder spielen? fragte er sich, als er zur Tür ging und in den Korridor hinaustrat. Wenn das wieder einer ihrer Versuche war, ihn im Kreis herumzuführen, bis ihm schwindlig wurde, dann würde er dem in unmißverständlichen Worten einen Riegel vorschieben.

Er trat in den Gang hinaus und sah die gespenstische Gestalt. Augusta, die einen hellen Morgenmantel trug, der hinter ihr herflatterte, war mit einer Kerze in der Hand auf dem Weg zu der langen Galerie mit den Porträts im vorderen Teil des Hauses. Da er jetzt neugierig geworden war, beschloß Harry, der Geistererscheinung zu folgen.

Als er leise hinter ihr herlief, verspürte Harry ein Gefühl von Erleichterung. In dem Moment wußte er, daß er insgeheim gefürchtet hatte, sie hätte eine Tasche gepackt und sei in die Nacht hinausgelaufen. Er hätte es besser wissen müssen, sagte er sich. Es sah Augusta gar nicht ähnlich, vor irgend etwas davonzulaufen.

Er folgte ihr in die lange Galerie und blieb am hinteren Ende stehen und beobachtete sie, als sie langsam an der Reihe von Porträts vorbeilief. Sie blieb vor jedem Bild stehen und hielt den Leuchter hoch, um jedes einzelne Gesicht in den schweren vergoldeten Rahmen zu betrachten. Der Mondschein, der durch die hohen Fenster fiel, die die vordere Front der Galerie säumten, tauchte sie in einen silbrigen Glanz und ließ sie nur um so geisterhafter erscheinen.

Harry wartete, bis sie das Bild seines Vaters betrachtete, ehe er vortrat.

»Man hat mir gesagt, daß ich ihm sehr ähnlich sehe«, sagte er leise. »Ich habe das nie als ein Kompliment aufgefaßt.«

»Harry.« Die Flamme flackerte wüst, als Augusta herumwirbelte und sich mit der Hand an die Kehle griff. »Gütiger Himmel. Ich wußte nicht, daß du hier bist. Du hast mir einen fürchterlichen Schrecken eingejagt.«

»Entschuldige bitte. Was hast du mitten in der Nacht hier draußen zu suchen?«

»Ich war neugierig.«

»Auf meine Vorfahren?«

»Ja.«

»Warum?«

»Tja, also, ich habe in meinem Bett gelegen und mir überlegt, daß sie jetzt schließlich auch meine Vorfahren sind, oder nicht? Und mir ist bewußt geworden, daß ich über keinen von ihnen allzuviel weiß.«

Harry verschränkte die Arme vor der Brust und lehnte unter dem finsteren Gesicht seines Vaters eine Schulter an die Wand. »Wenn ich du wäre, hätte ich es nicht besonders eilig, diese Bande für mich zu beanspruchen. Nach allem, was ich gehört habe, ist nicht eine einzige besonders liebenswerte Seele darunter.«

»Was ist mit deinem Vater? Er wirkt sehr stark und edel.« Sie blickte zu dem Porträt auf.

»Vielleicht war er das, als er für dieses Modell gesessen hat. Ich kenne ihn nur als einen erbitterten und zornigen Mann, der sich nie mit dem Umstand abfinden konnte, daß meine Mutter kurz nach meiner Geburt mit einem italienischen Grafen ausgerissen ist.«

»Gütiger Himmel. Wie furchtbar. Was ist passiert?«

»Sie ist in Italien gestorben. Mein Vater hat sich eine Woche lang mit ein paar Flaschen in der Bibliothek eingeschlossen, als er die Nachricht erhalten hat. Er hat sich bewußtlos getrunken. Als er wieder herausgekommen ist, hat er verboten, ihren Namen in diesem Haus jemals wieder zu nennen.«

»Ich verstehe.« Augusta warf einen forschenden Seitenblick auf ihn. »Die Earls of Graystone haben wohl eher Pech mit den Frauen gehabt, stimmt's?«

Harry zuckte die Achseln. »Die diversen Gräfinnen von Graystone waren für ihren Mangel an Tugend berüchtigt. Meine Großmutter hatte mehr Affären, als man zählen konnte.«

»Nun, in der besseren Gesellschaft ist das Mode, Harry. So viele Ehen werden um des Geldes und des Status wegen geschlossen und nicht aus Liebe, und daher muß es wohl zweifellos zwangsläufig zu solchen Dingen kommen. Die Menschen suchen instinktiv Liebe, glaube ich. Und wenn sie sie in der Ehe nicht finden, sehen sich viele außerhalb der Ehe danach um.«

»Du darfst noch nicht einmal daran denken, dir etwas außerhalb unserer Ehe zu suchen, von dem du das Gefühl haben könntest, daß es dir in unserer Verbindung fehlt, Augusta.«

Sie warf sich das dunkle Haar über die Schulter und sah ihn finster an. »Sag es mir ehrlich, waren die diversen Earls of Graystone tugendhafter als ihre Gräfinnen?«

»Wahrscheinlich nicht«, gab Harry zu und erinnerte sich an die Reihe von leidenschaftlichen Liaisons seines Großvaters und an die endlose Parade von kostspieligen Mätressen, die bei seinem Vater ein und aus gegangen waren. »Aber man neigt dazu, mangelnde Tugend bei einer Frau deutlicher wahrzunehmen als bei einem Mann, meinst du nicht auch?«

Augusta war augenblicklich entrüstet, genauso, wie er es vermutet hatte. Harry beobachtete, wie leidenschaftliche Kampflust in ihren Augen aufzüngelte, als sie sich zu dem Scharmützel aufraffte. Sie hielt den Leuchter vor sich wie ein Schwert. Der Flammenschein tanzte auf ihrem Gesicht, betone ihre hohen Wangenknochen und verlieh ihr einen exotischen Reiz.

Sie sah aus wie eine kleine griechische Göttin, dachte Harry. Vielleicht eine junge Athene, die für den Krieg herausgeputzt war. Dieser Gedanke ließ ihn vor Vorfreude lächeln, und das lodernde Feuer in seinen Lenden, das ihn schon den ganzen Abend über gepeinigt hatte, glühte plötzlich noch heißer.

»Wie kannst du nur etwas so Abscheuliches sagen«, wütete Augusta. »Das ist eine Behauptung von der Sorte, wie sie nur ein extrem arroganter Mann aussprechen kann, ein extrem widerlicher Mann. Du solltest dich schämen, Graystone. Ich hätte eine unparteiischere Logik und mehr Verstand von dir erwartet. Schließlich bist du Altphilologe und Gelehrter. Du wirst dich für diese alberne, geistlose und absolut unfaire Bemerkung entschuldigen.«

»Ach, wirklich?«

»Ja, allerdings.«

»Vielleicht. Später.«

»Jetzt«, gab sie zurück. »Du wirst dich jetzt sofort dafür entschuldigen.«

»Ich bezweifle, daß ich noch genug Luft bekomme, um überhaupt etwas zu sagen, von einer Entschuldigung ganz zu schweigen, nachdem ich dich wieder in dein Schlafzimmer getragen habe.«

Er löste die verschränkten Arme und stieß sich mit einer geschmeidigen und schnellen Bewegung von der Wand ab.

»Mich in mein Schlafzimmer zurücktragen – Harry, was, um alles in der Welt, denkst du dir dabei? Laß mich augenblicklich runter.«

Sie wehrte sich im ersten Moment, als er sie hochhob und in seine Arme zog. Aber als er sie durch den Korridor zu ihrem Schlafzimmer getragen und sie unter dem Betthimmel hingelegt hatte, leistete sie nicht einmal mehr zum Schein Widerstand.

»O Harry«, flüsterte sie mit gequälter Stimme. Sie schlang ihm die

Arme um den Hals, als er sich neben sie auf das Bett legte. »Wirst du mich lieben?«

»Ja, meine Liebe, und wie ich das tun werde. Und diesmal«, sagte er leise zu ihr, »werde ich versuchen, meine Sache besser zu machen. Ich werde dich von Athene, der schönen Kriegerin, in Aphrodite verwandeln, die Göttin der Leidenschaft.«

10. Kapitel

»*Harry*. Lieber Gott, *Harry*. Bitte, ich halte es nicht aus. Das geht einfach zu weit.«

Harry hob den Kopf, um Augusta zu beobachten, als sie in seinen Armen auf ihren ersten köstlichen, bebenden Höhepunkt zusteuerte. Ihr ganzer Körper war ihm entgegengewölbt und so straff wie ein gespannter Bogen. Ihr Haar breitete sich als dunkle Wolke auf dem Kissen aus. Ihre Augen waren geschlossen, und ihre Hände gruben sich in die weißen Laken.

Harry lag auf dem Bauch zwischen Augustas angewinkelten Schenkeln. Ihr heißer Duft stieg ihm zu Kopf, und er hatte ihren unbeschreiblichen Geschmack noch auf der Zunge.

»Ja, Liebling. Genau da will ich dich haben.« Er ließ wieder einen Finger in sie gleiten und zog ihn langsam aus ihr zurück. Er spürte, wie sich die winzigen Muskeln an der Pforte ihres engen Ganges sachte zusammenzogen. Er ließ seinen Finger wieder in die feuchte Glut gleiten, während er mit seinem Daumen die kleine und so enorm empfindsame Erhebung über diesem Eingang neckte.

»*Harry*.«

»Du bist so schön«, hauchte er. »So süß und so heiß. Laß es zu, Liebling. Gib dich diesen Gefühlen voll und ganz hin.« Langsam und besonnen zog er den Finger zurück und spürte, wie sich alles in ihrem Innern verzweifelt zusammenzog. »Ja, Liebling. Drück noch einmal etwas fester zu. Du hast es fast geschafft. Spann dich an, mein Schatz.«

Er ließ seinen Daumen noch einmal über die kleine Erhebung gleiten, während er wieder mit dem Finger in sie eindrang. Und dann senkte er den Kopf und küßte das angeschwollene weibliche Fleisch.

»Gütiger Gott, *Harry.*«

Augustas Hände ballten sich in seinem Haar zu Fäusten, und ihre Hüften hoben sich vom Bett und wölbten sich seinem eindringenden Finger und seiner neckenden Zunge begierig entgegen. Ihre Oberschenkel bebten, und ihre Füße zuckten.

Harry hob den Kopf. Im matten Schein der Kerze konnte er sehen, daß sowohl Augustas Lippen, die ein wenig geöffnet waren, als auch die glitschigen Blütenblätter, die ihre weiblichen Geheimnisse bewachten, rosig waren und feucht schimmerten.

Augusta erschauerte und stieß einen hohen, klagenden Ruf aus, den man bestimmt im Korridor hören konnte. Sie zuckte in Harrys Armen, als wogenförmig Reaktionen in ihr strudelten und eine nach der anderen ihre Kreise zogen.

All das fühlte und hörte Harry, und er sog es in sich ein; jede kleinste Nuance ihrer Reaktion übertrug sich auf ihn. Als er beobachtete, wie Augusta sich ihrem ersten Höhepunkt hingab, wurde ihm bewußt, daß er nie zuvor in seinem ganzen Leben etwas so prachtvoll Weibliches gesehen hatte, etwas so Leidenschaftliches und Sinnliches.

Ihre Reaktion schürte die Feuer, die ohnehin schon in ihm brannten. Harry wußte, daß er keine Sekunde mehr warten konnte. Er legte sich auf ihren bebenden Körper und tauchte in ihren engen Kanal ein, während sie sich noch in Zuckungen wand.

»Ich glaube nicht, daß ich jemals genug von unseren mitternächtlichen Rendezvous bekommen kann«, flüsterte Harry heiser.

Im nächsten Augenblick kam die Erlösung für ihn, eine berstende Explosion, die ihn ins Nichts hineinwirbelte. Sein heiserer, triumphierender Schrei hallte noch durch das Schlafzimmer, als er auf Augustas weichem, feuchtem Körper zusammenbrach.

Lange Zeit später rührte sich Harry in dem zerwühlten Bettzeug und streckte die Arme nach Augusta aus. Als seine tastende Hand auf nichts weiter als Bettzeug traf, schlug er widerwillig die Augen auf.

»Augusta? Wo, zum Teufel, steckst du denn jetzt schon wieder?«

»Ich bin hier drüben.«

Er wandte den Kopf und sah sie am offenen Fenster stehen. Ihm fiel auf, daß sie ihr Nachthemd wieder angezogen hatte. Der hauchdünne weiße Musselinstoff flatterte um ihre schlanke Gestalt, und die Bänder wehten in der lauen Nachtluft. Wieder einmal wirkte sie ätherisch und wie ein Geist. Nahezu unberührbar. Harry hatte plötzlich eine schreckliche Vorahnung, sie könnte jeden Moment durch das Fenster schweben und sich ihm für immer entziehen.

Er richtete sich zu einer sitzenden Haltung auf und warf die Decken von sich, als ihn ein unerklärliches Gefühl von Dringlichkeit ereilte. Er mußte sie einfangen und festhalten. Er hatte bereits die Arme nach Augusta ausgestreckt, als ihm klar wurde, wie albern er sich benahm.

Augusta war keine Geistererscheinung. Er hatte sie gerade auf die intimste Art und Weise berührt. Er zwang sich, sich gelassen in die Kissen zurückzulehnen, statt mit großen Sätzen durch das Zimmer zu springen. Sie war absolut real vorhanden und gehörte ganz und gar ihm. Sie hatte sich ihm vollständig hingegeben.

Sie gehörte ihm. Dieser Moment, in dem sie in seinen Armen gezuckt und gebebt hatte, war weit über das rein Körperliche hinausgegangen. Sie hatte sich ihm selbst zum Geschenk gemacht, ihm einen Teil von sich gegeben, damit er ihn bewahrte und behütete.

Er würde sie festhalten, gelobte sich Harry. Er würde sie beschützen, obwohl sie diesen Schutz nicht immer anstrebte. Und er würde sie so oft wie möglich lieben und das körperliche Band zwischen ihnen kräftigen und zementieren.

Ihm brauchte niemand zu sagen, daß der sexuelle Akt für Augusta in dem Maß tief und bindend war wie Treueschwüre in alter Zeit.

»Komm wieder ins Bett, Augusta.«

»Gleich. Ich habe über unsere Ehe nachgedacht.« Sie schaute in die Dunkelheit hinaus und hatte dabei die Arme unter den Brüsten verschränkt.

»Was gibt es da zu überlegen?« Harry musterte sie wachsam. »In meinen Augen scheint alles sehr klar zu sein.«

»Ja, ich kann mir vorstellen, daß du es dir einfach machst. Du bist ein Mann.«

»Ah. Jetzt kommt also wieder einmal eines dieser Gespräche, stimmt's?«

»Es freut mich, daß es dich derart amüsiert«, flüsterte sie.

»Ich finde es weniger amüsant, sondern sehe darin viel mehr reine Zeitverschwendung. Ich habe schon öfter erlebt, daß du dich mit solchen Dingen herumschlägst, falls du dich nicht mehr daran erinnern kannst. Deine Beweisführung gerät dann reichlich schnell durcheinander, meine Liebe.«

Sie wandte den Kopf zu ihm um und sah ihn finster an. »Also, wirklich, Harry, manchmal kannst du extrem aufgeblasen und arrogant sein. Ist dir das eigentlich klar?«

Er lachte in sich hinein. »Ich verlasse mich darauf, daß du mir sagst, wenn ich zu unausstehlich werde.«

»Im Moment bist du unausstehlich.« Sie drehte sich ganz um und sah ihn an. Die weißen Bänder ihres Nachthemds flatterten. »Ich habe dir etwas zu sagen, und ich wüßte es zu schätzen, wenn du mir deine ungeteilte Aufmerksamkeit widmest.«

»Wie Sie wünschen, Madam. Du kannst mit deinem Vortrag fortfahren.« Er verschränkte die Arme hinter dem Kopf und studierte einen Ausdruck ernsthafter Versunkenheit ein. Das war nicht leicht. Verdammt noch mal, aber sie sah verlockend aus, wie sie in ihrem Nachthemd dastand. Er spürte, daß sie ihn schon wieder erregte.

Der Mondschein hinter ihr zeigte den Umriß ihrer Hüften durch den dünnen Musselinstoff. Harry hätte gewettet, daß er sie in nicht mehr als einer Minute wieder im Bett haben konnte, mit weit gespreizten Schenkeln. Er war ziemlich sicher, daß er binnen zwei Minuten den warmen Honig zwischen ihren Beinen fließen lassen könnte. Sie sprach erstaunlich stark auf ihn an.

»Harry, bist du wirklich bei der Sache?«

»Ganz und gar, meine Süße.«

»Also gut, wenn das so ist, dann teile ich dir jetzt meine Überlegungen zum Status unserer Beziehung mit. Wir stammen aus zwei verschiedenen Welten, du und ich. Du bist ein Mann von der altmodischen Sorte, ein Geisteswissenschaftler, ein ernsthafter Gelehrter, der wenig mit Frivolitäten anfangen kann. Ich dagegen verspüre, wie ich dir bereits oft gesagt habe, einen Hang zu moderneren Vorstellungen, und ich bin gänzlich anders veranlagt. Wir müssen der Tatsache ins Gesicht sehen, daß ich einen frivolen Zeitvertreib gelegentlich sehr zu schätzen weiß.«

»Darin sehe ich kein Problem, solange es dich nur gelegentlich zu frivolen Formen des Zeitvertreibs hinzieht.« Ja, zwei Minuten, bis sie feucht wurde, dachte Harry und bemühte sich, absolut objektiv zu bleiben. Und dann allerhöchstens noch weitere fünf Minuten, um das entzückende leise Stöhnen der Erregung auf ihre Lippen zu zaubern.

»Es kann kein Zweifel daran bestehen, daß wir in vielerlei Hinsicht gegensätzlich sind.«

»Mann und Frau. Naturgegebene Gegensätze.« Nach etwa sieben bis zehn Minuten, wenn sie beginnen würde, sich köstlich in seinen Armen zu winden und sich seinen Berührungen entgegenzurecken, beschloß

Harry, könnte er sie mit ein paar Variationen des zugrundeliegenden Themas vertraut machen.

»Aber jetzt sind wir fürs Leben aneinandergekettet. Wir haben uns rechtlich und moralisch aneinander gebunden.«

Harry murmelte geistesabwesend eine Reaktion auf ihre Worte, während er die Möglichkeiten in Betracht zog, die ihm offenstanden. Vielleicht würde er Augusta umdrehen, damit sie auf dem Bauch lag, und sie auf die Knie ziehen. Dann würde er es sich zwischen ihren Schenkeln bequem machen und ihren engen, schmalen Gang, der ihn so fest umklammerte, aus dieser Richtung erkunden. Mindestens zwanzig bis dreißig Minuten, ehe er das versuchte, sagte er sich. Er wollte sie nicht ungebührlich erschrecken. Schließlich waren die erotischen Künste für sie noch sehr neu.

»Mir ist durchaus bewußt, daß du den Termin unserer Hochzeit vorgezogen hast, weil du es nach dem Vorfall in Lady Arbuthnotts Kutsche als deine Pflicht empfunden hast, mich zu heiraten. Dennoch wäre es mir lieb, wenn du weißt...«

Aber andererseits konnte er sich auch auf den Rücken legen und sie auf seine Schenkel ziehen, dachte sich Harry. In der Stellung würde er einen ausgezeichneten Ausblick auf ihr ausdrucksstarkes Gesicht haben, wenn sie den Höhepunkt erreichte.

Augusta holte tief Atem und fuhr fort. »Mir wäre lieb, wenn du weißt, daß die Northumberland-Ballingers, obwohl sie in dem Ruf stehen, leichtsinnig und verwegen zu sein, ein Pflichtbewußtsein auszeichnet, das sich an dem jeder adeligen Familie im ganzen Land messen kann. Ich wage zu behaupten, daß es selbst deinem Pflichtbewußtsein ebenbürtig ist. Daher möchte ich dir versichern, daß ich, obgleich du das Gefühl hast, mich nicht lieben zu können, und obwohl es dich nicht besonders interessiert, ob ich dich liebe...«

Als ihre letzten Worte in seine erotischen Phantasien vordrangen, schaute Harry finster. »Was sagst du da, Augusta?«

»Ich wollte gerade sagen, daß ich mir über meine Pflichten als Ehefrau im klaren bin und sie erfüllen werde, wie auch du vorhast, deine Pflichten als Ehemann zu erfüllen. Ich bin eine Northumberland-Ballinger, und ich werde mich nicht vor meiner Verantwortung drücken. Auch, wenn wir nicht aus Liebe geheiratet haben, kannst du dich trotzdem darauf verlassen, daß ich meine Pflichten als deine Frau erfülle. Mein Ehrgefühl und mein Pflichtbewußtsein sind so ausgeprägt wie deines, und du sollst wissen, daß du dich darauf verlassen kannst.«

»Willst du damit etwa sagen, du hättest nur deshalb die Absicht, mir eine gute Ehefrau zu sein, weil du dich dazu verpflichtet fühlst?« fragte er, und eine Woge von Zorn brodelte in ihm.

»Genau das habe ich gesagt.« Sie lächelte zaghaft. »Ich möchte dir versichern, daß eine Northumberland-Ballinger standhaft ist, wenn es darum geht, sich an ein Gelübde zu halten.«

»Gütiger Gott. Wie, zum Teufel, kommst du zu einem solchen Zeitpunkt auf den Gedanken, mir einen Vortrag über Verantwortung und Pflichtbewußtsein zu halten? Komm wieder ins Bett, Augusta. Ich habe etwas viel Interessanteres mit dir zu besprechen.«

»Wirklich, Harry?« Sie rührte sich nicht vom Fleck. Ihr Gesichtsausdruck war ungewöhnlich ernst.

»Ganz entschieden.« Harry schlug die Decken zurück. Im nächsten Moment trafen seine nackten Füße auf den Teppich. Mit drei langen Schritten war er bei ihr und hob sie auf seine Arme.

Augusta öffnete den Mund, um eine Bemerkung von sich zu geben – vielleicht auch, um Einwände zu erheben. Harry schloß ihre Lippen fest mit seinem Mund, bis sie wieder flach auf dem Rücken lag.

Schon bald erkannte er, daß er den Zeitraum, den er brauchen würde, bis sie bereit war, ihn in sich aufzunehmen, bei weitem überschätzt hatte. Es waren noch keine fünfzehn Minuten vergangen, als er eine verblüffte Augusta auf den Bauch drehte und sie in eine kniende Haltung hochzog.

Danach ging Harry das Zeitgefühl verloren, aber als Augusta ihre süße Melodie sinnlicher Erlösung in das Kissen summte, war er ziemlich sicher, daß ihre Gedanken nicht mehr nur um Verantwortung und Pflichtbewußtsein kreisten.

Am folgenden Morgen machte sich Augusta, die ein kanariengelbes Straßenkleid und einen passenden französischen Hut mit einer riesigen, anmutig geschwungenen Krempe trug, auf die Suche nach ihrer neuen Stieftochter.

Sie fand sie im Schulzimmer im zweiten Stock des großen Hauses. Meredith, die ein anderes gut gearbeitetes, aber extrem schlichtes weißes Kleid trug, saß an einem alten hölzernen Pult mit Tintenflecken. Sie hatte ein aufgeschlagenes Buch vor sich liegen und blickte überrascht auf, als Augusta den Raum betrat.

Clarissa Fleming, die ganz vorn im Raum hinter einem enormen Pult thronte, blickte fragend auf und schaute dann finster, als sie sah, wer ihren Alltagsablauf störte.

»Guten Morgen«, sagte Augusta fröhlich. Sie sah sich im Schulzimmer um und betrachtete die Ansammlung von Globen, Landkarten, Schreibfedern und Büchern, mit denen der Raum angefüllt war. Irgendwie sahen alle Schulzimmer gleich aus, dachte sie, ganz ungeachtet, wo sie sich befanden oder welche finanziellen Mittel der Familie zur Verfügung standen.

»Guten Morgen, Madam.«

Clarissa nickte ihrer Schülerin zu. »Begrüße deine neue Mutter mit einem Knicks, Meredith.«

Meredith stand gehorsam auf, um Augusta zu begrüßen. In ihrem ernsten Blick drückten sich eine Spur von Wachsamkeit und mehr als nur ein wenig Unsicherheit aus.

»Guten Morgen, Madam.«

»Meredith«, sagte Clarissa mit scharfer Stimme. »Du weißt, daß seine Lordschaft dich ausdrücklich angewiesen hat, ihre Ladyschaft mit *Mama* anzureden.«

»Ja, Tante Clarissa. Aber das kann ich nicht tun. Sie ist nicht meine Mama.«

Augusta zuckte zusammen und bedeutete Clarissa Fleming mit einer Handbewegung, sie solle verstummen. »Ich dachte, wir hätten uns darauf geeinigt, daß du mich anreden kannst, wie du magst, Meredith. Du darfst mich Augusta nennen, wenn du willst. Du brauchst mich nicht Mama zu nennen.«

»Papa sagt, ich muß es tun.«

»Tja, nun, dein Vater kann manchmal etwas gar zu herrisch sein, beinahe autokratisch.«

Clarissas Augen funkelten mißbilligend. »Also, wirklich, Madam.«

»Was heißt autokratisch?« fragte Meredith aus echter Neugier heraus.

»Das heißt, daß dein Vater gar zu gern Befehle erteilt«, erklärte Augusta.

Clarissas Ausdruck verwandelte sich von Mißbilligung in blanke Entrüstung. »Madam, ich kann nicht gestatten, daß Sie seine Lordschaft im Beisein seiner Tochter kritisieren.«

»Ich dächte nicht im Traum daran, so etwas zu tun. Ich habe lediglich einen unbestreitbar vorhandenen Aspekt des Charakters seiner Lordschaft hervorgehoben. Selbst wenn er persönlich anwesend wäre, bezweifle ich, daß er diesen Aspekt leugnen würde.« Augusta begann, im Zimmer auf und ab zu laufen.

»Sei doch so gut und schildere mir deinen Lehrplan, Meredith.«

»Morgens werde ich in Mathematik, den alten Sprachen, Naturkunde und dem Umgang mit dem Globus unterrichtet«, antwortete Meredith höflich. »Nachmittags lerne ich Französisch, Italienisch und Geschichte.«

Augusta nickte. »Das ist allerdings eine ausgewogene Auswahl an

Studienfächern für ein neunjähriges Mädchen. Hat dein Vater diesen Lehrplan für dich aufgestellt?«

»Ja, Madam.«

»Seine Lordschaft hat großes persönliches Interesse am Lehrplan seiner Tochter«, sagte Clarissa finster. »Er würde jedwede Kritik daran wohl kaum zu schätzen wissen.«

»Nein, höchstwahrscheinlich nicht.« Augusta blieb vor einem Band stehen, der ihr vertraut erschien. »Aha. Was haben wir denn da?«

»Lady Prudence Ballingers *Verhaltensmaßregeln für junge Damen*«, sagte Clarissa in einem drohenden Tonfall. »Das äußerst lehrreiche Werk Ihrer hochgeschätzten Tante zählt zu Merediths Lieblingsbüchern, nicht wahr, Meredith?«

»Ja, Tante Clarissa.« Meredith machte jedoch nicht den Eindruck, als könnte sie sich übermäßig für das Buch begeistern

»Ich persönlich finde es todlangweilig«, sagte Augusta.

»*Madam*«, sagte Clarissa mit erstickter Stimme. »Ich muß Sie bitten, es zu unterlassen, meiner Schülerin einen derart falschen Eindruck zu vermitteln.«

»Unsinn. Ich bin sicher, daß jedes temperamentvolle Mädchen die Bücher meiner Tante als außerordentlich stumpfsinnig empfindet. All diese erdrückenden Vorschriften, wie man seinen Tee trinkt und wie man seinen Kuchen ißt. Und all dieser Unsinn über angemessene Gesprächsthemen, zu denen man die entsprechenden Bemerkungen auswendig lernen soll. Sie müssen doch interessanteren Lehrstoff haben. Was ist das hier?« Augusta sah sich eine Reihe von schweren, ledergebundenen Wälzern an.

»Bücher über altgriechische und römische Geschichte«, sagte Clarissa und vermittelte ganz den Eindruck, als sei sie bereit, die Anwesenheit dieser Bände in ihrem Schulzimmer bis zum letzten Atemzug zu verteidigen.

»Ja, natürlich. Wenn man Graystones persönliche Interessen bedenkt, hätte ich erwarten können, daß eine beträchtliche Sammlung solcher Materialien hier vorhanden ist, oder nicht? Und dieses kleine Büchlein hier?« Sie hielt einen anderen Band hoch, der langweilig aussah.

»Natürlich Mangnalls *Historische und verschiedene andere Fragen zum Gebrauch von jungen Menschen*«, erwiderte Clarissa gereizt. »Ich bin sicher, selbst Sie werden mir darin zustimmen, daß dieses Buch äußerst angemessen für den Unterricht ist, Madam. Zweifellos sind Sie selbst danach unterrichtet worden. Meredith kann schon jetzt die Antworten auf viele der Fragen in diesem Buch auswendig aufsagen.«

»Da bin ich ganz sicher.« Augusta lächelte Meredith an. »Ich dagegen kann mich kaum noch an eine der Antworten erinnern, bis auf die eine, wo Muskatnüsse wachsen. Aber andererseits hat man mir immer wieder gesagt, ich neige zu frivolen Gedankengängen.«

»Ganz gewiß nicht, Madam«, sagte Clarissa mit gepreßter Stimme. »Seine Lordschaft hätte niemals...« Sie ließ den Satz abreißen und lief dunkelrot an.

»Seine Lordschaft hätte niemals eine Frau von der frivolen Sorte geheiratet?« Augusta bedachte die ältere Frau herausfordernd mit einem forschenden Blick. »Ist es das, was Sie gerade sagen wollten, Miss Fleming?«

»Ich wollte nichts Dergleichen sagen. Ich dächte im Traum nicht daran, mich zu den persönlichen Angelegenheiten seiner Lordschaft zu äußern.«

»Machen Sie sich deshalb bloß keine Sorgen. Ich äußere mich ständig zu seinen persönlichen Angelegenheiten. Und ich kann Ihnen versichern, daß ich gelegentlich ganz entschieden oberflächlich und verantwortungslos sein kann. Zufällig bin ich gerade heute morgen dazu aufgelegt. Ich bin gekommen, um Meredith zu holen und mit ihr ein Picknick zu veranstalten.«

Meredith starrte sie voller Erstaunen an. »Ein Picknick?«

»Hättest du Lust darauf?« Augusta lächelte sie an.

Clarissa umklammerte ihre Schreibfeder so fest, daß ihre Knöchel weiß wurden. »Ich fürchte, das ist ganz und gar ausgeschlossen, Madam. Seine Lordschaft nimmt es mit Merediths Studien sehr genau. Sie dürfen unter gar keinen Umständen um eines leichtfertigen Zeitvertreibs willen gestört werden.«

Augusta zog die Augenbrauen zu einem milden Vorwurf hoch. »Ich bitte um Verzeihung, Miss Fleming. Zufällig bedarf ich nun einmal jemandes, der mich auf dem Gelände dieses Anwesens herumführt. Seine Lordschaft hat sich mit seinem Haushofmeister in der Bibliothek eingeschlossen, und daher habe ich Meredith gefragt, ob sie ihren Vater vertritt. Da wir eine Zeitlang unterwegs sein werden, habe ich die Köchin darum gebeten, uns einen Picknickkorb zu packen.«

Clarissa sah sie zweifelnd und voller Ablehnung an, doch ihr war offensichtlich allzu klar, daß sie nicht viel unternehmen konnte, solange ihr der Earl keine Rückendeckung gab. Und der Earl war, wie Augusta vorsorglich bereits hervorgehoben hatte, nicht ansprechbar.

»Also gut, Madam.« Clarissa nahm eine steife Haltung ein. »Meredith darf Sie heute morgen hier herumführen. Aber in Zukunft erwarte ich, daß der Alltagsablauf im Schulzimmer gewährleistet ist.« Ihre Augen funkelten warnend. »Und ich bin ganz sicher, daß mich seine Lordschaft in diesem Punkt unterstützen wird.«

»Zweifellos«, murmelte Augusta. Sie sah Meredith an, deren Gesichtsausdruck so unergründlich war, wie es der ihres Vaters gelegentlich sein konnte. »Sollen wir uns auf den Weg machen, Meredith?«

»Ja, Madam. Ich meine, Augusta.«

»Ihr wohnt sehr schön, Meredith.«

»Ja, ich weiß.« Meredith lief gemessenen Schrittes auf dem Weg neben Augusta her. Sie trug einen sehr schlichten kleinen Hut, der zu ihrem ebenso unauffälligen Kleid paßte.

Es war schwer zu sagen, welche Gedanken ihr wohl durch den Kopf gehen mochten. Meredith hatte ganz offensichtlich Harrys Fähigkeit geerbt, eine undurchschaubare Miene aufzusetzen.

Bisher hatte sich das Kind höflich, aber keineswegs gesprächig gezeigt. Augusta hoffte darauf, der angenehm frische Tag und der Spaziergang würden das Gespräch anregen. Falls alles andere mißlang, vermutete sie, daß sie Meredith immer noch auffordern konnte, Antworten auf Mangnalls *Historische und verschiedene andere Fragen zum Gebrauch von jungen Menschen* aufzusagen.

»Ich habe früher in einem schönen Haus in Northumberland gelebt«, sagte Augusta und schwang den Picknickkorb, den sie trug.

»Was ist daraus geworden?«

»Nach dem Tod meiner Eltern ist es verkauft worden.«

Meredith warf einen erschrockenen Seitenblick auf Augusta. »Deine Mama und dein Papa sind beide tot?«

»Ja. Ich habe sie verloren, als ich achtzehn war. Manchmal fehlen sie mir sehr.«

»Mir fehlt Papa sehr, wenn er endlose Wochen lang fort ist, wie es während des Krieges oft vorgekommen ist. Ich bin froh, daß er jetzt wieder zu Hause ist.«

»Ja, das kann ich mir gut vorstellen.«

»Ich hoffe, er bleibt zu Hause.«

»Ich bin sicher, daß er die meiste Zeit hier sein wird. Ich glaube, dein Vater zieht das Landleben dem Leben in der Stadt vor.«

»Als er zu Beginn der Saison nach London gegangen ist, um sich eine Frau zu suchen, hat er gesagt, das sei eine *Notwendigkeit*.«

»In etwa so, als müßte man ein Abführmittel nehmen, kann ich mir vorstellen.«

Meredith nickte finster. »Zweifellos. Tante Clarissa hat mir gesagt, er müßte sich eine Frau suchen, weil er einen Erben braucht.«

»Dein Vater ist sich seiner Pflichten sehr klar bewußt.«

»Tante Clarissa hat gesagt, er würde bestimmt eine mustergültige Frau finden, *einen Ausbund an weiblicher Tugend, der in die illustren Fußstapfen meiner Mutter tritt.*«

Augusta erstickte ein Stöhnen. »Eine schwierige Aufgabe. Ich habe das Porträt deiner Mutter letzte Nacht in der Galerie gesehen. Sie war, wie du schon gesagt hast, wirklich sehr schön.«

»Das habe ich dir doch gesagt.« Meredith zog die Stirn in Falten. »Papa sagt jedoch, Schönheit sei nicht alles, worauf es bei einer Frau ankommt. Er sagt, daß es noch andere, wichtigere Dinge gibt. Er sagt, eine tugendhafte Frau ist von größerem Wert als Rubine. Ist das nicht eine hübsche Formulierung? Papa kann sehr gut schreiben, verstehst du?«

»Ich möchte dir deine Illusionen nicht rauben«, murmelte Augusta, »aber dein Papa hat diese Formulierung nicht selbst erfunden.«

Meredith zuckte anscheinend ungetrübt die Achseln. »Er hätte sie erfinden können, wenn er es gewollt hätte. Papa ist sehr klug. Er hat früher die kompliziertesten Wortspiele gespielt, die man je zu sehen bekommen hat.«

»Ach, wirklich?«

Meredith begann endlich, eine gewisse echte Begeisterung an den Tag zu legen, als sie sich für eines ihrer Lieblingsthemen erwärmte, ihren Papa. »Als ich noch klein war, habe ich eines Tages gesehen, wie er in der Bibliothek gearbeitet hat, und ich habe ihn gefragt, was er da tut. Er hat gesagt, daß er ein sehr wichtiges Rätsel löst.«

Augusta legte neugierig den Kopf zur Seite. »Wie hieß das Spiel?«

Meredith zog die Stirn in Falten. »Ich kann mich nicht erinnern. Es ist schon lange her. Ich war damals noch ein Kind. Ich kann mich nur noch erinnern, daß es etwas mit einem Spinnennetz zu tun hatte.«

Augusta schaute auf Merediths Hut herunter. »Mit einem Spinnennetz? Bist du ganz sicher?«

»Ich glaube, ja. Warum?« Meredith hob den Kopf, um zu Augusta aufzublicken. »Kennst du das Spiel?«

»Nein.« Augusta schüttelte bedächtig den Kopf. »Aber mein Bruder hat mir einmal ein Gedicht geschenkt, das den Titel ›Das Spinnennetz‹ getragen hat. Ich fand dieses Gedicht immer sehr seltsam. Ich habe es nie wirklich verstanden. Ich habe genau genommen sogar nie gewußt, daß mein Bruder Gedichte geschrieben hat, bis er mir diese seltsamen Verse gegeben hat.«

Es war nicht nötig, die Tatsache zu erwähnen, daß das Blatt Papier, auf das das Gedicht geschrieben war, unauslöschlich mit dem Blut ihres Bruders befleckt gewesen war und daß die Verse eher unerfreulich gewesen waren.

Aber Meredith war bereits vom Thema abgeschweift. »Du hast einen Bruder?«

»Ja. Aber er ist vor zwei Jahren gestorben.«

»Oh. Das tut mir sehr leid. Ich nehme an, er ist im Himmel, wie meine Mutter.«

Augusta lächelte wehmütig. »Das kommt darauf an, ob der Herr Northumberland-Ballingers im Himmel duldet. Wenn Richard ein Hampshire-Ballinger gewesen wäre, bin ich sicher, daß das außer Frage gestanden hätte. Aber bei einem Northumberland-Ballinger, nun, da kann man nur Spekulationen anstellen.«

Merediths kleiner Kiefer fiel herunter. »Du glaubst nicht, daß dein Bruder im Himmel ist?«

»Natürlich ist er dort. Ich habe nur Spaß gemacht. Nimm mich bloß nie zu ernst, Meredith. Ich habe einen sehr unangemessenen Sinn für Humor. Das kann dir jeder bestätigen. Und jetzt komm. Ich bin schon reichlich ausgehungert, und ich sehe einen perfekten Platz für unser Picknick.«

Meredith sah sich den Ort, auf den Augustas Wahl gefallen war, eine grasbewachsene Böschung über einem kleinen Bach, mißtrauisch an. »Tante Clarissa hat gesagt, ich muß aufpassen, daß ich mein Kleid nicht schmutzig mache. Sie sagt, echte Damen machen sich niemals dreckig.«

»Unsinn. Als ich in deinem Alter war, war ich ständig schlammverschmiert. Und gelegentlich passiert mir das auch heute noch. So oder so würde ich wetten, daß du noch etliche andere Kleider in deinem Kleiderschrank hast, die genauso aussehen wie dieses, oder nicht?«

»Ja, doch.«

»Dann werden wir das Kleid, das du trägst, einfach aussortieren oder es den Armen geben, falls ihm etwas Fürchterliches zustößt, und du darfst eins von deinen anderen Kleidern anziehen. Wozu hat man viele Kleider, wenn man sie nicht trägt?«

»So habe ich das bisher noch nicht gesehen.« Merediths Interesse an dem Platz für ein Picknick flackerte wieder auf. »Vielleicht hast du recht.«

Augusta grinste und faltete die Decke auseinander, die in dem Korb lag. »Dabei fällt mir etwas ein. Ich glaube, wir sollten morgen eine Schneiderin aus dem Dorf kommen lassen. Du brauchst ein paar neue Kleider.«

»Ach, wirklich?«

»Ja, ganz entschieden.«

»Tante Clarissa hat gesagt, daß die, die ich jetzt habe, noch für mindestens sechs Monate oder ein ganzes Jahr genügen.«

»Ausgeschlossen. Du wirst schon lange vorher aus ihnen hinauswachsen. Eigentlich wage ich sogar zu behaupten, daß du noch vor Ende dieser Woche aus ihnen hinausgewachsen sein wirst.«

»Noch diese Woche?« Meredith starrte sie an. Dann lächelte sie zaghaft. »Oh, ich verstehe. Das war wieder ein Scherz, stimmt's?«

»Nein, es ist mein voller Ernst.«

»Oh. Erzähl mir mehr über deinen Bruder. Ich habe manchmal überlegt, daß ich eigentlich ganz gern einen Bruder hätte.«

»Wirklich? Tja, Brüder sind etwas sehr Interessantes.« Augusta begann, unbeschwert von all den guten Zeiten zu erzählen, die sie und Richard miteinander erlebt hatten, während sie und Meredith die appetitliche Mahlzeit aus kaltem Fleisch, Pasteten, Würsten, Obst und Plätzchen auspackten.

Augusta und Meredith hatten sich gerade hingesetzt, als ein langer Schatten auf die Mahlzeit fiel. Blankpolierte schwarze Stiefel blieben am Rand des weißen Tuches stehen.

»Meint ihr, es reicht für drei?« fragte Harry.

»*Papa.*« Meredith sprang auf und wirkte im ersten Moment überrascht und dann besorgt. »Augusta hat gesagt, jemand muß sie heute auf dem Grundstück herumführen, und sie hat gesagt, du hättest zuviel zu tun. Deshalb hat sie mich gebeten mitzukommen.«

»Eine ausgezeichnete Idee.« Harry lächelte seine Tochter an. »Niemand kennt dieses Anwesen besser als du.«

Meredith lächelte ihn ebenfalls an und war sichtlich erleichtert. »Möchtest du eine Fleischpastete haben, Papa? Die Köchin hat mehrere zubereitet. Und es gibt jede Menge Würste und Gebäck. Hier, nimm dir etwas.«

Augusta sah sie finster an. »Gib nicht unsere gesamte Mahlzeit weg, Meredith. Wir beide haben hier die erste Wahl. Dein Vater ist ein ungeladener Gast und bekommt nur das, was übrigbleibt.«

»Du bist eine hartherzige Frau, Weib«, brachte Harry gedehnt hervor.

Merediths Finger, die eine Pastete hielten, erstarrten in der Bewegung. Sie sah mit betroffenem Blick erst Augusta an und wandte sich dann an ihren Vater. »Es ist genug für dich da, Papa. Wirklich. Du kannst meine Pastete haben.«

»Das kommt überhaupt nicht in Frage«, sagte Harry gelassen. »Ich werde einfach Augustas Portion nehmen. Ich möchte viel lieber ihr etwas wegessen.«

»Aber, Papa...«

»Jetzt reicht es aber«, sagte Augusta und lachte, als sie die ernste Miene des Kindes sah. »Dein Vater erlaubt sich nur einen Scherz mit uns beiden, und ich erlaube mir einen Scherz mit ihm. Mach dir bloß keine Sorgen, Meredith. Es ist genug zu essen für alle da.«

»Oh.« Mit einem unsicheren Blick auf ihren Vater setzte Meredith sich wieder auf die Decke. Sie arrangierte sorgsam die Röcke ihres Kleides, damit sie nicht auf das Gras fielen. »Es freut mich, daß du dich uns angeschlossen hast, Papa. Das macht Spaß, findest du nicht auch? Ich glaube nicht, daß ich je ein Picknick gemacht habe. Augusta sagt, sie und ihr Bruder haben früher ständig Picknicks veranstaltet.«

»Ist das wahr?« Harry ließ sich behaglich auf seinen Ellbogen sinken und biß in eine Fleischpastete und sah Augusta dabei mit gesenkten Lidern an.

Augusta nahm nicht ohne einen leichten Schock wahr, daß Harry Reitkleidung anhatte und nichts um den Hals. Er trug nicht das gewohnte makellos gebundene Halstuch. Sie hatte ihn selten in so lässiger Bekleidung gesehen, außer natürlich in der Intimsphäre ihrer Schlafzimmer. Bei diesem Gedanken errötete sie und biß in eine Pastete.

»Ja«, sagte Meredith, die sichtlich gesprächiger wurde. »Ihr Bruder war ein Northumberland-Ballinger, genau wie Augusta. Die sind dafür bekannt, daß sie ziemlich kühn und verwegen sind. Hast du das gewußt, Papa?«

»Ich glaube, das habe ich schon einmal gehört, ja.« Harry mampfte weiterhin seine Pastete, ohne den Blick auch nur einen Moment lang von Augustas gerötetem Gesicht zu lösen. »Ich kann das reichlich tollkühne Naturell der Northumberland-Ballingers persönlich bestätigen. Man kann sich kaum vorstellen, auf was für kühne Unternehmungen sich die Northumberland-Ballingers einlassen. Vor allem mitten in der Nacht.«

Augusta merkte, daß sie knallrot anlief. Sie bedachte ihren Folterer mit einem warnenden Blick. »Ich habe festgestellt, daß auch die Earls of Graystone erstaunlich wagemutig sein können. Man könnte sogar von allzu großer Kühnheit sprechen.«

»Manchmal überkommt es uns eben.« Harry grinste und biß wieder herzhaft in seine Pastete.

Meredith, der dieser kleine Hinweis entging, plapperte unbefangen weiter vor sich hin. »Augustas Bruder war außergewöhnlich tapfer. Und ein wunderbarer Reiter. Er ist einmal bei einem Rennen mitgeritten, hat Augusta dir das schon erzählt?«

»Nein.«

»Es ist aber so. Und er hat gewonnen. Er hat in jedem Rennen gewonnen, verstehst du.«

»Ganz erstaunlich.«

Augusta räusperte sich leise. »Möchtest du etwas Obst essen, Meredith?«

Es gelang ihr, das Kind von dem Thema abzulenken, bis sie die Mahlzeit beendet hatten. Dann ermutigte sie Meredith, sich an dem Spiel zu probieren, zwei Zweige auf dem Bach treiben zu lassen und zu sehen, welcher zuerst einen bestimmten Punkt erreicht.

Meredith zögerte, aber als Harry aufstand und ihr zeigte, wie man das Spiel spielte, wuchs ihre Begeisterung für diesen Sport schnell. Harry blieb einen Moment lang am Ufer stehen und sah ihr zu, wie sie weiter flußaufwärts spielte, dann lief er zu der Decke zurück und setzte sich wieder neben Augusta.

»Sie hat ihren Spaß daran.« Harry stützte sich auf einen Ellbogen und zog mit lasziver männlicher Anmut ein Bein an. »Da frage ich mich doch, ob sie vielleicht öfter draußen sein und solche Dinge betreiben sollte.«

»Es freut mich, daß du meiner Meinung bist. Ich habe das Gefühl, ein gewisses Maß an munterem und oberflächlichem Zeitvertreib ist für ein Kind ebenso wichtig wie Geschichte und Erdkunde. Mit deiner Erlaubnis würde ich gern ein paar weitere Fächer in ihren Lehrplan aufnehmen.«

Harry schaute finster. »Und das wäre?«

»Für den Anfang Aquarellmalerei und das Lesen von Romanen.«

»Gütiger Gott, bloß das nicht. Ich verbiete es strikt. Ich dulde nicht, daß Meredith solchem Unsinn ausgesetzt wird.«

»Du hast es selbst gesagt. Meredith braucht abwechslungsreichere Beschäftigungen.«

»Ich habe gesagt, es könnte gut sein, daß sie sich öfter *im Freien* aufhalten sollte.«

»Das ist doch kein Problem. Malen und Romane lesen kann sie schließlich auch im Freien«, sagte Augusta fröhlich. »Zumindest im Sommer.«

»Verdammt noch mal, Augusta...«

»Psst. Du willst doch bestimmt nicht, daß Meredith uns streiten hört. Sie hat so, wie die Dinge stehen, schon genug Schwierigkeiten damit, sich an unsere Ehe zu gewöhnen.«

Harry sah sie finster an. »Mit den Geschichten über deinen tapferen und abenteuerlustigen Bruder scheinst du sie ziemlich beeindruckt zu haben.«

Augusta schaute gleichermaßen finster. »Richard war wirklich tapfer und abenteuerlustig.«

»Hm.« Harrys Tonfall war unverbindlich.

»Harry?«

»Ja?« Harrys Blick ruhte auf Meredith.

»Sind dir die Gerüchte, die zu der Zeit in Umlauf waren, als Richard gestorben ist, je zu Ohren gekommen?«

»Ich weiß von ihnen, Augusta. Ich erachte sie als unwesentlich.«

»Ja, natürlich. Es sind alles Lügen. Aber die unbestreitbare Tatsache bleibt bestehen, daß man in der Nacht, in der er ermordet wurde, Dokumente bei ihm gefunden hat. Ich gestehe, daß ich mir oft Gedanken über diese Dokumente gemacht habe.«

»Augusta, manchmal muß man sich mit der Vorstellung abfinden, daß man nicht auf alle Fragen Antworten bekommt.«

»Das ist mir durchaus klar. Aber ich habe schon seit langem eine Theorie zum Tod meines Bruders, die ich zu gern beweisen würde.«

Harry schwieg einen Moment lang. »Wie lautet deine Theorie?«

Augusta holte tief Atem. »Mir ist aufgegangen, daß die Gründe dafür, daß Richard diese Dokumente in jener Nacht bei sich hatte, darin zu suchen sein könnte, daß er ein militärischer Geheimagent für die Krone war.«

Als ihm diese Äußerung keine Reaktion entlockte, wandte sich Augusta um und sah Harry an. Sein Blick war, unter gesenkten Lidern und jetzt unergründlich, immer noch auf seine Tochter geheftet.

»Harry?«

»War das die Theorie, von der du wolltest, daß Lovejoy ihr in deinem Namen nachgeht?«

»Ja, genau das war sie. Sag mir eins – hältst du das nicht für sehr gut möglich?«

»Ich halte es für hochgradig unwahrscheinlich«, sagte Harry mit ruhiger Stimme.

Es erboste Augusta, daß er ihre schon seit langem gehegte Theorie so beiläufig abtat. »Schon gut. Ich hätte das Thema gar nicht erst zur Sprache bringen sollen. Woher solltest du schließlich etwas über solche Dinge wissen?«

Harry atmete tief aus. »Ich hätte es gewußt, Augusta.«

»Das halte ich für verflucht unwahrscheinlich.«

»Ich hätte es gewußt, weil Richard, wenn er ein legitimer Geheimagent der Krone gewesen wäre, höchstwahrscheinlich für mich gearbeitet hätte.«

11. *Kapitel*

»Was soll das heißen, wenn du sagst, du hättest gewußt, daß mein Bruder während des Krieges heimlich für England gearbeitet hätte?« Augusta saß angespannt da, und ihr schwirrte der Kopf. »Und was, auf Erden, hast du getan, was dich überhaupt an solche Informationen gebracht hätte?«

Harry blieb in seiner bequemen Haltung liegen, löste jedoch endlich seinen Blick von Meredith und schaute Augusta direkt ins Gesicht. »Was ich getan habe, ist heute nicht mehr von Bedeutung. Der Krieg ist vorbei, und ich vergesse nur zu gern die Rolle, die ich darin gespielt habe. Es genügt zu sagen, daß ich damit zu tun hatte, geheime Informationen für England zusammenzutragen.«

»Du warst ein Spion?« Augusta war bestürzt.

Seine Mundwinkel verzogen sich ein wenig. »Offensichtlich, meine Liebe, siehst du in mir keinen Mann der Tat.«

»Nein, das ist es nicht.« Sie zog die Stirn in Falten und dachte hastig nach. »Ich gestehe, daß ich mich allerdings gefragt habe, wo du es gelernt hast, Schlösser aufzubrechen, und du hast wahrhaftig die Angewohnheit, immer dann aufzutauchen, wenn ich dich am allerwenigsten erwarte. Ich kann mir vorstellen, daß dieses Verhalten einem Spion sehr ähnlich sieht. Dennoch hat es einfach nichts mit dir zu tun, auf einem solchen Gebiet Karriere zu machen.«

»Ich stimme dir von ganzem Herzen zu. Ich habe meine Aktivitäten zu Kriegszeiten auch tatsächlich nie als eine Karriere angesehen. Ich habe sie als verdammt lästig empfunden. Diese ganze Geschichte war eine enorm ärgerliche Störung, die mich daran gehindert hat, meine eigentliche Arbeit fortzuführen, nämlich meine humanistischen Studien zu betreiben und mich um meine Ländereien zu kümmern.«

Augusta biß sich auf die Unterlippe. »Das muß sehr gefährlich gewesen sein.«

Harry zuckte die Achseln. »Nur in Ausnahmefällen. Die meiste Zeit habe ich hinter einem Schreibtisch verbracht und die Aktivitäten anderer geleitet oder an Briefen herumgegrübelt, die in einem Code oder mit Geheimtinte verfaßt waren.«

»Geheimtinte.« Augusta ließ sich davon einen Moment lang ablenken. »Du meinst Tinte, die auf Papier unsichtbar ist?«

»Mhm.«

»Das ist ja wunderbar. Ich hätte schrecklich gern Geheimtinte.«

»Bei Gelegenheit bereite ich dir mit dem größten Vergnügen einen Vorrat zu.« Harry schien amüsiert zu sein. »Ich sollte dich jedoch gleich warnen – für die normale Korrespondenz ist sie nicht furchtbar zweckmäßig. Der Empfänger muß den chemischen Wirkstoff haben, der die Schrift sichtbar macht.«

»Man könnte sein Tagebuch damit abfassen.« Augusta unterbrach sich. »Aber vielleicht wäre ein Geheimcode noch besser. Ja, diese Vorstellung gefällt mir.«

»Ich würde mir lieber vorstellen, daß meine Frau ihrem Tagebuch keine so großen Geheimnisse anzuvertrauen hat, daß unsichtbare Tinte oder ein Geheimcode erforderlich wären.«

Augusta mißachtete die leise Warnung, die aus seinem Tonfall herauszuhören war. »Hast du deshalb während des Kriegs soviel Zeit auf dem Kontinent zugebracht?«

»Leider ja.«

»Es ist allgemein angenommen worden, du würdest deine Forschungen in den alten Sprachen vertiefen.«

»Ich habe soviel geforscht wie möglich, vor allem, als ich in Italien und Griechenland war. Aber einen großen Teil meiner Zeit mußte ich für die Krone opfern.« Harry nahm sich einen Treibhauspfirsich aus dem Korb. »Da der Krieg jetzt vorbei ist, kann ich mir jedoch Gedanken darüber machen, zu interessanteren Zwecken wieder auf den Kontinent zurückzukehren. Hättest du Lust mitzukommen, Augusta? Wir werden Meredith natürlich mitnehmen. Reisen sind äußerst bildend.«

Augusta zog eine Augenbraue hoch. »Wer braucht deiner Meinung nach diese Bildung, ich oder deine Tochter?«

»Meredith würde zweifellos von dieser Erfahrung am meisten profitieren. Du dagegen brauchst dich noch nicht einmal aus unserem Schlafzimmer hinauszubegeben, um deine Bildung zu vertiefen. Und ich muß sagen, daß du eine sehr gelehrige Schülerin bist.«

Augusta war gegen ihren Willen schockiert. »Also Harry, manchmal sagst du die anstößigsten Dinge. Du solltest dich schämen.«

»Ich bitte um Verzeihung, meine Liebe. Mir war nicht klar, daß du auf dem Gebiet der Sittsamkeit eine solche Koryphäe bist. Ich beuge mich deinem größeren Wissen in solchen Angelegenheiten.«

»Sei still, Harry, oder ich kippe das, was von unserem Picknick noch übrig ist, über deinem Kopf aus.«

»Wie Sie wünschen, Madam.«

»Und jetzt sag mir lieber, warum du so sicher sein kannst, daß mein Bruder nicht auch im Geheimdienst der Krone gearbeitet hat.«

»Es spricht alles dafür, daß er, wenn es so gewesen wäre, für mich gearbeitet hätte, entweder direkt oder indirekt. Ich habe erklärt, daß der größte Teil meiner Pflichten darin bestanden hat, Aktivitäten anderer zu leiten, die in derselben Branche tätig waren. Diese Leute ihrerseits haben über ihre Kontakte eine gewaltige Menge von Informationen zusammengetragen und mir alle diese Informationen übermittelt. Ich hatte den verfluchten Kram zu sortieren und mußte versuchen, die Spreu vom Weizen zu trennen.«

Augusta schüttelte vor Erstaunen den Kopf und brachte es immer noch nicht fertig, sich Harry in einem solchen Arbeitsumfeld vorzustellen. »Aber es müssen doch ungeheuer viele Leute in diese Dinge verwickelt gewesen sein, sowohl hier als auch im Ausland.«

»Manchmal zu viele«, stimmte Harry ihr trocken zu. »Zu Kriegszeiten haben Spione viel von Ameisen bei einem Picknick. Größtenteils sind sie äußerst lästig, aber es ist unmöglich, ohne sie auszukommen.«

»Wenn sie so zahlreich wie Insekten sind, hätte Richard in solche Aktivitäten verwickelt sein können, und du hättest vielleicht doch nichts davon gewußt«, beharrte Augusta.

Harry knabberte einen Moment lang schweigend an seinem Pfirsich. »Diese Möglichkeit habe ich in Betracht gezogen. Daher habe ich einige Nachforschungen angestellt.«

»Nachforschungen? Was für Nachforschungen?«

»Ich habe ein paar von meinen alten Freunden aus der Branche gefragt, um in Erfahrung zu bringen, ob Richard Ballinger zufällig offiziell im Geheimdienst tätig war. Die Antwort hat nein gelautet, Augusta.«

Augusta zog die Knie an und schlang die Arme darum, während sie sich mit der Entschiedenheit seines Tonfalls herumschlug. »Ich glaube immer noch, daß an meiner Theorie etwas dransein könnte.«

Harry schwieg.

»Du mußt zugeben, es besteht eine geringe Chance, daß Richard in so etwas hereingeraten ist. Vielleicht ist er zufällig auf etwas gestoßen und wollte die Informationen an die entsprechenden Behörden weiterleiten.«

Harry schwieg weiterhin und aß seinen Pfirsich auf.

»Was ist?« fragte Augusta und bemühte sich, ihre Angst vor seiner Antwort zu verbergen. »Stimmst du mir nicht zu, daß zumindest die Möglichkeit besteht, daß es so gewesen sein könnte?«

»Willst du, daß ich dich belüge, Augusta?«

»Nein, natürlich nicht.« Sie ballte die Hände zu kleinen Fäusten. »Ich will lediglich, daß du mir darin zustimmst, daß du nicht alles gewußt haben kannst, was sich während des Krieges an Aktivitäten des Geheimdienstes abgespielt hat.«

Harry nickte unwillig. »Also gut. Darin stimme ich dir zu. Niemand hätte alles wissen können. Kriege sind von dichten Nebelschleiern eingehüllt. Die meisten Taten, sowohl auf dem Schlachtfeld als auch woanders, spielen sich in einem grauen Dunst ab. Und wenn sich die Nebelschwaden auflösen, kann man nur noch die Überlebenden zählen. Man kann nie wirklich alles wissen, was sich abgespielt hat, solange alles dunstverhangen war. Vielleicht ist es so am besten. Ich bin der festen Überzeugung, daß es vieles gibt, das man besser nicht wissen sollte.«

»Zum Beispiel, was mein Bruder eventuell wirklich getan hat?« forderte Augusta ihn erbittert heraus.

»Behalte deinen Bruder so in Erinnerung, wie du ihn gekannt hast, Augusta. Laß den letzten der kühlen, verwegenen und leichtsinnigen Northumberland-Ballingers in deinem Gedächtnis weiterleben, und quäle dich nicht damit herum, was unter der Oberfläche gesteckt haben mag oder auch nicht.«

Augusta reckte das Kinn in die Luft. »In einem Punkt täuschst du dich.«

»Und das wäre?«

»Mein Bruder war nicht der letzte der Northumberland-Ballingers. Ich bin die letzte dieses Familienzweigs.«

Harry setzte sich langsam auf, und in seinen Augen stand eine kühle Warnung. »Du hast jetzt eine neue Familie. Das hast du letzte Nacht in der Ahnengalerie selbst gesagt.«

»Ich habe es mir anders überlegt.« Augusta bedachte ihn mit einem allzu strahlenden Lächeln. »Ich habe beschlossen, daß deine Vorfahren nicht so nett wie meine sind.«

»In dem Punkt hast du zweifellos recht. Niemand hat meine Vorfahren jemals als nett bezeichnet. Aber du bist jetzt die Gräfin von Graystone, und ich werde dafür sorgen, daß du das nicht vergißt.«

Eine Woche später begab sich Augusta in die sonnige Galerie im zweiten Stock und setzte sich auf ein schmales Sofa direkt unter dem Porträt ihrer schönen Vorgängerin. Augusta blickte zu dem täuschend heiteren Bild der früheren Lady Graystone auf.

»Ich werde den Schaden beheben, den du hier angerichtet hast, Catherine«, verkündete sie laut. »Ich mag vielleicht nicht vollkommen sein, aber ich weiß, was Liebe ist, und ich glaube nicht, daß du die Bedeutung dieses Wortes je gekannt hast. Du warst also doch kein solcher Ausbund an Tugendhaftigkeit, stimmt's? Du hast soviel zerstört, als du trügerischen Illusionen nachgejagt bist. So dumm bin ich nicht«, sagte sie mit fester Stimme.

Naserümpfend sah Augusta zu dem Porträt auf, und dann öffnete sie den Brief von ihrer Cousine Claudia.

Meine liebe Augusta, ich verlasse mich darauf, daß es dir und deinem ehrenwerten Gatten gutgeht. Ich muß gestehen, daß du mir hier in der Stadt sehr fehlst. Die Ballsaison nähert sich ihrem Ende, und ohne dich geht es nicht mehr annähernd so lebhaft zu. Wie vereinbart war ich mehrfach bei Pompeia's und habe meine interessanten Besuche bei deiner Freundin Lady Arbuthnott sehr genossen.

Ich muß dir sagen, Lady A. ist eine absolut faszinierende Frau. Ich dachte, die Exzentrizitäten, die man ihr nachsagt, würden mich gewissermaßen abstoßen, aber irgendwie ist dem nicht so. Ich habe meine helle Freude an ihr, und die Schwere ihrer Krankheit betrübt mich.

Den Butler dagegen kann ich nur zutiefst ablehnen. Wenn ich in dieser Angelegenheit ein Wort mitzureden hätte, ich würde ihn nicht für einen einzigen Moment engagieren. Bei jedem meiner Besuche wird er dreister, und ich fürchte, ich werde demnächst gezwungen sein, ihm zu sagen, daß er seine Grenzen überschritten hat. Ich kann mich immer noch nicht des Gefühls erwehren, daß ich ihn kenne.

Zu meinem Erstaunen muß ich zugeben, daß mir Pompeia's gut ge-

fällt und mir sehr viel Spaß macht. Selbstverständlich kann ich gewisse Dinge wie das Wettbuch des Clubs nicht billigen. Wußtest du, daß etliche Mitglieder Wetten darüber abgeschlossen haben, wie lange deine Verlobungszeit dauern wird? Auch halte ich nichts von der ziemlich verbreiteten Unsitte des Spielens hier. Aber ich habe einige interessante Damen kennengelernt, die den Wunsch zu schreiben mit mir teilen. Wir führen viele interessante Diskussionen miteinander.

Was den gesellschaftlichen Trubel angeht, so kann ich nur wiederholen, daß es ohne dich nicht mehr so aufregend ist. Es ist dir immer gelungen, die ungewöhnlichsten Freunde und Tanzpartner anzulocken. Ohne dich an meiner Seite scheine ich nur Leute von der sittsamsten Sorte anzuziehen. Weißt du, wenn Peter Sheldrake nicht wäre, dann wäre mir ziemlich langweilig. Zum Glück ist Mr. Sheldrake ein ganz ausgezeichneter Tänzer. Er hat mich sogar dazu überredet, den Walzer mit ihm zu tanzen. Ich wünschte nur, er hätte einen stärkeren Hang zu ernsten und intellektuellen Dingen. Er neigt dazu, von Natur aus eher oberflächlich zu sein. Und er zieht mich unaufhörlich auf.

Ich wäre begeistert, wenn wir uns sehen könnten. Wann wirst du zurückkommen?

Mit den allerliebsten Grüßen
Claudia

Augusta las den Brief und faltete ihn langsam zusammen. Es tat ihr überraschend gut, von ihrer Cousine zu hören. Und es war auch ein angenehmes Gefühl, daß die züchtige Claudia sie tatsächlich vermißte.

»Augusta, Augusta, wo steckst du?« Meredith kam durch den langen Gang der Galerie gerannt und schwenkte ein großes Blatt Papier. »Ich bin mit meinem Aquarell fertig. Was hältst du davon? Tante Clarissa hat gesagt, ich muß deine Meinung einholen, weil es dein Vorschlag war, daß ich mit dem Malen beginne.«

»Ja, natürlich. Ich bin schon sehr darauf gespannt.« Augusta sah zu Clarissa auf, die ihre Schülerin mit gemesseneren Schritten begleitet hatte. »Danke, daß Sie ihr erlaubt haben, sich an der Aquarellmalerei zu probieren.«

»Seine Lordschaft hat mir mitgeteilt, ich sollte mich in dieser Angelegenheit nach Ihren Wünschen richten, obwohl er und ich uns darüber einig sind, daß die Aquarellmalerei nicht zu den seriösen Fächern zählt, die Meredith doch wohl eher entsprächen.«

»Ja, ich weiß, aber es kann großen Spaß machen, Miss Fleming.«

»Von Schülern wird erwartet, daß sie sich mit Fleiß und Eifer ihren Studien widmen«, hob Clarissa hervor. »Und nicht etwa, daß sie ihren Spaß haben.«

Augusta lächelte Meredith an, deren Blicke besorgt zwischen den beiden Frauen hin- und herwanderten. »Ich bin sicher, daß sich Meredith mit diesem speziellen Bild hier große Mühe gegeben hat, weil es nämlich, wie jeder sehen kann, sehr schön geworden ist.«

»Findest du das wirklich, Augusta?« Meredith wartete gespannt und ungeduldig, während Augusta sich ihr Bild genauer ansah.

Augusta hielt das Bild des Kindes auf Armeslänge von sich, um es zu betrachten. Das Bild bestand in erster Linie aus einer ganzen Menge dünn aufgetragener hellblauer Wasserfarbe. Einige interessante Pinselstriche in Grün und Gelb waren anscheinend zufällig darauf verteilt, und im Hintergrund war ein großer Klecks Gold zu sehen.

»Das sind Bäume«, erklärte Meredith und deutete auf die grünen und gelben Pinselstriche. »Der Pinsel hat ziemlich stark gewackelt, und die Farbe wollte tropfen und verlaufen.«

»Das sind wunderbare Bäume. Und ganz besonders gut gefällt mir dein Himmel.« Da sie jetzt wußte, daß Grün- und Gelbspritzer Bäume waren, konnte sie mit Leichtigkeit erraten, daß es sich bei der dünnen Blauschicht um den Himmel handelte. »Und das hier ist auch recht interessant«, sagte sie und deutete auf den gelben Klecks.

»Das ist Graystone«, erklärte Meredith voller Stolz.

»Dein Vater?«

»Nein, nein, Augusta, unser *Haus.*«

Augusta mußte lachen. »Das weiß ich doch selbst. Ich wollte mir nur einen Spaß erlauben. Tja, du hast deine Sache wirklich erstaunlich gut gemacht, Meredith, und wenn du es mir erlaubst, werde ich dafür sorgen, daß dieses Aquarell augenblicklich an die Wand gehängt wird.«

Meredith bekam große runde Kulleraugen. »Du willst es aufhängen? Wo?«

»Ich denke mir, hier in der Galerie würde es genau richtig hängen.« Augusta schaute auf die lange Reihe von furchteinflößenden Porträts. »Vielleicht gleich hier, unter dem Porträt deiner Mutter.«

Meredith war außer sich vor Begeisterung. »Glaubst du, daß Papa damit einverstanden ist?«

»Ich bin ganz sicher, daß es ihm recht ist.«

Clarissa räusperte sich. »Lady Graystone, ich bin ganz und gar nicht sicher, ob das ein weiser Vorschlag ist. Diese Galerie ist den Porträts von Familienmitgliedern vorbehalten, die sich von bekannten Künstlern haben malen lassen. Sie ist kein Ort, um Kinderzeichnungen aufzuhängen.«

»Ich bin ganz im Gegenteil der Meinung, daß es genau das ist, was diese Galerie gebrauchen kann. Wir werden diesen düsteren Ort mit Merediths Bild ein wenig aufhellen.«

Meredith strahlte. »Bekommt es auch einen Rahmen, Augusta?«

»Aber gewiß doch. Jedes schöne Bild verdient einen Rahmen. Ich werde mich darum kümmern, daß uns sofort jemand einen Rahmen bastelt.«

Clarissa räusperte sich mißbilligend und schaute finster auf ihre junge Schülerin herunter. »Schluß jetzt mit diesen Vergnügungen. Es ist an der Zeit, daß du dich deinen Studien wieder zuwendest, junge Dame. Lauf gleich los. Ich komme in ein paar Minuten nach.«

»Ja, Tante Clarissa.« Ihre Augen strahlten noch vor Freude, als Meredith einen Knicks machte und aus der Ahnengalerie eilte.

Clarissa wandte sich mit strengem Gesichtsausdruck an Augusta. »Madam, ich muß mit Ihnen über die Natur der Aktivitäten reden, mit denen sie Meredith vertraut machen. Mir ist klar, daß seine Lordschaft Ihnen gestattet, bei der Erziehung seines Kindes ein Wort mitzureden, aber ich habe unwillkürlich das Gefühl, Sie treiben das Mädchen in eine Richtung, die an Ernsthaftigkeit viel zu wünschen übrigläßt. Seine Lordschaft hat immer unerbittlich darauf bestanden, Meredith solle so erzogen werden, daß sie nicht zu einem albernen, seichten und oberflächlichen Frauenzimmer heranwächst, das nichts anderes als müßige Konversation und gesellschaftliche Umgangsformen beherrscht.«

»Ich verstehe, Miss Fleming.«

»Meredith ist es gewohnt gewesen, ihr Lernpensum strikt einzuhalten. Sie hat ihre Sache sehr gut gemacht, und ich würde ungern sehen, daß sich daran etwas ändert.«

»Mir ist klar, worum es Ihnen geht, Miss Fleming.« Augusta bedachte die Frau mit einem versöhnlichen Lächeln. Es war ein hartes Los, in einem Haushalt die verarmte Verwandte zu sein. Clarissa hatte offensichtlich ihr Bestes getan, um sich eine Nische zu schaffen, und Augusta konnte mit ihr mitfühlen. Es war nicht einfach, bei anderen in deren Haus zu leben, wie sie selbst nur zu gut wußte. »Meredith ist unter Ihren fähigen Anleitungen prächtig gediehen, und ich bin keineswegs darauf aus, etwas daran zu ändern.«

»Danke, Madam.«

»Ich habe trotzdem das Gefühl, daß das Kind auch ein paar weniger ernsthafte Aktivitäten betreiben sollte. Sogar meine Tante Prudence hat es für wichtig gehalten, daß junge Menschen die Fähigkeit entwickeln, sich an den verschiedensten erbaulichen Beschäftigungen zu erfreuen, die sie zu ihrem Zeitvertreib erlernen. Und meine Cousine Claudia tritt in die Fußstapfen ihrer Mutter. Sie schreibt ein Buch, das sich um nützliches Wissen für junge Damen dreht, und sie widmet ein ganzes Kapitel der großen Bedeutung, die sie Skizzen und Aquarellen beimißt.«

Clarissa blinzelte wie eine Eule. »Ihre Cousine schreibt ein Buch für den Schulunterricht?«

»Ja, sicher.« Augusta wurde plötzlich klar, wo sie den Blick schon gesehen hatte, der jetzt in Clarissas Augen stand. Es war der Blick einer ganzen Reihe von Mitgliedern von Pompeia's, insbesondere derjenigen, die lange Stunden an den Schreibtischen im Club zubrachten. In Claudias engelsgleichen blauen Augen hatte sie schon häufig diesen Ausdruck gesehen. »Ah, ich verstehe, Miss Fleming. Vielleicht haben Sie selbst mit dem Gedanken gespielt, ein Buch zur Erbauung junger Menschen zu schreiben?«

Da diese Frage sie in erstaunlichem Maß in Aufregung versetzte, nahm Clarissas Gesicht einen unkleidsamen Rotton an. »Ich habe mir Gedanken zu diesem Thema gemacht. Nicht etwa, daß je etwas daraus werden würde. Natürlich kenne ich meine Grenzen.«

»Sagen Sie das nicht, Miss Fleming. Wir lernen unsere Grenzen erst kennen, wenn wir uns selbst auf die Probe stellen. Haben Sie schon etwas zu dem Thema niedergeschrieben?«

»Ein paar Notizen«, murmelte Clarissa, der die eigene Vermessenheit sichtlich peinlich war. »Ich hatte schon daran gedacht, sie Graystone zu zeigen, aber ich fürchte, er fände sie ziemlich dürftig. Seine intellektuellen Fähigkeiten übertreffen die meinen bei weitem.«

Augusta winkte diesen Einwand ab. »Ich will seine Intelligenz nicht bestreiten, aber ich bin keineswegs sicher, ob er der Richtige wäre, um Ihre Bemühungen zu beurteilen. Graystone schreibt für einen sehr kleinen Leserkreis von Akademikern. Sie würden für Kinder schreiben. Das sind zwei völlig verschiedene Zielgruppen.«

»Ja, ich nehme an, das ist richtig.«

»Ich habe eine viel bessere Idee. Wenn Sie die Vorbereitungen für ein Manuskript abgeschlossen haben, dann bringen Sie es mir, und ich werde es meinem Onkel Thomas geben, der Ihr Werk an einen Verleger schicken wird.«

Clarissa holte tief Atem. »Ich soll Sir Thomas Ballinger ein Manuskript zeigen? Dem Ehemann von Lady Prudence Ballinger? Ich könnte mich unmöglich so dreist aufdrängen. Er würde mich für unverfroren halten.«

»Unsinn. Sie werden ihn damit überhaupt nicht belästigen. Onkel Thomas wird es nur zu gerne tun. Er hat sich früher immer darum gekümmert, daß die Werke meiner Tante Prudence veröffentlicht wurden, verstehen Sie.«

»Ach, wirklich?«

»Oh, ja.« Augusta lächelte zuversichtlich und dachte daran, wie weltfremd Sir Thomas an die Kleinigkeiten des praktischen Alltags heranging. Sie würde keine Tricks anwenden müssen, um ihn zu überreden, Clarissas Manuskript an einen Verleger zu schicken und ein Empfehlungsschreiben abzufassen, in dem stand, dieses Werk trete in Lady Prudence Ballingers Fußstapfen. Augusta beschloß, das Empfehlungsschreiben selbst aufzusetzen, um Sir Thomas die Mühe zu sparen.

»Das ist zu freundlich von Ihnen, Madam.« Clarissa machte einen benommenen Eindruck. »Ich hege schon lange glühende Bewunderung für Sir Thomas' Werke. Sein Geschichtsverständnis und sein historisches Wissen sind einfach bemerkenswert. Und dieses geschulte Auge für die Bedeutung von Details und Nuancen. Dieser gelehrte Stil, in dem er schreibt. Es ist wahrhaft ein Jammer, daß er nie geneigt war, für den Unterricht zu schreiben. Mit Lehrbüchern hätte er soviel dazu beitragen können, junge Gemüter zu formen.«

Augusta grinste. »Da bin ich mir nicht so sicher. Ich persönlich habe die Prosa meines Onkels immer als recht trocken empfunden.«

»Wie können Sie das sagen?« fragte Clarissa leidenschaftlich. »Sein Stil ist keineswegs trocken. Er ist brillant. Und die Vorstellung, er könnte einen Blick in mein Manuskript werfen. Ich bin überwältigt.«

»Nun, wissen Sie, was ich gerade sagen wollte, war, daß ich persönlich immer das Gefühl hatte, ein echter Mangel herrscht an Lehrbüchern insofern, als ein Werk über berühmte Frauen in der Geschichte fehlt.«

Clarissa sah sie voller Erstaunen an. »Berühmte Frauen, Madam?«

»Es hat in der Vergangenheit einige sehr tapfere und herausragende Frauen gegeben, Miss Fleming. Beispielsweise berühmte Königinnen. Und wilde Amazonenstämme. Etliche ziemlich interessante Griechinnen und Römerinnen. Sogar ein paar weibliche Ungeheuer. Ich finde die Vorstellung ziemlich faszinierend, daß es weibliche Ungeheuer gibt, Sie etwa nicht, Miss Fleming?«

»Ich habe mir bisher nicht viele Gedanken zu dem Thema weibliche Ungeheuer gemacht«, gab Clarissa zu und wirkte jetzt nachdenklich.

»Überlegen Sie sich nur«, sagte Augusta, die sich für ihr Thema erwärmte, »wie viele berühmte Helden der Antike mit Angst und Schrekken vor weiblichen Ungeheuern wie der Medusa, den Sirenen und dergleichen gelebt haben. Wenn man das hört, muß man doch zu der Auffassung gelangen, daß Frauen in jenen Zeiten viel Macht an sich hätten reißen können, oder etwa nicht?«

»Das ist eine interessante Überlegung«, sagte Clarissa bedächtig.

»Stellen Sie es sich einmal vor, Miss Fleming. Eine Hälfte der Weltgeschichte ist niemals niedergeschrieben worden, weil sie sich um Frauen dreht.«

»Gütiger Gott, was für ein stimulierender Gedanke. Ein vollkommen neues Forschungsgebiet. Glauben Sie, Sir Thomas sähe darin ein angemessenes Studienobjekt?«

»Mein Onkel ist ein sehr aufgeschlossener Mann, wenn es um intellektuelle Fragen geht. Ich glaube, er fände einen neuen Zugang zu historischen Forschungen hochgradig anregend. Und überlegen Sie sich nur, Clarissa, Sie könnten diejenige sein, die ihn auf diesen Gedanken bringt.«

»Allein diese Vorstellung überwältigt mich«, hauchte Clarissa.

»Es wären natürlich enorme Nachforschungen erforderlich, um ein so weites Feld auch nur oberflächlich zu streifen«, sagte Augusta versonnen. »Zum Glück steht die riesige Bibliothek meines Mannes zur Verfügung. Hätten Sie Interesse daran, ein solches Projekt in Angriff zu nehmen?«

»Ganz außerordentliches Interesse, Madam. Ich habe mich gelegentlich gefragt, warum wir nicht mehr über unsere weiblichen Vorfahren wissen.«

»Wenn das so ist, dann mache ich ein Geschäft mit Ihnen«, fuhr Augusta abschließend fort. »Ich werde Meredith montags und mittwochs an den Nachmittagen in Aquarellmalerei und dem Lesen von Romanen unterweisen. So können Sie Zeit dafür verwenden, Ihren Forschungen nachzugehen. Klingt das nicht vernünftig?«

»Äußerst vernünftig, Madam. Äußerst vernünftig. Das ist sehr gütig von Ihnen, wenn ich es so sagen darf. Und dann noch Sir Thomas' Meinung einholen zu können und sich seinen Beistand zu sichern, also wirklich, das geht fast schon zu weit.« Clarissa strengte sich sichtlich an, die Fassung wiederzugewinnen. »Wenn Sie mich jetzt entschuldigen würden, aber ich muß meinen Pflichten wieder nachgehen.«

Die Rocksäume von Clarissas tristem braunen Kleid bewegten sich mit ungewohntem Schwung und neuerwachter Lebhaftigkeit, als sie aus der Ahnengalerie eilte.

Augusta sah ihr nach und lächelte dann gedankenversunken in sich hinein. Clarissa war eine Frau von der Sorte, wie ihr Onkel sie brauchte. Eine Eheschließung zwischen Clarissa und Sir Thomas würde wahrhaft eine Heirat gleichgesinnter Individuen bedeuten. Clarissa würde seine intellektuellen Vorlieben und Neigungen verstehen und mit ihm teilen, und Sir Thomas würde Clarissa ebenso bewunderungswürdig finden, wie Lady Prudence es in seinen Augen gewesen war. Es lohnte wirklich, sich darüber nähere Gedanken zu machen, beschloß Augusta.

Sie tat diese Vorstellung für den Moment ab und las noch einmal Claudias Brief. Als sie ihn zum zweiten Mal zusammenfaltete, ging ihr auf, daß es an der Zeit war, als die neue Gräfin von Graystone ihr Debüt als Gastgeberin zu planen.

Die Planung von Partys gehörte zu den Dingen, in denen sich die Frauen unter den Northumberland-Ballingers immer glänzend hervorgetan hatten. Zweifellos lag das an der naturgegebenen frivolen Geisteshaltung, die sie hatten, beschloß Augusta. Als letzte ihres Zweiges der Familie würde sie sich anstrengen, diese Familientradition aufrechtzuerhalten.

Sie würde hier auf dem Land ein mehrtägiges Fest veranstalten, bei dem die Gäste im Haus nächtigten, und es würde das spektakulärste gesellschaftliche Ereignis in der Geschichte von Graystone werden.

Mit etwas Glück würden die Vorbereitungen sie von dem Gespräch über ihren Bruder ablenken, das sie am Tag des Picknicks mit Harry geführt hatte. Die Erinnerung an diese unerfreuliche Diskussion nagte immer noch an ihr.

Sie konnte und wollte sich einfach nicht zu dem Glauben durchringen, Richard hätte Geheimnisse an die Franzosen verkauft. Es war undenkbar. Kein Northumberland-Ballinger wäre jemals so tief gesunken.

Und am allerwenigsten ihr verwegener, temperamentvoller und ehrenwerter Bruder Richard.

Es fiel ihr noch schwerer zu glauben, daß Graystone als Geheimagent für die Krone gearbeitet hatte, und weit leichter wäre es ihr gefallen, sich vorzustellen, daß ihr Bruder das getan hatte, dachte Augusta voller Groll. Irgendwie kam einem Harry einfach nicht wie ein Spion vor.

Natürlich war da sein Geschick im Aufbrechen von Schlössern, und er hatte wirklich die äußerst lästige Gewohnheit, immer dann aufzutauchen, wenn man ihn am allerwenigsten erwartete.

Aber dennoch – Harry? *Ein gerissener Spion?*

Die Sache am Spionieren war, daß es nicht als eine wirklich geziemende Karriere für einen wahren Gentleman angesehen wurde. Die meisten Leute waren der Auffassung, daß dieses Geschäft etwas Ungehöriges und Anrüchiges an sich hatte. Und Harry nahm es pedantisch genau mit der Sittenstrenge.

Augustas Gedanken schlugen abrupt eine andere Richtung ein, als sie daran dachte, wie enorm unsittlich der Earl sich in der Intimsphäre ihrer Schlafzimmer benehmen konnte.

Harry war ein sehr vielschichtiger Mann. Und sie hatte schon, als sie zum ersten Mal in seine kühlen grauen Augen gesehen hatte, gewußt, daß enorme Bereiche seiner Persönlichkeit im Dunkeln verborgen lagen.

Vielleicht, aber wirklich nur vielleicht, konnte Harry tatsächlich ein Agent gewesen sein. Dieser Gedanke löste in Augusta seltsames Unbehagen aus. Sie wollte sich nicht näher mit der Vorstellung auseinandersetzen, daß Harry große Gefahren auf sich nahm. Sie wies diese Möglichkeit weit von sich und begann, eine Liste der Leute zu erstellen, die sie zu ihrer Party einladen würde.

Nachdem sie sich noch ein paar Minuten lang Gedanken über ihre Pläne gemacht hatte, eilte sie los, um ihren Mann zu suchen. Sie fand ihn in der Bibliothek, wie er über einer Landkarte brütete, auf der Cäsars Feldzüge eingezeichnet waren.

»Ja, meine Liebe?« fragte er, ohne von seiner Arbeit aufzublicken.

»Ich spiele mit dem Gedanken, hier in Graystone eine Party zu geben, Harry. Ich wollte mir deine Erlaubnis einholen, Pläne dafür zu schmieden.«

Widerstrebend löste er den Blick von Ägypten. »Eine Party? Ein Haus voller Leute? Hier in Graystone?«

»Wir werden nur enge Freunde einladen, Harry. Zum Beispiel meinen Onkel und meine Cousine. Vielleicht ein paar Freundinnen von Pompeia's und Mr. Sheldrake natürlich. Auch die, die du gern einladen möchtest. Es ist ein Jammer, daß Sally die Reise nicht unternehmen kann. Ich hätte sie liebend gern hier.«

»Ich weiß nicht so recht, Augusta. Ich habe mir nie die Mühe gemacht, hier Feste zu veranstalten.«

Augusta lächelte. »Du brauchst dir auch jetzt keine Mühe zu machen. Ich werde mich um alles kümmern. Meine Mutter hat mir, was diese Dinge angeht, viel beigebracht. Ein solches Fest bietet uns auch eine perfekte Gelegenheit, unsere Nachbarn einzuladen. Es ist höchste Zeit, daß wir das tun.«

Harry musterte sie verdrossen. »Bist du ganz sicher, daß das nötig ist?«

»Verlaß dich auf mich. Das ist mein Spezialgebiet. Wir haben alle unsere besonderen Begabungen, oder nicht?« Sie warf einen vielsagenden Blick auf die alte Landkarte auf seinem Schreibtisch.

»Aber nur diese eine Party. Das sollte genügen. Ich will nicht, daß es zur Gewohnheit wird, häufig Gäste einzuladen, Augusta. Solche Feste sind eine frivole Zeitvergeudung.«

»Ja, sicher. Sogar sehr frivol.«

Zwar hatte Augusta instinktiv den Eindruck gewonnen, daß Harry ein tiefgründiger und mysteriöser Mann war, und sie wußte von seinem enigmatischen und häufig herrischen Auftreten, doch nichts hatte sie auf den Graystone vorbereitet, der sie eine Woche später in die Bibliothek im Erdgeschoß zitierte.

Augusta war verblüfft, als ein Hausmädchen an ihre Schlafzimmertür klopfte und ihr mitteilte, Harry wünschte, sie augenblicklich unten zu sprechen.

»Hat er wirklich augenblicklich gesagt?« Augusta sah das Mädchen erstaunt an.

»Ja, Ma'am.« Das Mädchen wirkte sichtlich verängstigt. »Er hat gesagt, ich soll Ihnen sagen, daß es sehr dringend ist.«

»Gütiger Himmel, ich hoffe nur, daß Meredith nichts zugestoßen ist.« Augusta legte die Schreibfeder hin und schob den Brief, den sie gerade an Sally schrieb, zur Seite.

»Oh, nein, Ma'am. Es ist nichts dergleichen. Miss Meredith war bis vor ein paar Minuten bei seiner Lordschaft, und jetzt sitzt sie wieder an ihren Studien. Das weiß ich ganz genau, weil ich gerade eine Kanne Tee ins Schulzimmer gebracht habe.«

»Ich verstehe. Also gut, Nan. Geben Sie seiner Lordschaft Bescheid, daß ich augenblicklich nach unten kommen werde.«

»Ja, Ma'am.« Nan machte eilig einen Knicks und hastete durch den Korridor.

Da sie neugierig darauf war, welche Gründe sich hinter dieser unerwartet eiligen Aufforderung verbargen, ließ sich Augusta nur einen Moment Zeit, um im Spiegel ihr Erscheinungsbild zu überprüfen. Sie trug ein eierschalfarbenes Musselinkleid, das mit einem zarten grünen Muster bedruckt war. Der tiefe Ausschnitt war mit grünen Bändern eingefaßt, und auch die Säume der Volants zierten grüne Bänder.

Da ihr die Nervosität des Mädchens deutlich gezeigt hatte, daß Graystone anscheinend nicht bester Laune war, zog Augusta ein dünnes grünes Schultertuch aus einer Kommodenschublade und drapierte es über ihrem Ausschnitt. Harry hatte bei mehr als einer Gelegenheit ausdrücklich klargestellt, daß er ihren Geschmack in puncto Kleidung eine Spur zu schamlos fand. Es wäre unsinnig gewesen, ihn heute morgen mit dem Anblick eines tiefausgeschnittenen Mieders noch mehr zu reizen, wenn er sich ohnehin schon genug über andere Dinge ärgerte.

Augusta seufzte, als sie zur Tür hinauseilte. Die Stimmungsschwankungen und die unberechenbaren Launen eines Ehemannes gehörten zu den vielen Dingen, die eine Frau nach ihrer Heirat plötzlich in Betracht ziehen mußte.

Der Gerechtigkeit halber mußte sie jedoch zugeben, daß Harry zweifellos seit ihrer Hochzeit gezwungen gewesen war, seine Haltung in mancher Hinsicht zu ändern. Er hatte tatsächlich nachgegeben und erlaubt, daß Meredith Aquarellmalerei erlernte und Romane las, rief sich Augusta ins Gedächtnis zurück.

Ein paar Minuten später rauschte Augusta mit einem fröhlichen und begütigenden Lächeln im Gesicht in die Bibliothek. Harry stand hinter seinem blankpolierten Schreibtisch auf.

Augusta warf einen einzigen Blick auf ihn, und das heitere Lächeln schwand aus ihrem Gesicht. Das Mädchen hatte die Lage richtig erkannt. Harry war in einer finsteren und riskanten Stimmung.

Augusta drängte sich gewaltsam auf, daß sie ihn noch nie so kalt und zielstrebig gesehen hatte. Seine markanten und jetzt so grimmigen Gesichtszüge hatten entschieden etwas Raubtierhaftes.

»Du wolltest mich sprechen?«

»Ja, allerdings.«

»Falls es sich um die Party drehen sollte, dann kann ich dir zu deiner Beruhigung versichern, daß alles unter Kontrolle ist. Die Einladungen sind vor ein paar Tagen abgeschickt worden, und wir haben bereits die ersten Antworten mit der Post bekommen. Ich habe Musiker kontaktiert, und das Küchenpersonal hat schon begonnen, die Lebensmittel zu bestellen.«

»Deine Party interessiert mich nicht die Bohne«, fiel ihr Harry grimmig ins Wort. »Ich hatte gerade eben ein absolut faszinierendes Gespräch mit meiner Tochter.«

»Ja?«

»Sie hat mir erzählt, daß du an dem Tag, an dem ihr das Picknick veranstaltet habt und du die Tugenden deines Bruders so hoch gelobt hast, ein gewisses Gedicht erwähnt hast, das er dir überlassen hat.«

Augustas Mund wurde trocken, obwohl sie keine Ahnung hatte, wohin das alles führen sollte. »Ja, das stimmt.«

»Es scheint, als sei es in diesem Gedicht um Spinnen und deren Netze gegangen.«

»Es ist nur ein schlichtes kleines Gedicht, nichts weiter. Ich hatte nicht vor, es Meredith zu zeigen, falls du das befürchten solltest.«

Harry ging nicht auf ihre hastigen Beteuerungen ein. »Das bereitet mir auch keine Sorgen. Bist du noch im Besitz dieses Gedichts?«

»Ja, selbstverständlich.«

»Hol es augenblicklich. Ich will es sehen.«

Ein Schauer durchzuckte Augusta. »Ich verstehe nicht, Graystone. Weshalb solltest du Richards Gedicht sehen wollen? Es ist kein besonders gutes Gedicht. Größtenteils ist es sogar ziemlich unsinnig. Es sind im Grunde genommen abscheuliche Verse. Ich habe es nur aufgehoben, weil er es mir in der Nacht seines Todes in die Hand gedrückt und mich gebeten hat, es sicher aufzubewahren.« Tränen brannten in ihren Augen. »Es war mit seinem Blut beschmiert, Harry. Ich konnte es nicht wegwerfen.«

»Geh und hol das Gedicht, Augusta.«

Sie schüttelte verwirrt den Kopf. »Weshalb mußt du es sehen?« Dann kam ihr plötzlich ein Gedanke. »Hat es etwas mit dem Verdacht zu tun, den du gegen ihn hegst?«

»Das kann ich dir nicht sagen, solange ich das Gedicht nicht gesehen habe. Bring es mir jetzt sofort, Augusta. Ich muß es mir ansehen.«

Sie wich unsicher einen Schritt zur Tür zurück. »Ich bin nicht sicher, ob ich es dir zeigen will. Jedenfalls nicht, solange ich nicht weiß, was du damit beweisen zu können glaubst.«

»Es könnte mir ein paar Fragen beantworten, die ich mir schon seit langer Zeit stelle.«

»Fragen, die mit Spionen zu tun haben?«

»Es besteht eine geringe Möglichkeit.« Harry brachte jedes dieser Worte durch zusammengebissene Zähne heraus. »Es ist unwahrscheinlich, aber nicht ausgeschlossen. Vor allem, falls dein Bruder für die Franzosen gearbeitet hat.«

»Er hat nicht für die Franzosen gearbeitet.«

»Augusta, ich will nichts mehr von den ausgeklügelten Theorien hören, die du dir zurechtgefeilt hast, um die Umstände zu beschönigen, unter denen Richard Ballinger gestorben ist. Bis jetzt hatte ich keine Einwände dagegen, daß du an deinen Illusionen festhältst, solange du willst. Ich habe dich sogar aktiv dazu ermutigt. Aber dieses Gedicht über eine Spinne und ihre Netze ändert alles.«

Augusta nahm ihren gesamten Mut zusammen, und ihre Gedanken überschlugen sich. »Ich zeige es dir nur, wenn du mir versprichst, nicht zu versuchen, anhand dieses Gedichtes zu beweisen, daß sich Richard des Verrats schuldig gemacht hat.«

»Mich interessiert nicht im geringsten, ob er schuldig oder unschuldig ist. Ich brauche Antworten auf meine eigenen Fragen.«

»Aber während du die Antworten auf deine eigenen Fragen suchst, könnte es durchaus passieren, daß du gleichzeitig Richards Schuld zu beweisen trachtest. Das stimmt doch, oder nicht?«

Harry kam mit zwei langen Schritten hinter seinem Schreibtisch hervor. »Bring mir das Gedicht, Augusta.«

»Nein, es sei denn, du gibst mir dein Wort darauf, daß das, was du dort entdecken könntest, Richards Andenken in keiner Weise schaden wird.«

»Ich kann dir nur mein Wort darauf geben, daß ich seine Rolle zur damaligen Zeit gegenüber der Öffentlichkeit verschweigen werde, ganz gleich, was er auch getan haben mag. Mehr kann ich dir nicht versprechen, Augusta.«

»Das genügt nicht.«

»Verdammt und zum Teufel, Frau, mehr kann ich dir nicht zusichern.«

»Ich überlasse dir dieses Gedicht nicht. Jedenfalls nicht, wenn auch nur die geringste Gefahr besteht, daß es Richards Ruf schaden kann. Mein Bruder war ein ehrenwerter Mann, und da er seine Ehre jetzt nicht mehr selbst verteidigen kann, muß ich es für ihn tun.«

»Verdammt noch mal, Frau, du wirst jetzt tun, was ich dir gesagt habe.«

»Der Krieg ist vorbei, Graystone. Es kann keinem guten Zweck mehr dienen, wenn ich dir dieses Gedicht zeige. Es gehört mir, und ich habe die Absicht, es für mich zu behalten. Ich werde es niemals jemandem zeigen, und schon gar nicht jemandem wie dir, der glaubt, daß Richard sich des Verrats schuldig gemacht hat.«

»Frau«, sagte Harry mit einer leisen, drohenden Stimme, »du wirst tun, was ich dir befohlen habe. Bring mir das Gedicht deines Bruders. Und zwar jetzt sofort.«

»*Niemals.* Und falls du versuchen solltest, es mir wegzunehmen, dann schwöre ich dir, daß ich es verbrennen werde. Lieber vernichte ich es, obwohl es mit seinem Blut befleckt ist, ehe ich es riskiere, dir zu gestatten, daß du es dazu benutzt, sein Andenken noch mehr zu beschmutzen.« Augusta machte auf dem Absatz kehrt und floh aus der Bibliothek.

Sie hörte das gedämpfte Geräusch, mit dem Glas zersplitterte, als sie gerade die Tür hinter sich zuschlug.

Harry hatte etwas sehr Schweres und sehr Zerbrechliches an die Wand der Bibliothek geworfen.

12. Kapitel

Harry, der bestürzt über den Verlust seiner Selbstbeherrschung war, schaute wütend auf die funkelnden Glasscherben. Sie glitzerten im Sonnenschein wie die unechten Steine, die Augusta voller Stolz trug.

Er konnte einfach nicht glauben, daß er es ihr gestattet hatte, ihn dazu zu treiben.

Diese Frau hatte ihn behext. Im einen Moment gelüstete es ihn mit ungeheuerlicher Leidenschaft nach ihr; im nächsten war er von Dankbarkeit überwältigt, wenn er beobachtete, wie sie sich langsam, aber sicher mit seiner Tochter anfreundete. In wieder anderen Augenblicken brachte sie ihn mit ihren unberechenbaren Handlungen zum Lachen oder trieb ihn damit in die Raserei.

Und jetzt hatte sie ihn endlich an den Rand einer rasenden Eifersucht getrieben, die mit nichts etwas zu tun hatte, was ihm je widerfahren war.

Und das allerschlimmste daran war Harrys Wissen, daß er auf einen Toten eifersüchtig war. *Richard Ballinger.* Der kühne, verwegene, leichtsinnige und höchstwahrscheinlich verräterische Richard.

Augustas Bruder, ein Mann, der selbst dann, wenn er noch am Leben gewesen wäre, sexuell kein Rivale gewesen wäre. Aber ein Mann, der als das letzte männliche Exemplar der verwegenen Northumberland-Ballingers begraben worden war, nahm in Augustas Herz einen Platz ein, von dem Harry wußte, daß er ihn niemals würde einnehmen können.

In der Sicherheit und Unangreifbarkeit des jenseitigen Reiches würde Richard in Augustas Vorstellungen ewig als der ideale Northumberland-Ballinger weiterleben, der wundervolle ältere Bruder, dessen Ehre und Ruf sie bis zu ihrem letzten Atemzug verteidigen würde.

»Der Teufel soll dich holen, du verdammter Northumberland, du mieser Kerl.« Harry ging wieder zu seinem Stuhl und ließ sich darauf fallen. »Wenn du noch am Leben wärst, du Mistkerl, ich glaube, dann würde ich dich zum Duell herausfordern.«

Und damit jegliche zarten Bande durchtrennen, die mich mit meiner frisch angetrauten Ehefrau verbinden, was dazu führen würde, daß sie mich bis in alle Ewigkeit haßt, rief sich Harry erbittert ins Gedächtnis zurück. Am besten sah er den Tatsachen nüchtern ins Gesicht. Es bestand kein Zweifel daran, daß Augusta sich gegen ihren Mann gestellt und auf die Seite ihres Bruders geschlagen hatte, wenn sich die Situation ergeben hätte.

Und das hatte sie ihm vor wenigen Minuten gerade erst bewiesen.

»Du Mistkerl«, sagte Harry noch einmal, weil ihm kein anderes Wort zur Beschreibung seines gespenstischen Rivalen einfiel, mit dem er um Augustas Gunst wetteiferte.

Wie bekämpft man einen Geist?

Harry streckte auf seinem Stuhl hinter dem Schreibtisch die Beine aus und zwang sich, die katastrophale Situation unter jedem Blickwinkel zu betrachten.

Er mußte sich eingesehen, daß er die ganze Geschichte von Anfang an falsch angefaßt hatte. Er hätte Augusta niemals mit derartigem Nachdruck in die Bibliothek zitieren dürfen. Und er hätte ihr auch nicht befehlen sollen, ihm das Gedicht auszuhändigen. Wenn ihn nicht alle guten Geister verlassen hätten, wäre er ganz anders mit der Situation umgegangen.

Aber die Wahrheit war, daß er keinen allzu klaren Kopf bewahrt hatte. Nachdem Meredith beiläufig eine Erwähnung des Gedichts von Richard Ballinger über Netze und Spinnen in das Gespräch hatte einfließen lassen, hatte Harry einen übermächtigen Drang verspürt, das Gedicht an sich zu bringen.

Harry hatte geglaubt, er hätte sowohl sich selbst als auch Sheldrake davon überzeugt, daß der Krieg und all seine Schrecken hinter ihnen lagen. Doch jetzt gestand er sich ein, daß er niemals in der Lage sein würde, den Mann zu vergessen, der die Spinne genannt wurde. Zu viele Männer waren durch das Verschulden dieses Mistkerls umgekommen. Zu viele Risiken waren von guten Männern wie Peter Sheldrake eingegangen worden. Zu viele Verluste auf dem Schlachtfeld gingen auf diesen Verräter zurück.

Und das Wissen, daß die Spinne höchstwahrscheinlich ein Engländer war, hatte Harry nur noch in seiner Frustration und Wut bestärkt.

Harry wußte, daß er in dem Ruf gestanden hatte, seine Agententätigkeit kaltblütig und mit noch kälterer Logik zu betreiben. Doch in Wahrheit war das für ihn die einzige Möglichkeit gewesen, seine grausigen Aufgaben auszuführen. Wenn er zugelassen hätte, daß seine Gefühle sich einmischten, dann wäre er gelähmt gewesen. Jeder Zug und jeder Gegenzug, jede Entscheidung, jede Einschätzung und jede Analyse wäre durch die gräßliche Furcht beeinträchtigt worden, einen Fehler zu begehen.

Kalte, glasklare Logik war für ihn das einzige Mittel gewesen. Aber unter der dünnen Eisschicht hatten die Wut und die Frustration gewütet. Und aufgrund der Rolle, die zu spielen er gezwungen gewesen war, hatte der größte Teil von Harrys Wut und seinen Rachegelüsten seinem direkten Gegenspieler gegolten, der Spinne.

Harrys Veranlagung zur Logik und der Wunsch, sein eigenes Leben wiederaufzunehmen, hatten ihn in den Monaten nach Waterloo befähigt, seine Rachegelüste weit von sich zu schieben. Da er wußte, daß er höchstwahrscheinlich nie Antworten auf die quälenden Fragen bekommen würde, die ihn so oft wach gehalten hatten, hatte sich Harry in das Unvermeidliche gefügt. In den Dunstschwaden des Krieges waren viele Tatsachen für immer begraben, wie er Augusta am Tag des Picknicks erklärt hatte. Die wahre Identität der Spinne war als eine dieser Tatsachen erschienen, die sich niemals klären ließen.

Aber jetzt war er durch eine beiläufige Bemerkung seiner Tochter eventuell auf einen neuen Anhaltspunkt gestoßen, der ihm Aufschluß über die Identität der Spinne geben könnte. Richard Ballingers Gedicht über die Spinne und ihr Netz konnte alles oder nichts an den Tag bringen. Harry wußte, daß er es sich so oder so genauer ansehen mußte. Er konnte keine Ruhe finden, solange er das verdammte Ding nicht gesehen hatte.

Aber er hätte behutsamer an diese Angelegenheit herangehen müssen, schalt er sich aus. Die unerfreuliche Situation, in der er sich momentan befand, hatte er ganz allein sich selbst zuzuschreiben. Er war so teuflisch darauf versessen gewesen, das Gedicht zu sehen, und er war so sicher gewesen, daß Augusta seinem Befehl Folge leisten würde, und daher hatte er sich keinen Moment lang Gedanken darüber gemacht, wem ihre wahre Loyalität gelten könnte.

Er wog seine Möglichkeiten ab.

Wenn er jetzt nach oben ging und Augusta zwang, ihm das Gedicht zu überlassen, dann würde er mit Sicherheit jedes zarte Gefühl zerstören, das sie für ihn hegte, soviel wußte Harry. Es war gut möglich, daß sie ihm das nie verzeihen würde.

Andererseits wurmte es Harry, daß ihre Loyalität dem Andenken ihres Bruders gegenüber stärker war als die Loyalität, die sie als seine Ehefrau hätte aufbieten müssen.

Er schlug mit der Faust auf die Stuhllehne und stand auf. Er hatte Augusta auf der Herfahrt von London gesagt, daß die Liebe für ihn nicht weiter zählte. Was er von seiner Frau verlangte, war Loyalität. Sie hatte eingewilligt und ihm diese Loyalität zugesichert. Sie hatte sich bereit erklärt, ihre Pflichten als Ehefrau zu erfüllen.

Und genau das sollte sie jetzt auch tun, verdammt noch mal.

Harry faßte einen Entschluß. Augusta hatte selbst genug Kampfansagen ausgesprochen. Jetzt war es an der Zeit, daß er ihr den Kampf erklärte. Er lief über den Orientteppich, öffnete die Tür der Bibliothek und trat in den gefliesten Korridor hinaus. Er stieg die Treppenstufen mit dem roten Teppich hinauf und lief durch den Gang, der zur Tür von Augustas Schlafzimmer führte.

Er öffnete die Tür, ohne vorher auch nur anzuklopfen, sondern betrat unangekündigt den Raum.

Augusta, die an ihrem kleinen vergoldeten Schreibpult saß, schneuzte sich gerade in ein Spitzentaschentuch. Sie zuckte zusammen, als sich die Tür öffnete und blickte sofort auf. In ihren Augen funkelten Angst, Wut und unvergossene Tränen.

Die Northumberland-Ballingers sind ein verflucht emotionales Pack, dachte Harry und seufzte innerlich.

»Was hast du hier zu suchen, Graystone? Falls du gekommen bist, um Richards Gedicht gewaltsam an dich zu bringen, dann kannst du es gleich wieder vergessen. Ich habe es gut versteckt.«

»Ich versichere dir, es ist höchst unwahrscheinlich, daß du dir ein Versteck ausdenken könntest, das ich nicht fände, wenn ich es darauf abgesehen hätte.« Harry schloß sehr leise die Schlafzimmertür. Seine Füße, die in Stiefeln steckten, waren ein klein wenig gespreizt, als er sich auf den Kampf mit seiner Frau gefaßt machte.

»Drohst du mir etwa?«

»Nein, keineswegs.« Sie machte einen so jämmerlichen Eindruck und hielt doch mit verzagtem Beben so sehr an ihrem Stolz fest, daß Harry spürte, wie er vorübergehend schwach wurde. »Es muß nicht so zwischen uns sein, Liebes.«

»Nenn mich nicht so«, fauchte sie ihn an. »Du glaubst ja doch nicht an die Liebe, falls du das vergessen haben solltest.«

Harry stieß einen tiefen Seufzer aus und lief durch das Schlafzimmer zu Augustas Frisierkommode. Dort blieb er stehen und schaute versonnen auf die verschiedensten Kristallglasbehälter herunter, auf Bürsten mit silbernem Rücken und auf andere frivole, herrlich weibliche Utensilien, die darauf verstreut waren.

Einen Moment lang dachte er daran, wie sehr er es genoß, wenn er sein Schlafzimmer betrat, die Verbindungstür unangekündigt öffnete und Augusta vor dem Spiegel vorfand. Er mochte es, wenn er sie in einem ihrer Morgenmäntel mit den vielen Rüschen und mit einer absurden kleinen Spitzenhaube auf den kastanienbraunen Locken vorfand. Die Intimität dieser Situation und das Erröten, das sein Erscheinen ausnahmslos auf ihre Wangen zauberte, bereiteten ihm Vergnügen.

Jetzt hatte sich ihre Einstellung gewandelt, und sie sah in ihm nicht mehr ihren Geliebten, sondern hielt ihn für ihren Feind.

Harry wandte sich von der Frisierkommode ab und schaute Augusta an, die ihn wachsam und voller Mißtrauen musterte.

»Ich glaube nicht, daß das ein guter Zeitpunkt ist, um über deine Vorstellungen von Liebe zu diskutieren«, sagte Harry.

»Ach, wirklich nicht? Worüber reden wir dann?«

»Mir würde es genügen, über deine Vorstellungen von Loyalität zu diskutieren.«

Sie blinzelte unsicher und schien jetzt noch mehr auf der Hut zu sein. »Wovon sprichst du, Graystone?«

»An unserem Hochzeitstag hast du mir Loyalität gelobt, Augusta. Oder hast du das so schnell schon wieder vergessen?«

»Nein, aber...«

»Und in unserer ersten gemeinsamen Nacht, hier in diesem Schlafzimmer, hast du dort drüben am Fenster gestanden und geschworen, du würdest deine Pflichten als meine Frau erfüllen.«

»Harry, das ist nicht fair.«

»Was ist nicht fair? Dich an dein Gelübde zu erinnern? Ich gebe zu, daß ich es nicht für notwendig hielt, es eines Tages tun zu müssen. Ich dachte, du würdest es einhalten, verstehst du.«

»Aber das ist doch etwas vollkommen anderes«, protestierte sie. »Hier geht es um meinen Bruder. Das kannst du doch bestimmt verstehen.«

Harry nickte mitfühlend. »Ich verstehe, daß du zwischen deiner Loyalität gegenüber dem Andenken deines Bruders und deiner Loyalität gegenüber deinem Mann zerrissen bist. Das ist eine schwierige Situation für dich, und ich kann dir gar nicht sagen, wie leid es mir tut, dich in dieses Dilemma gebracht zu haben. Das Leben ist in kritischen Momenten selten einfach oder unparteiisch.«

»Der Teufel soll dich holen, Harry.« Sie ballte die Hände auf dem Schoß zu Fäusten und sah ihn mit glitzernden Augen an.

»Ich weiß, wie dir zumute sein muß. Und das ist dein volles Recht.

Ich für meinen Teil entschuldige mich dafür, daß ich dich so rücksichtslos mit meinen Forderungen überfallen habe. Ich bitte dich um Verzeihung für die herrische Art, auf die ich dir befohlen habe, mir das Gedicht auszuhändigen. Ich kann zu meiner Verteidigung nur vorbringen, daß diese Angelegenheit für mich von großer Bedeutung ist.«

»Für mich ist diese Angelegenheit auch von großer Bedeutung«, warf sie ihm wütend an den Kopf.

»Offensichtlich. Und anscheinend hast du deine Entscheidung getroffen. Du hast deutlich klargestellt, daß es dir wichtiger ist, das Andenken deines Bruders zu schützen, als deine Pflicht als meine Frau zu tun. Deine Loyalität gilt in allererster Linie den Northumberland-Ballingers. Dein rechtmäßiger Ehemann bekommt nur das, was dann noch übrig ist.«

»Mein Gott, Graystone, du bist grausam.« Augusta hielt ihr Taschentuch umklammert, als sie aufstand. Sie wandte ihm den Rücken zu und tupfte ihre Augen ab.

»Weil ich dich bitte, mir in diesem Punkt zu gehorchen? Weil ich als dein Ehemann deine uneingeschränkte Loyalität fordere und nicht nur einen kleinen Bruchteil davon?«

»Kannst du denn an nichts anderes als an Pflichtbewußtsein und Loyalität denken, Graystone?«

»Doch, durchaus, aber im Moment scheint das das Ausschlaggebende zu sein.«

»Und was ist mit deinen Pflichten und deiner Loyalität gegenüber deiner Frau?«

»Ich habe dir mein Wort darauf gegeben, mit niemandem darüber zu reden, womit dein Bruder im Krieg befaßt war, ganz gleich, was es auch gewesen sein mag. Das ist alles, was ich dir versprechen kann.«

»Aber wenn du aus diesem Gedicht etwas herauslesen kannst, was darauf hinweist, daß mein Bruder ein ... ein Verräter war, dann wirst du es höchstwahrscheinlich so auslegen.«

»Das spielt keine Rolle, Augusta. Der Mann ist tot. Tote werden nicht belangt. Er ist außerhalb der Reichweite des Gesetzes oder meiner persönlichen Rachegelüste.«

»Aber seine Ehre und sein Ruf sind nicht tot.«

»Sei ehrlich dir selbst gegenüber, Augusta. Du bist hier diejenige, die sich davor fürchtet, was sich in diesem Gedicht verbergen könnte. Du hast Angst, den Bruder, den du auf einen Sockel gestellt hast, von seinem Sockel stürzen zu müssen.«

»Warum ist das Gedicht jetzt, nachdem der Krieg vorbei ist, noch so wichtig?« Sie warf über die Schulter einen forschenden Blick in sein Gesicht.

Harry sah ihr in die Augen. »In den letzten drei oder vier Jahren hat es einen geheimnisvollen Mann gegeben, der die Spinne genannt wurde, für die Franzosen gearbeitet hat und in etwa dasselbe getan hat, was ich für die englische Krone getan habe. Wir waren der Überzeugung, daß es sich um einen Engländer handelt, teils, weil seine Informationen so präzise waren, und zum anderen Teil wegen seiner Vorgehensweise. Es hat viele gute Männer das Leben gekostet, und falls er noch am Leben ist, würde ich ihn seinen Verrat büßen lassen.«

»Du willst dich an diesem Mann rächen?«

»Ja.«

»Und für diese Rache bist du bereit, unsere Beziehung als Mann und Frau zu zerstören.«

Harry erstarrte. »Ich wüßte nicht, weshalb sich diese Angelegenheit auf unsere Beziehung auswirken sollte. Wenn doch, dann nur, weil du es zuläßt.«

»Ja, genau«, murmelte sie. »So stellt man es an. Wie klug von dir. Von vornherein mir die Schuld an allen feindseligen Gefühlen zuzuschieben, die durch deine Grausamkeit aufkommen könnten.«

Harrys Wut flackerte erneut auf. »Und was ist mit deiner Grausamkeit mir gegenüber? Was glaubst du wohl, was ich bei dem Wissen empfinde, daß du es vorziehst, dem Andenken deines Bruders loyal zu bleiben, statt deinem Mann loyal zu sein?«

»Es scheint, als sei ein tiefer Abgrund zwischen uns aufgeklafft.« Sie drehte sich zu ihm um und sah ihn fest an. »Was auch passiert, zwischen uns kann es nie mehr so werden wie vorher.«

»Es gibt eine Brücke über diesen Abgrund. Du kannst ewig auf deiner Seite stehenbleiben, der Seite der tapferen, verwegenen Northumberland-Ballingers, oder du kannst die Brücke überqueren und dich auf meine Seite stellen, dahin, wo unsere Zukunft liegt. Diese Entscheidung überlasse ich ganz und gar dir. Du kannst beruhigt sein, denn ich versichere dir, daß ich dir das Gedicht nicht gewaltsam abnehmen werde.«

Ohne eine Reaktion abzuwarten, drehte sich Harry um und verließ ihr Schlafzimmer.

Während der zwei folgenden Tage senkte sich eine höfliche frostige Stille auf den Haushalt herab. Die eisige Atmosphäre fiel Harry um so deutlicher auf, weil sie in einem so krassen Gegensatz zu den Wochen wohltuender Wärme stand, die vorausgegangen waren.

Die auffällige Veränderung in der Stimmung aller machte Harry erst so richtig klar, welchen enormen Wandel der Haushalt seit dem Zeitpunkt durchgemacht hatte, zu dem Augusta darüber zu herrschen begonnen hatte.

Die Hausangestellten, die ihrer Arbeit immer pedantisch und formvollendet nachgegangen waren, hatten seit Augustas Eintreffen begonnen, ihre Pflichten mit einer Heiterkeit zu erfüllen, die Harry vorher nie wahrgenommen hatte. Sheldrakes Bemerkung war ihm wieder eingefallen, Augusta hätte die Angewohnheit, im Umgang mit Bediensteten freundlich zu sein.

Meredith, diese eifrige Schülerin mit dem etwas steifen Gebaren, der gefügigen Art und der Ernsthaftigkeit eines Gelehrten, malte plötzlich und veranstaltete Picknicks. Ihren schlichten Musselinkleidern schienen in der letzten Zeit überall Rüschen und Bänder gewachsen zu sein. Und sie hatte begonnen, sich begeistert über das Thema von Personen in den Romanen auszulassen, die Augusta ihr vorlas.

Sogar Clarissa, diese mürrische, nüchterne Frau mit dem untadeligen Charakter, die sich früher einmal ganz und gar ihren Pflichten als Gouvernante geweiht hatte, hatte sich verändert. Harry war sich nicht sicher, was in den wenigen Wochen seit seiner Hochzeit passiert war, aber es bestand kein Zweifel daran, daß Clarissa Augusta gegenüber sichtlich aufgetaut war. Sie war nicht nur aufgetaut, sondern sie wies auch deutliche Anzeichen für das Aufkeimen einer glühenden Leidenschaft auf, was bei einer anderen Frau auf eine Romanze hätte hinweisen können.

In der letzten Zeit hatte sich Clarissa häufig entschuldigen lassen und war nicht mitgekommen, wenn ein Ausflug geplant war oder wenn sie aufgefordert wurde, sich der Familie nach dem Abendessen im Salon anzuschließen. Statt dessen war sie nach oben geeilt, in ihre Schlafzimmer. Harry hatte den Eindruck gewonnen, daß sie an irgendeinem Projekt arbeitete, doch bislang hatte er gezögert, sich danach zu erkundigen. Clarissa war immer eine enorm verschlossene, unnahbare Frau gewesen, und er hatte ihre Reserviertheit immer respektiert. Schließlich war das gewissermaßen ein Charakterzug der Flemings.

Harry war ziemlich sicher, daß es in Clarissas eingeengter Welt, die sich auf das Schulzimmer beschränkte, keine Romanze gab, doch der ungewohnte Glanz in ihren Augen hatte ihn außerordentlich neugierig werden lassen. Er führte diese Veränderung auf Augusta zurück.

Aber in den zwei Tagen, die auf den Ausbruch der Feindseligkeiten zwischen ihm und Augusta folgten, veränderte sich der ganze Haushalt wieder einmal sichtlich. Es herrschte eine starre und korrekte Atmosphäre. Alle waren übertrieben höflich und förmlich, doch Harry nahm deutlich wahr, daß die Bewohner von Graystone ihm kollektiv die Schuld an der frostigen Stimmung zuschoben.

Er dachte darüber nach, als er die Treppe zum Schulzimmer im zweiten Stock hinaufstieg. Wenn schon sämtliche Mitglieder des Haushalts geneigt waren, in dem stummen Kampf zweier Willen, den er mit Augusta führte, Stellung zu beziehen, dann lag doch wohl auf der Hand, daß sie sich auf seine Seite hätten schlagen sollen.

Er herrschte über Graystone, und das Auskommen aller auf dem Anwesen hing von ihm ab. Man hätte meinen sollen, zumindest die Bediensteten und Clarissa seien sich dieses Umstands nur zu klar bewußt.

Man hätte meinen sollen, Augusta sei sich dessen bewußt.

Aber es stellte sich immer klarer heraus, daß Augustas Loyalität denen galt, denen ihr Herz gehörte, und sie hatte ihr Herz den Erinnerungen an die Vergangenheit verschrieben.

Harry hatte die beiden letzten Nächte allein in seinem Bett verbracht und die verschlossene Tür angestarrt, die in Augustas Schlafzimmer führte. Er hatte sich gesagt, seine Frau sei diejenige, die diese Tür öffnen mußte, und er war sicher gewesen, daß sie es früher oder später tun würde. Als er jetzt jedoch mit der Aussicht konfrontiert war, eine dritte Nacht allein zu verbringen, begann er, seine Annahme zu hinterfragen.

Als er den oberen Treppenabsatz erreicht hatte, lief Harry durch den Korridor zum Schulzimmer. Leise öffnete er die Tür.

Clarissa blickte mit finsterer Miene auf. »Guten Tag, Mylord. Mir war nicht bekannt, daß Sie uns heute nachmittag aufsuchen wollten.«

Harry hörte den entschiedenen Mangel an einem warmen Willkommen aus ihrem Tonfall heraus und entschied sich, diesen Umstand zu ignorieren. Er wußte, daß er in der letzten Zeit nirgends im Haus besonders gern gesehen war. »Ich habe mir zufällig einen Moment Zeit nehmen können, und daher habe ich beschlossen, mir einmal anzusehen, wie es mit der Aquarellmalerei vorangeht.«

»Ich verstehe. Meredith hat heute schon früher damit angefangen. Ihre Ladyschaft wird jeden Moment kommen, um den Unterricht zu übernehmen.«

Meredith blickte von ihren Wasserfarben auf. Ihre Augen leuchteten einen Moment lang, und dann wandte sie den Blick ab. »Hallo, Papa.«

»Arbeite ruhig weiter, Meredith. Ich möchte nur ein Weilchen zusehen.«

»Ja, Papa.«

Harry beobachtete, wie sie eine neue Farbe für ihren Pinsel auswählte. Meredith feuchtete sorgsam die Borsten an und verteilte großflächig verdünnte schwarze Farbe auf dem jungfräulichen weißen Papier.

Harry wurde klar, daß er zum ersten Mal sah, wie seine Tochter für ein Bild einen derart dunklen Hintergrund auswählte. Die Aquarelle, die jetzt regelmäßig in der Ahnengalerie auftauchten, waren im allgemeinen helle, lebhafte Darstellungen mit Farben, die in der Sonne zu leuchten schienen.

»Wird das ein Bild von Graystone bei Nacht, Meredith?« Harry trat näher, um sich das Bild genauer anzusehen.

»Ja, Papa.«

»Ich verstehe. Es wird sicher ziemlich dunkel ausfallen, stimmt's?«

»Ja, Papa. Augusta sagt, ich muß genau das malen, wonach mir zumute ist.«

»Und heute ist dir danach zumute, ein finsteres Bild zu malen, obwohl draußen die Sonne scheint?«

»Ja, Papa.«

Harry biß die Zähne zusammen. Sogar auf Meredith schlug sich die stumme Kriegsführung im Haushalt nieder. *Und an alledem war nur Augusta schuld.* »Vielleicht sollten wir den schönen Tag nutzen. Ich schicke jemanden zum Stall und lasse dein Pony satteln. Wir reiten heute nachmittag zum Bach. Hast du Lust?«

Meredith blickte schnell auf, und in ihren Augen stand Unsicherheit. »Kann Augusta mitkommen?«

»Wir können sie fragen«, sagte Harry, der innerlich zusammenzuckte. Er hatte keinerlei Zweifel an Augustas Reaktion. Sie würde natürlich höflich ablehnen. Irgendwie war es ihr in den letzten zwei Tagen gelungen, dafür zu sorgen, daß sie, von den Mahlzeiten abgesehen, keine Minute in Harrys Gesellschaft verbrachte. »Es könnte sein, daß sie heute nachmittag etwas anderes vorhat, Meredith.«

»Zufällig«, sagte Augusta, die in der Tür stand, mit ruhiger Stimme, »habe ich keine anderen Pläne. Ich hätte große Lust, zum Bach zu reiten.«

Merediths Gesicht hellte sich augenblicklich auf. »Das wird lustig. Ich ziehe nur schnell mein neues Reitkostüm an.« Sie warf einen schnellen Blick auf Clarissa. »Darf ich mir freinehmen, Tante Clarissa?«

Clarissa nickte mit majestätischer Würde. »Ja, selbstverständlich, Meredith.«

Harry drehte sich langsam um und sah Augusta in die Augen. Sie neigte höflich den Kopf.

»Wenn du mich entschuldigen würdest – auch ich muß mich umziehen. Meredith und ich treffen dich dann unten wieder.«

Was, zum Teufel, soll das jetzt schon wieder heißen? fragte sich Harry, als er sie kurz nach Meredith verschwinden sah. Andererseits sollte er vielleicht keine zu klaren Erkundigungen einziehen.

»Ich hoffe doch sehr, daß Sie Ihren Ausritt mit ihrer Ladyschaft und Miss Meredith genießen werden, Sir«, sagte Clarissa sehr gespreizt.

»Danke, Clarissa. Ich bin ganz sicher, daß es mir Spaß machen wird.«

Sowie ich erst einmal herausgefunden habe, was Augusta jetzt schon wieder vorhat, fügte Harry stumm hinzu, als er das Schulzimmer verließ.

Eine halbe Stunde später wartete Harry immer noch auf eine Antwort auf seine stummen Fragen. Merediths Stimmung hatte sich zumindest gebessert, und sie legte jetzt kindliche Begeisterung an den Tag. In ihrem kleinen jagdgrünen Reitkostüm, das bis hin zu dem kecken kleinen

Hut mit der Feder, der auf ihren schimmernden Locken saß, identisch mit Augustas Reitkostüm war, sah Meredith einfach entzückend aus.

Harry beobachtete, wie seine Tochter ihr Apfelschimmelpony antrieb, schneller zu laufen, und dann sah er Augusta nachdenklich an.

»Es freut mich, daß du uns heute nachmittag begleiten konntest«, sagte er, da er wild entschlossen war, das Schweigen zu brechen.

Augusta saß anmutig auf ihrem Damensattel und hielt die Zügel elegant in ihren Händen, die in Handschuhen steckten. »Ich dachte mir, es ist bestimmt gut für deine Tochter, wenn sie an die frische Luft kommt. Im Haus ist es in der letzten Zeit ziemlich drückend, findest du nicht auch?«

Harry zog eine Augenbraue hoch. »Ja, allerdings.«

Augusta biß sich auf die Unterlippe und warf ihm einen schnellen, fragenden Blick zu. »Ach, zum Teufel, du mußt doch selbst wissen, warum ich bereit war, heute mitzukommen.«

»Nein, das weiß ich eben nicht. Versteh mich nicht falsch, es freut mich sehr, daß du dich entschlossen hast, uns zu begleiten, aber ich könnte nicht behaupten, daß ich verstehe, warum du das tust.«

Sie seufzte. »Ich habe beschlossen, dir Richards Gedicht zu überlassen.«

Eine gewaltige Woge der Erleichterung spülte über Harry hinweg. Beinah hätte er die Arme ausgestreckt und Augusta von ihrem Pferd auf seinen Schoß gezogen. Es gelang ihm jedoch, diesen Drang im Zaum zu halten. Er wies in der letzten Zeit wahrhaft einen viel zu starken Hang zu impulsivem Handeln auf. Er mußte diese Neigung zügeln.

»Danke, Augusta. Darf ich fragen, was dich zu diesem Entschluß bewogen hat?« Er wartete angespannt auf ihre Antwort.

»Ich habe mir eine Menge Gedanken über dieses Thema gemacht, und mir ist klar, daß mir kaum etwas anderes übrigbleibt. Wie du bei zahlreichen Gelegenheiten hervorgehoben hast, ist es meine Pflicht als deine Frau, dir zu gehorchen.«

»Ich verstehe.« Harry schwieg lange Zeit, und der größte Teil seiner Erleichterung verwandelte sich in Verdruß. »Es tut mir leid, daß du dich nur von deinem Pflichtbewußtsein leiten läßt.«

Sie zog die Stirn in Falten. »Was sonst hätte mich dazu bewegen sollen, wenn nicht mein Pflichtbewußtsein?«

»Vielleicht Vertrauen?«

Sie neigte höflich den Kopf. »Das ist da. Ich bin zu dem Schluß gelangt, daß du dein Wort halten wirst. Du hast gesagt, du würdest die Geheimnisse meines Bruders nicht öffentlich machen, und ich glaub' dir.«

Harry, der es nicht gewohnt war, daß man sein Wort überhaupt in Frage stellte, noch nicht einmal für einen kurzen Moment, konnte seine Gereiztheit nicht unterdrücken. »Du hast fast drei volle Tage gebraucht, um zu dem Schluß zu gelangen, daß du meinem Wort trauen kannst?«

Sie seufzte. »Nein, Harry. Ich habe deinem Wort von Anfang an Glauben geschenkt. Wenn du unbedingt die Wahrheit wissen willst, das war nie wirklich das Problem. Du bist ein Ehrenmann. Das weiß jeder.«

»Worin hat dann das Problem bestanden?«

Augusta richtete den Blick zwischen die Ohren ihrer Stute. »Ich hatte Angst.«

»Angst wovor, um Gottes willen? Davor, was ich über deinen Bruder in Erfahrung bringen könnte?« Es kostete ihn seine gesamte Willenskraft, mit gesenkter Stimme weiterzureden, damit Meredith nicht lauschen konnte.

»Nicht direkt. Ich zweifle keinen Moment lang an der Unschuld meines Bruders. Aber ich habe gefürchtet, was du über mich denken wirst, falls du, nachdem du das Gedicht gelesen hast, irgendwie zu dem Schluß kommst, daß Richard sich des Verrats schuldig gemacht hat.«

Harry starrte sie an. »Verdammt und zum Teufel, Augusta. Du hast geglaubt, aufgrund von Schlüssen, die ich über deinen Bruder ziehen könnte, könntest du in meiner Achtung sinken?«

»Ich bin auch eine Northumberland-Ballinger«, hob sie mit gepreßter Stimme hervor. »Wenn du glaubst, einer von uns sei zu Verrat fähig, dann könntest du ohne weiteres die Integrität anderer Familienmitglieder in Frage stellen.«

»Du hast geglaubt, ich könnte *deine* Integrität in Frage stellen?« Ihre Gedankengänge entsetzten ihn.

Sie saß sehr aufrecht im Sattel. »Mir ist bewußt, daß du mich ohnehin schon für betrüblich frivol hältst und glaubst, ich hätte Unfug im Sinn. Ich wollte nicht, daß du zudem noch meine Ehre in Frage stellst. Wir sind fürs Leben aneinander gebunden. Für uns beide liegt ein sehr langer und schwieriger Weg vor uns, wenn du glaubst, daß es allen Northumberland-Ballingers an Ehrgefühl fehlt.«

»Zum Teufel, dir mangelt es nicht an Ehrgefühl, sondern an Intellekt.« Harry hielt sein Pferd an und streckte die Arme aus, um Augusta von ihrem Damensattel zu heben.

»Harry.«

»Waren alle Angehörigen des Northumberland-Zweigs der Familie so einmalig begriffsstutzig? Ich kann nur hoffen, daß das nicht vererblich ist.«

Er zog sie auf seine Oberschenkel und küßte sie ausgiebig. Die schweren Röcke ihres Reitkostüms wurden an die Flanken des Hengstes gepreßt, und das Tier tänzelte. Ohne den Mund von Augustas Lippen zu lösen, nahm Harry die Zügel straffer in die Hand.

»Harry, mein Pferd«, keuchte Augusta, sowie sie eine Gelegenheit dazu fand. Sie hielt ihren kleinen grünen Hut fest. »Es wird fortlaufen.«

»Papa? Papa, was tust du Augusta?« Merediths Stimme war schrill vor Angst, als sie umkehrte und schnell auf ihren Vater zukam.

»Ich küsse deine Mutter, Meredith. Sei so gut und kümmere dich um ihre Stute, ja? Wir wollen doch nicht, daß sie fortläuft.«

»Du küßt sie?« Meredith bekam große Augen. »Ach so, ich verstehe. Mach dir um Augustas Stute keine Sorgen, Papa. Ich werde sie einfangen.«

Harry machte sich nicht die geringsten Sorgen um die Stute, die nur bis zur nächsten Lichtung gewandert war, auf der dichte Grasbüschel wuchsen. Alles, was ihn im Moment wirklich interessierte, war, wie er Augusta in sein Bett bekam. Der Kampf hatte nur zwei Nächte und drei Tage angedauert, aber das waren entschieden zwei Nächte und drei Tage zuviel.

»Also wirklich, Harry. Du mußt mich augenblicklich loslassen. Was soll den Meredith denken?« Augusta schaute finster zu ihm auf, während er sie in seinen Armen wiegte.

»Seit wann legst du so großen Wert auf Sittsamkeit, Frau?«

»Ich beschäftige mich zunehmend mehr damit, seit ich Mutter einer Tochter geworden bin«, murrte Augusta.

Harry lachte schallend.

Am späten Abend öffnete Harry die Tür zu Augustas Schlafzimmer und fand sie vor ihrer Frisierkommode vor. Ihre Zofe war gerade damit fertig geworden, ihrer Herrin bei den Vorbereitungen zum Schlafengehen behilflich zu sein.

»Das wäre dann alles, Betsy«, sagte Augusta und sah Harry im Spiegel wohlwollend an.

»Ja, Ma'am. Gute Nacht, Sir.« In Betsys Augen stand ein zufriedener und wissender Ausdruck, als sie sich mit einem Knicks verabschiedete und zur Tür hinausging.

Augusta stand mit einem zaghaften Lächeln auf. Ihr Morgenmantel öffnete sich, und Harry sah, daß ihr Nachthemd aus hauchdünnem Musselin war. Er konnte sehen, wie ihre zarten Brüste sich unter dem nahezu durchsichtigen Stoff abzeichneten. Als er es seinem Blick gestattete, tiefer nach unten zu gleiten, sah er den dunklen dreieckigen

Schatten über ihren Schenkeln. Plötzlich wurde er sich seiner Erregung schmerzlich bewußt.

»Ich nehme an, du bist gekommen, um das Gedicht zu holen?« sagte Augusta.

Harry schüttelte den Kopf und lächelte lasziv. »Das Gedicht kann warten, Frau. Ich bin deinetwegen hier.«

13. Kapitel

Als Augusta lange Zeit später aufstand, war ihr Körper noch warm von der Liebe. Sie zündete eine Kerze an und trug sie zu ihrer Frisierkommode. Hinter ihr im Bett rührte sich Harry.

»Augusta? Was tust du da?«

»Ich hole Richards Gedicht.« Sie öffnete die kleine Truhe, die die Kette ihrer Mutter und das zusammengehaltene Blatt Papier enthielt, das sie seit zwei Jahren aufbewahrte.

»Das hat Zeit bis morgen.« Harry zog sich auf die Ellbogen und betrachtete sie mit zusammengekniffenen Augen.

»Nein. Ich will es jetzt hinter mich bringen.« Sie kam mit dem gefalteten Blatt zu ihm zurück. »Hier. Lies es.«

Harry nahm ihr das Blatt aus der Hand. Seine dunklen Augenbrauen zogen sich finster zusammen. »Es steht zu bezweifeln, daß ich dir nach einem ersten flüchtigen Blick etwas dazu sagen kann. Ich werde mich näher damit befassen müssen.«

»Es steht nur Unsinn darauf, Harry. Es handelt sich um keine Staatsaffäre. Nur um blanken Unsinn. Er hat im Sterben gelegen, als er mich gebeten hat, ich solle es nehmen und aufbewahren. In seinen Todesqualen kann er durchaus unter seltsamen Visionen gelitten haben.«

Harry blickte zu ihr auf, und Augusta hielt abrupt den Mund. Sie seufzte, ließ sich auf die Bettkante sinken und schaute auf die gräßlichen braunen Flecken auf dem Papier. Sie kannte die Worte auswendig, die auf diesem Zettel standen.

DAS SPINNENNETZ

Schaut euch die kühnen jungen Männer an,
Wie sie spielen auf dem glitzernden Netz.
Seht nur, wie silbern ihre Säbel schimmern,
Wenn sie zum Tee in Nummer drei sich hingesetzt.
Sie kommen wieder, um das Essen zu servieren
Für ihren Herrn, der zwischen Seidenfäden speist.
Er trinkt das Blut der unachtsamen jungen Männer
Um drei und neun, bis Dunkelheit am Himmel gleißt.
Er wartet, bis sein Augenblick gekommen ist.
Jetzt sind viele ein paar und ein paar keiner mehr.
Die Spinne spielt ein Blatt von Karten aus
Und geht als der Sieger hervor daraus.
Zähle zwanzig als drei und drei als nur einen,
Und schon hast du Klarheit, allzu sehr.

Augusta wartete gespannt, während Harry schweigend das Gedicht las. Als er damit fertig war, sah er sie wieder an, diesmal kühn, forschend und eindringlich.

»Hast du das nach dem Tod deines Bruders irgendeiner Menschenseele gezeigt, Augusta?«

Augusta nickte. »Ein paar Tage, nachdem mein Bruder ermordet worden ist, ist ein Mann gekommen, der meinen Onkel sprechen wollte. Er bat darum, die persönliche Habe meines Bruders sehen zu dürfen, und ich sollte ihm alles zeigen. Er hat das Gedicht gelesen.«

»Was hat er dazu gesagt?«

»Es sei blanker Unsinn. Er hat sich nicht dafür interessiert. Nur für die Dokumente, die man bei Richards Leiche gefunden hat. Und dann hat er begonnen, Andeutungen zu machen, Richard hätte Informationen an die Franzosen verkauft. Er und Onkel Thomas haben sich darauf geeinigt, die ganze Angelegenheit zu verschweigen.«

»Erinnerst du dich noch an den Namen des Mannes?«

»Ich glaube, er hieß Crawley.«

Harry schloß einen Moment lang angewidert die Augen. »Crawley. Ja, natürlich. Dieser dumme, stümperhafte Hanswurst. Kein Wunder, daß keine weiteren Nachforschungen angestellt worden sind.«

»Warum sagst du das?«

»Crawley war ein Dummkopf.«

»War?« Augusta zog die Stirn in Falten.

»Er ist vor mehr als einem Jahr gestorben. Er war nicht nur ein Idiot, er hatte auch reichlich überholte Vorstellungen davon, was sich beim Zusammentragen von militärischen Geheimnachrichten schickt. Er war der Auffassung, solche Aufgaben seien hochgradig ungehörig und weit unter der Würde eines echten Gentleman. Demzufolge wußte er sehr wenig über diese Prozesse und hätte eine verschlüsselte Nachricht selbst dann nicht erkannt, wenn sie ihn in den Hintern gebissen hätte. Der Teufel soll diesen Mann holen.«

Augusta stellte ihren Kerzenhalter hin und legte das Kinn auf die angezogenen Knie. »Du glaubst, daß das Gedicht in einem Code abgefaßt ist?«

»Ich halte es für sehr wahrscheinlich. Ich werde es mir morgen früh genauer ansehen müssen.« Harry faltete das Blatt sorgsam wieder zusammen.

»Selbst, wenn es eine verschlüsselte Nachricht ist, könnte es sich um eine handeln, die Richard einem englischen und nicht einem französischen Agenten übermitteln wollte.«

Harry legte das Gedicht auf den Nachttisch. »Entscheidend ist, daß es keine Rolle spielt, Augusta. Nicht für uns. Mir ist ganz gleich, was dein Bruder vor zwei Jahren getan hat. Ich würde dich niemals nach seinen Taten beurteilen. Glaubst du mir das?«

Sie nickte bedächtig und sah ihm fest in die Augen. »Ich glaube dir.« Mit einem Gefühl von tiefer Erleichterung wurde ihr bewußt, daß Harry in dieser Hinsicht fast übertrieben fair sein würde. Er würde seine Frau nicht für die Taten anderer Familienmitglieder zur Rechenschaft ziehen.

»Du frierst, Augusta. Komm her und leg dich wieder unter die Decke.« Harry löschte die Kerze und zog Augusta in seine Arme.

Sie wußte, daß er noch lange Zeit wach lag, als er sie in der Dunkelheit in den Armen hielt. Sie wußte es, weil sie selbst lange Zeit nicht einschlafen konnte. Die Frage, ob sie richtig gehandelt hatte oder nicht, als sie Harry das Gedicht überlassen hatte, schwirrte ihr endlos oft durch den Kopf.

Kurz vor dem Morgengrauen erwachte Augusta aus einem unangenehmen Zustand, der zwischen Schlaf und Wachen lag, und kam zu sich. Sie drehte den Kopf nicht auf dem Kissen um und schlug auch die Augen nicht auf, als sie spürte, das Harry verstohlen das Bett verließ.

Sie hörte das leise Rascheln von Papier, als Harry nach dem blutbefleckten Gedicht griff, das auf dem Nachttisch lag. Und dann hörte sie, wie sich die Tür zu seinem Schlafzimmer leise öffnete und wieder schloß.

Augusta zwang sich, im Bett zu bleiben, bis sich eine erste Spur von Licht am Himmel abzeichnete, und dann stand auch sie auf und bereitete sich auf den langen Tag vor, der ihr bevorstand.

Ein Blick aus dem Fenster genügte, und Augusta wußte, daß die Dämmerung des neuen Tages unter einem dunklen, bleischweren Baldachin zusammengebrochen war, der Regen versprach.

Harry erschien kurz am Frühstückstisch, blieb nur lange genug, um sich von den verschiedenen Eier- und Fleischspeisen auf der Anrichte zu bedienen, und verschwand dann in seiner Bibliothek. Er sprach so gut wie kein Wort mit Augusta oder Meredith. Er machte den Eindruck, vertieft zu sein, und diese Stimmung schien auf den gesamten Haushalt überzugreifen. Offensichtlich hatten alle Beteiligten diese Stimmung schon bei früheren Gelegenheiten kennengelernt.

»Papa ist immer so, wenn er an einem seiner Manuskripte arbeitet«, erklärte Meredith Augusta. Ihre klaren grauen Augen waren ernst, als sie besorgt ihre Stiefmutter ansah. »Du darfst nicht glauben, daß er noch wütend auf dich ist.«

»Ich verstehe.« Augusta lächelte wider Willen. »Ich werde es mir gut merken.«

»Unsere Gäste treffen in drei Tagen ein, nicht wahr?« fragte Meredith, und ihr ernster Blick verriet eine Spur von echter Aufregung.

»Ja, ganz bestimmt. Und Miss Appley wird zweifellos heute nachmittag für die letzte Anprobe deiner neuen Kleider vorbeikommen. Erinnere deine Tante noch einmal daran, daß der Unterricht heute eher aufhören muß. Wir werden alle drei Zeit für die Näherin aufbringen müssen.«

»Ja, wird gemacht, Augusta.« Meredith stand vom Tisch auf und eilte in ihr Schulzimmer.

Als sie allein im Frühstückszimmer saß, trank Augusta schweigend ihren Kaffee. Sie sah die Briefe durch, die schon am frühen Morgen eingetroffen waren, und dann las sie eine der Zeitungen aus London, die mit der Post gekommen waren.

Als sie sie ausgelesen hatte, sprach sie sich mit dem Butler und der Haushälterin über die Notwendigkeit ab, zusätzliche Bedienstete für die Party zu engagieren.

Die Tür zur Bibliothek blieb den ganzen Morgen über geschlossen. Augustas Blicke wurden jedesmal, wenn sie unten durch die Eingangshalle lief, magnetisch davon angezogen. Das fortwährende Schweigen, daß aus Harrys Privatgemach drang, wurde unerträglich. Sie konnte es beim besten Willen nicht unterlassen, Spekulationen dazu anzustellen, welche Schlüsse über Richard er wohl aus dem gräßlichen Gedicht ziehen mochte.

Als Augusta es einfach nicht mehr aushielt, befahl sie, ihre Stute satteln und vorführen zu lassen. Dann ging sie nach oben, um ihr Reitkostüm anzuziehen. Als sie in die Eingangshalle zurückkehrte, bedachte der Butler sie mit einem besorgten Blick.

»Es scheint, als könnte am späten Nachmittag mit Regen zu rechnen sein, Madam.«

»Ja, das ist gut möglich.« Augusta lächelte matt. »Machen Sie sich keine Sorgen, Steeples. Ein wenig Regen wird mir schon nicht schaden.«

»Sind Sie ganz sicher, daß Sie keinen Stallknecht als Begleitung wünschen, Madam?« Steeples' langes, mürrisches Gesicht war zu einem Ausdruck tiefer Sorge verzogen. »Ich weiß, daß es seiner Lordschaft zweifellos lieber wäre, wenn Sie in Begleitung ausritten.«

»Nein, ich will keinen Stallknecht bei mir haben. Wir sind hier auf dem Land, Steeples. Hier brauchen uns die Probleme keine Sorgen zu bereiten, die eine Frau in der Stadt bekommen könnte, wenn sie allein ausreitet. Falls jemand danach fragen sollte, könnten Sie sagen, daß ich am späten Nachmittag zurückkomme.«

Steeples neigte den Kopf steif und mißbilligend. »Wie Sie wünschen, Madam.«

Augusta seufzte, als sie die Stufen hinunterlief und auf ihr Pferd stieg. Hier in Graystone war selbst der Butler schwer zufriedenzustellen.

Sie ritt fast eine Stunde lang unter dem unheilverkündenden Himmel und spürte, wie ihre Stimmung sich ein wenig hob. Es war unmöglich, angesichts eines Sturms, der sich zusammenbraute, melancholisch zu bleiben, beschloß Augusta. Sie hielt das Gesicht in die frische, beißende

Brise und spürte die ersten Regentropfen. Das erfrischte und belebte sie, wie es nichts anderes an diesem trostlosen Tag hätte bewirken können.

Trotz reichlicher Vorwarnung überraschte das erste Donnergrollen Augusta. Sie wußte, daß es zu spät war, um Graystone zu erreichen, ehe der Sturm losbrach. Als sie in der Ferne eine baufällige Hütte entdeckte, ritt sie sofort darauf zu. Die Hütte stand leer.

In dem kleinen Schuppen hinter dem Häuschen konnte Augusta ihre Stute unterbringen. Dann betrat sie das leere Häuschen, das nur ein Zimmer hatte, und blieb in der offenen Tür stehen, um zu beobachten, wie der Regen über die Landschaft fegte.

Zwanzig Minuten später stand sie immer noch da, als ein Pferd und ein Reiter aus dem Sturmkern auftauchten. Das Klappern der Hufe des Hengstes ging in einem Donnerschlag unter, und ein Blitz zuckte in dem Moment durch den Himmel, in dem das Tier vor der Tür abrupt zum Stehen gebracht wurde.

Harry schaute von seinem Pferd aus finster auf sie herunter. Sein weiter Mantel mit den vielen Lagen Stoff hüllte ihn ein wie ein schwarzer Umhang. Regen tropfte von seiner schwarzen Bibermütze.

»Was, zum Teufel, hast du bei einem Gewitter hier draußen zu suchen, Augusta?« Der Hengst tänzelte nervös, als weitere Blitze in der Ferne zuckten. Harry beschwichtigte das Tier mit einer Hand, die in einem Handschuh steckte. »Gütiger Gott, Frau, dir fehlt der gesunde Menschenverstand eines Schulmädchens. Wo ist dein Pferd?«

»In dem Schuppen hinter dem Haus.«

»Ich werde mich um mein Pferd kümmern. Ich bin gleich wieder da. Mach die Tür zu, Frau. Du wirst gleich vollständig durchnäßt sein.«

»Ja, Harry.« Augustas gemurmelte Reaktion wurde von dem prasselnden Regen übertönt und ging unter.

Ein paar Minuten später wurde die Tür prompt wieder aufgerissen, und als Harry hereinkam, tropfte das Wasser von ihm auf den Lehmboden. Er trug Reisig unter dem Arm, Feuerholz, das er in dem Schuppen gefunden haben mußte. Nachdem er die Tür hinter sich zugetreten hatte, ließ er das Holz auf die Feuerstelle fallen und begann, Mantel und Hut abzulegen.

»Ich hoffe doch sehr, daß du für diesen Unsinn eine Erklärung hast?«

Augusta zuckte die Achseln. Sie schlang die Arme schützend um sich und nahm wahr, daß die Hütte jetzt, nachdem Harry bei ihr war, beträchtlich kleiner wirkte. »Ich war zu einem Ausritt aufgelegt.«

»Bei dem Wetter?« Harry streifte die Handschuhe von seinen Fingern. Er stampfte mit den Füßen auf, damit das Wasser von seinen blankpolierten Stiefeln rann. »Und warum hast du keinen Stallknecht mitgenommen?«

»Ich hielt es nicht für notwendig. Wie hast du mich gefunden?«

»Steeples hat die Geistesgegenwart besessen, darauf zu achten, welche Richtung du einschlägst, als du das Haus verlassen hast. Ich hatte kaum Schwierigkeiten, dir zu folgen. Etliche Pächter haben dich gesehen, als du an ihren Häusern vorbeigeritten bist, und einer von ihnen hat sich an diese kleine Hütte erinnert und mich darauf hingewiesen, du könntest vielleicht hier Schutz gesucht haben. Es ist im Umkreis von Meilen das einzige leerstehende Haus.«

»Wie logisch du vorgegangen bist. Wie du sehen kannst, war ich keinen Moment lang in Gefahr.«

»Darum geht es nicht, Frau. Hier geht es um gesunden Menschenverstand oder deinen Mangel an selbigem. Wie bist du bloß auf die Idee gekommen, an einem Tag wie heute auszureiten?« Harry kniete sich vor die Feuerstelle und begann, mit schnellen, geübten Bewegungen das Holz aufzuschichten. »Wenn du schon nicht an dich selbst denkst, dann könntest du wenigstens an meine Tochter denken.«

Diese Bemerkung überraschte Augusta. Ein Glücksgefühl sprudelte in ihr auf. »Meredith hat sich Sorgen gemacht?«

»Meredith weiß nicht, daß du fort bist. Sie studiert noch im Schulzimmer.«

»Oh.« Die kleine Seifenblase ihres Glücks platzte.

»Was ich meinte, war, was glaubst du wohl, was für ein Beispiel du meiner Tochter mit deinem Verhalten gibst?«

»Aber wenn sie noch nicht einmal weiß, daß ich fort bin, Harry, dann kann ich darin kein Problem sehen.«

»Es ist bloßer Zufall, daß sie nicht weiß, daß du allein aus dem Haus gegangen bist.«

»Ja, natürlich. Ich verstehe, was du meinst.« Augusta spürte, wie ihr ursprünglicher Trotz von ihr abfiel. »Du hast natürlich recht. Ich bin ihr mit einem sehr schlechten Beispiel vorangegangen. Es kann jedoch passieren, daß ich ihr in Zukunft noch öfter ein schlechtes Beispiel sein werde. Schließlich bin ich eine Northumberland-Ballinger und keine Hampshire-Ballinger.«

Harry erhob sich so schnell und bedrohlich, daß Augusta hastig einen Schritt zurückwich.

»Verdammt und zum Teufel, Augusta, hör bitte auf, den Ruf deiner Familie heranzuziehen, um damit dein eigenes Benehmen zu entschuldigen! Hast du mich verstanden?«

Ein Schauer lief ihr den Rücken runter. Harry war wirklich sehr wütend, und Augusta wußte, daß es nicht nur daran lag, daß sie trotz des drohend bevorstehenden Gewitters ausgeritten war. »Ja. Du hast dich ziemlich deutlich ausgedrückt.«

Er fuhr sich mit einer Geste, in der sich Wut und Frustration ausdrückte, durch das feuchte Haar. »Hör auf, mich anzusehen, als seist du die letzte Northumberland-Ballinger, die auf den Festungswällen ihres Schlosses steht und sich darauf vorbereitet, gegen den Feind zu kämpfen. Ich bin nicht dein Feind, Augusta.«

»Im Moment klingt es aber ganz so. Glaubst du, du wirst dich im Lauf unserer Ehe immer wieder gezwungen sehen, mir Strafpredigten zu halten, Graystone? Das scheinen mir doch unerfreuliche Aussichten zu sein, meinst du nicht auch?«

Er wandte sich dem Feuer wieder zu, das er entfacht hatte. »Ich verlasse mich in einem gewissen Maß darauf, daß du mit der Zeit die Fähigkeit herausbilden wirst, deinen Hang zu impulsivem Handeln zu beherrschen.«

»Wie ungemein tröstlich. Ich bedaure, daß du heute nachmittag gezwungen warst, mir zu folgen.«

»Ich auch.«

Augusta musterte die starre Haltung seiner breiten Schultern. »Du solltest mir besser gleich die Wahrheit sagen, Harry. Ich weiß, daß du nicht nur in dieser Stimmung bist, weil ich heute nachmittag ohne Begleitung ausgeritten bin. Was hast du Richards Gedicht entnehmen können?«

Er drehte sich langsam um und sah sie unter gesenkten Lidern grüblerisch an. »Wir waren uns doch darüber einig, daß du in keiner Weise für die Taten deines Bruders verantwortlich bist, nicht wahr?«

Eine innere Kälte bemächtigte sich ihrer. *Nein, Richard. Du warst kein Verräter. Mir ist ganz gleich, was alle anderen sagen.* Augusta zwang sich, eine Schulter zu einer lässigen Geste hochzuziehen. »Wie du wünschst. Was hat in dem Gedicht gestanden?«

»Es scheint, daß der Mann, den wir die Spinne genannt haben, ein Mitglied eines Clubs war, der sich Saber nennt.«

Augusta zog die Stirn in Falten. »Ich glaube nicht, daß ich je davon gehört habe.«

»Das ist kaum verwunderlich. Es war ein kleiner Herrenclub für das Militär. Er war nicht weit von der St. James Street gelegen. Lange konnte er sich nicht halten.« Harry unterbrach sich. »Ich glaube, das Haus ist abgebrannt. Vor rund zwei Jahren, wenn ich mich recht erinnere. Das Gebäude ist zerstört worden, und der Club ist meines Wissens von seinen Mitgliedern nie wieder ins Leben gerufen worden.«

»Ich kann mich nicht erinnern, daß Richard je erwähnt hätte, Mitglied in diesem Saber Club zu sein.«

»Möglicherweise war er kein Mitglied. Aber irgendwie hat er herausgefunden, daß die Spinne dort Mitglied war. Leider teilt er mir in diesem verdammten Gedicht die Identität dieses Schurken nicht mit. Nur, daß er ein Mitglied dieses Clubs war.«

Augusta dachte darüber nach. »Aber wenn du eine Liste der Mitglieder hättest, könntest du dir vielleicht ausrechnen, welches von ihnen die Spinne war? Ist es das, was du denkst?«

»Ja, genau das überlege ich mir.« Harry zog die Augenbrauen hoch. »Du bist sehr gerissen, meine Liebe.«

»Vielleicht habe ich meine Berufung verfehlt. Ich hätte einen ausgezeichneten Geheimagenten in deinen Diensten abgeben können.«

»Ich möchte noch nicht einmal diese Erwähnung gehört haben, Augusta. Allein der Gedanke, du könntest als Spionin für mich arbeiten, genügt, um mich nächtelang wach zu halten.«

»Und was wirst du jetzt tun?«

»Ich werde ein paar Nachforschungen anstellen und sehen, ob der Inhaber des Clubs auffindbar ist. Er könnte noch eine Liste der Mitglieder haben oder sich an ihre Namen erinnern. Es könnte möglich sein, ein paar von ihnen ausfindig zu machen.«

»Du bist wild entschlossen, dieses Wesen zu finden, das du die Spinne nennst, stimmt's?«

»Ja.«

Augusta hörte den erschreckenden Mangel an Emotion aus seinen Worten heraus, und sie fröstelte wieder. Sie schaute in das Feuer hinter Harry. »Nachdem du dich jetzt ausgiebig mit Richards Gedicht befaßt hast, bist du überzeugter denn je, daß er ein Verräter war, stimmt's?«

»Diese Frage ist noch nicht geklärt und wird wahrscheinlich nie geklärt werden, Augusta. Wie du schon sagtest, es besteht die Möglichkeit, daß dein Bruder versucht hat, den Behörden diese Information zu übermitteln.«

»Aber das ist ziemlich unwahrscheinlich.«

»Ja.«

»Wie üblich bist du deprimierend offen.« Augusta zwang sich zu einem matten Lächeln. »Ich werde weiterhin an seine Unschuld glauben. Ebenso, wie er weiterhin an meine Unschuld geglaubt hätte, wenn die Rollen vertauscht gewesen wären. Wir Northumberland-Ballingers haben immer zusammengehalten, verstehst du. Ich werde meiner Familie nicht den Rücken zukehren, obwohl das einzige, was mir noch von ihr geblieben ist, meine Erinnerungen sind.«

»Du hast jetzt eine neue Familie, Augusta.« Harrys Stimme hallte barsch durch den kleinen Raum.

»Wirklich? Ich glaube nicht. Ich habe eine Tochter, die sich nicht dazu durchringen kann, mich Mama zu nennen, weil ich nicht so hübsch bin wie ihre echte Mutter. Und ich habe einen Mann, der sich nicht zu dem Risiko durchringen kann, mich zu lieben, weil es sich erweisen könnte, daß ich den anderen Lady Graystones zu ähnlich bin, die vor mir diesen Titel getragen haben.«

»Um Gottes willen, Augusta. Meredith ist noch ein Kind, und sie kennt dich erst seit ein paar Wochen. Du mußt ihr Zeit lassen.«

»Und was ist mit dir, Harry? Wieviel Zeit wirst du brauchen, um zu beschließen, daß ich nicht so bin wie meine Vorgängerinnen? Wie lange werde ich mit dem Gefühl leben müssen, ständig auf die Probe gestellt und verurteilt zu werden, damit du schließlich vielleicht herausfindest, daß ich meine Mängel habe?«

Harry stand plötzlich hinter ihr und hatte eine Hand auf ihre Schulter gelegt. Er drehte sie zu sich um, und Augusta schaute in sein unerbittliches Gesicht auf.

»Verdammt noch mal, Augusta, was willst du von mir?«

»Ich will das, was ich hatte, als ich aufgewachsen bin. Ich will wieder Teil einer echten Familie sein. Ich will die Liebe, das Gelächter und das Vertrauen.« Aus dem Nichts kamen Tränen, brannten in ihren Augen und rannen über ihre Wangen.

Harry stöhnte und zog sie in seine Arme. »Bitte, Augusta. Weine nicht. Es wird alles gut werden. Du wirst es selbst sehen. Es liegt alles nur daran, daß du heute wegen des Gedichts überreizt bist. Aber es hat sich dadurch nichts zwischen uns geändert.«

»Ja, schon gut.« Sie schniefte in die warme Wolle seiner Jacke.

»Aber es wäre das beste, meine Liebe, wenn du nicht weiterhin ständig Vergleiche zwischen deinen tollkühnen Vorfahren, den Northumberland-Ballingers, und den Mitgliedern deiner neuen Familie anstellen würdest. Du mußt dich an die Vorstellung gewöhnen, daß die Earls of Graystone immer die Neigung hatten, ein ziemlich dumpfes und unemotionales Pack zu sein. Aber das heißt nicht, daß ich mir nichts aus dir mache oder daß Meredith nicht lernen wird, dich als ihre Mutter zu akzeptieren.«

Augusta schniefte ein letztes Mal und hob den Kopf. Sie brachte mühsam ein Lächeln zustande. »Ja, natürlich. Du mußt mir meine dummen Tränen verzeihen. Ich weiß selbst nicht, was über mich gekommen ist. Ich war heute in einer sehr betrübten Stimmung. Es liegt zweifellos am Wetter.«

Harry lächelte spöttisch, als er ihr ein schneeweißes Taschentuch reichte. »Zweifellos. Warum kommst du nicht ans Feuer, um dich aufzuwärmen? Es wird noch eine Weile dauern, bis der Sturm sich legt. Du kannst die Zeit damit zubringen, mir von deinen Plänen für die Party zu erzählen.«

»Genau das richtige Thema, um eine oberflächliche Frau abzulenken. Laß uns also unbedingt über meine Pläne für die Party reden.«

»Augusta...« Harry ließ seinen Satz mit finsterer Miene abreißen.

»Es tut mir leid. Ich habe mir nur einen Scherz erlaubt.« Sie stellte sich auf die Zehenspitzen und streifte sein Kinn mit ihren Lippen. »Laß mich dir zuerst von dem Menü erzählen, das ich am Abend des Balls für den späten Abend zusammengestellt habe.«

Harry lächelte zögernd, doch seine Augen blieben weiterhin wachsam. »Es ist lange her, seit auf Graystone ein Ball stattgefunden hat. Irgendwie kann ich mir nicht wirklich vorstellen, wie das Haus nach den Vorbereitungen für einen Ball aussehen wird.«

Die Gäste begannen, am frühen Nachmittag des festgelegten Tages einzutreffen. Augusta stürzte sich in ihre Rolle als Gastgeberin. Sie spielte auf der Treppe den Schutzmann, hielt Absprachen mit der Küche und traf im letzten Moment Vorkehrungen für die nächtliche Unterbringung der Gäste.

Meredith wich keinen Moment lang von ihrer Seite, und ihr ernster Blick sog alles auf, von dem ordentlichen Herrichten der Schlafzimmer bis dahin, wie man Mahlzeiten für große Menschenmengen organisierte, die keinen geregelten Tagesablauf einhalten würden.

»Das ist alles sehr kompliziert, nicht wahr?« fragte Meredith zwischendurch. »Ich meine, ein solches Fest zu veranstalten.«

»Oh, ja«, versicherte ihr Augusta. »Es ist eine beachtliche Aufgabe, alles so zu bewerkstelligen, daß nicht der Eindruck entsteht, man hätte sich besondere Mühe gegeben. Meine Mutter war sehr gut in diesen Dingen. Die Northumberland-Ballingers veranstalten gern Feste.«

»Papa mag es nicht«, bemerkte Meredith.

»Ich nehme an, er wird sich daran gewöhnen.«

Am späten Nachmittag stand Augusta oben auf der Treppe und hatte Meredith und Mrs. Gibbons an ihrer Seite, als ein wendiger vierrädriger Zweispänner, der von zwei Grauschimmeln gezogen wurde, die Auffahrt heraufrollte.

»Ich glaube, Mrs. Gibbons«, sagte Augusta, als sie beobachtete, wie Peter Sheldrake aus dem rasanten Wagen stieg, »wir werden Mr. Sheldrake in dem gelben Schlafzimmer unterbringen.«

»Das wäre dann neben Miss Claudia Ballinger, Madam?« Mrs. Gibbons machte sich auf einem Zettel eine Notiz.

»Ja, genau.« Augusta lächelte und stieg die Stufen hinunter, um Peter zu begrüßen. »Wie schön, daß Sie gekommen sind, Mr. Sheldrake. Ich hoffe doch sehr, Sie werden sich hier auf dem Land nicht zu sehr langweilen. Graystone erzählt mir schon seit Tagen, daß Partys auf dem Lande nicht wirklich nach Ihrem Geschmack sind.«

Peters strahlende blaue Augen funkelten vor Lachen, als er den Kopf über ihre Hand beugte. »Madam, ich versichere Ihnen, daß ich nicht damit rechne, mich in Ihrem Salon zu Tode zu langweilen. Wenn ich recht gehört habe, wird Ihre Cousine ebenfalls erscheinen?«

»Sie ist gerade erst vor einer halben Stunde mit Onkel Thomas eingetroffen und macht sich gerade frisch.« Augusta schaute lächelnd auf Meredith herunter. »Ich glaube, Sie haben bereits die Bekanntschaft mit Graystones Tochter gemacht?«

»Aber ja, doch ich hatte eindeutig vergessen, wie hübsch sie ist. Was für ein reizendes Kleid, Lady Meredith.« Peter bedachte das Mädchen mit seinem strahlendsten Lächeln.

»Danke.« Meredith schien Peters Charme nicht wahrzunehmen. Sie starrte die leuchtend grüne Kutsche mit den großen Rädern an, ein gewagtes, elegantes und schnittiges Modell. Etwas, was Sehnsucht hätte sein können, funkelte in ihren Augen. »Das ist eine ganz wunderbare Kutsche, Mr. Sheldrake.«

»Ich bin auch ziemlich stolz auf sie«, gab Peter zu. »Gerade letztes Wochenende habe ich damit ein Rennen gewonnen. Möchten Sie vielleicht später mit mir in meinem Zweispänner ausfahren?«

»Oh, ja«, hauchte Meredith. »Nichts würde mir mehr Freude bereiten.«

»Dann nehmen wir uns das doch fest vor«, sagte Peter.

Augusta grinste. »Eigentlich wäre ich auch nicht abgeneigt, eine Ausfahrt in Ihrer Kutsche zu unternehmen, Sir. Graystone hält, wie Sie zweifellos wissen, nicht gerade viel von so verwegenen Fahrzeugen. Er findet sie unnötig gefährlich.«

»In meinen Händen sind Sie beide sicher, das kann ich Ihnen versprechen, Lady Graystone. Wir werden langsam fahren und keine Gefahren eingehen.«

Augusta blickte lachend zu ihm auf. »Stellen Sie die Ausfahrt nicht als allzu ungefährlich hin, Sir, oder Sie verderben uns den ganzen Spaß. Wozu soll es gut sein, in einem vierrädrigen Zweispänner herumzufahren, wenn man nicht schnell fährt?«

»Lassen Sie bloß Ihren Mann nicht hören, daß Sie so etwas sagen«, warnte Peter sie, »oder er wird Ihnen und Lady Meredith wahrscheinlich verbieten, mit mir auszufahren. Graystones Vorstellungen davon, was aufregend ist, läuft darauf hinaus, einen alten lateinischen Text zu entdecken, in dem es um Cicero oder Tacitus geht.«

Sorge begann sich auf Merediths Gesicht auszubreiten. »Ist es denn sehr gefährlich, in einem Zweispänner auszufahren, Mr. Sheldrake?«

»Das kann es gewiß sein, wenn man ihn leichtsinnig kutschiert.« Peter zwinkerte ihr zu. »Haben Sie Angst, in meiner Kutsche mitzufahren?«

»Oh, nein«, versicherte Meredith ernst. »Es ist nur so, daß Papa nicht mag, wenn ich gefährliche Dinge tue.«

Augusta schaute auf Meredith herunter. »Ich habe eine Idee, Meredith. Wir werden deinem Vater ganz einfach nicht erzählen, wie schnell wir in Mr. Sheldrakes Kutsche fahren. Was hältst du davon?«

Die neuartige Vorstellung, ihrem Vater bewußt Tatsachen vorzuenthalten, ließ Meredith verwirrt blinzeln. Dann sagte sie mit ernster Stimme: »Also, gut. Aber wenn er mich direkt darauf anspricht, werde ich ihm alles erzählen müssen. Ich könnte Papa unmöglich anlügen.«

Augusta rümpfte die Nase. »Ja, selbstverständlich. Das verstehe ich. Du mußt die Schuld ganz und gar auf mich allein schieben, falls wir zufällig auf der Ausfahrt in einem Graben landen sollten.«

»Was geht hier vor? Eine Verschwörung?« fragte Harry, der amüsiert zu sein schien, als er die Treppe herunterkam. »Wenn Sheldrake jemand anderen als sich selbst in einen Straßengraben kutschiert, dann wird er eine ganze Menge Erklärungen abgeben müssen. Und zwar mir.«

»Eine gräßliche Vorstellung«, brachte Peter gedehnt hervor. »Du warst nie sehr verständnisvoll oder mitfühlend, wenn andere sich geirrt oder verschätzt haben, Graystone.«

»Merk dir das gut.« Harry schaute die Auffahrt runter, als sich eine weitere Kutsche näherte. »Ich bin sicher, daß dir Mrs. Gibbons jetzt dein Schlafzimmer zeigen möchte, Sheldrake. Wenn du dich frisch gemacht hast, würde ich mich freuen, wenn du dich mir in der Bibliothek anschließt. Es gibt etwas, was ich mit dir besprechen möchte.«

»Selbstverständlich.« Peter lächelte Augusta noch einmal an und stieg hinter der Haushälterin die Treppe hinauf.

Meredith schaute besorgt zu ihrem Vater auf. »Ist es wirklich in Ordnung, wenn ich mit Mr. Sheldrake eine Ausfahrt in seiner wunderschönen Kutsche mache?«

Harry schaute Augusta über den Kopf seiner Tochter hinweg lächelnd an. »Ich glaube, dir kann nichts passieren. Sheldrake besitzt genug Verstand, um nicht die beiden Menschen auf Erden in unnötige Gefahren zu bringen, die mir nun einmal die zwei wichtigsten sind.«

Augusta spürte, wie der Ausdruck in den Augen ihres Mannes sie wärmte. Da sie dieser Blick in Verlegenheit brachte, lächelte sie Meredith an. »So, dann hätten wir das also geregelt. Jetzt brauchen wir uns also doch nicht heimlich aus dem Haus zu schleichen, um mit Mr. Sheldrake in seinem Zweispänner zu fahren.«

Meredith lächelte so bedächtig wie ihr Vater. »Vielleicht wird uns Papa einen eigenen Zweispänner kaufen.«

»Sei nicht albern«, murrte Harry. »Ich habe ganz bestimmt nicht vor, gutes Geld für ein so frivoles Transportmittel auszugeben. Und überhaupt bin ich nahezu bankrott, was auf die enormen Ausgaben zurückzuführen ist, die Augusta in der letzten Zeit für ihre und deine Garderobe getätigt hat.«

Meredith erschrak augenblicklich. Sie schaute auf die hübschen rosa Bänder ihres Kleides herunter. »O Papa. Es tut mir leid. Mir war gar nicht klar, daß wir zuviel Geld für meine Kleider ausgegeben haben.«

Augusta sah Harry finster an. »Meredith, dein Vater erlaubt sich die schamlosesten Scherze mit uns. Wir haben noch nicht einmal begonnen, sein Einkommen zu schmälern, und außerdem glaube ich so oder so, daß ihm unsere neuen Kleider gefallen. Das stimmt doch, Graystone?«

»Sie sind jeden einzelnen Penny wert, selbst dann, wenn ich mich dafür in Schulden stürzen muß«, sagte Harry galant.

Meredith lächelte erleichtert und nahm verstohlen Augustas Hand, als sich ihre Aufmerksamkeit wieder dem grünen Zweispänner zuwandte. »Das ist wirklich eine unglaublich schöne Kutsche.«

»Ja, das kann man wohl sagen«, stimmte ihr Augusta zu. Sie drückte zart Merediths Hand.

Harry schaute auf seine Tochter herunter. »Ich stelle fest, daß sich hier eine gewisse Abenteuerlust herausbildet. Es scheint ganz so, als begänne meine Tochter, ihrer neuen Mutter nachzuschlagen.«

Aus irgendwelchen Gründen empfand Augusta eine geradezu lächerliche Freude über diese Vorstellung.

14. Kapitel

»Ich muß schon sagen, Graystone, du überstehst dein Leben als verheirateter Mann sehr gut.« Peter schenkte sich einen Bordeaux aus der Karaffe ein, die in der Bibliothek bereitstand.

»Danke, Sheldrake. Ich schmeichle mir damit, daß nicht jeder Mann es überleben würde, mit Augusta verheiratet zu sein.«

»Ich kann mir vorstellen, daß das ziemlich viel Durchhaltevermögen erfordert. Ich würde sogar tatsächlich so weit gehen zu sagen, dein Naturell hat sich einer sichtlichen Veränderung unterzogen. Wer hätte sich früher vorstellen können, daß du dir die Mühe machst, ein Fest über mehrere Tage zu veranstalten?«

Harrys Mund verzog sich spöttisch, als er einen Schluck von seinem Bordeaux trank. »Ja, wirklich, wer schon? Aber Augusta scheinen solche Dinge Spaß zu machen.«

»Dann macht es dir also Spaß, sie zu verwöhnen? Erstaunlich. Du bist nie besonders nachsichtig gewesen.« Peter grinste spöttisch. »Ich habe dir doch gleich gesagt, daß sie zu dir paßt, Graystone.«

»Ja, allerdings. Und wie ergeht es dir mit der anderen Miss Ballinger?«

»Es ist mir gelungen, ihre Aufmerksamkeit auf mich zu lenken, falls du vom Erfolg meiner Bemühungen redest. Der Engel erweist sich jedoch als teuflisch schwer zu umwerben. Aber Scruggs hat mich mit einer Menge von nützlichen Informationen über ihre Vorlieben und Meinungen versorgt. Du machst dir keine Vorstellung davon, welche Sorte Bücher ich in der letzten Zeit gelesen habe, um auf der Tanzfläche mit ihr Konversation zu betreiben. Sogar ein paar von deinen mußte ich durchackern.«

»Ich fühle mich geehrt. Da wir gerade von Scruggs und dergleichen reden – wie geht es Sally?«

Der Ausdruck der Begeisterung schwand von Peters Gesicht. »Körperlich wird sie ständig zerbrechlicher. Sie wird es wirklich nicht mehr lange machen. Aber sie hat großes Interesse daran gezeigt, Einzelheiten über Lovejoys Vergangenheit für dich herauszufinden.«

»Ich habe letzte Woche deinen Brief bekommen, in dem stand, es sei sehr wenig über ihn in Erfahrung zu bringen«, sagte Harry.

»Der Mann hat eine alles andere als außergewöhnliche Vergangenheit, soviel steht fest. Anscheinend ist er der letzte seines Familienzweigs. Zumindest gibt es keine nahen Verwandten, die Sally oder ich aufspüren konnten. Seine Güter in Norfolk scheinen einträglich zu sein, obwohl Lovejoy sich nicht allzu sehr darum zu kümmern scheint. Außerdem ein paar Investitionen im Bergbau. Ausgezeichnete Leistungen als Soldat, ein guter Kartenspieler, bei den Damen beliebt, keine engen Freunde, und das war auch schon so ziemlich alles.«

Harry schwenkte den Bordeaux in seinem Glas und dachte über das nach, was er gerade gehört hatte. »Nichts weiter als einer von vielen früheren Soldaten, die sich langweilen und ihr Amüsement bei einer der unschuldigen Damen der oberen Zehntausend suchen, ist es das?«

»Ich fürchte, ja. Glaubst du, er hat versucht, dich zu einer Herausforderung zum Duell zu provozieren? Manche Männer mögen diese Sportart.« Peter schnitt eine angewiderte Grimasse.

Harry schüttelte den Kopf. »Ich weiß es nicht. Es ist durchaus möglich. Aber ich hatte das Gefühl, es war eher sein Ziel, mich davon abzubringen, Augusta zu heiraten, und es ist ihm weniger darum gegangen, mich zu einer Herausforderung zu einem Duell zu provozieren. Es war, als wollte er sie in meinen Augen herabsetzen.«

Peter zuckte die Achseln. »Wahrscheinlich wollte er sie selbst haben.«

»Sally hat mir gesagt, Lovejoy hätte erst angefangen, sich auffallend für Augusta zu interessieren, nachdem unsere Verlobung bekannt wurde.«

»Ich habe dir doch gesagt, daß manche Männer die Herausforderung genießen, die Frau eines anderen Mannes zu verführen«, rief ihm Peter ins Gedächtnis zurück.

Harry grübelte daran herum und wäre diesem Rätsel gern nachgegangen. Aber es gab andere, dringlichere Fragen zu lösen. »Also, gut. Ich danke dir, Sheldrake. Und jetzt habe ich eine weit interessantere Aufgabe für dich. Ich glaube wirklich, ich habe einen Anhaltspunkt gefunden, der uns zu der Spinne führen könnte.«

»Das darf nicht wahr sein.« Das Glas in Peters Hand knallte auf den Schreibtisch, als er es unsanft abstellte. Seine blauen Augen hatten sich auf Harry geheftet. »Was hast du über diesen Mistkerl herausgefunden?«

»Er könnte ein Mitglied des früheren Saber Clubs gewesen sein. Erinnerst du dich noch daran?«

»Es gibt ihn nicht mehr. Er ist vor ein paar Jahren abgebrannt, stimmt's? Und es hat ihn auch nicht lange gegeben.«

»Richtig. Was wir brauchen«, sagte Harry, während er eine Schreibtischschublade aufzog und das blutbefleckte Gedicht herausholte, »ist eine Liste der Mitglieder.«

»Ah, Graystone«, murmelte Peter, als er Harry das kleine Blatt aus der Hand nahm. »Du versetzt mich immer wieder in Erstaunen. Darf ich fragen, wie du dazu gekommen bist?«

»Nein«, sagte Harry. »Das darfst du nicht. Es genügt, wenn ich dir sage, wir hätten es schon vor zwei Jahren in der Hand gehabt, wenn Crawley nicht derjenige gewesen wäre, der ausgeschickt wurde, um nach einem bestimmten verdächtigen Vorfall die Nachforschungen anzustellen.«

Peter fluchte. »Crawley? Dieser stümperhafte Idiot?«

»Leider ja.«

»Gut, was passiert ist, ist passiert. Erzähl mir, was das zu bedeuten hat.«

Harry beugte sich vor und setzte zu seinem Bericht an.

Betsy schloß gerade den Verschluß an Augustas Rubinkette, als heftig an die Schlafzimmertür geklopft wurde. Sie ging an die Tür, um sie zu öffnen, und schaute finster, als sie das junge Dienstmädchen sah, das aufgeregt im Gang stand.

»Was ist denn, Melly?« fragte Betsy herrisch. »Ihre Ladyschaft muß sich dringend fertig machen, um unten die Gäste zu begrüßen.«

»Es tut mir leid, daß ich störe, aber es geht um Miss Fleming. Es ist einfach furchtbar. Ihre Ladyschaft hat mir gesagt, daß ich ihr helfen muß, sich für den Abend fertig zu machen, aber Miss Fleming will keine Hilfe. Sie hat einen schrecklichen Koller, das muß ich schon sagen.«

Augusta stand von der Frisierkommode auf, und die Röcke ihres goldenen Kleides bauschten sich um ihre goldenen Satinschuhe. »Was auf Erden ist passiert, Melly?«

Das junge Hausmädchen sah sie an. »Miss Fleming ist nicht bereit, das neue Kleid zu tragen, daß Sie bestellt haben, Ma'am. Sie sagt, es hat die falsche Farbe.«

»Ich werde selbst mit ihr reden. Betsy, komm mit. Melly, sieh nach, ob andere Zimmermädchen heute abend deine Hilfe brauchen.«

»Ja, Ma'am.« Melly verschwand durch den Gang.

»Komm, Betsy.« Mit ihrer Zofe auf den Fersen lief Augusta durch den Korridor und flog die Treppen hinauf in das obere Stockwerk, in dem Clarissa ihr Schlafzimmer hatte.

Auf dem oberen Treppenabsatz prallte sie fast mit einem unbekannten jungen Mann zusammen, der die schwarze Livree von Graystone mit der silbernen Weste trug. »Wer sind Sie? Ich habe Sie noch nie hier gesehen.«

»Ich bitte um Verzeihung, Eure Ladyschaft.« Der junge Mann wirkte fassungslos und verlegen, weil er die Dame des Hauses beinahe umgerannt hatte. Er war sehr muskulös, und die Livree spannte sich auf seinen Schultern. »Ich heiße Robbie. Ich bin vor zwei Tagen als Lakai eingestellt worden, um während der Party auszuhelfen.«

»Ach so, ich verstehe. Wenn das so ist, dann laufen Sie doch einfach los. In der Küche wird bestimmt Hilfe gebraucht«, sagte Augusta.

»Ja, Eure Ladyschaft.« Robbie eilte weiter.

Augusta lief durch den Gang und blieb vor Clarissas Tür stehen. Sie klopfte laut an. »Clarissa? Was geht hier vor? Machen Sie augenblicklich die Tür auf. Uns bleibt kaum noch Zeit.«

Die Tür ging langsam auf, und im Türrahmen erschien eine gehetzt wirkende Clarissa, die noch im Morgenmantel war. Sie hatte das Haar, das schon grau wurde, unter einer alten Musselinhaube aufgesteckt. Ihr Mund war zu einem militanten Ausdruck verzogen. »Ich werde nicht nach unten kommen, Madam. Machen Sie sich deshalb keine Sorgen.«

»Unsinn, Clarissa. Sie müssen nach unten kommen. Ich werde Sie heute abend meinem Onkel vorstellen, oder haben Sie das vergessen?«

»Ich kann unmöglich nach unten kommen und mich Ihren Gästen anschließen.«

»Es liegt an den Kleidern, nicht wahr? Als sie heute am späten Nachmittag eingetroffen sind, habe ich schon gefürchtet, Sie könnten sich an den Farben stören.«

Daraufhin begannen Tränen in Clarissas schönen Augen zu funkeln. »Es ist nichts dabei, was ich tragen könnte«, klagte sie.

»Lassen Sie mich die Kleider ansehen.« Augusta trat vor die Garderobe und öffnete die Tür. Dort hing eine Vielzahl von Kleidern, die alle in den leuchtenden Tönen von Edelsteinen gehalten waren. Es war nichts Schiefergraues oder Dunkelbraunes darunter. Augusta nickte zufrieden. »Genau das, was ich bestellt habe.«

»Was Sie bestellt haben?« Clarissa war fassungslos. »Madam, ich habe Ihnen gestattet, mich für Ihre Party zu neuen Kleidern zu überreden, obwohl ich, wie Sie wissen, der unerschütterlichen Meinung bin, daß es sich nicht gehört, wenn eine Gouvernante einem solchen Ereignis beiwohnt. Aber ich habe dieser albernen Schneiderin ausdrücklich gesagt, daß ich alles in dunklen, gedämpften Farbtönen haben möchte.«

»Das sind dunkle Farbtöne, Clarissa.« Augusta betastete lächelnd Seide in einem tiefen Amethystton. »Und Sie werden einfach göttlich darin aussehen. In dem Punkt müssen Sie mir vertrauen. Und jetzt ziehen Sie sich schnell an. Betsy wird Ihnen helfen.«

»Aber ich kann unmöglich Kleider in solchen leuchtenden Farben tragen«, sagte Clarissa, die in Panik zu geraten schien.

Augusta sah sie streng an. »Sie müssen sich zwei Dinge merken, Miss Fleming. Das erste ist, daß Sie ein Mitglied der Familie seiner Lordschaft sind, und seine Lordschaft wird von Ihnen erwarten, daß Sie sich für den heutigen Abend angemessen kleiden. Sie wollen den Earl doch nicht in Verlegenheit bringen.«

»Gütiger Himmel, nein, aber...« Clarissa ließ den Satz mit einem gehetzten Gesichtsausdruck abreißen.

»Und zweitens müssen Sie sich merken, daß mein Onkel zwar ein Gelehrter ist, aber doch inzwischen einige Jahre in London gelebt hat, und dort hat er sich bei den Frauen aus seinem Bekanntenkreis an einen gewissen Stil gewöhnt, falls Sie verstehen, was ich meine.« Augusta hatte bei dem letzten Satz ein schlechtes Gewissen.

Sie hatte die dumpfe Ahnung, daß Sir Thomas nicht bemerken würde, ob eine Frau Sackleinen oder Seide trug, aber es konnte trotzdem nichts schaden, wenn Clarissa einen guten Eindruck machte. Und sie wußte, wie wichtig es Clarissa war, Sir Thomas zu beeindrucken. Zu diesem Zeitpunkt ging es Clarissa zweifellos nur um intellektuelle Leidenschaften, aber Augusta hoffte darauf, daß sich zwischen den beiden eine tiefer gehende Beziehung herausbilden würde. Es war nur vernünftig, Clarissa dazu zu bekommen, daß sie sich vorteilhaft kleidete.

»Ich verstehe.« Clarissa nahm Haltung an, und ihr Blick fiel auf die vielen neuen Kleider in ihrem Kleiderschrank. »Mir war nicht klar, daß Ihr Onkel seine eigenen Meinungen von weiblicher Mode hat.«

»Nun also, die Sache ist die«, sagte Augusta in einem zuversichtlichen Tonfall, »daß er sein ganzes Leben damit zugebracht hat, das Leben der alten Griechen und Römer zu studieren. Und ich fürchte, die meisten Frauen der Antike waren für ihre Eleganz berühmt. Denken Sie nur an Kleopatra.«

Augusta eilte wieder nach unten in ihr Schlafzimmer und riß die Tür auf, um Harry dort vorzufinden. Er lief auf und ab, schaute finster und warf einen vielsagenden Blick auf die Uhr.

»Wo, zum Teufel, bist du gewesen?«

»Es tut mir sehr leid, Harry.« Augusta sah ihn voller Bewunderung an. In seiner schwarzen Abendkleidung mit dem weißen Hemd wirkte Harry elegant und kräftig. »Clarissa hat davor zurückgescheut, etwas anderes als Grau oder Braun zu tragen. Ich mußte sie davon überzeugen, daß sie dich in ernstliche Verlegenheit bringt, wenn sie nicht eines ihrer neuen Kleider trägt.«

»Mich interessiert nicht im mindesten, was Clarissa trägt.«

»Ja, nun, darum geht es auch nicht. Wo ist Meredith? Ich habe ihr ausdrücklich gesagt, sie sollte um halb hier sein, damit wir alle gemeinsam nach unten gehen können.«

»Ich bin immer noch der Meinung, daß Meredith viel zu jung ist, um so etwas mitzumachen«, sagte Harry.

»Unsinn. Sie war außerordentlich hilfreich bei den Vorbereitungen, und sie hat es verdient, wenigstens ein Weilchen dabei sein zu dürfen. Meine Eltern haben mir erlaubt, lange genug nach unten zu kommen, um mich ihren Freunden vorzustellen. Mach dir keine Sorgen, Harry. Meredith wird früher im Bett sein, als du ahnst.«

Harry sah sie zweifelnd an, entschied sich aber anscheinend, keinen Streit über diesen Punkt zu beginnen. Statt dessen gestattete er es sich, den Blick über Augustas goldenes Gewand gleiten zu lassen. »Ich hatte den Eindruck, Frau, du würdest allmählich beginnen, Kleider zu bestellen, die keinen ganz so tiefen Ausschnitt haben.«

»Die Schneiderin hat sich ein klein wenig verrechnet«, sagte Augusta unbeschwert. »Jetzt ist keine Zeit mehr, den Schaden zu beheben.«

»Verrechnet?« Harry kam zwei Schritte auf sie zu und steckte den Finger in ihr tief ausgeschnittenes Mieder. Er ließ den Finger langsam und verlockend über eine Brustwarze gleiten.

Augusta holte hörbar Atem, teils vor Schock, und teils, weil sie immer heftig auf seine Berührungen reagierte. »Gütiger Himmel, Harry. Hör sofort damit auf.«

Er zog den Finger langsam zurück, und seine grauen Augen funkelten. »Weißt du, was ich glaube, Augusta? Ich glaube, wenn sich hier jemand verrechnet hat, dann warst du das. Und das wirst du ganz bestimmt feststellen, wenn ich am späteren Abend mit einem Maßband in dein Zimmer komme.«

Augusta blinzelte, und dann sprudelte Gelächter aus ihr heraus. »Du wirst tatsächlich Maß nehmen?«

»Und zwar ganz genau.«

Ein Klopfen an der Tür ersparte Augusta die Notwendigkeit einer Antwort. Sie öffnete und fand Meredith mit einer auffallend ernsten Miene im Flur vor. Augusta sah sich das reizende Kleidchen aus weißem Musselin an, das mit Spitze und Bändern eingefaßt war.

»Meine Güte, Meredith, du siehst einfach hinreißend aus.« Augusta wandte sich an Harry. »Sieht sie nicht wunderbar aus?«

Harry lächelte. »Ein Diamant erster Güte. Ich glaube wirklich, meine beiden Damen werden heute abend alle anderen Damen in den Schatten stellen.«

Merediths besorgter Ausdruck wich einem Lächeln, als sie sich in der Bewunderung ihres Vaters sonnte. »Du siehst heute abend auch sehr gut aus, Papa. Und Augusta auch.«

»Dann laßt uns nach unten gehen und dieses Haus voller Gäste begrüßen, die anscheinend über uns hereingebrochen sind«, sagte Harry.

Auf dem oberen Treppenabsatz nahm Harry den Arm seiner Frau und die Hand seiner Tochter. Als sie zu dritt in die Eingangshalle hinunterliefen, wallte Zufriedenheit in Augusta auf.

»Ich sage es dir, wir wirken heute abend fast wie eine richtige Familie, Harry«, flüsterte sie, als sie den Salon betraten, in dem sich alle für den Abend versammelten.

Er warf ihr einen seltsamen Blick zu, den Augusta jedoch ignorierte. Ihre Pflichten als Gastgeberin nahmen sie viel zu sehr in Anspruch.

Mit Meredith, die große Augen machte, an ihrer Seite, schwebte Augusta zwischen den Scharen von Gästen herum. Denjenigen, die sie noch nicht kannten, stellte sie stolz ihre Stieftochter vor und sorgte dafür, daß niemand abseits stand und nicht in ein Gespräch verwickelt war und daß die Getränke reichlich flossen.

Als sie zu ihrer Zufriedenheit festgestellt hatte, daß bei ihrem Debüt als Gastgeberin in ihrem eigenen Haus alles reibungslos ablief, schloß sich Augusta einem kleinen Grüppchen von Leuten an, zu denen Harry, Sir Thomas, Claudia und Peter Sheldrake zählten.

Peter grinste erleichtert, als er sie sah. »Gott sei Dank, daß Sie hier sind, Madam. Ich werde hier mit Einzelheiten über irgendwelche Schlachten in grauer Vorzeit erschlagen. Ich kann Ihnen sagen, ich habe jeden Überblick darüber verloren, welcher berühmte griechische oder römische Held wem was wann angetan hat.«

Claudia, die an jenem Abend in einem eleganten blaßblauen Kleid mit silbernen Besätzen so engelsgleich wie immer wirkte, lächelte spitzbübisch. »Ich fürchte, Onkel Thomas und Graystone sind bei einem ihrer Lieblingsthemen gelandet. Mr. Sheldrake hat sich offensichtlich gelangweilt.«

Peter war gekränkt. »Nicht gelangweilt, Miss Ballinger. Das niemals. Nicht, solange Sie in meiner Nähe sind. Aber Geschichte ist nicht gerade mein liebstes Thema, und selbst Sie müssen zugeben, daß die endlosen Einzelheiten irgendwelcher uralten Schlachten nach einer Weile ein wenig ermüden.«

Augusta grinste, als ihre Cousine zart und sehr kleidsam errötete. »Meredith und ich hatten gerade erst vor ein paar Tagen eine äußerst interessante Diskussion über historische Fragen. Das stimmt doch, Meredith?«

Merediths Gesicht hellte sich auf. In ihre Augen trat ein vertrauter Glanz, der dem Ausdruck ihres Vaters nicht unähnlich war, wenn er in eine Diskussion von dieser Sorte verwickelt war.

»Oh, ja«, sagte Meredith eilig. »Augusta hat mich auf eine ganz erstaunliche Tatsache hingewiesen, etwas, was mir vorher nie aufgefallen ist. Das hat bewirkt, daß ich mir eine Menge Gedanken über die alten Helden griechischer und römischer Sagen gemacht habe.«

Sir Thomas warf einen recht verblüfften Blick auf Augusta, räusperte sich und sah auf das Mädchen herunter. »Und was für eine Tatsache ist das, meine Liebe?«

»Natürlich die, wie oft die Helden in den alten Sagen gezwungen waren, unter Beweis zu stellen, daß sie gegen eine Frau im Kampf siegen oder sie mit Tücke überlisten können. Augusta sagt, diese Tatsache ist ein Beweis dafür, daß die alten Griechen und Römer gewußt haben, wie stark und grimmig Frauen sein können. Genauso stark und grimmig wie Männer. Sie sagt, wir wissen bei weitem nicht genug über die Damen des klassischen Altertums. Tante Clarissa ist ganz ihrer Meinung.«

Diese unerwartete Bemerkung wurde mit verblüfftem Schweigen aufgenommen.

»Gütiger Gott«, murmelte Sir Thomas. »Darüber habe ich mir noch nie Gedanken gemacht. Was für eine einzigartige Vorstellung.«

Harry zog die Augenbrauen hoch, als er Augusta ansah. »Ich muß gestehen, daß ich die Fakten nie in diesem Licht betrachtet habe«, murmelte er.

Meredith nickte ernst. »Papa, denk doch nur an die berühmten weiblichen Ungeheuer, die die Helden des Altertums bezwingen mußten. Da hat es Medusa und Circe, die Sirenen und noch viele andere gegeben.«

»Amazonen«, sagte Claudia. »Die alten Griechen und Römer hatten immer große Last damit, sich gegen Amazonen zu verteidigen, nicht wahr? Da muß man sich doch wirklich Gedanken machen. Man erzählt uns immer, daß Frauen das schwächere Geschlecht sind.«

Peter kicherte, und ein kläglicher Ausdruck trat in seine Augen. »Ich persönlich habe nie die Fähigkeit der Frauen unserer Rasse unterschätzt, äußerst arglistige Gegner zu sein.«

»Ich auch nicht«, sagte Harry leise. »Aber ich ziehe es bei weitem vor, wenn Damen freundlicher gesinnt sind.«

»Ja, nun, natürlich wünscht sich das ein Mann, oder etwa nicht?« sagte Augusta unbekümmert. »Dann hat er es doch gleich viel leichter.«

Sir Thomas schaute finster, versonnen und äußerst konzentriert. »Ich sage Ihnen, Graystone, das ist wirklich eine interessante Vorstellung. Sehr ausgefallen, aber interessant. Es macht einem klar, daß wir nicht gerade viel über die Frauen in der griechischen und römischen Kultur wissen. Gelegentlich war einmal eine Königin darunter, deren Namen wir kennen. Und ansonsten gibt es natürlich vereinzelte Gedichte und Verse, die die Zeit überdauert haben.«

»Wie zum Beispiel die wunderschönen Liebesgedichte Sapphos«, warf Augusta heiter ein.

Harry bedachte sie mit einem scharfen Blick. »Ich wußte gar nicht, daß du solche Dinge liest, meine Liebe.«

»Nun, ja, du bist dir doch über mein frivoles Naturell im klaren.«

»Ja, aber *Sappho*?«

»Sie hat sehr reizvoll die Gefühle geschildert, die die Liebe in Menschen wachruft.«

»Verdammt noch mal, soweit wir wissen, hat sie die meisten dieser Gedichte für andere Frauen geschrieben...« Harry ließ seinen Satz abreißen, als er Merediths faszinierten Blick bemerkte.

»Ich habe den Verdacht, die Gefühle, die wahre Liebe wachruft, sind universell«, sagte Augusta nachdenklich. »Sowohl Männer als auch Frauen können ihnen erliegen. Bist du nicht meiner Meinung?«

Harry sah sie finster an. »Ich glaube«, sagte er grimmig, »das reicht für den Moment von diesem Thema.«

»Selbstverständlich.« Augustas Aufmerksamkeit wurde von einem Neuankömmling abgelenkt, den sie in der Tür entdeckte. »Oh, sieh nur, da ist ja Miss Fleming. Sieht sie heute abend nicht blendend aus?«

Alle wandten sich automatisch zu Clarissa um, die dastand und sich voller Unbehagen in dem vollen Salon umsah. Sie trug das Kleid aus amethystfarbenem Satin, das Augusta für sie ausgesucht hatte, und ihr Haar war zu einem klassischen Knoten aufgesteckt worden, den ein Haarband hielt. Sie hatte eine stolze Haltung eingenommen, die Schultern zurückgezogen und das Kinn vorgereckt, als sie sich darauf vorbereitete, sich mit der gesellschaftlichen Situation zu konfrontieren, die ihr Unbehagen einflößte.

»Gütiger Gott«, murmelte Harry und trank einen Schluck von seinem Bordeaux. »So habe ich Tante Clarissa noch nie gesehen.«

Sir Thomas war gefesselt. Er starrte die Gestalt an, die in der Tür stand. »Augusta, was sagtest du doch gleich, wer das ist?«

»Eine Verwandte von Graystone. Eine hochintelligente Frau, Onkel. Du wirst sie außerordentlich interessant finden. Sie hat Nachforschungen zu genau dem Thema angestellt, über das wir gerade geredet haben.«

»Ach, wirklich? Ich muß schon sagen, ich würde wirklich gern ausführlicher mit ihr über dieses Thema reden.«

Augusta lächelte, da diese Reaktion sie zufriedenstellte. »Ja, gewiß. Wenn du mich jetzt entschuldigst, werde ich sie holen.«

»Unter allen Umständen«, sagte Sir Thomas hastig.

Augusta löste sich von dem Grüppchen und ging auf die Tür zu, um Clarissa abzufangen, ehe die ältere Frau die Nerven verlor und die Treppe wieder hinaufraste.

»Ich muß schon sagen, Augusta, das scheint eine äußerst unterhaltsame Party zu werden«, erklärte Claudia am folgenden Abend, als sie und Augusta den überfüllten Ballsaal verließen, um frische Luft zu schnappen und ein paar Minuten ungestört miteinander reden zu können. »Der Ausflug ans Meer bei Weymouth heute hat großen Spaß gemacht.«

»Danke.«

Im Ballsaal setzten die Musiker zu einem Landler an, und die Gäste strömten begeistert auf die Tanzfläche. Neben den elegant gekleideten Besuchern aus London war der farbenprächtig gekleidete Landadel stark vertreten. Sämtliche Nachbarn im Umkreis von Meilen um Graystone herum waren zu dem Ball eingeladen worden. Augusta hatte ein aufwendiges Büfett aufbauen lassen und für reichliche Mengen Champagner gesorgt.

Da sie sich durchaus darüber klar war, daß in dem großen Haus zum ersten Mal seit vielen Jahren ein solches Fest veranstaltet wurde, hatte Augusta absolute Perfektion angestrebt, und insgeheim war sie begeistert von den Ergebnissen. Es war ganz offensichtlich, daß ihr Zweig der Ballinger-Familie die Gabe besaß, Feste zu feiern. Sie hatten es im Blut.

»Es freut mich sehr, daß ihr nach Dorset kommen konntet, du und Onkel Thomas.« Augusta blieb neben einem runden Steinbrunnen stehen und sog die kühle Nachtluft tief in sich ein. »Ich habe mir schon so lange gewünscht, euch gehörig für alles danken zu können, was ihr seit Richards Tod für mich getan habt.«

»Also, wirklich, Augusta. Dafür bist du uns keinen Dank schuldig.«

»Du und dein Vater, ihr seid in London sehr gut zu mir gewesen, Claudia. Ich fürchte, daß ich meine Dankbarkeit nicht immer in der entsprechenden Form zeigen konnte, und ich konnte mich auch nicht erkenntlich zeigen.«

Claudia schaute in das dunkle Brunnenwasser. »Du hast dich in Formen erkenntlich gezeigt, die du noch nicht einmal ahnst, Augusta. Das ist mir jetzt klar.«

Augusta blickte schnell auf. »Das ist sehr nett von dir, Cousine, aber wir wissen beide, daß ich eurem Haushalt öfter ziemlich zur Last gefallen bin.«

»Niemals.« Claudia lächelte freundlich. »Du warst unkonventionell und unberechenbar und manchmal außerordentlich beunruhigend, aber du bist uns nie zur Last gefallen. Du hast eher Leben ins Haus gebracht, verstehst du. Ich hätte mich niemals in die Gesellschaft begeben, wenn du nicht gewesen wärst. Ich hätte niemals meine Erfahrungen bei Pompeia's gesammelt oder Gelegenheit gehabt, Lady Arbuthnott kennenzulernen.« Sie unterbrach sich. »Ich wäre Peter Sheldrake nie begegnet.«

»Ach, ja, Mr. Sheldrake. Ich muß sagen, er scheint bezaubert von dir zu sein, Claudia. Wie stehst du zu ihm?«

Claudia musterte die Satinspitzen ihrer Tanzschuhe und schaute dann in Augustas fragende Augen auf. »Ich fürchte, ich finde ihn äußerst charmant, Augusta, obwohl ich nicht verstehe, warum. Seine Komplimente sind häufig so überschwenglich, daß sie sich nicht mehr wirklich ziemen, und gelegentlich ärgert er mich maßlos damit, daß er mich ständig neckt. Aber ich bin fest davon überzeugt, daß unter dem sorglosen Äußeren, das er der Welt zeigt, ein wirklich recht intelligenter Mensch steckt. Ich nehme eine Ernsthaftigkeit an seinem Naturell wahr, die er sorgsam zu verbergen bemüht ist.«

»Das bezweifle ich nicht. Schließlich ist er ein enger Freund von Graystone. Ich mag Mr. Sheldrake, Claudia. Ich habe ihn schon immer gemocht. Ich habe das Gefühl, er täte dir gut. Und du tätest ihm gut. Er braucht einen soliden und beruhigenden Einfluß.«

Claudias Mund verzog sich zu einem kläglichen Lächeln. »Geht das auf die Theorie zurück, daß Gegensätze einander anziehen?«

»Ja, gewiß. Denk doch nur an meine eigene Situation.« Augusta rümpfte die Nase. »So unterschiedlich wie Graystone und ich können keine zwei anderen Menschen auf Erden sein.«

»Oberflächlich mag es so erscheinen.« Claudia warf kurz einen forschenden Blick auf sie. »Bist du glücklich in deiner Ehe, Cousine?«

Augusta zögerte, da es ihr widerstrebte, sich auf eine eingehende Diskussion darüber einzulassen, wie sie tatsächlich zu Harry und ihrer Ehe stand. Es war alles noch zu komplex und zu neu, und es gab immer noch so vieles, wonach sie sich in den dunklen Stunden vor dem Morgengrauen sehnte. Sie wußte nicht, ob sie jemals alles bekommen würde, was sie sich von Harry wünschte. Sie wußte nicht, ob er es lernen konnte, sie so zu lieben, wie sie ihn liebte.

Sie wußte nicht, wie lange er sie stumm beobachten und abwarten würde, ob sich erwies, daß es ihr an Tugend mangelte wie den anderen Gräfinnen von Graystone.

»Augusta?«

»Ich habe alles, was sich eine Frau in einer Ehe erhoffen kann, Claudia.« Augusta lächelte strahlend. »Was könnte ich mir sonst noch wünschen?«

Claudia schaute sie sehr ernst an. »Das ist natürlich wahr. Der Earl ist alles, was man sich von einem Ehemann wünschen kann.« Sie unterbrach sich, räusperte sich zaghaft und fügte dann zögernd hinzu: »Ich frage mich, Cousine, ob du Gelegenheit hattest, Beobachtungen zu Ehemännern im allgemeinen anzustellen.«

»Beobachtungen zu Ehemännern? Gütiger Himmel, Claudia? Soll das heißen, daß du ernstlich an Sheldrake interessiert bist? Ist eine Hochzeit in Sicht?«

In der Dunkelheit war es unmöglich, Claudias Erröten zu sehen, doch es bestand kein Zweifel daran, daß sie rot wurde. Ihr sonst so kühler, ruhiger Tonfall klang hörbar angespannt. »Eine Heirat ist mit keinem Wort erwähnt worden, und ich würde natürlich erwarten, daß Mr. Sheldrake erst an Papa herantritt, wenn er die Absicht hätte, mir einen Antrag zu machen.«

»So, wie Graystone um mich angehalten hat? Darauf würde ich mich nicht verlassen.« Augusta lachte leise. »Mr. Sheldrake hat keinen annähernd so großen Hang zu altmodischen Anstandsformen. Ich würde vermuten, daß er erst dich fragt. Dann wird er zu Papa gehen.«

»Meinst du das wirklich?«

»Ja, ganz entschieden. Also gut, du willst wissen, welche Beobachtungen ich im Umgang mit einem Ehemann gemacht habe und wie man mit Ehemännern umgeht, ist das deine Frage?«

»Nun, ja, ich nehme an, daß ich danach gefragt habe«, gestand Claudia ein.

»Das allererste, was man lernen muß, um richtig mit Ehemännern umzugehen«, sagte Augusta in ihrem besten Vortragston, »ist, daß sie sich gern einbilden, das Haushaltsoberhaupt zu sein. Sie haben große Freude an der Illusion, daß sie die Feldmarschälle und ihre Ehefrauen die Hauptmänner sind, die die Befehle ausführen, falls du verstehst, was ich meine.«

»Ich verstehe. Ist das nicht ziemlich ärgerlich?«

»Gelegentlich durchaus. Zweifellos sogar. Männer sind jedoch in manchen Dingen ein wenig begriffsstutzig, und das gleicht sich mit den Problemen aus, die ihrem Hang entspringen, sich für die Verantwortlichen zu halten.«

»Begriffsstutzig?« Claudia war schockiert. »Du redest doch nicht etwa von Graystone? Er ist sehr intelligent und sehr gebildet. Das weiß doch jeder.«

Augusta winkte mit einer unbekümmerten Geste ab. »Fest steht, daß er intelligent genug ist, wenn es darum geht, überflüssige historische Tatsachen wie das Datum der Schlacht von Actium zu wissen. Aber ich muß dir sagen, es ist keine große Leistung, einen Ehemann in dem Glauben zu lassen, daß er das Kommando über den Haushalt führt, während man in Wirklichkeit alles ganz genau nach den eigenen Wünschen organisiert. Ist das etwa kein Hinweis darauf, daß Männer in mancher Hinsicht nicht besonders helle sind?«

»Da könntest du recht haben. Wenn ich es mir jetzt genauer überlege, muß ich zugeben, ich habe immer gewußt, daß man Vater in genau der Form manipulieren kann. Er ist immer derart in seine Studien vertieft und kümmert sich nicht um Haushaltsangelegenheiten. Und doch glaubt er, er hätte die Zügel in der Hand.«

»Ich glaube wirklich, man kann sagen, daß dieser Hang ein Charakterzug von Männern im allgemeinen ist. Und ich bin zu dem Schluß gelangt, daß Frauen ihren Männern diese Illusion nicht rauben, weil Männer entgegenkommender zu sein scheinen, wenn sie glauben, selbst Kleinigkeiten zu bestimmen.«

»Eine ziemlich faszinierende Beobachtung, Augusta.«

»Ja, nicht wahr? Das finde ich auch.« Augusta erwärmte sich jetzt für ihr Thema. »Noch ein auffälliges Merkmal, das ich an Ehemännern entdeckt habe, ist, daß sie in ihren Vorstellungen beschränkt sind, wenn es darum geht, was sich für eine Frau gehört. Sie neigen dazu, sich übermäßig wegen eines Ausschnitts zu sorgen oder ob man ohne einen Stallknecht ausreitet oder wieviel man für kleine Notwendigkeiten wie neue Hüte ausgibt.«

»Augusta...«

»Und außerdem würde ich jeder Frau, die mit dem Gedanken an eine Heirat spielt, raten, gründlich über einen anderen verbreiteten männlichen Charakterzug nachzudenken, dem ich auf die Spur gekommen bin. Das ist der Hang, erstaunlich stur zu sein, wenn sie sich erst einmal eine Meinung gebildet haben. Und das ist auch so etwas: Männer sind sehr geneigt, sich vorschnell Meinungen zu bilden. Dann muß man...«

»Äh, Augusta...«

Augusta schenkte dieser Unterbrechung keine weitere Beachtung. »Dann muß man sich an die lästige Aufgabe machen, sie zur Vernunft zu bringen. Weißt du, Claudia, geriete ich in die Position, einer Frau zu raten, worauf sie bei einem Ehemann achten sollte, dann würde ich sie auffordern, die Maßstäbe anzulegen, nach denen sie vorginge, falls sie dazu aufgelegt wäre, statt dessen ein Pferd zu kaufen.«

»Augusta.«

Augusta hielt eine Hand hoch, die in einem Handschuh steckte, und fuhr mit ihrer lebhaften Aufzählung fort. »Achte auf gutes Blut, kräftige Zähne, gesunde Glieder. Meide Geschöpfe, die den Hang aufweisen, zu treten oder zu beißen. Sondere die Tiere aus, die einen Hang zur Faulheit zeigen. Nimm kein Tier, das außergewöhnliche Sturheit aufweist. Eine gewisse Dickköpfigkeit ist unvermeidlich und zweifellos zu erwarten, aber zuviel davon weist wahrscheinlich auf echte Dummheit hin. Kurz gesagt, such dir ein williges Exemplar aus, das gelehrig ist.«

Claudia schlug die Hände vor den Mund, und in ihren Augen stand etwas, was nur Schock oder Gelächter sein konnte. »Augusta, um Himmels willen, schau hinter dich.«

Das Gefühl einer bevorstehenden Katastrophe machte sich in Augusta breit. Sie drehte sich langsam um und sah, daß Harry und Peter Sheldrake nur gut einen Meter hinter ihr standen. Peter schien es einige Mühe zu bereiten, seine Heiterkeit zu unterdrücken.

Harry, der sich mit einer Hand lässig an einen Baumstamm lehnte, zeigte einen Ausdruck von höflicher Neugier. In seinen Augen war jedoch ein verdächtiges Funkeln wahrzunehmen.

»Guten Abend, meine Liebe«, sagte Harry freundlich. »Sprich einfach weiter und laß dich von uns nicht stören, wenn du dich gerade mit deiner Cousine unterhältst.«

»Nein, keineswegs«, sagte Augusta mit einem Selbstbewußtsein, von dem sie das Gefühl hatte, so hätte Kleopatra Cäsar begrüßen können. »Wir haben uns gerade über die Kriterien unterhalten, auf die man beim Kauf eines guten Pferdes achtet, stimmt's, Claudia?«

»Ja«, stimmte Claudia ihr eilig zu. »Pferde. Wir haben uns über Pferde unterhalten. Augusta hat es auf dem Gebiet zu beträchtlichem Wissen gebracht. Sie hat mir die faszinierendsten Einzelheiten über den Umgang mit Pferden erklärt.«

Harry nickte. »Augusta überrascht mich immer wieder mit der Bandbreite ihres Wissens auf den ungewöhnlichsten Gebieten.« Er reichte seiner Frau den Arm. »Wenn ich es recht verstanden habe, wird gleich ein Walzer gespielt. Ich kann mich doch darauf verlassen, daß du mich mit einem Tanz beehren wirst?«

Das war ein Befehl und keine Bitte, und es bereitete Augusta keinerlei Schwierigkeiten, einen solchen darin zu erkennen. Wortlos hakte sie sich bei Harry ein und gestattete ihm, sie wieder ins Haus zu führen.

15. Kapitel

»Verzeih mir, meine Liebe, aber ich hatte keine Ahnung, daß du ein solches Fachwissen über Pferde besitzt.« Harry legte eine Hand auf Augustas Rücken und setzte mit ihr zu einem Walzer an.

Schlagartig gelangte er zu der Einsicht, daß sie hier auf der Tanzfläche mit derselben süßen, bereitwilligen Sinnlichkeit auf ihn zukam, die sie an den Tag legte, wenn sie sich im Bett von ihm halten ließ. Sie war hier so leicht und anmutig und verlockend weiblich wie im Schlafzimmer. Ihn durchströmte eine Woge des Verlangens, die sehr viel Ähnlichkeit mit dem Gefühl hatte, das ihn übermannte, wenn er sie mit gelöstem Haar und weiblichem Willkommen in den Augen auf den weißen Kissen liegen sah.

Harry erkannte plötzlich, daß ihm das Tanzen bis vor kurzem noch nie besonders großen Spaß gemacht hatte. Es war für ihn nichts weiter als eine der vielen notwendigen Fertigkeiten gewesen, die ein Mann zu erlernen gezwungen war, wenn er sich in der Gesellschaft bewegen wollte. Aber mit Augusta war das etwas anderes.

So vieles war anders mit Augusta.

»Harry, es ist gemein von dir, mich derart zu necken. Wieviel hast du belauscht?« Augusta sah durch die Wimpern zu ihm auf, und eine rosige Röte überzog ihre Wangen. Die Lichter des Kronleuchters funkelten auf ihrer hübschen unechten Kette.

»Eine ganze Menge, und all das war hochinteressant. Hast du etwa die Absicht, ein Buch über das Thema zu schreiben, wie man mit einem Ehemann umgeht?« erkundigte sich Harry.

»Ich wünschte nur, ich hätte Talent zum Schreiben«, murrte sie. »Alle um mich herum scheinen irgendwelche Manuskripte zu produzieren. Überleg dir nur, wie praktisch ein Buch über den Umgang mit Ehemännern wäre, Harry.«

»Ich zweifle nicht an der Nützlichkeit deines Themas, aber ich habe ernstliche Vorbehalte, was deine Qualifikationen angeht, über dieses Thema zu schreiben.«

Sofort schimmerte Auflehnung in ihren schönen Augen. »Ich muß dir mitteilen, daß ich im Lauf der wenigen Wochen, die wir miteinander verheiratet sind, eine ganze Menge gelernt habe.«

»Nicht annähernd genug, um ein Buch zu schreiben«, teilte Harry ihr in seinem pedantischsten Tonfall mit. »Nein, nicht annähernd genug. Nach dem zu urteilen, was ich gehört habe, weisen deine Theorien etliche grobe Irrtümer auf, und deine Logik ist äußerst konfus. Aber keine Angst, es wird mir ein Vergnügen sein, deine Unterweisungen fortzusetzen. Auch wenn es von meiner Seite jahrelange Mühen kosten sollte.«

Sie schaute zu ihm auf und war eindeutig unsicher, wie sie seine entrüstende Bemerkung auffassen sollte. Dann warf sie zu Harrys Erstaunen den Kopf zurück und lachte fröhlich. »Das ist zu gütig von dir. Ich muß schon sagen, wenige andere Lehrer brächten soviel Geduld mit ihren Schülern auf.«

»Ah, meine Süße, ich bin ein sehr geduldiger Mann. In den meisten Situationen.« Lust durchzuckte ihn, und seine Hand spannte sich auf ihrem Rücken. Er wünschte, er hätte sie jetzt sofort, noch in dieser Minute, nach oben ins Schlafzimmer zerren können. Er sehnte sich danach, Lachen in Leidenschaft zu verwandeln und dieses dann wieder in Gelächter zurückzuverwandeln.

»Da wir gerade von Ausbildern sprechen«, sagte Augusta und

schnappte nach Luft, als Harry sie besonders verwegen herumwirbelte, »ist dir aufgefallen, wie gut deine Tante mit meinem Onkel zurechtkommt? Seit die beiden einander kennengelernt haben, sind sie unzertrennlich.«

Harry sah durch den Raum Clarissa an, die in einem burgunderroten Kleid mit einem dazu passenden randlosen Damenhut großartig aussah und sich wieder einmal über das Thema ausließ, jungen Damen Geschichtsunterricht zu erteilen. Sir Thomas lauschte gebannt und nickte beifällig. Harry fand, der Schimmer, der in den Augen des älteren Mannes stand, sei ein eindeutig nichtakademisches Funkeln.

»Ich glaube, dir ist es tatsächlich gelungen, zwei verwandte Seelen zusammenzubringen, meine Liebe«, sagte Harry und lächelte auf Augusta herunter.

»Ja, ich dachte mir gleich, daß die beiden gut zusammenpassen. Wenn jetzt noch mein anderes kleines Projekt Früchte trägt, werde ich mit dem Erfolg dieser mehrtägigen Party recht zufrieden sein.«

»Noch ein anderes kleines Projekt? Woran arbeitest du denn noch?«

»Ich habe das Gefühl, das wirst du noch früh genug erfahren.« Augusta bedachte ihn mit einem eindeutig überlegenen Lächeln.

»Augusta, falls du hier Ränke schmiedest, dann will ich, daß du mich augenblicklich darüber unterrichtest. Der Gedanke, daß du noch eine deiner vorschnellen Intrigen anzettelst, ist ziemlich besorgniserregend.«

»Du kannst versichert sein, daß es sich um eine ziemlich harmlose Intrige handelt.«

»Nichts, was du je in Angriff nimmst, ist wirklich harmlos.«

»Wie nett von dir, das zu sagen.«

Harry stöhnte und wirbelte sie durch die offenen Flügeltüren auf die Terrasse.

»Harry, wohin gehen wir?«

»Ich muß mit dir reden, meine Liebe, und da es ohnehin sein muß, kann ich es auch jetzt gleich tun.« Er hörte auf, mit ihr zu tanzen, obwohl die letzten Klänge der Musik noch durch die Türen drangen.

»Was ist los, Graystone? Ist etwas passiert?«

»Nein, nein, es ist nichts passiert«, versicherte er ihr liebevoll. Er nahm sie an der Hand und führte sie tiefer in den dunklen Garten hinein. Ihm war nicht wohl bei dem zumute, was er ihr sagen mußte. »Es ist nur so, daß ich mich entschlossen habe, Sheldrake morgen früh nach London zu begleiten, und ich wollte, daß du es heute abend noch erfährst.«

»Du willst morgen früh nach London reisen? Ohne mich?« Augusta erhob voller Entrüstung die Stimme. »Was soll das heißen, Graystone? Du kannst unmöglich die Absicht haben, mich hier auf dem Land allein zu lassen. Wir sind noch keinen Monat miteinander verheiratet.«

Er hatte gewußt, daß es schwierig werden würde. »Ich habe mit Sheldrake über dieses Gedicht von deinem Bruder geredet. Wir haben uns einen Plan zurechtgelegt, der es uns ermöglichen könnte, einige Mitglieder des Saber Clubs aufzuspüren.«

»Wußte ich doch, daß es etwas mit diesem verfluchten Gedicht zu tun hat. Ich habe es genau gewußt. Hast du ihm gesagt, daß Richard diese Verse geschrieben hat?« Ihre Augen wurden groß vor Wut und Schmerz. »Harry, du hast mir geschworen, es nicht zu tun. Du hast mir dein Wort gegeben.«

»Verdammt und zum Teufel, Augusta, ich versichere dir, daß ich mein Wort gehalten habe. Sheldrake weiß nicht, wer das Gedicht geschrieben hat, und er weiß auch nicht, wie es in meine Hände gefallen ist. Er ist es gewohnt, für mich zu arbeiten, und er weiß, daß es zwecklos ist, mich auszuhorchen, wenn ich ihm sage, daß ein Thema abgeschlossen ist und er von mir keine weiteren Informationen bekommen wird.«

»Er ist es gewohnt, für dich zu arbeiten?« keuchte sie. »Willst du damit sagen, daß Peter Sheldrake einer deiner Geheimagenten war?«

Harry zuckte zusammen und wünschte, er hätte das Thema erst später am Abend angesprochen. Das Schwierige daran war, daß sämtliche Gäste in den angrenzenden Zimmern es gehört hätten, wenn sie angefangen hätte, ihn in der Intimsphäre ihres Schlafzimmers anzuschreien. Da er gewußt hatte, daß es eine hitzige Diskussion werden würde, hatte er den Garten als den besten Ort ausgewählt.

»Ja, und ich wüßte es sehr zu schätzen, wenn du die Stimme senken würdest. Es könnten sich andere hier draußen im Garten aufhalten. Und außerdem ist das eine Privatangelegenheit. Ich will nicht, daß sich herumspricht, daß Sheldrake früher einmal für mich gearbeitet hat. Habe ich mich deutlich genug ausgedrückt?«

»Ja, natürlich.« Sie funkelte ihn finster an. »Schwörst du mir, daß du ihm nicht gesagt hast, wie du an diese Verse gekommen bist?«

»Ich habe dir bereits mein Wort darauf gegeben, und der offenkundige Mangel an Vertrauen, den du in meine Ehre setzt, gefällt mir nicht«, sagte er kühl.

»Das gefällt dir nicht? Was für ein Jammer. Aber mir scheint, in dem Punkt sind wir quitt. Du scheinst auch nicht gerade viel auf meine Ehre zu geben. Du lungerst ständig herum wie Nemesis.«

»Wie *wer*?« Er war wider Willen überrumpelt. Manchmal war seiner Frau weit mehr klar, als sie selbst wußte.

»Du hast doch gehört, was ich gesagt habe. Wie Nemesis. Es ist, als wartest du nur darauf, daß ich dir einen Hinweis auf mangelnde Tugend liefere. Ich habe das Gefühl, ich muß mir ständig Sorgen machen, daß ich mich eines Tages werde *beweisen* müssen.«

»Augusta, das ist nicht wahr.«

»Nicht wahr? Wie kommt es dann, daß ich ständig das Gefühl habe, ich werde beobachtet, weil du Hinweise auf ungehöriges Verhalten erwartest? Wie kommt es, daß mich jedesmal, wenn ich in die Ahnengalerie gehe, Unbehagen überkommt, aus der Angst heraus, ich könnte in demselben Licht gesehen werden? Wie kommt es, daß ich mir wie Pompeia vorkomme, die darauf wartet, daß Cäsar sie denunziert, weil sie nicht vollständig über jeden Zweifel erhaben ist, obwohl keine wirklichen Beweise gegen sie vorgelegen haben?«

Harry starrte seine Frau an und war über die Wut und den Schmerz in ihrer Stimme schockiert. Er packte ihre nackten Schultern. »Augusta, ich hatte keine Ahnung, daß du dir diese Gedanken machst.«

»Wie könnte ich denn etwas anderes denken? Du läßt dich unablässig über den Schnitt meiner Kleider aus. Du schimpfst mich dafür, daß ich ohne einen Stallknecht ausreite. Du machst mir angst, ich könnte deiner Tochter mit einem schlechten Beispiel vorangehen...«

»Jetzt genügt es aber wirklich, Augusta. Du hast deine Phantasie wild ins Kraut schießen lassen. Das kommt dabei heraus, wenn man all diese Romane liest, meine Liebe. Ich habe dich vor ihrem Einfluß gewarnt. Und jetzt wirst du dich augenblicklich beruhigen. Du stehst am Rand der Hysterie.«

»Nein.« Ihre Hände ballten sich an ihren Seiten zu Fäusten, als sie tief und abgehackt Atem holte. »Nein, ich stehe nicht am Rand der Hysterie. Ich bin nicht so zimperlich, daß ich wegen einer solchen Banalität ohnmächtig werde oder restlos die Selbstbeherrschung verliere. Ich bin völlig in Ordnung, Harry. Ich bin nur einfach sehr wütend.«

»Das ist dir deutlich anzusehen. Und ich würde nicht sagen, daß es um Banalitäten gegangen ist. Aber du hast die ganze Geschichte derart hochgespielt, daß deine Reaktion in keinem Verhältnis mehr zu den Fakten steht. Wie lange ärgert dich das schon? Wie lange stellst du dir mich schon als Cäsar vor, der nur darauf wartet, Pompeia zu denunzieren?«

»So habe ich es von Anfang an empfunden«, flüsterte sie. »Ich wußte gleich, daß ich ein enormes Risiko eingehe, wenn ich dich heirate. Mir war bewußt, daß ich es vielleicht nie schaffe, deine Liebe zu erringen.«

Seine Hände spannten sich fester um ihre Schultern. »Augusta, wir reden hier von Vertrauen, nicht von Liebe.«

»Die Form von Vertrauen, die ich von dir will, Harry, muß der Liebe entspringen.«

Harry schob sie etwas weiter von sich und bog mit dem Zeigefinger ihr Kinn hoch. Er musterte ihre glänzenden Augen. Er hätte sie gern getröstet, und gleichzeitig ärgerte ihn, daß das notwendig sein sollte. Er hatte ihr bereits alles gegeben, was er einer Frau geben konnte. Falls ihm noch etwas geblieben war, was er ihr hätte geben können und was sie vielleicht als Liebe bezeichnet hätte, dann war das irgendwo tief in seinem Innern hinter einer verschlossenen Tür verborgen, und er wußte, daß diese Tür niemals geöffnet würde.

»Augusta, ich mache mir sehr viel aus dir, ich begehre dich, und ich vertraue dir mehr, als ich je irgendeiner anderen Frau vertraut habe. Du besitzt alles, was ich einer Ehefrau geben kann. Genügt das denn nicht?«

»Nein.« Sie löste sich von ihm, trat einen Schritt zurück und zog ein kleines Spitzentaschentuch aus ihrem winzigen, mit Perlen bestickten Abendtäschchen. Sie schneuzte sich forsch und ließ das Spitzentaschentuch wieder in die kleine Tasche fallen. »Aber offensichtlich ist das alles, was ich je bekommen werde. Im großen und ganzen habe ich nicht wirklich Grund zum Klagen, oder? Ich wußte, daß es sehr leichtsinnig von mir war, als ich eingewilligt habe, unsere Verlobung bestehen zu lassen. Ich wußte, daß ich ein enormes Risiko eingehe.«

»Augusta, du bist heute abend sehr emotional, meine Liebe. Das kann nicht gesund sein.«

»Nur, weil du dir nichts aus starken Gefühlen machst, heißt das noch lange nicht, daß sie ungesund sind. Die Northumberland-Ballingers haben immer größten Wert auf starke Gefühle gelegt.«

Bei der Erwähnung dieser gespenstischen Gestalten in ihrer Erinnerung, mit denen er es niemals aufnehmen konnte, loderte unbändige Wut in Harry auf. Er streckte eine Hand aus, packte wieder ihre nackte Schulter und drehte sie zu sich um.

»Augusta, wenn du es wagst, mir auch nur noch ein einziges Mal deine verdammten Ballinger-Vorfahren an den Kopf zu werfen, dann glaube ich, ich werde zu extrem drastischen und unerfreulichen Mitteln greifen. Habe ich mich klar genug ausgedrückt?«

Ihr sprang der Mund vor Erstaunen auf, als sie zu ihm aufblickte. Sie schloß ihn schnell wieder und sah Harry rebellisch an. »Ja, allerdings.«

Harry riß sich gewaltsam am Riemen, um seine Wut zu zügeln, und er ärgerte sich mehr über sich selbst, weil er die Selbstbeherrschung verloren hatte, und weniger über Augusta, die die Ursache dessen war. »Du mußt es mir nachsehen, meine Liebe«, sagte er trocken. »Etwas an dem Wissen, daß ich den Maßstäben deiner illustren Vorfahren niemals entsprechen werde, läßt mich manchmal außerordentlich gereizt reagieren.«

»Harry, ich hatte keine Ahnung, daß du dir darüber Gedanken machst.«

»Die meiste Zeit denke ich nicht daran«, versicherte er ihr schonungslos. »Nur bei den Gelegenheiten, bei denen du mich auf meine Unzulänglichkeiten hinweist. Aber darum geht es im Moment wirklich nicht. Laß uns auf das Thema zurückkommen, um das es geht. Glaubst du mir, wenn ich dir sage, daß Sheldrake nicht weiß, woher dieses Gedicht stammt?«

Sie betrachtete ihn lange, und dann senkten sich ihre Wimpern matt auf ihre Wangen. »Natürlich glaube ich dir. Ich zweifle nicht an deinem Wort. Wirklich nicht. Es ist nur einfach so, daß ich sehr unruhig bin, wenn es um Richard geht. Ich kann nicht immer klar denken, wenn dieses Thema angesprochen wird.«

»Das weiß ich, meine Liebe.« Er zog sie wieder an sich und schmiegte ihr Gesicht an seine Schulter. »Es tut mir leid, Augusta, aber ich muß offen mit dir sein. Es wäre das beste, wenn du deinen Bruder in der Vergangenheit ruhen läßt und dir keine Gedanken darüber machst, was er vor zwei Jahren getan haben könnte oder auch nicht.«

»Ich glaube, diesen Vortrag hast du mir schon öfters gehalten«, murmelte sie in sein Jackett. »Er langweilt mich jedesmal mehr.«

»Also gut«, sagte er liebevoll. »Es bleibt die Tatsache bestehen, daß ich die Antworten auf die Fragen herausfinden möchte, die sich aus diesem Gedicht ergeben haben. Sheldrake und ich können mehr erreichen, wenn wir gemeinsam und nicht auf uns selbst gestellt arbeiten. In der Stadt ist ein großes Territorium abzustecken. Um das zu bewältigen, müssen wir rational vorgehen. Deshalb fahre ich morgen früh nach London.«

»Also gut. Ich verstehe, wie entscheidend es ist, rational vorzugehen.« Sie hob den Kopf. »Geh nach London, wenn es sein muß.«

Erleichterung durchzuckte ihn. Sie würde sich also doch mit dem Unvermeidlichen abfinden. Harry lächelte beifällig und zufrieden. »So sollte eine gute Frau reagieren. Das ist äußerst löblich, meine Süße.«

»Ach, Blödsinn. Du hast mich nicht ausreden lassen, Harry. Du kannst natürlich morgen früh nach London fahren. Aber sei gewarnt. Meredith und ich werden dich begleiten.«

»Den Teufel werdet ihr tun.« Er dachte eilig nach. »Die Saison ist vorbei. Ihr werdet euch abgrundtief langweilen.«

»Unsinn. Für deine Tochter wird das eine sehr bildende Reise«, sagte Augusta unerschrocken. »Ich werde mit ihr durch die Innenstadt ziehen und ihr die Sehenswürdigkeiten zeigen. Wir werden in die Buchhandlungen gehen, in die Vauxhall Gardens und ins Museum. Das wird großen Spaß machen.«

»Augusta, es geht hier um eine Geschäftsreise.«

»Es gibt keinen logischen Grund dafür, daß sich das nicht mit einer weiterbildenden Erfahrung für deine Tochter verbinden läßt, Graystone.«

»Verdammt und zum Teufel, Augusta, ich habe keine Zeit, dich und Meredith durch die Stadt zu führen und jeder eurer Launen nachzugeben.«

Augusta lächelte entschlossen. »Das erwarten wir auch gar nicht von dir. Ich bin ganz sicher, daß Meredith und ich durchaus in der Lage sind, uns selbst zu beschäftigen.«

»Mir schwirrt der Kopf bei dem Gedanken, dich mit einem neunjährigen Kind, das nur das Landleben kennt, auf London loszulassen. Ich will nichts davon hören, und das ist mein letztes Wort. Und jetzt sollten wir wieder zu unseren Gästen zurückgehen.«

Ohne eine Reaktion abzuwarten und mit mehr als geringem Unbehagen, wie diese Reaktion ausgesehen hätte, falls er darauf gewartet hätte, packte Harry Augusta am Arm und machte sich mit ihr auf den Rückweg zum Haus.

Augusta sagte kein Wort, als er sie den Lichtern, der Musik und dem Gelächter entgegenführte, das durch die offenen Flügeltüren drang. Sie war sogar tatsächlich unnatürlich still. Er hatte mit mehr Einwänden, Tränen und einer Reihe von Argumenten von der gefühlsbetonten Northumberland-Sorte gerechnet. Doch er bekam nichts weiter als verdächtiges Schweigen.

Harry sagte sich, daß Augusta endlich erkannt hatte, wie ernst es ihm war. Er tröstete sich mit dem Gedanken, daß sie sich allmählich mit der Erkenntnis abfand, Befehlen, die er in seinem eigenen Haus erteilte, sei Folge zu leisten. Das war zweifellos ein Schock für sie, denn in den allerletzten Wochen war er allzu großzügig und nachsichtig gewesen.

Es war ein Jammer, daß sie die momentane Situation unglücklich machte, doch es war nur zu ihrem eigenen Besten. Harry wußte, daß er in London extrem viel zu tun haben würde. Er würde keine Zeit finden, Augusta oder Meredith auf ihren Ausflügen zu begleiten, und ihm behagte die Vorstellung nicht, Augusta könnte allein ausgehen. Und schon gar nicht *abends*.

Nach allem, was Harry bisher beobachtet hatte, war Augusta nachts noch gefährlicher als sonst. Sein Verstand faßte schnell eine Vielzahl von allzu lebhaften Szenen zusammen und ließ sie vor seinen Augen vorbeiziehen: Augusta, die den Bibliotheken von Herren mitternächtliche Besuche abstattete, Augusta in Hosen, während sie versuchte, einen verschlossenen Schreibtisch aufzubrechen, der nicht ihr gehörte; Augusta, die mit Gaunern wie Lovejoy tanzte; Augusta, die um zu hohe Einsätze Karten spielte; Augusta in einer verdunkelten Kutsche, wie sie vor Leidenschaft bebte.

Das genügte, um jeden intelligenten und vorsichtigen Mann außerordentlich auf der Hut sein zu lassen.

Harry war gerade dabei, sich diesen Punkt nochmals zu beteuern, als er mit der Stiefelspitze gegen etwas Weiches im Gras stieß. Er schaute unter sich und sah, daß es sich um einen Herrenhandschuh handelte.

»Was, zum Teufel, hat das zu bedeuten? Ich vermute, einer unserer Gäste sucht bereits danach, Augusta.« Harry hob den Handschuh auf und sah dabei einen Stiefel im Gebüsch blinken. Direkt daneben war ein hellblauer Satinslipper zu sehen. »Aber andererseits weiß er vielleicht ganz genau, wo er ihn hat fallen lassen.«

»Was ist los, Harry?« Augusta drehte sich um, weil sie sehen wollte, was er tat, und dann kniff sie eilig die Lippen zusammen, um ein leises Kichern zu unterdrücken, als sie den Stiefel und den blauen Schuh sah. Ein Lächeln breitete sich auf ihrem Gesicht aus.

Peter Sheldrake fluchte leise, und als er aus dem Gebüsch herauskam, hielt er immer noch einen Arm fest um eine heftig errötende Claudia geschlungen. Claudia war rasend bemüht, den winzigen Ärmel ihres blauen Kleids wieder auf ihre Schulter zu ziehen.

»Ich glaube wirklich, das ist mein Handschuh, den du da gefunden hast, Graystone.« Sheldrake streckte mit einem kläglichen Lächeln die Hand danach aus.

»Das dachte ich mir schon.« Harry reichte ihm den Handschuh.

»Ihr könnt ebensogut auch gleich die ersten sein, die es erfahren«, sagte Sheldrake unbekümmert und sah Claudia fest in das verlegene Gesicht, während er seinen Handschuh anzog. »Miss Ballinger hat gerade in eine Verlobung mit mir eingewilligt. Ich werde mit ihrem Vater reden, ehe wir morgen früh nach London aufbrechen.«

Augusta stieß vor Begeisterung einen schrillen kleinen Schrei aus und schlang die Arme um ihre Cousine. »O Claudia, wie wunderbar.«

»Danke«, brachte Claudia hervor, die sich immer noch damit abmühte, ihren Handschuh glattzustreichen. »Ich hoffe nur, daß Papa uns seine Zustimmung gibt.«

»Natürlich wird er das tun.« Augusta trat einen Schritt zurück und lächelte zufrieden. »Ich weiß, daß Mr. Sheldrake gut zu dir paßt. Ich bin mir von Anfang an ganz sicher gewesen.«

Harry starrte sie an, und plötzlich fiel ihm etwas wieder ein, was sie während des Walzers zu ihm gesagt hatte. »War das das zweite Projekt, das du erwähnt hast, meine Liebe?«

»Ja, selbstverständlich. Ich wußte, daß Mr. Sheldrake und Claudia großartig miteinander auskommen würden. Und überleg dir nur, wie praktisch diese Heirat aus der Sicht meiner Cousine ist.«

»Praktisch?« Harry zog fragend eine Augenbraue hoch.

»Ja, gewiß.« Augusta lächelte etwas gar zu süßlich. »Claudia legt sich auf die Art nicht nur einen außergewöhnlich gut aussehenden und galanten Ehemann zu, sondern gleichzeitig auch noch einen bestens geschulten Butler.«

Einen Moment lang verharrten alle schweigend, und dann hörte Harry Sheldrakes Stöhnen, als er den Sinn dieser Worte erfaßte. Harry schüttelte kläglich den Kopf, als er wieder einmal das scharfsinnige Wahrnehmungsvermögen seiner Frau würdigen mußte.

»Ich gratuliere dir, meine Liebe«, sagte er trocken. »Unser guter Sheldrake hat mit seiner Butlerrolle eine ganze Menge scharfsichtiger Menschen hinters Licht geführt.«

Claudia riß die Augen weit auf. *»Scruggs.«* Sie wirbelte herum und fiel über ihren Zukünftigen her. »Du bist Scruggs bei Pompeia's. Ich wußte doch, daß ich dich von irgendwoher kenne. Wie kannst du es wagen, mich derart zum Narren zu halten, Peter Sheldrake! Ein derart gerissener und hinterhältiger Trick. Du solltest dich wirklich schämen.«

Peter zuckte zusammen und schaute Augusta verdrossen an. »Hör zu, Claudia, meine Liebe, ich habe die Rolle des Scruggs nur gespielt, um einer alten Freundin auszuhelfen.«

»Du hättest mir sagen können, wer du bist. Wenn ich nur daran denke, wie oft du mich als Scruggs grob unhöflich behandelt hast, könnte ich dich erwürgen.« Claudia richtete sich zu einer stolzen Haltung auf. »Lassen Sie sich eins sagen, Sir. Ich bin ganz und gar nicht sicher, ob ich mit einem Gentleman von so üblen Manieren verlobt sein will.«

»Claudia, sei doch vernünftig. Das war doch nur ein kleines Spielchen, das ich mir erlaubt habe.«

»Ich verlange, daß Sie sich entsprechend bei mir entschuldigen, Mr. Sheldrake«, fauchte Claudia entrüstet. »Ich erwarte, daß Sie für diese Entschuldigung auf die Knie fallen. *Auf die Knie,* haben Sie gehört?«

Claudia lüpfte ihre Röcke und floh den Lichtern des großen Hauses entgegen.

Peter wandte sich an Augusta, die an ihrem Lachen erstickte. »Nun, Madam, ich bin sicher, Ihnen bereitet es Freude, heute abend soviel Unheil angerichtet zu haben. Sie scheinen meiner Verlobung ein Ende bereitet zu haben, ehe sie auch nur begonnen hat.«

»Ganz und gar nicht, Mr. Sheldrake. Sie werden sich nur ein bißchen mehr anstrengen müssen, wenn Sie um meine Cousine werben. Übrigens hat sie es verdient, daß Sie sich bei ihr entschuldigen. Ich könnte noch hinzufügen, daß ich auch nicht gerade besonders gut auf Sie zu sprechen bin. Wenn ich nur daran denke, wie mitfühlend ich jedesmal reagiert habe, wenn Sie über Ihren Rheumatismus geklagt haben, dann ärgere ich mich gewaltig.«

Peter unterdrückte einen weiteren Fluch. »Sie haben sich reichlich dafür gerächt.«

Harry verschränkte die Arme auf der Brust und amüsierte sich darüber, wie sich die beiden in den Haaren lagen.

»Darf ich fragen, wann Ihnen zum ersten Mal aufgegangen ist, daß ich die Rolle des Scruggs spiele?« knurrte Peter.

Augusta lächelte anzüglich. »Natürlich in der Nacht, in der Sie Graystone und mich etwa eine Stunde lang durch London gefahren haben, ehe Sie uns zu Lady Arbuthnott zurückgebracht haben. Ich habe Ihre echte Stimme erkannt, als Sie versucht haben, Harry klarzumachen, daß diese Ausfahrt vielleicht keine so gute Idee sein könnte.«

»Da Sie jetzt glücklich verheiratet sind, Madam, scheint mir, Sie könnten mir dankbar dafür sein, daß ich in jener Nacht die Rolle des Kutschers gespielt habe«, gab Sheldrake zurück. »Sie sollten Dankbarkeit verspüren und nicht schäbige Rachegelüste.«

»Das«, sagte Augusta, »ist Auffassungssache.«

»Ach, wirklich? Dann erlauben Sie mir, Sie darauf hinzuweisen ...«

»Jetzt genügt es aber.« Harry schnitt Peter eilig das Wort ab, als er erkannte, daß ihm die Richtung nicht gefiel, die dieses Wortgefecht eingeschlagen hatte. Das allerletzte, was er heute wollte, war, daß Augusta sich daran erinnerte, wie sie aufgrund dessen, was sich in jener Nacht in Sallys verdunkelter Kutsche zugetragen hatte, zu einer vorgezogenen Heirat überredet worden war. Er hatte ohnehin schon genug Probleme am Hals, und er konnte es gar nicht gebrauchen, daß jetzt auch noch diese Geschichte ausgegraben wurde, die sie als Munition gegen ihn hätte einsetzen können. »Allmählich erinnert ihr beide mich an zwei kleine Kinder, und wir haben Gäste, um die wir uns kümmern müssen.«

Peter murrte grimmig, aber tonlos vor sich hin. »Ich vermute, ich sollte wirklich sehen, daß ich diese Entschuldigung hinter mich bringe. Glauben Sie wirklich, es war Claudia ernst damit, daß ich vor ihr auf die Knie fallen soll?«

»Ja, das glaube ich wirklich«, versicherte ihm Augusta.

Plötzlich grinste Peter. »Ich habe doch schon immer gewußt, daß sich unter dieser spröden engelsgleichen Fassade Temperament verbirgt.«

»Selbstverständlich«, sagte Augusta. »Claudia mag zwar keine Northumberland-Ballinger sein, aber sie ist trotzdem immer noch eine Ballinger.«

Lange Zeit später, als das große Haus endlich still und dunkel dalag, machte es sich Harry auf einem Sessel in seinem Schlafzimmer bequem und hinterfragte den wahren Grund, aus dem er Augusta nicht nach London mitnehmen wollte.

Er fürchtete sich davor.

Er fürchtete, daß sie in London wieder Freunde finden würde, die seelenverwandt mit ihr waren und sie in ihrem Hang zum Leichtsinn bestätigten.

Er fürchtete, daß sie, obwohl die Saison vorüber war, trotzdem immer noch Mittel und Wege finden würde, sich in den Strudel von Aktivitäten und Vergnügungen zu stürzen, an denen sie vor ihrer Heirat soviel Spaß gehabt hatte.

Er fürchtete, in der Stadt könnte sie möglicherweise doch einem Mann von der Sorte begegnen, der als ein weit angemessenerer Partner für eine leidenschaftliche Frau erscheinen konnte, die von dem Clan der verwegenen Northumberland-Ballingers abstammte, einen Mann, der viel besser zu ihr paßte als der Mann, den sie geheiratet hatte.

Er fürchtete, in London könnte sie dem Mann begegnen, dem sie ihr Herz wahrhaft schenken konnte.

Und doch wußte er, daß Augusta selbst dann, wenn das passieren sollte, ihre ehelichen Schwüre ehren würde, komme da, was wolle. Sie war eine Frau mit ausgeprägtem Ehrgefühl.

Harry ging plötzlich auf, daß er alles hatte, was er von Anfang an zu wollen geglaubt hatte. Er hatte eine Frau, für die es Ehrensache war, treu zu bleiben, selbst dann, wenn sie ihr Herz an einen anderen hängen sollte.

Ja, ihm gehörten ihre Loyalität und ihr Körper, der so herrlich auf ihn reagierte, und doch genügte das nicht mehr.

Es genügte ihm nicht mehr.

Harry schaute in die Nacht hinaus, während er mit größter Vorsicht die verschlossene Tür tief in seinem Innern öffnete. Er warf einen unglaublich kurzen Blick in dieses begierige, verzweifelte, sich verzehrende Dunkel. Augenblicklich schlug er die Tür wieder zu, doch nicht, ehe er etwas verstanden hatte, womit er sich bis jetzt nicht hatte auseinandersetzen wollen.

Zum ersten Mal gestand er sich ein, daß er sich danach sehnte, nicht nur Augustas Treueschwüre, sondern auch ihr wildes, leidenschaftliches Northumberland-Ballinger-Herz zu besitzen.

»Harry?«

Er drehte den Kopf um, als die Verbindungstür zwischen Augustas Schlafzimmer und seinem geöffnet wurde. Augusta stand da, und in ihrem Nachthemd wirkte sie zart und süß und betörend.

»Was ist, Augusta?«

»Es tut mir leid, daß ich heute abend einen solchen Wirbel veranstaltet habe, als du mir gesagt hast, daß du nach London fahren mußt.« Sie kam langsam in das Zimmer geschlendert, und der weiße Musselin wehte um sie herum. »Ich verstehe, daß du fürchtest, Meredith und ich könnten dir in der Stadt zur Last fallen. Vielleicht hast du recht. Wenn wir ein ständiger Quell der Sorge für dich wären, dann würden wir dich bei deinem rationalen Vorgehen behindern. Das will ich natürlich nicht. Ich weiß, daß es dir sehr wichtig ist, die Spinne zu finden.«

Er lächelte bedächtig und streckte die Hand aus. »Nicht so wichtig wie ein oder zwei andere Dinge im Leben. Komm her, Augusta.«

Sie legte ihre Hand in seine, und er zog sie auf seinen Schoß und schmiegte sie an sich. Sie lächelte liebevoll und fraulich und sehr, sehr verlockend. Er nahm wahr, wie seine Männlichkeit sich rührte und begann, an ihrem Schenkel zu pochen.

Augusta wand sich auf ihm. »Diese Dinge solltest du besser vergessen, wenn du morgen so früh wie möglich aufbrechen willst«, sagte sie mit einem zarten kleinen Lachen.

»Ich habe es mir anders überlegt.«

»Du fährst morgen nicht nach London?«

»Nein.« Er schmiegte das Gesicht an ihre Schulter und kostete die süße Empfindsamkeit dieser Stelle aus. »Ich werde Sheldrake vorschikken, damit er mit den Nachforschungen beginnt. Du und ich und Meredith, wir werden ihm übermorgen folgen. Ich nehme an, es erfordert mindestens einen ganzen Tag, bis ihr zwei Damen alles gepackt habt und reisebereit seid.«

Augusta lehnte sich zurück und sah ihm forschend ins Gesicht. »Harry, du willst uns jetzt doch mitnehmen?«

»Du hast recht gehabt, meine Süße. Du hast ein Anrecht auf Richards Gedicht, und du hast es verdient, in der Nähe zu sein, während Sheldrake und ich unsere Nachforschungen anstellen. Und ich habe, offen gesagt, keine Lust, allzu viele Nächte allein zu verbringen. Ich habe mich daran gewöhnt, dich in meinem Bett zu haben.«

»Dann nimmst du mich also als Bettwärmer mit?« Ihre Augen leuchteten in der Dunkelheit.

»Unter anderem.«

Sie umarmte ihn überschwenglich. »O Harry, es wird dir nicht leid tun, das schwöre ich dir. Ich werde mich vorbildlich verhalten und ein Inbegriff dessen sein, was man sich von einer Ehefrau wünscht. Ich werde unablässig peinlich genau auf die Anstandsformen achten. Ich werde gut auf Meredith aufpassen und dafür sorgen, daß sie keine Schwierigkeiten bekommt. Wir werden uns nur mit weiterbildenden Dingen beschäftigen. Ich werde...«

»Sei still, Liebes. Du solltest keine voreiligen Versprechen ablegen.«

Harry schlang die Hand um Augustas Nacken und brachte sie nachhaltig zum Schweigen, als er ihre Lippen auf seinen Mund herunterzog.

Augusta seufzte leise und schmiegte sich liebevoll an ihn. Ihre Hand stahl sich unter seinen Morgenmantel.

Er ließ unter dem Saum ihres Nachthemds eine Handfläche an ihrem Bein hinaufgleiten, und als er spürte, daß sie erschauerte, ließ er seine Finger höher gleiten. Er lockte sie, neckte sie und tastete sich sachte vor. Nach sehr kurzer Zeit konnte er den heißen Honig fühlen.

»Diese Süße«, sagte er mit den Lippen auf ihrer Brust. Er spürte, wie sie erschauerte, als sich sein Finger behutsam weiter vorwagte. Sie schloß sich um ihn, eng und eifrig. Langsam zog er den Finger aus ihrer seidigen Scheide heraus. Er zog ihr das Musselinnachthemd bis zur Taille hinauf.

Dann öffnete er seinen Morgenmantel, und seine erregte Männlichkeit schnellte ihr entgegen. Er spreizte Augustas Beine und setzte sie auf seine Oberschenkel.

»Harry? Was tust du da?« Augusta hielt den Atem an. »Meine Güte. *Harry.* Hier?«

»Ja, Darling, genau so. Nimm mich in dich auf. O Gott, ja.« Er genoß ihre weiche Glut, die ihn umfaßte, als er sie auf seinen ungestüm eregierten Schaft zog. Seine Hände legten sich auf ihren Hintern und drückten behutsam zu.

Augustas Finger gruben sich in seine Schultern, als sie den Rhythmus des Paarungstanzes fand. Ihr Kopf sank zurück, und das Haar strömte über ihren Rücken.

Und dann spürte Harry tief in ihrem Innern die ersten winzigen Schauer und Zuckungen, und wieder einmal ließ er sich von dem süßen Feuer verschlingen, das er entfacht hatte. Er ließ sich in die Flamme reißen, und das Wissen, daß er zumindest in dieser Hinsicht so wild und frei wie die Northumberland-Ballingers war, löste Glücksgefühle in ihm aus.

16. Kapitel

Lady Arbuthnotts Haushälterin öffnete vier Tage später die Tür zu Pompeia's, als Augusta und Meredith, denen ein Lakai voranging, die Stufen hinaufstiegen. Von Scruggs war nirgends etwas zu sehen.

»Mr. Scruggs ist indisponiert, Madam«, erklärte die Haushälterin, als sich Augusta nach ihm erkundigte. »Oder zumindest hat man mir das gesagt. Und wahrscheinlich wird es eine ganze Weile dabei bleiben.«

Augusta verkniff sich ein Lächeln. Ihr war nur zu klar, daß der arme Peter, dessen Zeit im Moment von Harry beansprucht wurde und dessen Verlobte sich ausdrücklich gegen seine Gewohnheit verwehrte, den Butler zu spielen, wohl nie mehr seine Maske und den Backenbart tragen würde.

Die Haushälterin schloß die Tür hinter Augusta und Meredith. »Aber da er ohnehin recht unzuverlässig war, nehme ich kaum an, daß sich hier viel ändern wird.« Sie musterte Meredith nicht ohne gewisse Bedenken. »Wollen Sie beide zu Lady Arbuthnott, um ihr einen Besuch abzustatten? Oder soll ich die junge Dame auf einen Happen zu essen in die Küche mitnehmen?«

Meredith sah Augusta besorgt an, und ihre Augen fragten stumm, ob ihr der versprochene Besuch im Club doch nun untersagt werden würde.

»Meredith kommt mit mir«, sagte Augusta, als die Tür zum Salon geöffnet wurde.

»Wie Sie wünschen, Madam.«

Augusta ging voraus und betrat den Salon. »Da wären wir also, Meredith. Willkommen in meinem Club.«

An jenem Nachmittag herrschte ein gewisser Trubel bei Pompeia's, obwohl die Saison vorüber war. Augusta begrüßte ihre Freundinnen und blieb mehrfach stehen, um ein paar Worte mit ihnen zu wechseln, während sie den Weg durch den langen Raum zu Lady Arbuthnotts Sessel zurücklegte.

Rosalind Morrissey ließ abrupt das Gespräch abreißen, in das sie vertieft war. Sie lächelte Meredith an. »Wie ich sehe, werden die Mitglieder von Pompeia's von Tag zu Tag jünger.«

Meredith errötete und sah Augusta hilfesuchend an.

»Man sollte niemals eine Gelegenheit auslassen, das Wissen einer intelligenten jungen Dame zu erweitern«, erklärte Augusta. »Erlaube mir, dir meine neuerworbene Tochter vorzustellen. Sie ist heute mein Gast.«

Nachdem sie noch einen Moment lang miteinander geplaudert hatten, setzten sie und Meredith ihren Weg fort.

Meredith sog mit großen Augen alle Einzelheiten in sich auf, von den Bildern an den Wänden bis hin zu den Tageszeitungen auf den Tischen. »Und so sehen Papas Clubs wirklich aus?«

»Sehr ähnlich, was die Einrichtungen angeht«, flüsterte Augusta. »Jedoch halten sich dort Herren auf und keine Damen. Die Einsätze an unseren Spieltischen sind natürlich nicht so hoch wie in den Spielzimmern der Etablissements in der St. James Street, aber ich glaube, abgesehen von einigen solchen Kleinigkeiten haben wir es ganz ausgezeichnet hingekriegt, die richtige Atmosphäre zu schaffen.«

»Die Gemälde gefallen mir gut«, vertraute ihr Meredith an. »Vor allem das da.«

Augustas Augen folgten ihrer Blickrichtung. »Das ist ein Bild von Hypatia, einer berühmten Gelehrten in Alexandrien. Sie hat Bücher über Mathematik und Astronomie geschrieben.«

Meredith verdaute diese Information. »Vielleicht werde ich eines Tages auch ein Buch schreiben.«

»Ja, vielleicht wirst du das tun.«

In dem Moment schaute Augusta zum anderen Ende des Raumes

und sah, daß Sallys Kopf ihr zugewandt war. Eine Woge von Bestürzung zerschmetterte die Begeisterung, die sie bei dem Gedanken verspürt hatte, ihre alte Freundin wiederzusehen.

Es ließ sich nicht leugnen, daß sich Sallys gesundheitliche Verfassung im Lauf des letzten Monats enorm verschlechtert hatte. Wie üblich hatte sie große Sorgfalt auf ihr Äußeres verwandt. Dennoch konnte das elegante Kleid nicht über die bleiche, durchscheinende Haut hinwegtäuschen, über die Ausstrahlung extremer Zerbrechlichkeit und über den Ausdruck in Sallys Augen, der besagte, daß sie die nie endenden Schmerzen stoisch hinnahm. Der Anblick war Augusta nahezu unerträglich. Sie hätte am liebsten geweint und wußte doch gleichzeitig, daß sie Sally damit nur aus der Fassung gebracht hätte.

Statt dessen eilte sie vor und beugte sich zu ihrer Freundin herunter, um sie zart zu umarmen. »O Sally, es ist ja so schön, dich wiederzusehen. Ich habe mir solche Sorgen um dich gemacht.«

»Wie du sehen kannst, gibt es mich noch«, sagte Sally mit einer überraschend festen Stimme. »Und ich bin mehr denn je damit beschäftigt, diesem Tyrannen beizustehen, den du geheiratet hast. Graystone war schon immer ein strenger Arbeitgeber.«

»Du hilfst Graystone? Doch nicht etwa auch noch du?« Augusta stöhnte, als sie sich über die Zusammenhänge klar wurde. »Ich hätte es mir ja denken können. Du hast also auch dazugehört und in seinem...« Sie ließ ihren Satz abreißen, als sie sich wieder daran erinnerte, daß sie Meredith an ihrer Seite hatte.

»Selbstverständlich, meine Liebe. Du hast doch gewußt, daß ich eine ziemlich schmutzige Vergangenheit habe, oder etwa nicht?« Sallys Lachen war matt, doch es drückte sich echte Belustigung darin aus. »Und jetzt stell mich dieser jungen Dame vor. Wenn ich mich nicht täusche, muß das Graystones Tochter sein?«

»Ganz genau.« Augusta stellte die beiden einander vor, und Meredith machte einen Knicks.

»Die Ähnlichkeit ist nicht zu übersehen«, sagte Sally liebevoll. »Dieselben intelligenten Augen, dasselbe zögernde Lächeln. Wie schön. Lauf los, Meredith. Du kannst dir Kuchen vom Büfett holen.«

»Danke, Lady Arbuthnott.«

Sally sah Meredith nach, als sie zu der Auswahl von Speisen lief, die an der anderen Seite des Raumes bereitstanden. Dann wandte sie sich langsam wieder Augusta zu. »Ein ganz reizendes Kind.«

»Und genauso gelehrtenhaft wie ihr Vater. Sie hat mir erzählt, sie würde vielleicht später einmal ein Buch schreiben.« Augusta nahm auf einem Sessel in der Nähe Platz.

»Wahrscheinlich wird sie es tun. Wie ich Graystone kenne, hat er einen sehr umfassenden Lehrplan für sie aufgestellt.«

Augusta lachte. »Du brauchst keine Angst zu haben, Sally. Ich habe dafür gesorgt, für den Mangel an gewissen frivolen Fächern in Merediths Lehrplan einen Ausgleich zu schaffen. Ich habe ein gewaltiges Programm an Aquarellmalerei und dem Lesen von Romanen mit ihr begonnen. Außerdem habe ich mir den Beistand ihrer Gouvernante gesichert, die ihr jetzt eine Sichtweise der Geschichte vermitteln wird, wie sie sie aus den Büchern ihres Vaters nie beziehen wird.«

Sally lachte. »Oh, meine unbezähmbare Augusta. Ich wußte doch, daß du Graystone guttun wirst. Irgendwo in seinem Innern muß auch er es gewußt haben, denn sonst hätte er niemals deinen Namen als obersten auf seine Liste gesetzt.«

»Du sagst, ich hätte ganz oben auf seiner Liste gestanden? Ich hatte immer angenommen, daß ich ganz unten rangierte. Als eine Art Nachtrag.« Augusta schenkte sich Tee ein und füllte Sallys Tasse nach. Als sie die Kanne wieder hinstellte, bemerkte sie das kleine Fläschchen Arznei, das auf dem Tisch neben Sallys Sessel stand.

Als Augusta die Stadt verlassen hatte, hatte Sally die Gewohnheit gehabt, sich ihre Medizin nur dann bringen zu lassen, wenn sie sie akut brauchte. Jetzt hatte sie sie anscheinend ständig in ihrer Reichweite.

»Du bist niemals ein Nachtrag gewesen. Ganz im Gegenteil. Nachdem er dich erst einmal kennengelernt hatte, konnte Graystone dich nie mehr aus seinen Gedanken verbannen.«

»Du meinst, so ähnlich wie ein Wespenstich, und er konnte das Kratzen nicht bleiben lassen?«

Sally lachte wieder. »Du unterschätzt dich, meine Liebe. Übrigens habe ich eine Beschwerde bei dir anzubringen. Du hast mich einen ganz ausgezeichneten Butler gekostet.«

»Das kannst du mir nicht vorwerfen. Meine Cousine ist diejenige, die den armen Scruggs gezwungen hat, seinen Posten aufzugeben.«

Sally lächelte. »Soviel ist mir bereits klar. Ich habe gestern morgen in der *Post* die Verlobungsanzeige gelesen. Ich glaube, die beiden passen ausgezeichnet zueinander.«

»Onkel Thomas hat sich sehr darüber gefreut.«

»Ja. Sheldrake ist recht übermütig, aber ich habe immer geglaubt, daß er sich danach sehnt, sich zu bessern. Seit seiner Rückkehr vom Festland hat er in London auf den Putz gehauen und nach einer Aufgabe gesucht. Wenn er jetzt heiratet und sich um die Ländereien seines Vaters kümmert, dann wird ihm das die Richtung weisen, nach der er Ausschau gehalten hat.«

»Ich habe mir dieselbe Meinung über ihn gebildet«, stimmte ihr Augusta zu.

»Du besitzt sehr viel Gespür und Einfühlungsvermögen, meine liebe Augusta.« Sally griff nach ihrer Arznei. Sie schraubte das Fläschchen auf und goß zwei Tropfen von der Medizin in ihren Tee. Als sie bemerkte, daß Augusta ihr betrübt zusah, lächelte sie. »Verzeih mir, Augusta. Wie du dir zweifellos schon denken konntest, habe ich derzeit größere Schwierigkeiten.«

Augusta nahm ihre Hand. »Sally, gibt es etwas, was ich für dich tun kann? Gibt es irgend etwas?«

»Nein, meine Liebe. Ich bin ausnahmsweise gezwungen, mit diesen

Dingen ganz allein fertig zu werden.« Sallys Blick glitt versonnen auf das Fläschchen.

»Sally?«

»Sei unbesorgt, meine Liebe. Ich werde im Moment keine drastischen Schritte unternehmen. Derzeit habe ich viel zuviel damit zu tun, für Graystone Informationen über diesen Saber Club herauszufinden. Diese Form von Arbeit hat mich weiß Gott schon immer begeistert. Ich habe Kontakt zu früheren Verbindungen aufgenommen, zu Personen, von denen ich seit fast zwei Jahren nichts mehr gehört habe. Es ist ganz erstaunlich, wie viele von ihnen sich noch herumtreiben und eine Anstellung suchen.«

Augusta lehnte sich bedächtig auf ihrem Sessel zurück. Sie warf einen Blick auf Meredith, die neben dem Schreibtisch stehengeblieben war, um sich etwas anzusehen, was Cassandra Padbury ihr zeigte. Wahrscheinlich Cassandras letzter Entwurf zu einem epischen Gedicht, dachte Augusta.

»Mein Mann ist wild entschlossen, die Information an sich zu bringen, um die es ihm geht«, murmelte Augusta, an Sally gewandt.

»Ja. Graystone war schon immer ein sehr entschlossener Mann gewesen. Und er will sich die Spinne unbedingt vorknöpfen. Die Verbindung zum alten Saber Club ist wirklich interessant. Es ist absolut einleuchtend, wenn man es sich genauer überlegt.«

»Was weißt du über den Club?«

Sally zuckte die Achseln. »Nicht viel. Es hat ihn nicht lange gegeben. Der Club hat junge Offiziere angelockt, die sich für reichlich verwegen und forsch gehalten haben und einen Club brauchten, der ihrem Bild von sich selbst entsprach. Aber innerhalb von einem Jahr nach der Gründung brannte der Club ab, und das war das Ende. Bisher ist es mir noch nicht gelungen, irgendwelche Mitglieder ausfindig zu machen, aber ich glaube, ich könnte einen der früheren Angestellten aufgespürt haben. Es kann gut sein, daß er sich an einige Namen erinnert.«

Trotz ihrer Bedenken, was diese Nachforschungen eventuell ans Licht bringen würden, war Augusta fasziniert. »Wie aufregend. Hast du schon mit dieser Person gesprochen?«

»Nein, noch nicht. Aber ich rechne damit, daß es bald zu einem Gespräch kommen wird. Die Vorkehrungen werden bereits getroffen.« Sallys gerissener Blick heftete sich für einen langen Moment auf Augusta. »Dieses Projekt Graystones betrifft dich persönlich, stimmt's?«

»Mich interessiert, was dabei herauskommt, sicher. Ich weiß, daß es ihm ein wichtiges Anliegen ist«, sagte Augusta ausweichend.

»Ich verstehe.« Sally schwieg einen Moment lang, und dann schien sie einen Entschluß zu fassen. »Augusta, meine Liebe, ist dir klar, daß das Wettbuch von Pompeia's immer auf der letzten Seite mit den neuesten Wetten aufgeschlagen ist?«

»Ja. Was ist damit?«

»Falls du es jemals zugeschlagen vorfinden solltest, dann möchte ich, daß du das Buch Graystone bringst. Sorge dafür, daß es aufgeschlagen wird.«

Augusta starrte sie an. »Sally, wovon sprichst du?«

»Ich weiß, daß das alles ziemlich mysteriös und melodramatisch klingen muß, meine Liebe, aber das ist es in Wirklichkeit gar nicht. Es ist nichts weiter als eine reine Vorsichtsmaßnahme. Versprich mir nur, dafür zu sorgen, daß im Fall von unerwarteten Ereignissen Graystone das Buch in die Hände bekommt.«

»Ich verspreche es dir. Aber willst du mir nicht sagen, was das alles zu bedeuten hat, Sally?«

»Noch nicht, meine Liebe. Noch nicht. Graystone weiß, daß ich es immer vorziehe, meine Informationen bestätigen zu lassen, ehe ich sie ihm übergebe. Harry kann zum Teufel persönlich werden, wenn es um Informationen geht, die nicht verifiziert worden sind. Dein Mann bringt für Irrtümer wenig Toleranz auf.« Sally lächelte und verlor sich in persönlichen Erinnerungen. »Du brauchst nur unseren alten Freund

Scruggs zu fragen. Ich werde niemals vergessen, wie er sich damals mit der Frau eines französischen Offiziers in Schwierigkeiten gebracht hat und... ah, aber das ist eine alte Geschichte.«

»Ich verstehe.« Augusta trank schweigend ihren Tee und hatte wieder einmal das vertraute Gefühl, im Freien zu stehen und in einen warmen Raum zu schauen. Sie wußte, daß für sie kein Platz in dem intimen Kreis war, der Harry, Sally und Peter freundschaftlich miteinander verband.

Dieses Gefühl kannte sie gut. Es war das wehmütige Sehnen, das sie seit dem Tod ihres Bruders so oft verspürt hatte. Sie nahm an, inzwischen hätte sie sich daran gewöhnen sollen.

In den wenigen Wochen ihrer Ehe hatte Augusta zeitweilig geglaubt, das Gefühl, keiner echten Familie anzugehören, hätte begonnen, ein für allemal nachzulassen. Es war ihr so erschienen, als hätte Meredith begonnen, sie zu akzeptieren, und Harrys Leidenschaft hatte Augusta das Gefühl vermittelt, begehrt zu werden, zumindest körperlich.

Aber Augusta wußte, daß sie sich viel mehr wünschte als das, was sie hatte. Sie wollte in der Form, in der Sally und Peter es waren, ein wichtiger Bestandteil von Harrys Leben sein, eine wichtige Rolle für ihn spielen. Sie wollte ihrem Ehemann nicht nur eine Ehefrau sein, sondern auch eine intime Freundin und Vertraute.

»Ihr drei wart in gewisser Hinsicht fast so etwas wie eine Familie, stimmt's?« fragte Augusta nach einem Moment mit ruhiger Stimme.

Sally öffnete überrascht die Augen. »Darüber habe ich bisher nicht nachgedacht, aber vielleicht war es so. Wir waren alle drei sehr unterschiedlich, Graystone, Peter und ich, aber wir waren gezwungen, etliche sehr gefährliche Abenteuer gemeinsam durchzustehen. Wir waren aufeinander angewiesen. Und häufig ist es um unser Leben gegangen, und wir haben einander wirklich gebraucht. Schließlich verbinden solche Dinge Menschen miteinander, oder etwa nicht?«

»Doch, das kann ich mir gut vorstellen.«

Harry saß an seinem Schreibtisch in der Bibliothek, als er endlich den Trubel in der Eingangshalle hörte, der die Rückkehr seiner Frau und seiner Tochter ankündigte. *Das war aber auch höchste Zeit*, dachte er grimmig.

Augusta war erst seit zwei Tagen wieder in der Stadt, und bereits jetzt trieb sie sich mit Meredith in ganz London herum. Als er vor einer Stunde nach Hause gekommen war, schien niemand zu wissen, wohin sich die beiden eigentlich begeben hatten. Craddock, der Butler, hatte die vage Vorstellung, Augusta sei mit Meredith ins British Museum gegangen.

Aber Harry wußte es besser. Es ließ sich unmöglich sagen, welche Form von Vergnügungen Augusta als angemessen für ein neunjähriges Kind erachten würde. Harry glaubte nicht einen Moment lang, daß seine Frau und seine Tochter den Tag im Museum verbracht hatten.

Er stand auf und ging zur Tür. Meredith, die noch ihren neuen rosa Hut aufhatte, sah ihn augenblicklich. Mit wehenden Hutbändern eilte sie ihm entgegen. Ihre Augen leuchteten ganz ungewohnt vor Aufregung.

»Papa, Papa, du wirst niemals erraten, wo wir gewesen sind.«

Harry warf einen scharfen Blick auf Augusta, die gerade einen Hut mit einer verführerischen Krempe und riesigen roten und goldenen Blumen absetzte. Sie lächelte unschuldig. Er sah wieder auf Meredith herunter. »Wenn ich es ohnehin nie errate, dann wirst du es mir eben sagen müssen.«

»In einem Herrenclub, Papa.«

»In einem *was*?«

»Augusta hat mir erklärt, daß es dort genauso aussieht wie in deinen Clubs, Papa. Nur, daß er für Damen da ist. Es war ja so interessant. Alle sind sehr nett gewesen und haben über ganz viele Dinge mit mir geredet. Einige der Damen dort schreiben Bücher. Eine von ihnen hat eine Geschichte über Amazonen geschrieben. Ist das nicht faszinierend?«

»Doch, sehr.« Harry bedachte seine Frau mit einem lodernden Blick, den sie ignorierte.

Meredith entging dieser kurze Austausch, und sie setzte ihren Bericht über die Ereignisse des Nachmittags fort. »Und an den Wänden haben Bilder von berühmten Damen aus der Antike gehangen. Sogar eins von Kleopatra. Augusta sagt, sie sind ausgezeichnete Vorbilder für mich. Und ich habe Lady Arbuthnott kennengelernt, die gesagt hat, ich kann so viel Kuchen essen, wie ich mag.«

»Das klingt ja ganz so, als hättest du ein echtes Abenteuer erlebt, Meredith. Du mußt reichlich erschöpft sein.«

»Oh, nein, Papa. Ich bin nicht im mindesten erschöpft.«

»Trotzdem wird Mrs. Biggsley dich jetzt nach oben in dein Schlafzimmer bringen. Ich möchte mit deiner Mutter reden.«

»Ja, Papa.«

Meredith ließ sich so gehorsam wie immer von der Haushälterin fortführen, sprudelte jedoch immer noch vor Begeisterung über.

Harry sah Augusta finster an. »Komm bitte in die Bibliothek. Ich habe mit dir zu reden.«

»Ja, gern. Ist etwas passiert?«

»Darüber unterhalten wir uns ungestört.«

»Du meine Güte. Du bist wieder einmal wütend auf mich, stimmt's?«

Augusta betrat gehorsam die Bibliothek und setzte sich ihm gegenüber an den Schreibtisch. Harry nahm Platz. Er faltete die Hände vor sich auf dem polierten Holz der Schreibtischplatte und sagte lange Zeit kein Wort. Er ließ Augusta vorsätzlich die stumme, schwere Last seines Mißvergnügens spüren.

»Also, wirklich, ich kann es nicht leiden, wenn du mich derart finster ansiehst. Davon wird mir ganz außerordentlich unbehaglich zumute. Warum sagst du nicht, was dich stört?« Augusta fing an, ihre Handschuhe auszuziehen.

»Was mich stört, ist, daß es nicht angeht, ein Kind zu Pompeia's mitzunehmen.«

Sie ließ sich augenblicklich auf den Kampf ein. »Du willst doch nicht etwa sagen, du hättest Einwände dagegen, daß wir Lady Arbuthnott besucht haben.«

»Darum geht es hier nicht, und ich glaube, das weißt du selbst. Ich habe nicht das geringste dagegen einzuwenden, daß Meredith Sally kennenlernt. Aber ich habe allerdings erhebliche Einwände dagegen, daß meine Tochter der Atmosphäre dieses verdammten Clubs ausgesetzt wird. Wir wissen beide, daß Frauen eines bestimmten Gepräges dazu neigen, sich dort zu versammeln.«

»Eines bestimmten Gepräges?« In Augustas Augen sprühten Funken der Wut. »Was soll denn das schon wieder heißen? Du stellst uns alle wie professionelle Kurtisanen hin. Glaubst du im Ernst, eine solche Beleidigung nehme ich hin?«

Harry spürte, wie seine Wut außer Kontrolle geriet. »Ich habe nicht gesagt, daß es sich bei den Clubmitgliedern um Kurtisanen handelt. Mit *einem bestimmten Gepräge* meinte ich lediglich, daß die Sorte von Frauen, die diesen Club frequentiert, einen Hang dazu hat, ein Auge zuzudrücken, wenn es um Sittlichkeit und Anstand geht. Diese Frauen halten sich stolz zugute, Originale zu sein. Aus meiner eigenen persönlichen Erfahrung heraus kann ich wahrheitsgemäß sagen, daß die Damen des Clubs einen Hang zu Leichtsinn und empörendem Verhalten haben. Das sind keine Frauen von der Sorte, die meiner Tochter mit einem guten Beispiel vorangehen!«

»Darf ich dich daran erinnern, daß du eines der Clubmitglieder von Pompeia's geheiratet hast?«

»Richtig. Ein Umstand, der mich in die Lage versetzt, den Charakter der Frauen zu beurteilen, die dort Mitglied werden, oder etwa nicht? Laß uns in diesem Punkt Klarheit schaffen, Augusta. Als ich dir erlaubt habe, mich nach London zu begleiten, habe ich dir gleich gesagt, daß ich nicht in der Lage sein werde, mich ständig um dich zu kümmern. Du hast mir dein Wort gegeben, dich vernünftig zu benehmen, wenn du mit Meredith durch die Stadt ziehst.«

»Ich benehme mich vernünftig. Ich habe sie in absolut keiner Weise gefährdet.«

»Ich habe nicht von äußerlicher Gefährdung gesprochen.«

Augusta sah ihn finster an. »Reden wir hier vielleicht von moralischen Gefährdungen? Du glaubst, die Clubmitglieder hätten einen schlechten Einfluß auf die Moralvorstellungen deiner Tochter? Wenn das der Fall ist, dann hättest du ganz bestimmt nicht eines der Gründungsmitglieder von Pompeia's heiraten dürfen. Dieser ›verdammte Club‹, wie du ihn nennst, war von Anfang an meine Idee.«

»Verdammt und zum Teufel, Augusta, du legst absichtlich falsch aus, was ich sage.« Harry war wütend auf sich selbst, weil er zugelassen hatte, daß sich etwas, was die schlichte Strafpredigt eines Ehemannes über weibliche Etikette hätte werden sollen, zu einem handfesten Krach auswuchs. Heldenhaft rang er um Selbstbeherrschung und kämpfte gegen seinen Jähzorn an. »Was mir Sorgen bereitet, ist nicht die Moral der Damen dieses Clubs.«

»Es freut mich sehr, das zu hören.«

»Mir geht es viel mehr um einen gewissen Hang zum Leichtsinn, den ich dort vorfinde.«

»Wie viele der Damen kennst du eigentlich? Oder verallgemeinerst du vielleicht auf der Grundlage dessen, was du an mir gesehen hast?«

Harry kniff die Augen zusammen. »Für wie dumm hältst du mich eigentlich? Ich bin bestens mit den Namen vertraut, die auf der Mitgliederliste von Pompeia's stehen.«

Das traf sie unerwartet. »Ach, wirklich?«

»Selbstverständlich. Sowie mir klargeworden ist, daß ich dich höchstwahrscheinlich heiraten werde, habe ich sie mir äußerst sorgsam angesehen«, gab Harry zu.

»Das ist ja einfach unerhört.« Augusta sprang auf und begann, erzürnt in der Bibliothek auf und ab zu laufen. »Du hast Nachforschungen über Pompeia's angestellt? Warte nur, bis ich Sally darüber unterrichte. Sie wird wütend auf dich sein.«

»Was glaubst du wohl, wer mir die Mitgliederliste zur genaueren Einsicht vorgelegt hat?« fragte Harry trocken. »Aus allem, was ich über die Herkunft der Damen auf dieser Liste wußte und was mir Sheldrake und Sally zusätzlich noch sagen konnten, bin ich zu dem Schluß gelangt, daß du keinen ernstlichen moralischen Gefährdungen ausgesetzt warst. Das heißt aber noch lange nicht, daß ich diesen Club oder gar den Umstand gutheiße, daß du meine Tochter dorthin mitnimmst.«

»Ich verstehe.«

»Ich würde dir befehlen, deine Mitgliedschaft zu kündigen, doch Sally ist so krank und ihr bleibt nur noch sehr wenig Zeit. Mir ist durchaus klar, daß sie sowohl an dem Club ihre Freude hat, als auch an deinen Besuchen. Daher werde ich es dir nicht untersagen, Pompeia's aufzusuchen.«

»Das ist wirklich allzu gütig.«

»Aber in Zukunft wirst du Meredith nicht dorthin mitnehmen. Ist das klar?«

»Reichlich klar«, sagte sie durch zusammengebissene Zähne.

»Außerdem wirst du mir von jetzt an eine genaue Aufstellung über sämtliche Aktivitäten zurücklassen, die du für den jeweiligen Tag geplant hast. Es hat mir ganz und gar nicht gefallen, heute nachmittag nach Hause zu kommen und lediglich darüber informiert zu werden, du seist schlichtweg außer Haus, ohne jegliche exakten Angaben darüber, wohin du gehen wolltest.«

»So, eine Aufstellung. Eine Liste meiner Pläne. Die sollst du allerdings bekommen. Ist sonst noch irgend etwas, Graystone?« Augusta ging zornig auf und ab. Ihre Wut stand greifbar im Raum.

Harry seufzte und lehnte sich auf seinem Stuhl zurück. Er trommelte mit den Fingern auf der Schreibtischplatte herum und musterte Augusta grüblerisch. Er wünschte nur zu sehr, er hätte diese Auseinandersetzung nie begonnen. Andererseits mußte ein Mann im Umgang mit einer solchen Frau einen festen Standpunkt beziehen. »Nein, ich glaube, das war alles.«

Sie blieb abrupt stehen und wandte sich an ihn. »Falls du jetzt fertig bist, muß ich dich um einen Gefallen bitten.«

Harry, der sich innerlich auf weitere Entrüstung und eine weitere leidenschaftliche Verteidigung des Clubs gewappnet hatte, war ein paar Sekunden lang sprachlos. Als er endlich die Stimme wiederfand, reagierte er schleunigst, denn er war wirklich darauf aus, Mittel und Wege zu finden, sich großzügig zu erweisen, nachdem er wieder einmal den gestrengen Ehemann gespielt hatte.

»Ja, meine Liebe?« Er ließ möglichst viel liebevolle Ermutigung in seinen Tonfall einfließen. *Zum Teufel,* sagte er sich und kam sich plötzlich edelmütig vor, *was ist schon ein neuer Hut oder ein neues Kleid mehr, wenn ich sie wieder in gute Laune versetzen kann?*

Augusta kam über den Teppich auf ihn zu und stemmte beide Hände auf die Schreibtischkante. Sie beugte sich vor und sah ihm fest in die Augen. »Harry, würdest du mir erlauben, dir bei deinen Nachforschungen behilflich zu sein?«

Er starrte sie an und war wie vom Donner gerührt. »Gütiger Himmel, nein.«

»Bitte, Harry. Ich weiß, daß ich nicht viel von solchen Dingen verstehe, aber ich glaube, ich könnte sie schnell erlernen. Mir ist klar, daß ich dir nicht von so großem Nutzen wäre wie Peter, aber ich könnte die Rolle von Sallys Assistentin übernehmen, meinst du nicht auch?«

»Du hast vollkommen recht, Augusta«, sagte er kühl. »Du verstehst nichts von diesen Dingen.« *Und Gott ist mein Zeuge, daß du auch nie etwas darüber lernen wirst,* dachte er. *Ich werde dich vor dieser Form von Wissen schützen, und wenn es das letzte ist, was ich auf Erden tue.*

»Aber, Harry...«

»Ich weiß dein Angebot zu würdigen, meine Liebe, aber ich versichere dir, daß du mir keine Hilfe, sondern nur eine Behinderung wärst.«

»Aber es gibt in deinen Nachforschungen Elemente, die mich ebenso sehr betreffen wie dich und deine Freunde. Ich will dich in deinen Bemühungen unterstützen. Ich habe ein Recht darauf, mit dieser Angelegenheit zu tun zu haben. Ich will dir helfen.«

»Nein, Augusta, und das ist mein absolut letztes Wort.« Harry nahm seine Schreibfeder in die Hand und zog einen Block näher, der auf dem Schreibtisch lag. »Und jetzt muß ich mich für den Rest des Tages von dir verabschieden. Ich habe heute nachmittag noch sehr viel zu tun und werde den größten Teil des Abends außer Haus verbringen. Ich werde mit Sheldrake in meinem Club zu Abend essen.«

Augusta richtete sich langsam auf, und unvergossene Tränen ließen ihre Augen glänzen. »Ja. Ich verstehe.« Sie wandte sich ab und ging zur Tür.

Harry mußte sich mühsam zusammenreißen, um ihr nicht nachzulaufen, sie in seine Arme zu ziehen und sich erweichen zu lassen. Er zwang sich, sitzen zu bleiben, wo er saß. Er mußte standhaft bleiben. »Ach, ja. Noch etwas, Augusta.«

»Ja?«

»Vergiß nicht, mir eine Liste deiner Pläne für den morgigen Tag vorzulegen.«

»Falls mir etwas einfällt, was so langweilig ist, daß Eure Lordschaft keinen Anstoß daran nehmen wird, werde ich es ganz bestimmt auf die Liste schreiben.«

Harry zuckte zusammen, als sie die Bibliothek verließ und die Tür hinter sich zuknallte.

Er saß lange Zeit still da und schaute auf die Gärten vor dem Fenster hinaus. Er konnte ihr unmöglich den wahren Grund dafür nennen, daß er ihr bei seinen Nachforschungen noch nicht einmal eine Statistenrolle einräumen konnte.

Es war schon schlimm genug, daß sie wütend darüber war, aus dieser Angelegenheit ausgeschlossen zu werden. Aber er konnte immer noch besser mit ihrem Zorn umgehen als mit dem Schmerz, von dem er wußte, daß er einsetzen würde, wenn sie in diese Situation verwickelt wurde und dadurch zuviel erfuhr.

Schon seit er Richard Ballingers kodiertes Gedicht dechiffriert hatte, hatte Harry gewußt, daß die Gerüchte, die zum Zeitpunkt des Todes des jungen Mannes in Umlauf gewesen waren, sich auf Tatsachen begründeten. Der letzte männliche Sproß der Northumberland-Ballingers war aller Wahrscheinlichkeit nach ein Verräter gewesen.

Am späteren Abend stieg Harry in Peters Begleitung im Herzen eines der heruntergekommensten Viertel von ganz London aus einer Mietdroschke. Es hatte vor einer Stunde zu regnen begonnen, und die Pflastersteine unter ihren Füßen waren jetzt glitschig. Das Mondlicht schimmerte matt auf den schmierigen Straßen.

»Weißt du, Sheldrake, es erschreckt mich ein wenig, daß du dich in diesem Teil der Stadt so gut auskennst.« Harry sah in der Dunkelheit ein rotes Augenpaar schimmern und setzte lässig seinen Spazierstock aus Ebenholz ein, um die Ratte zu verscheuchen, die die Größe einer fetten Katze hatte. Das Geschöpf verschwand in einem riesigen Berg von Abfällen, der den Eingang in eine schmale Gasse markierte.

Peter lachte leise in sich hinein. »In früheren Zeiten hat dein Feingefühl selten Anstoß daran genommen, wie und wo ich meine Informationen auftreibe.«

»Da du jetzt bald ein verheirateter Mann sein wirst, wirst du es lernen müssen, dich zusammenzureißen und dich nicht in Gegenden wie dieser hier zu amüsieren. Ich kann mir nicht vorstellen, daß Claudia Ballinger Ausflüge dieser Art gutheißen würde.«

»Wie wahr. Aber ich rechne damit, daß ich an den Abenden weit interessantere Dinge zu tun haben werde, als mich in den Elendsvierteln herumzutreiben, wenn ich erst einmal mit Miss Ballinger verheiratet bin.« Peter blieb stehen, um sich zu orientieren. »Das ist die Gasse, die wir suchen. Der Mann, mit dem wir verabredet sind, hat beschlossen, sich mit uns in der Kneipe am Ende dieses Sträßchens zu treffen.«

»Du vertraust auf deine Informationen?«

Peter zuckte die Achseln. »Nein, aber es ist ein Ansatzpunkt. Man hat mir gesagt, dieser Bleeker sei Zeuge des Feuers in der Nacht gewesen, in der der Saber Club abgebrannt ist. Zweifellos werden wir schnell genug herausfinden, ob diese Behauptung der Wahrheit entspricht.«

Die Lichter der schmuddeligen Spelunke warfen ihren tückischen gelben Schein durch die kleinen Fenster. Harry und Peter betraten das Gasthaus und fanden Rauchschwaden in einem überheizten Raum vor, in dem ein loderndes Kaminfeuer brannte. Das Lokal hatte eine bedrückende Atmosphäre. Eine Handvoll Kunden hatte sich an den langen Holztischen verstreut. Mehrere von ihnen blickten auf, als die Tür geöffnet wurde.

Sämtliche rattenartigen Augenpaare nahmen die schäbige Qualität und den schlechten Schnitt der Jacken und die abgetragenen Stiefel wahr, die Harry und Peter sich für diesen Anlaß angezogen hatten. Harry konnte das kollektive Seufzen des Bedauerns beinah hören, als die Möchtegern-Raubtiere beschlossen, die neueste Beute wirkte nicht geradezu vielversprechend.

»Das ist unser Mann«, sagte Peter und ging an einen der hinteren Tische voraus. »Neben der Hintertür. Man hat mir gesagt, er würde einen roten Schal um den Hals tragen.«

Bleeker hatte das Äußere eines Mannes, der im Lauf seines Lebens viel zu viele Flaschen Gin getrunken hat. Er hatte kleine, ruhelose Augen, die ständig in Bewegung waren und nie für mehr als wenige Sekunden auf irgendeinen Gegenstand gerichtet blieben.

Außer seinem roten Schal trug Bleeker eine schmutzige Mütze, die er sich tief in die schweißnasse Stirn gezogen hatte. Sein auffallendstes Merkmal war seine stark geäderte Nase. Als Bleeker den Mund zu einer kurzen, mürrischen Begrüßung öffnete, sah Harry riesige Lücken zwischen den vergilbten und verfaulten Zähnen des Mannes.

»Ihr seid die Kerle, die was über das Feuer im alten Saber Club wissen wollen?«

»Genau erfaßt«, sagte Harry und ließ sich Bleeker gegenüber auf die hölzerne Bank gleiten. Ihm fiel auf, daß Peter stehen blieb und den Blick mit täuschender Teilnahmslosigkeit durch den stickigen Raum gleiten ließ. »Was können Sie uns über diese Nacht erzählen?«

»Das kostet eine Stange«, warnte Bleeker mit tückischem Grinsen.

»Ich bin bereit zu zahlen. Vorausgesetzt, die Informationen sind brauchbar.«

»Sie sind gut genug.« Bleeker beugte sich mit einer verschwörerischen Haltung vor. »Ich hab den Kerl gesehen, der das Haus angezündet hat, in echt. Ich hab in der Seitengasse gegenüber vom Club gestanden und gewartet, daß 'n Kumpel kommt, bei dem was zu holen ist. Mich nur um meinen eigenen Kram zu gekümmert, iss ja klar. Dann hör ich plötzlich dieses laute Knistern. Ich guck nach oben, und aus allen Fenstern von dem Club, da kommen Flammen.«

»Reden Sie weiter«, sagte Harry mit ruhiger Stimme.

»Und woher weiß ich, daß ihr mir die Kohle rüberschiebt?« jammerte Bleeker.

Harry legte ein paar Münzen auf den Tisch. »Den Rest kriegen Sie, wenn ich finde, daß die Informationen interessant genug sind.«

»Verdammte Scheiße, ganz 'n mieser Kerl, was?« Bleeker beugte sich noch weiter vor, und sein widerlicher Atem wehte über den Tisch. »Na, gut, dann red ich eben weiter. In der Nacht sind zwei Männer zur Tür vom Saber rausgerannt. Der erste hält sich den Bauch und blutet wie 'ne Sau. Schafft's über die Straße und bricht da zusammen, wo ich steh.«

»Wie praktisch«, murmelte Harry.

Bleeker begeisterte sich zunehmend für seine eigene Geschichte. »Ich drück mich weiter im Dunkeln rum, und dann kommt dieser zweite Kerl rausgerannt. Sucht die Straße ab, bis er den armen Kerl sieht, ja, so war's. Dann kommt er zu ihm rüber, bleibt stehen und guckt auf ihn runter. Ich hab das Messer in seiner Hand sehen können.«

»Faszinierend. Reden Sie schon weiter.«

»Dann sagt der arme Kerl, der stirbt, zu ihm: *Du hast mich getötet, Ballinger. Du hast mich umgebracht. Warum hast du das getan? Ich hätte nie einer Menschenseele verraten, wer du wirklich bist. Ich hätte niemals gesagt, daß du die Spinne bist.*« Bleeker lehnte sich selbstzufrieden zurück. »Dann stirbt der arme Kerl, und der andere Kumpel haut ab. Ich also schleunigst weg von da, das kann ich euch verraten.«

Harry schwieg einen Moment lang, als Bleeker seine Geschichte beendet hatte. Er blieb erwartungsvoll sitzen. Dann stand er langsam auf. »Laß uns verschwinden, Freund«, murmelte er Peter zu. »Heute abend haben wir wirklich unsere Zeit verschwendet.«

Bleekers Miene verfinsterte sich vor Schreck. »He, ihr da, was iss nu mit meiner Kohle? Ihr habt versprochen zu bezahlen, wenn ich euch sage, was damals in der Nacht passiert ist.«

Harry zuckte die Achseln und warf noch ein paar Münzen auf den Tisch. »Das muß genügen. Mehr sind Ihre Lügen nicht wert. Kassieren Sie den Rest bei dem ein, der Ihnen gesagt hat, Sie sollen mir diese Lügengeschichte vorsetzen.«

»Lügen? Was für Lügen?« stieß Bleeker zornig aus. »Ich habe euch die Wahrheit erzählt, verdammt noch mal.«

Harry schenkte ihm keine weitere Beachtung und nahm wahr, daß sich unter den Gästen der Spelunke plötzliches Interesse regte, als sie sich nach dem Trubel im hintersten Winkel umdrehten.

»Ich denke, wir nehmen die Hintertür«, sagte Harry zu Peter. »Es sieht plötzlich so aus, als sei der Weg zur Vordertür sehr weit.«

»Eine glänzende Beobachtung. Ich war schon immer ein großer Verfechter der Vorzüge eines strategischen Rückzugs.« Peter grinste ihn kurz an und öffnete eilig die Hintertür. »Nach Ihnen, Sir.« Er winkte Harry mit einer höflichen Geste ins Freie hinaus.

Harry trat auf die Gasse. Peter folgte ihm und schlug hinter Bleekers erzürntem Geschrei und der unruhigen Gästeschar die Tür zu.

»Verflucht«, sagte Harry, als er den Mann mit dem Messer aus der übelriechenden Dunkelheit auftauchen sah.

Der Mondschein schimmerte auf der Klinge, als der Mann Harry mit einem Satz an die Kehle sprang.

17. Kapitel

Harry riß seinen Spazierstock aus Ebenholz in einem kühnen Bogen hoch. Der Stock traf den Arm seines Angreifers mit einem kräftigen Schlag, der das Messer durch die Luft fliegen ließ.

Mit einer geübten Bewegung und nur einer Hand nahm Harry am Griff seines Spazierstocks eine Vierteldrehung vor. Die verborgene Klinge schnellte aus dem Stock heraus und preßte sich an den Hals seines Angreifers.

»Verdammter Mist.« Der Mann sprang mit einem Satz zurück und stolperte prompt über den Haufen Abfälle. Auf den schmierigen Steinen verlor er den Halt, rutschte aus und fiel auf den Bürgersteig. Er schlug wild um sich und begann, Flüche auszustoßen.

»Wir sollten uns jetzt besser auf den Weg machen«, sagte Peter fröhlich und warf nur einen flüchtigen Blick auf Harrys Opfer. »Ich nehme an, unsere Freunde werden jetzt jeden Moment zur Tür hinauskommen.«

»Ich hatte nicht die Absicht, unser Verschwinden unnötig hinauszuzögern.« Harry nahm eine weitere Vierteldrehung am Griff seines Spazierstocks vor, und die Klinge verschwand so lautlos, wie sie herausgeschnellt war.

Peter ging voraus. Harry folgte ihm eilig. Sie rasten auf die Straße, und Peter wandte sich ohne jedes Zögern nach rechts.

»Mir scheint«, murrte Peter, als sie weiterrannten, »daß ich mich schon mehr als einmal mit dir in vergleichbaren Situationen befunden habe, Graystone. Allmählich glaube ich, es kommt nur zu diesen Vorfällen, weil du nie ein anständiges Trinkgeld gibst.«

»Das ist sehr wahrscheinlich.«

»Knauserig bist du, genau das ist es, Graystone.«

»Mir dagegen«, sagte Harry, als er neben seinem Freund durch die Straßen stürmte, »ist aufgefallen, daß ich anscheinend nur in solche Situationen gerate, wenn ich mich von dir als dem Ortskundigen leiten lasse. Da muß man sich doch fragen, ob kein logischer Zusammenhang besteht.«

»Unsinn. Das bildest du dir nur ein.«

Dank Peters intimer Kenntnis der Schattenseiten der Stadt und des allgemeinen Unwillens der Bewohner der Elendsviertel, sich in etwas hineinziehen zu lassen, was nach Ärger roch, standen die beiden Männer schon bald darauf in relativer Sicherheit wieder auf einer geschäftigen Straße.

Harry benutzte seinen Spazierstock, um eine Mietkutsche heranzuwinken, die gerade ein Grüppchen von betrunkenen jungen Gecken abgesetzt hatte. Anscheinend beabsichtigten die vorherigen Fahrgäste, die dunkleren Seiten des Nachtlebens von London zu erkunden.

Harry für seinen Teil hatte mehr als genug gesehen. Er sprang in die Kutsche und ließ sich Peter gegenüber auf den Sitz fallen.

Ein nachdenkliches Schweigen senkte sich herab. Harry schaute müßig auf die dunklen Straßen vor dem Fenster hinaus, als die Kutsche einem besseren Viertel entgegenfuhr. Peter beobachtete ihn im Dunkeln mehrere Minuten lang und sagte kein Wort. Dann sprach er ihn an.

»Eine interessante Geschichte, meinst du nicht auch?« fragte Peter schließlich.

»Ja.«

»Was reimst du dir daraus zusammen?«

Harry ging Bleekers Geschichte in Gedanken noch einmal durch und suchte sie nach Möglichkeiten ab. »Ich bin mir noch nicht sicher.«

»Vom Zeitablauf her paßt alles zusammen«, sagte Peter bedächtig. »Ballinger ist in der Nacht nach dem Brand im Saber Club ermordet worden. Er könnte diesen Zeugen getötet und den Brand gestiftet haben, um seine eigenen Spuren zu verwischen. Und in der nächsten Nacht ist er dann von diesem Straßenräuber erschossen worden.«

»Ja.«

»Soweit wir bisher wissen, ist die Spinne inaktiv geworden, kurz bevor Napoleon im April 1814 abgedankt hat. Auch das würde mit dem Zeitpunkt von Ballingers Tod zusammenpassen. Er ist gegen Ende März jenes Jahres erschossen worden. In der kurzen Zeit zwischen Napoleons Flucht von Elba und der endgültigen Niederlage bei Waterloo hat es keine Anzeichen dafür gegeben, daß die Spinne ihre Arbeit wiederaufgenommen hat.«

»Die Spinne war zu gerissen und hätte sich nicht ein zweites Mal auf Napoleons Seite geschlagen. Der Versuch, 1815 den Thron Frankreichs wieder zu besteigen, war von Anfang an ein aussichtsloses Unterfangen, und außer Napoleon haben das alle gewußt. Die Niederlage war beim zweiten Mal unumgänglich, und das wäre der Spinne klar gewesen. Sie hätte sich aus der Geschichte herausgehalten.«

Peter verzog spöttisch den Mund. »Du könntest recht haben. Du hattest immer ein Talent, den nächsten Zug dieses Schurken vorherzuahnen. Aber das Endergebnis ist dasselbe. Die Spinne ist im Frühjahr 1814 von der Bildfläche verschwunden. Vielleicht ist der Grund, aus dem wir nie mehr etwas von unserem Gegenspieler gehört haben, ganz einfach der, daß er das Pech hatte, der Kugel eines Straßenräubers zum Opfer zu fallen. Richard Ballinger könnte die Spinne gewesen sein.«

»Hm.«

»Sogar brillante Superspione muß es gelegentlich zur falschen Tageszeit auf der falschen Straße erwischen. Ich könnte mir vorstellen, daß sie gegen die zufällige Begegnung mit einem Straßenräuber ebenso wenig gefeit sind wie jeder andere auch«, sagte Peter.

»Hm.«

Peter stöhnte. »Ich kann es nicht ausstehen, wenn du in diese Stimmung absackst, Graystone. In solchen Momenten bist du nicht gerade der unterhaltsamste und gewandteste Gesprächspartner.«

Harry drehte endlich den Kopf um und sah seinem Freund in die Augen. »Ich sähe es ungern, wenn auch nur eine einzige von deinen Spekulationen den Weg zu Augusta findet, Sheldrake.«

Peter grinste flüchtig. »Gesteh mir ein Minimum an gesundem Menschenverstand zu, Graystone. Ich habe durchaus die Absicht, meine Hochzeitsnacht zu erleben. Ich habe nicht vor, Augusta zu schockieren und dadurch deinen Zorn zu riskieren.« Sein Lächeln erlosch. »So oder so sehe ich in Augusta eine gute Freundin und gleichzeitig auch eine Angehörige der Familie meiner zukünftigen Frau. Ich habe ebenso wenig wie du den Wunsch, sie wegen der unehrenhaften Taten ihres Bruders leiden zu sehen.«

»Genau.«

Eine halbe Stunde später, nachdem die Kutsche sich ihren Weg durch die verstopften Straßen eines nobleren Stadtteils gebahnt hatte, stieg Harry vor der Tür seines Stadthauses aus. Er wünschte Peter eine gute Nacht und stieg die Stufen hinauf.

Graddock, der ein Gähnen unterdrückte, öffnete ihm die Tür und informierte seinen Arbeitgeber darüber, daß sich alle, einschließlich Lady Graystone, für die Nacht zurückgezogen hätten.

Harry nickte und begab sich in die Bibliothek. Er schenkte sich ein kleines Glas Cognac ein und trat ans Fenster. Lange Zeit blieb er dort stehen, schaute auf den dunklen Garten hinaus und grübelte an den Ereignissen des Abends herum.

Als er den Cognac ausgetrunken hatte, ging er zu seinem Schreibtisch und zog die Stirn in Falten, als er ein großes Blatt Papier mitten auf der Schreibtischplatte liegen sah. Offensichtlich war es dort plaziert worden, damit er es nicht übersehen konnte. Die großzügige geschwungene Handschrift gehörte Augusta.

TERMINE AM DONNERSTAG

1. *Vormittags:* Besuch bei Hatchards und anderen Buchläden zwecks Erwerb von Büchern
2. *Nachmittags:* Mr. Mitfords Ballonflug im Park ansehen.

Unter dieser kurzen Liste von Unternehmungen war eine kleine Notiz vermerkt. *Ich gehe davon aus, daß obige Pläne von dir gutgeheißen werden.*

Harry fragte sich verdrossen, ob er sich die Finger an dem Blatt versengen würde, falls er es in die Hand nehmen sollte. Die Sache war die, daß man bei seiner unberechenbaren Augusta immer wußte, wie sie gelaunt war, selbst dann, wenn sie sich schriftlich mitteilte.

Eine große Menschenmenge hatte sich im Park versammelt, um Mr. Mitfords Aufstieg in einen wolkenlosen blauen Sommerhimmel im Heißluftballon zu beobachten. Meredith war vom ersten Moment ihres Eintreffens fasziniert. Sie begann augenblicklich, Augusta Fragen zu stellen, und sie hörte nicht mehr damit auf, obwohl Augusta mit der Beantwortung der meisten Fragen ihre Last hatte. Das hielt Meredith nicht von weiteren Fragen ab.

»Wodurch steigt der Ballon in den Himmel auf?«

»Nun, manchmal wird Wasserstoff benutzt, aber das ist ziemlich gefährlich, soweit ich gehört habe. Mr. Mitford setzt heute anscheinend Heißluft ein. Die Luft im Innern des Ballons wird durch das große Feuer erhitzt, das du dort sehen kannst. Die Heißluft wird bewirken, daß der Ballon vom Boden aufsteigt. Siehst du diese Sandsäcke, die sie dort in den Korb laden? Mr. Mitford wird sie abwerfen, wenn sich die Luft in dem Ballon abkühlt, um das Gewicht zu verringern. Auf die Art kann er eine enorm weite Strecke zurücklegen.«

»Wird den Leuten, die in dem Ballon aufsteigen, immer heißer, je näher sie der Sonne kommen?«

»Ich habe, ganz im Gegenteil, gehört«, sagte Augusta mit einem leichten Stirnrunzeln, »daß ihnen ziemlich kühl sein wird.«

»Das ist wirklich sehr merkwürdig. Woher kommt das?«

»Ich habe keine Ahnung, Meredith. Diese Frage mußt du deinem Vater stellen.«

»Kann ich mit Mr. Mitford und seiner Mannschaft in dem Ballon aufsteigen?«

»Nein, meine Liebe, ich fürchte, gegen dieses Vorhaben hätte Graystone größte Einwände zu erheben.« Augusta lächelte wehmütig. »Obwohl es wahrhaft ein ganz tolles Abenteuer wäre, meinst du nicht auch?«

»Oh, ja. Es wäre wunderschön.« Meredith schaute verzückt den leuchtend bunten Seidenballon an.

Um den Korb herum steigerte sich die Spannung ständig, als der riesige Ballon mit Heißluft gefüllt wurde. Überall hingen Taue, mit denen der Ballon am Boden festgehalten wurde, bis es an der Zeit für den Aufstieg war. Mr. Mitford, ein dünner, energischer Mann, sprang herum, erteilte Anweisungen und beaufsichtigte etliche kräftige Jungen, die ihm halfen.

»Alle Mann zurücktreten«, schrie Mr. Mitford schließlich im Befehlston. Er stellte sich mit zwei weiteren Personen in den Korb und winkte die Menschenmenge von den Seilen zurück. »Zurück, habe ich gesagt. Vorwärts, Jungs, bindet die Seile los.«

Der farbenprächtige Ballon begann, sich zu erheben. Die Menge jubelte, applaudierte und stieß anspornende Rufe aus.

Meredith war fasziniert. »Sieh nur, Augusta. Jetzt steigt er auf. Oh, wie gern ich doch mitgeflogen wäre.«

»Ich auch.« Augusta legte den Kopf zurück und hielt ihren gelben Strohhut an der Krempe fest, während sie beobachtete, wie der Ballon aufstieg.

Als sie erstmals ein Ziehen an ihren Röcken spürte, glaubte sie, jemand wäre in der dichten Menschenmenge mit ihr zusammengestoßen. Als sie jedoch ein zweites Ziehen an ihren Röcken spürte, senkte sie den Blick und sah einen kleinen Knirps, der zu ihr aufschaute. Er streckte eine schmutzige Hand aus und hielt ihr ein kleines, zusammengefaltetes Blatt Papier hin.

»Sie sind Lady Graystone?«

»Ja, die bin ich.«

»Das ist für Sie.« Der Junge drückte ihr den Zettel in die Hand und rannte eilig wieder fort.

»Was auf Erden hat das zu bedeuten?« Augusta schaute auf den Zettel herunter. Meredith hatte nichts von alledem bemerkt. Sie war viel zu sehr damit beschäftigt, Mr. Mitfords kühne Mannschaft anzufeuern.

Augusta beschlich plötzlich Grauen, als sie den Zettel auseinanderfaltete. Die Nachricht war kurz und trug keine Unterschrift:

Wenn Sie die Wahrheit über Ihren Bruder erfahren wollen, dann finden Sie sich heute um Mitternacht auf dem Weg hinter Ihrem Haus ein. Erzählen Sie niemandem etwas darüber, oder Sie werden niemals den Beweis bekommen, den Sie suchen.

»Augusta, das ist wirklich das Tollste, was ich je gesehen habe«, vertraute ihr Meredith an, deren Augen immer noch gebannt auf den aufsteigenden Ballon geheftet waren. »Wohin gehen wir morgen?«

»In Astley's Amphitheater«, murmelte Augusta geistesabwesend vor sich hin, während sie den Zettel in ihre Handtasche gleiten ließ. »Nach den Ankündigungen in der *Times* werden wir dort erstaunliche Reitkünste zu sehen bekommen, und es gibt auch ein Feuerwerk.«

»Das wird sicher schön, aber ich glaube nicht, daß es so wunderbar wie diese Ballonfahrt wird.« Meredith drehte sich schließlich um und sah sie an, als sich Mr. Mitfords Ballon über der Stadt zu entfernen begann. »Wird Papa mit uns ins Amphitheater kommen können?«

»Das bezweifle ich, Meredith. Du weißt ja, daß er viele geschäftliche Angelegenheiten zu erledigen hat, solange wir in der Stadt sind. Vergiß nicht, er erwartet von uns, daß wir uns allein amüsieren.«

Meredith lächelte ihr bedächtiges, zögerndes Lächeln. »Das kriegen wir doch ganz prima hin, findest du nicht auch?«

»Doch, ganz prima sogar.«

Harry öffnete die Tür seiner Bibliothek, als Augusta und Meredith in die Eingangshalle seines Stadthauses gestürmt kamen. Er lächelte zaghaft. »Hat der Ballonaufstieg Spaß gemacht?«

»Es war äußerst interessant und sehr lehrreich«, sagte Augusta kühl. Sie konnte an nichts anderes denken als an die Nachricht in ihrer Handtasche. Sie verzehrte sich danach, nach oben zu eilen und den Zettel ungestört in ihrem Schlafzimmer noch einmal gründlich zu betrachten.

»O Papa, es war absolut erstaunlich«, schwärmte Meredith. »Augusta hat mir als Souvenir ein wunderschönes Taschentuch mit einem Bild von Mr. Mitfords Ballon darauf gekauft. Und sie hat gesagt, du würdest mir erklären, wie es kommt, daß es den Menschen manchmal ziemlich kühl wird, wenn sie in einem Ballon aufsteigen, obwohl sie in Wirklichkeit der Sonne näher kommen.«

Harry zog eine Augenbraue hoch und warf einen belustigten Blick auf Augusta, während er seiner Tochter antwortete. »Sie hat gesagt, ich würde dir das erklären, ist das wirklich wahr? Was hat sie auf den Gedanken gebracht, daß ich die Antwort auf diese Frage kenne?«

»Jetzt hör aber auf, Graystone«, schalt Augusta ihn aus. »Du hast im allgemeinen Antworten auf alles, oder etwa nicht?«

»Augusta...«

»Wirst du heute abend wieder außer Haus sein?«

»Leider ja. Ich werde sogar erst sehr spät zurückkommen.«

»Wir werden natürlich nicht aufbleiben und auf dich warten.« Ohne eine Antwort abzuwarten, stieg sie mit gemäßigten Schritten die Stufen zu ihrem Schlafzimmer hinauf. Sie warf noch einen Blick über die Schulter und sah, daß Meredith am Ärmel ihres Vaters zog.

»Papa?«

»Komm ein paar Minuten lang in die Bibliothek, Meredith. Ich werde versuchen, deine Frage zu beantworten.«

Augusta hörte, wie sich die Tür der Bibliothek schloß. Sie lüpfte ihre Röcke und rannte die restlichen Meter zu ihrem Schlafzimmer. Sowie sie diesen privaten Bereich betreten hatte, ließ sie sich auf den Stuhl hinter ihrem Schreibtisch sinken und riß ihre Handtasche auf. *Wenn Sie die Wahrheit über Ihren Bruder erfahren wollen...*

Vielleicht kannte Graystone dieses eine Mal nicht alle Antworten. Sie würde es ihm zeigen, gelobte sich Augusta. Sie würde den Beweis für die Unschuld ihres Bruders vorlegen und Harry mit ihrer Klugheit bestürzen.

Nach reiflicher Überlegung beschloß Augusta, der sicherste Weg aus dem Stadthaus und in den nächtlichen Garten sei der durch das Fenster der Bibliothek ihres Mannes.

Die einzige andere Möglichkeit bot die Hintertür, doch der Weg dorthin hätte sie durch die Küche und dicht an den Unterkünften der

Dienstboten vorbeigeführt. Das Risiko, jemanden zu wecken, war zu groß.

Es machte keine größeren Schwierigkeiten, in der dunklen Bibliothek das Fenster zu öffnen und sich in den Garten hinauszuschleichen. Schließlich hatte sie an jenem schicksalhaften Abend, als sie Harry ihren mitternächtlichen Besuch abgestattet hatte, diesen Weg in umgekehrter Richtung zurückgelegt.

Wenn sie jetzt daran zurückdachte, verwunderte es sie immer noch, daß Graystone sie nach diesem ausgelassenen Kabinettstück noch hatte heiraten wollen. Als es darum gegangen war, seinen Entschluß zu fassen, hatte zweifellos sein Ehrgefühl den Ausschlag gegeben.

Augusta sprang auf den Boden und ließ das Fenster hinter sich offen, um eine schnelle Rückkehr zu gewährleisten. Sie zog ihren dunklen Umhang enger um sich, setzte die Kapuze auf und blieb einen Moment lang stehen, um zu lauschen.

Als kein Laut zu vernehmen war, begab sie sich vorsichtig zum Gartentor. Solche Dinge erforderten größte Vorsicht, warnte sie sich selbst. Sie mußte ihre Geistesgegenwart behalten. Wer auch immer sie auf dem schmalen Pfad erwarten würde – sie würde denjenigen gründlich ausfragen. Und sie würde sorgsam darauf achten, daß er Abstand wahrte. Falls es sich als notwendig erweisen sollte, konnte sie immer noch um Hilfe schreien. Die Dienstboten oder die Nachbarn würden sie hören.

Sie blieb stehen, ehe sie das Tor öffnete, um ein weiteres Mal angestrengt zu lauschen. Noch nicht einmal ein Flüstern oder Schritte waren zu hören. Augusta schob den Riegel zurück und öffnete behutsam das Tor. Die Angeln quietschten protestierend.

»Hallo? Ist dort jemand?«

Sie bekam keine Antwort. Am Ende des Gehweges brannten in allen Fenstern von Lady Arbuthnotts Haus die Lichter, doch die anderen Wohnhäuser, die näher waren, lagen im Dunkeln. Auf der Straße klapperten die Räder einer Kutsche und entfernten sich in die Nacht hinein.

»Hallo?« Augusta lugte ein paar Minuten lang besorgt in das tiefe Dunkel. »Bitte, sind Sie hier? Ich habe Ihre Nachricht erhalten, wer auch immer Sie sein mögen. Ich möchte mit Ihnen reden.«

Sie machte einen Schritt nach vorn, aus der Sicherheit des Gartens hinaus, und ihr Zeh stieß gegen einen harten Gegenstand auf dem Boden.

»Was auf Erden hat das zu bedeuten?« Automatisch senkte Augusta den Blick und sah auf den Pflastersteinen einen quadratischen Gegenstand liegen. Sie wollte gerade einen weiteren Schritt zurück und über diesen Gegenstand steigen, als sie bemerkte, daß es sich um eine Art Buch handelte. Sie bückte sich und hob es auf.

Als sich ihre Hand um den ledergebundenen Band schloß, hörte sie plötzlich Pferdehufe am anderen Ende des Gehwegs. Sie drehte sich gerade noch rechtzeitig um und sah ein Pferd und einen Reiter um die Ecke biegen und verschwinden.

Jemand hatte sie in der Dunkelheit beobachtet, erkannte sie mit einem Frösteln. Jemand hatte dort im Dunkeln herumgelungert, gewartet, bis sie das Buch aufgehoben hatte, und war dann fortgeritten.

Aus irgendwelchen Gründen verspürte Augusta plötzlich große Furcht, weit mehr Furcht als bei ihrem Aufbruch zu diesem Abenteuer. Sie sprang in den Garten zurück, schloß hastig das Tor und schob den Riegel vor. Sie hielt den schmalen Band mit einer Hand umklammert und raste der Sicherheit des Hauses entgegen. Der dunkle Umhang umwehte sie, und beim Laufen lösten sich die Nadeln aus ihrem Haar.

Als sie das Fenster der Bibliothek erreichte, ging ihr Atem viel zu schnell. Sie warf das Buch über das Fensterbrett auf den Teppich, stemmte beide Handflächen auf das steinerne Sims und zog sich in eine sitzende Haltung hoch. Dann schwang sie ein Bein über das Fensterbrett und wollte auf den Boden springen.

Sie erstarrte, als die Schreibtischlampe plötzlich angezündet wurde. »Oh, nein, bloß das nicht.«

Harry lehnte sich auf seinem Stuhl zurück und musterte sie unter gesenkten Lidern mit einem unergründlichen Ausdruck in den Augen. »Guten Abend, Augusta. Wie ich sehe, stattest du wieder einmal einen deiner unkonventionellen Besuche ab.«

»*Harry*. Gütiger Gott, mir war nicht klar, daß du zu Hause bist. Ich dachte, du bliebest heute wieder lange aus.«

»Warum kommst du nicht in die Bibliothek? Es kann nicht schrecklich bequem sein, dergestalt im Fensterrahmen zu sitzen.«

»Ich weiß, was du dir denken mußt, aber ich kann alles erklären.«

»Und du kannst dich darauf verlassen, daß du genau das tun wirst. Und zwar hier in der Bibliothek.«

Augusta musterte ihn mißtrauisch, als sie das andere Bein über das Fensterbrett schwang, ihre Röcke glattstrich und auf den Teppich sprang. Sie schaute auf das Buch, das zu ihren Füßen lag, während sie langsam ihren Umhang ablegte. »Ich fürchte, es ist eine recht ungewöhnliche Geschichte.«

»Davon kann man bei dir immer ausgehen.«

»O Harry, bist du sehr wütend auf mich?«

»Ja, sehr.«

Ihr sank das Herz. »Das hatte ich schon befürchtet.« Sie bückte sich und hob das Buch auf.

»Setz dich, Augusta.«

»Ja, Harry.« Sie zog den Umhang mit der einen Hand hinter sich her und kam durch den Raum, um sich gegenüber von Harry an seinen Schreibtisch zu setzen. Ihr Kinn reckte sich in die Luft, als sie Anlauf nahm, sich zu verteidigen. »Ich weiß, daß das einen sehr üblen Eindruck macht, Graystone.«

»Ja, allerdings. Beispielsweise fiele es mir erstaunlich leicht, zu dem naheliegenden Schluß zu gelangen, daß du gerade von einem verbotenen mitternächtlichen Rendezvous mit einem anderen Mann zurückkehrst.«

Augustas Augen weiteten sich vor Entsetzen. »Gütiger Himmel, Harry, es handelt sich um absolut nichts dergleichen.«

»Es erleichtert mich natürlich, das zu hören.«

»Also, wirklich, Harry, das wäre eine absolut lächerliche Annahme.«

»Tatsächlich?«

Augusta bog die Schultern zurück. »Die Sache ist die, daß ich meine eigenen Nachforschungen durchgeführt habe.«

»Nachforschungen worüber?«

Seine Begriffsstutzigkeit ließ sie die Stirn runzeln. »Natürlich über den Tod meines Bruders.«

»Das kannst du jemand anderem erzählen.« Harry beugte sich abrupt vor und wirkte bei weitem bedrohlicher als noch vor einer Minute.

Augusta versank in den Tiefen ihres Sessels, denn sein plötzlicher Wutausbruch hatte sie erschreckt. »Doch, wirklich, es ist nun einmal so.«

»Verdammt und zum Teufel. Ich hätte es wissen müssen. Du wirst mit Sicherheit mein Tod sein, Frau. Ich unschuldiger Dummkopf, der ich bin, hatte angenommen, daß du lediglich nach einem spätnächtlichen Besuch bei Pompeia's eine Abkürzung wählst.«

»Oh, nein, es hatte überhaupt nichts mit Pompeia's zu tun. Verstehst du, ich bin aus dem Haus gegangen, um mich mit einem Mann zu treffen. Er ist aber nicht gekommen. Ich meine, er war zwar da, aber er hat sich nicht blicken lassen, bis ich...«

»Du hast mir gerade noch erzählt, daß kein Mann im Spiel sei«, rief ihr Harry grimmig ins Gedächtnis zurück.

»Nicht so, wie ich angenommen hatte, daß du es meinst«, erklärte sie und bemühte sich, geduldig zu bleiben. »Es war kein romantisches Rendezvous, verstehst du. Laß mich dir die ganze Geschichte erzählen, und dann wirst du es verstehen.«

»Ich zweifle aufrichtig daran, daß ich dich jemals verstehen werde, Augusta, aber erzähl mir trotzdem unbedingt diese Geschichte. Und faß dich bitte kurz, denn meine Geduld hängt an einem seidenen Faden. Dieser Umstand bringt dich in eine extrem prekäre Lage, meine Liebe.«

»Ich verstehe.« Sie biß sich auf die Lippen und sortierte eilig ihre Gedanken. »Also, heute bei dem Ballonaufstieg hat mir ein kleiner Junge eine Nachricht in die Hand gedrückt. In der Nachricht stand, wenn ich heute um Mitternacht auf den Weg hinter dem Haus komme, erfahre ich die Wahrheit über meinen Bruder. Das war schon alles.«

»Das war schon alles. Gütiger Gott im Himmel.« Harry schloß die Augen und ließ den Kopf kurz auf seine Hände sinken. »Ich werde noch im Irrenhaus enden.«

»Harry? Ist alles in Ordnung mit dir?«

»Nein, ganz und gar nicht. Ich habe dir gerade erklärt, daß ich in akuter Gefahr schwebe, den Verstand zu verlieren.« Harry sprang auf und kam um seinen Schreibtisch herum. Dort blieb er stehen, baute sich vor Augusta auf, verschränkte die Arme vor der Brust und starrte sie aus kalten Augen an. »Wir werden das jetzt der Reihe nach durchgehen, Schritt für Schritt. Wer hat dir diese Nachricht zukommen lassen?«

»Ich weiß es nicht. Wie ich schon sagte, derjenige hat sich auf dem Weg hinter dem Haus nicht blicken lassen. Aber er hat mich beobachtet und darauf gewartet, daß ich das Buch an mich nehme. Sowie ich es gefunden hatte, ist er aus der Gasse gebogen und auf die Straße geritten. Ich habe ihn nicht aus der Nähe sehen können.«

»Laß mich einen Blick in dieses Buch werfen.« Harry nahm es von ihrem Schoß und begann, es durchzublättern.

Augusta sprang auf und verrenkte sich den Hals, um einen Blick auf den Inhalt werfen zu können. Sie sah augenblicklich, daß die Seiten mit Handschrift bedeckt waren. »Das ist so eine Art privates Tagebuch, irgendwelche Aufzeichnungen.«

»Ja, genau.«

»Mach langsamer. Du blätterst die Seiten zu schnell um. Ich kann nichts lesen.«

»Selbst wenn du etwas lesen könntest, bezweifle ich, daß du den Sinn verstehen würdest. Die Aufzeichnungen sind kodiert. Sie sind in einem alten Code geschrieben, der schon vor langer Zeit geknackt worden ist.«

»Wirklich? Kannst du es lesen? Hat es was mit meinem Bruder zu tun? Was glaubst du, was dort steht, Harry?«

»Bitte, Augusta, sei still. Setz dich hin, und laß mir ein paar Minuten Zeit, um es mir näher anzusehen. Ich habe schon seit einer ganzen Weile nichts mehr mit diesem speziellen Code zu tun gehabt.«

Augusta gehorchte. Sie setzte sich hin, blieb ganz still sitzen und hatte die Hände im Schoß gefaltet, während sie begierig die Resultate ihrer Nachforschungen abwartete.

Harry ging wieder um seinen Schreibtisch herum und setzte sich. Er schlug den Band auf und vertiefte sich mit konzentriertem Gesichtsausdruck darin. Er blätterte die Seite um, dann die nächste. Schließlich warf er einen Blick auf ein paar Seiten gegen Ende des Buches.

Nach einer qualvoll langen Zeitspanne schlug er das Buch zu und hob den Blick, um Augusta in die Augen zu sehen. In seinem Blick stand neuerliche Kälte, eine eisige Kühle, die über alles hinausging, was sie je in diesen kristallgrauen Augen gesehen hatte.

»Was ist, Harry?« flüsterte sie.

»Es scheint sich um eine Aufzeichnung von kodierten Nachrichten zu handeln, die während des Kriegs durch diverse Boten übermittelt worden sind. Ich erkenne einige der erwähnten Nachrichten, da meine Agenten sie abgefangen haben und ich sie dechiffriert habe.«

Augusta zog die Stirn in Falten. »Aber was hat das mit meinem Bruder zu tun?«

»Das hier ist ein sehr persönliches Tagebuch, Augusta.« Harry strich sachte über den Band. »Private Aufzeichnungen, die für die Augen keines anderen als den bestimmt waren, der sie geschrieben hat.«

»Aber wer könnte das gewesen sein? Weißt du es?«

»Nur ein einziger Mann kann von all diesen Nachrichten gewußt haben, und nur ein einziger Mann kann die Namen all dieser Kuriere und französischen Agenten gekannt haben, die zu Beginn aufgelistet sind. Diese Aufzeichnungen müssen früher einmal der Spinne persönlich gehört haben.«

Augusta geriet allmählich in Panik. »Aber, Harry, *was hat das mit meinem Bruder zu tun?*«

»Es scheint ganz so, Augusta, wenn man sich diese Aufzeichnungen hier ansieht und einige andere Indizien heranzieht, als versuchte jemand, uns zu sagen, daß dein Bruder die Spinne war.«

»Nein, das ist ausgeschlossen.« Augusta sprang abrupt auf. »Was du sagst, ist gelogen.«

»Bitte, setz dich, Augusta«, sagte Harry mit ruhiger Stimme.

»Ich denke gar nicht daran, mich zu setzen.« Sie trat einen Schritt vor, stemmte die Handflächen auf die Schreibtischplatte und wollte ihn mit reiner Willenskraft dazu zwingen, ihr zu glauben. »Mir ist egal, wie viele Beweise du mir vorlegst. Hast du gehört? Mein Bruder war kein Verräter. Graystone, du mußt mir glauben. Kein Northumberland-Ballinger würde je sein Land verraten. Richard war nicht die Spinne.«

»So, wie die Dinge stehen, bin ich geneigt, dir zuzustimmen.«

Augusta setzte sich abrupt hin, denn sie war vollständig benommen, weil er Richards Unschuld so bereitwillig akzeptierte, obwohl doch alle Beweise gegen ihn sprachen. »Du bist meiner Meinung? Du glaubst nicht, daß diese Aufzeichnungen Richard gehört haben? Das ist nämlich ganz bestimmt nicht der Fall. Es ist nicht seine Handschrift. Ich schwöre, daß es nicht seine Handschrift ist.«

»Die Handschrift beweist gar nichts. Ein intelligenter Mann hätte ganz bestimmt für diese Zwecke, nämlich derart gefährliche Aufzeichnungen niederzuschreiben, einen einzigartigen Stil entwickelt.«

»Aber, Harry...«

»Es ist aber so«, schnitt ihr Harry sachte das Wort ab, »daß es andere

Gründe gibt, die es mir schwer, wenn nicht gar regelrecht unmöglich machen zu glauben, daß dein Bruder die Spinne war.«

Augustas Gesicht verzog sich langsam zu einem Lächeln, denn sie nahm eine Woge grandioser Erleichterung wahr. »Das freut mich, Harry. Ich danke dir dafür, daß du an seine Ehre glaubst. Ich kann dir gar nicht sagen, wieviel mir das bedeutet. Ich werde dir deine Güte in diesem Punkt nie vergessen, und du kannst sicher sein, daß dir meine ewige Dankbarkeit und Wertschätzung gehören.«

Harry betrachtete sie einen Moment lang stumm und trommelte geistesabwesend mit den Fingerspitzen auf dem Ledereinband. »Es freut mich selbstverständlich, das zu hören.« Er packte die Aufzeichnungen in seine Schreibtischschublade und drehte bei seinen Worten den Schlüssel im Schloß um.

»Es ist wahr, Harry.« Augustas Lächeln wurde strahlend. Dann räusperte sie sich zaghaft. »Wenn man bedenkt, daß als Beweise gegen meinen Bruder dieses gräßliche Gedicht und diese Aufzeichnungen vorliegen und du außerdem den Hang hast, Logik blindem Glauben vorzuziehen, hätte ich jedoch eine Frage.«

»Ja?«

»Dürfte ich fragen, warum du so bereitwillig glaubst, daß Richard nicht die Spinne war?« Die Spannung wurde unerträglich, während sie darauf wartete, daß Harry eingestand, seine Zuneigung zu ihr hätte seine Meinung ins Wanken gebracht.

»Die Antwort liegt auf der Hand, Augusta.«

»Ja?« Sie strahlte ihn an.

»Ich lebe jetzt seit einigen Wochen mit einer Northumberland-Ballinger zusammen und habe die Gewohnheiten und Eigentümlichkeiten dieser Sippe recht gut kennengelernt. Da mir versichert worden ist, daß alle Northumberland-Ballingers eine Reihe von Charakterzügen miteinander gemeinsam haben...« Er ließ seinen Satz mit einem Achselzucken abreißen.

Augusta war jetzt allmählich verwirrt. »Ja, Harry? Ich bitte dich, fahr fort.«

»Gestatte mir, schonungslos zu sein. Es ist einfach zu unwahrscheinlich, daß irgendein Northumberland-Ballinger die Mentalität haben könnte, die einem brillanten und meisterlichen Spion gemäß wäre, dem es jahrelang gelungen ist, nicht enttarnt zu werden, und dessen Identität bis heute unbekannt ist.«

»Mentalität, Harry? Was um alles in der Welt soll das heißen?«

»Das heißt«, sagte Harry, »daß der durchschnittliche Northumberland-Ballinger, der dein Bruder nach allen Berichten war, *zu verdammt emotional, zu vorschnell, zu unbesonnen, zu impulsiv und verflucht noch mal viel zu idiotisch ist,* um auch nur einen halbwegs anständigen Spion abzugeben, ganz zu schweigen von einem meisterlichen Spion, der viele andere Spione unter sich hat.«

»Oh«, sagte Augusta und blinzelte, als sie diese unerwartete Reaktion verdaute. Und dann ging ihr erst auf, wie tief er sie beleidigt hatte. Sie sprang wieder erbost auf. »Wie kannst du es wagen, solche Dinge zu sagen? Wie kannst du es wagen? Dafür wirst du dich augenblicklich entschuldigen!«

»Sei nicht albern. Für die Wahrheit entschuldigt man sich nicht.«

Augusta starrte ihn an, und ihre Wut steigerte sich. »Dann läßt du mir keine andere Wahl. Du hast meine Familie einmal zu oft gekränkt. Als die letzte Northumberland-Ballinger verlange ich Genugtuung für deine verleumderischen Nachreden.«

Harry starrte sie voller Erstaunen an. Dann stand er hinter seinem Schreibtisch langsam auf. Als er Augusta ansprach, war seine Stimme bedrohlich sanft. »Wie bitte?«

»Du hast gehört, was ich gesagt habe.« Augusta zitterte vor Empörung, doch sie reckte das Kinn weiterhin in die Luft. »Ich fordere dich hiermit zu einem Duell heraus. Selbstverständlich überlasse ich dir die Wahl der Waffen.« Sie zog eine finstere Miene, als Harry sie weiterhin verblüfft anstarrte. »In dem Fall steht die Wahl doch dir zu, oder etwa nicht? Meines Wissens wird es so gehandhabt. Ich fordere dich heraus, du wählst die Waffen. Ist das etwa nicht korrekt?«

»Korrekt?« Harry kam um den Schreibtisch herum. »Ja, das ist entschieden die korrekte Form für ein Duell. Als derjenige, der die Herausforderung erhalten hat, verlange ich auch tatsächlich nicht nur das Recht auf die Wahl der Waffen, sondern auch auf die Wahl des Ortes, an dem dieses Treffen stattfindet.«

»Harry?« Da der erbarmungslose Ausdruck in seinen Augen, als er auf sie zukam, Augusta erschreckte, wich sie langsam zurück. »Was tust du da? Was soll das heißen?«

Harry erreichte sie in dem Moment, in dem sich Augusta gerade überlegte, es wäre besser zu flüchten. Sie wich noch einen Schritt zurück, doch sie hatte ihre Fluchtmöglichkeit verpaßt.

Harry hob sie hoch wie einen Sack Mehl und warf sie sich über die Schulter. Er ging auf die Tür zu, öffnete sie und trug Augusta in den Korridor.

»Heiliger Strohsack, Harry. Hör augenblicklich damit auf.« Augusta trommelte mit den Fäusten auf seinen breiten Rücken ein. Sie trat wild um sich, doch er preßte nur einen Arm um ihre Schenkel und hielt sie fest.

»Du wolltest ein Duell, Frau; das sollst du bekommen. Wir werden die Waffen benutzen, mit denen die Natur jeden von uns ohnehin schon ausgestattet hat, und das Feld der Ehre wird mein Bett sein. Ich versichere dir, es gibt kein Pardon, solange du nicht um Gnade flehst.«

»Verdammt noch mal, Harry. Das entspricht absolut nicht meinen Absichten.«

»Dein Pech.«

Harry war mit Augusta bereits die ersten Treppenstufen hinaufgestiegen, als Craddock aus der Richtung der Dienstbotenunterkünfte auftauchte. Der Butler war bemüht, hastig in sein Jackett zu schlüpfen.

Sein Hemd war noch nicht zugeknöpft, und die Schuhe trug er in der Hand. Voller Erstaunen schaute er seinen Herrn und seine Herrin an.

»Ich habe Lärm gehört, Eure Lordschaft«, stammelte Craddock, dem eindeutig unwohl zumute war. »Ist etwas passiert?«

»Nicht das geringste, Craddock«, versicherte ihm Harry, während er mit Augusta über der Schulter die Treppe hochstieg. »Lady Graystone und ich sind lediglich auf dem Weg ins Bett. Kümmern Sie sich um die Lampen.«

»Selbstverständlich, Eure Lordschaft.«

Augusta konnte einen Blick in Craddocks Gesicht werfen, als Harry sie auf dem oberen Treppenabsatz in den Korridor trug. Der Butler rang tapfer darum, ein brüllendes Gelächter zu unterdrücken. Sie stöhnte vor Entrüstung.

Harry entließ seinen Kammerdiener mit einem einzigen Wort, als er sein Schlafzimmer betrat. »Raus.«

Der Mann verschwand und schloß die Tür hinter sich, aber nicht, ehe Augusta das Grinsen auf seinem Gesicht gesehen hatte. Sie bedachte Harry mit einem vernichtenden Blick, als er sie auf das Bett warf.

Als er sich neben sie setzte und begann, sich die Stiefel auszuziehen, richtete sich Augusta eilig auf. Ihre Wut hatte bereits begonnen, sich zu legen, und der gesunde Menschenverstand stellte sich schnell wieder ein. Ihr war durchaus klar, daß das, was sie unten in der Bibliothek gesagt hatte, weit über die Grenzen des Zulässigen hinausging.

»Harry, es tut mir leid, daß ich diese wüste Herausforderung ausgesprochen habe. Mir ist klar, daß es wahrhaft über die Grenzen dessen geht, was einer Ehefrau zusteht, aber du bringst es immer wieder fertig, mich in Wut zu versetzen.«

»Das ist gar nichts im Vergleich zu der Wirkung, die du auf meinen Gemütszustand hast, Frau.« Der zweite Stiefel fiel auf den Boden. Harry stand auf und begann, seine restlichen Kleidungsstücke auszuziehen.

Augusta sah, daß er bereits vollständig erregt war. Sie spürte, wie sich in ihrem Unterkörper die vertraute Wärme auszubreiten begann. *Ich liebe ihn ja so sehr,* dachte sie grollend. Es war wirklich sehr unfair, daß er eine solche Macht über sie besaß.

»Und jetzt, Frau, werden wir mit dem Duell beginnen.« Harry legte sich auf das Bett und zog mit einer schnellen Bewegung die Röcke ihres Kleids und ihre Petticoats bis auf ihre Taille hoch. Seine Hand grub sich kühn in ihren Oberschenkel, und seine Augen funkelten, als er sich über sie beugte.

»Und wirst du dich entschuldigen, falls ich gewinne?« flüsterte sie, als ihre Haut sich unter seinen Berührungen erwärmte.

»Von mir wirst du keine Entschuldigungen zu hören bekommen, Frau. Aber du hast Genugtuung verlangt, und ich schwöre dir, daß du sie zu deiner Zufriedenheit bekommen wirst. Selbstverständlich gilt dasselbe auch für mich.«

Sein Mund legte sich auf ihre Lippen, als er sich auf sie warf.

18. Kapitel

Augusta rührte sich in dem breiten Bett und nahm deutlich den festen, kräftigen, beunruhigend männlichen Körper neben sich wahr. Der starke Geruch nach körperlicher Liebe, die sie erst vor kurzem vollzogen hatten, hing noch in der Luft, und ihr Körper war noch feucht.

Sie schlug die Augen auf und sah vor dem Fenster einen bleichen Mond. Langsam streckte sie die Beine aus und zuckte ein wenig zusammen, weil die Muskeln in ihren Oberschenkeln schmerzten. Das war immer der Fall, nachdem Harry mit ihr geschlafen hatte. Sie fühlte sich, als hätte sie einen Vollbluthengst lange und zügig geritten. *Oder viel-*

leicht war sie diejenige, die geritten worden war. Sie lächelte in sich hinein.

»Augusta?«

»Ja, Harry?« Sie drehte sich auf die Seite und stützte die Ellbogen auf seine nackte Brust.

»Es gibt da noch etwas, was ich gern über die Vorfälle der heutigen Nacht wüßte.«

»Und was ist das?« Sie grub die Finger in die Matte krausen Haars auf seiner Brust. Es war ganz erstaunlich, wie das, was sie gemeinsam im Bett erlebten, die Stimmung beider beeinflussen konnte, dachte sie. So waren beispielsweise die Kampflust und Aggressivität aus ihr gewichen.

»Warum bist du mit dieser Nachricht, die dir der Junge am Nachmittag überbracht hat, nicht augenblicklich zu mir gekommen? Warum hast du versucht, ein derart gefährliches Treffen für dich zu behalten?«

Augusta seufzte. »Ich bezweifle, daß du das verstehen würdest, Harry.«

»Probier es aus.«

»Selbst, wenn du es verstehst, wirst du es zweifellos nicht gutheißen.«

»In dem Punkt hast du recht. Aber sag mir, warum du mit dieser Nachricht nicht zu mir gekommen bist, Augusta«, forderte er sie freundlich, aber entschieden auf. »Liegt es daran, daß du gefürchtet hast, die Informationen, die du erhältst, könnten gegen deinen Bruder sprechen?«

»Oh, nein«, sagte sie eilig. »Sogar ganz im Gegenteil. Ich habe aus der Nachricht geschlossen, daß ich den Beweis bekomme, den ich brauche, um den Schatten des Zweifels zu entfernen, der sich an Richards Namen knüpft.«

»Warum hast du dich mir dann nicht anvertraut? Du hast doch gewußt, daß mich interessieren würde, was du heute nacht erfährst.«

Sie hörte auf, mit seinem Brusthaar zu spielen. »Ich wollte dir zeigen, daß ich mich bei deinen Nachforschungen als so nützlich und hilfreich erweisen kann wie deine engen Freunde.«

»Sally und Sheldrake?« Harry zog die Stirn in Falten. »Das war eine große Dummheit, Augusta. Die beiden haben in derartigen Dingen eine Menge Erfahrung gesammelt. Sie wissen, wie sie auf sich selbst aufpassen können. Du hast keine Ahnung, wie man solche Nachforschungen anstellt.«

»Aber das ist es ja gerade.« Sie setzte sich neben ihm auf. »Ich will es lernen. Ich will zu deinem Kreis wirklich enger Freunde gehören, zu denjenigen, die du in deine persönlichsten Gedanken einweihst. Ich möchte dir so nahe stehen wie Sally und Peter.«

»Zum Teufel, Augusta, du bist meine Frau«, murmelte Harry aufgebracht. »Was uns miteinander verbindet, ist weitaus intimer als alles, was mich mit Sally oder Peter Sheldrake verbindet, das kann ich dir versichern.«

»Ich fühle mich dir nur dann wirklich nah, wenn wir, wie jetzt, zusammen im Bett liegen. Aber das genügt nicht, denn selbst dann besteht noch eine Distanz zwischen uns.«

»In solchen Momenten besteht nicht die geringste Distanz zwischen uns, Frau.« Er lächelte und streichelte mit einer Hand ihre Hüfte. »Oder muß ich deine Erinnerung auffrischen?«

Sie wand sich, um seinen Berührungen zu entkommen. »Aber es besteht eine Form von Distanz zwischen uns, weil du mich nicht liebst. Du verspürst lediglich eine körperliche Leidenschaft für mich. Das ist absolut nicht dasselbe.«

Er zog die Augenbrauen hoch. »Du bist Expertin für diese Unterschiede?«

»Ich nehme an, für den Unterschied zwischen Leidenschaft und Liebe ist jede Frau eine Expertin«, gab Augusta zurück. »Das ist zweifellos ein Instinkt.«

»Werden wir uns jetzt wieder in diese sinnlose Diskussion mit all ihrer wirren weiblichen Logik verstricken?«

»Nein.« Augusta beugte sich eifrig vor. »Es ist nur so, daß ich beschlossen habe, wenn ich deine Liebe schon nicht haben kann, Harry, dann will ich wenigstens deine Freundschaft haben. Ich möchte zu deinem engsten Kreis von Gefährten gehören. Zu denjenigen, mit denen du über alles reden kannst. Verstehst du das denn nicht?«

»Nein, das verstehe ich nicht. Das ist blanker Unsinn.«

»Ich möchte das Gefühl haben, als gehörte ich zum Kreis deiner intimsten Freunde. Verstehst du das denn nicht? So, als gehörte ich zu deiner eigentlichen Familie.«

»Verdammt und zum Teufel, Augusta, du redest eine Menge emotionalen Unsinn. Hör mir gut zu, Frau, du gehörst absolut zu dieser Familie.« Er nahm ihr Kinn und sah sie eindringlich an. »Und vergiß bloß nie diese Tatsache. Andererseits bist du nicht im Geheimdienst ausgebildet, und ich lasse nicht zu, daß du gefährliche Spiele spielst, wie du es heute nacht getan hast. Habe ich mich deutlich genug ausgedrückt?«

»Aber ich habe meine Sache doch gut gemacht, Harry. Gib es zu. Ich habe dir ein sehr interessantes Beweisstück geliefert. Überleg dir das doch nur einmal. Jemand hat sich all diese Mühe gemacht, und das nur, damit wir glauben, die Spinne sei mein Bruder und demnach schon seit zwei vollen Jahren tot. Daraus ergeben sich doch einige interessante Perspektiven, oder etwa nicht?«

Sein Mund verzog sich spöttisch. »Allerdings. Und die interessanteste von allen ist die, daß die Spinne zweifellos quicklebendig ist und von allen für mausetot gehalten werden will. Was uns zu der Schlußfolgerung führt, daß dieser Mann derzeit eine Position als geachtetes Mitglied der guten Gesellschaft innehaben könnte und weiterhin dieses neue Leben leben will. Er hat heute eindeutig eine ganze Menge zu verlieren, falls die Wahrheit über seine Vergangenheit ans Licht kommen sollte. Und das macht ihn gefährlicher denn je.«

Augusta dachte gründlich darüber nach. »Ja, ich verstehe, was du meinst.«

»Je länger ich über die Vorfälle der heutigen Nacht nachdenke, meine Liebe, desto mehr glaube ich, daß du einer Katastrophe haarscharf entgangen bist. Und schuld daran bin ich allein.«

Augustas Sorge wuchs. Sie lernte allmählich, daß Harry immer dann, wenn er in diesem Tonfall mit ihr sprach, kurz darauf begann, ihr Befehle zu erteilen. »Um Himmels willen, mach dir bloß keine Vorwürfe. Zu einem solchen Zwischenfall wird es ganz bestimmt nicht wieder kommen. Wenn ich das nächste Mal eine seltsame Nachricht erhalte, werde ich sofort damit zu dir kommen, das schwöre ich dir.«

Er musterte sie verdrossen. »Wir werden Schritte unternehmen, um das abzusichern, Augusta. Ihr beide, Meredith und du, werdet nicht ohne meine persönliche Begleitung oder mit mindestens zwei Angestellten aus dem Haus gehen. Ich werde die Männer selbst auswählen, die ich zu eurem Schutz an eurer Seite haben möchte, und ich werde Craddock informieren, daß ihr nichts ohne diese beiden Männer unternehmt.«

»Also gut.« Augusta stieß einen tiefen Seufzer der Erleichterung aus. Es war nicht ganz so schlimm, wie es hätte ausfallen können, sagte sie sich. Er hätte so weit gehen können, ihr zu verbieten, das Haus ohne ihn zu verlassen. Da er derzeit kaum je verfügbar war, hätte das für sie und Meredith eine regelrechte Gefangenschaft bedeutet. Sie gratulierte sich dazu, knapp entkommen zu sein.

»Habe ich mich klar ausgedrückt, Frau?«

Augusta neigte ergeben den Kopf, wie es sich für eine pflichtgetreue Ehefrau gehörte. »Sehr klar.«

»Und außerdem«, fügte Harry bedächtig hinzu, »wirst du abends nicht ausgehen, weder mit noch ohne Lakaien, es sei denn, in meiner Begleitung.«

Das ging zu weit. Augusta begann prompt, sich zu wehren. »Harry, du gehst zu weit. Ich versichere dir, daß Meredith und ich ständig eine ganze Brigade von Lakaien mitnehmen werden, wenn du es wünschst, aber du kannst uns nicht jeden Abend ins Haus sperren.«

»Es tut mir leid, Augusta«, sagte er keineswegs unfreundlich. »Aber ich kann mich nicht auf meine Nachforschungen konzentrieren, wenn ich nicht sicher sein kann, daß du zu Hause und außer Gefahr bist.«

»Dann kannst du es übernehmen, deiner Tochter klarzumachen, daß sie morgen abend nicht in Astley's Amphitheater gehen darf«, drohte ihm Augusta.

»Du hattest vor, mit ihr ins Astley's zu gehen?« Harry zog die Stirn in Falten. »Ich bin keineswegs sicher, daß das eine besonders angemessene Entscheidung gewesen wäre. Astley's ist für seine albernen Spektakel und Melodramen bekannt. Frauen, die auf Pferden herumspringen und dergleichen Dinge. Nicht gerade besonders erbaulich oder lehrreich für ein kleines Kind, meinst du nicht auch?«

»Ich meine«, sagte Augusta unerschrocken, »daß Meredith enormen Spaß daran haben wird. *Und ich ebenfalls.*«

»Nun, wenn das so ist, glaube ich, ich kann meine Termine so umstellen, daß sie es mir erlauben, euch beide morgen abend ins Astley's zu begleiten«, sagte Harry freundlich.

Diese unerwartete Kapitulation brachte Augusta völlig aus dem Gleichgewicht. »Wirklich?«

»Sieh mich bloß nicht derart verblüfft an, meine Liebe. Da ich aus unserem nächtlichen Duell als Sieger hervorgegangen bin, kann ich es mir leisten, dem Verlierer gegenüber großzügig zu sein.«

»Sieger? Wer hat dich zum Sieger ernannt?« Augusta schnappte sich das Kopfkissen und begann, gnadenlos damit auf ihn einzuschlagen.

Harrys Gelächter war heiser, und männliche Leidenschaft schwang üppig darin mit.

Die Vorstellung im Astley's war nicht annähernd so stumpfsinnig, wie Harry befürchtet hatte. Was seine Aufmerksamkeit ernstlich in Anspruch nahm, waren jedoch nicht die Damen, die auf Pferden herumsprangen, die Musik oder das geistlose Melodram mit dem Feuerwerk und den singenden Helden. Harrys Blick war gebannt auf den Anblick seiner Frau und seiner Tochter gerichtet, die sich bedenklich weit aus der Loge lehnten, um das Geschehen auf der Bühne unten zu beobachten.

In einem Punkt hatte Augusta recht gehabt. Meredith hatte übermäßigen Spaß daran. Harry ging wieder einmal schlagartig auf, wie sehr seine ernsthafte Tochter in diesen allerletzten Wochen aufgeblüht war. Es war, als entdeckte sie zum ersten Mal in ihrem Leben die Freuden der Kindheit.

Dieser Anblick brachte ihn dazu, etwas zu tun, was er selten tat, nämlich, daran zu zweifeln, ob einer seiner sorgsam durchdachten Entschlüsse klug gewesen war. Harry ging auf, daß der strenge Lehrplan, den er in den letzten Jahren für Meredith ausgearbeitet hatte, möglicherweise etwas zu strikt gehalten war. Vielleicht hatte er ihren Tagesablauf so geplant, daß nicht genug Zeit für Spaß und harmlose Spiele blieb.

Harry beobachtete, wie Meredith vor Erstaunen nach Luft schnappte, als eine junge Dame unten im Ring über eine Hürde sprang, die aus mehreren straff gespannten Tüchern bestand, und unbeschadet auf dem Rücken eines galoppierenden Ponys landete. Es war deutlich zu sehen, daß seine Tochter unter dem neuen Regime aufblühte, dachte er sich kläglich. Er würde sich wirklich glücklich schätzen müssen, wenn sie nicht den Ehrgeiz entwickelte, eine Ballonfahrt zu unternehmen oder sich Astley's Truppe von kühnen Reiterinnen anzuschließen.

Sein Blick schwenkte auf seine Frau, die Meredith gerade erklärte, wer der Bösewicht des Stückes war. Der helle Schein des riesigen Kronleuchters, der mitten über der Bühne hing, betonte den Schimmer von

Augustas Haar. Die Worte, die sie letzte Nacht so flehentlich zu ihm gesagt hatte, hallten in seinen Ohren wider. *Ich möchte das Gefühl haben, als gehörte ich…*

Er wußte, daß sie immer noch mit dem Gefühl kämpfte, nicht länger einer Familie wie der anzugehören, die sie früher einmal gekannt hatte. Sie war die letzte der Northumberland-Ballingers, und sie hatte sich seit dem Tod ihres Bruders sehr allein gefühlt. Inzwischen verstand er das.

Aber wie konnte es sein, daß Augusta nicht erkannte, wie sehr sie zu einem Bestandteil seiner kleinen Familie geworden war? fragte sich Harry. Sie sah doch gewiß, daß Meredith sie zunehmend mehr brauchte. Es stimmte, das Kind schien bisher noch nicht den Wunsch zu verspüren, Augusta Mutter zu nennen, aber das erschien Harry jetzt nicht mehr ganz so wichtig.

Augustas Hang, sich darüber zu erregen, daß ihr Ehemann nicht auf die Knie sank und ihr ewig währende Liebe schwor, war lachhaft. Ein typisches Beispiel für ihr übertrieben emotionales Naturell. Seiner Auffassung nach hatte Harry seine Zuneigung überreichlich demonstriert. Und sein Vertrauen. Harry zog eine finstere Miene, als er daran dachte, wie übermäßig nachsichtig er sich gegenüber seiner neuen Gräfin erwiesen hatte.

Jeder andere Mann, der mit angesehen hätte, daß seine Frau um Mitternacht durch ein Fenster in sein Haus einstieg, hätte vorausgesetzt, daß er gerade zum Hahnrei gemacht worden war.

Letzte Nacht hätte Augusta um Vergebung bitten und geloben müssen, sich nie wieder auf Abenteuer einzulassen. Statt dessen war sie in Wut geraten und hatte ihren Mann zum Duell herausgefordert.

Diese Frau hatte zu viele Romane gelesen, darin bestand das Problem.

Ich möchte dir so nahe stehen wie Sally und Peter, mit denen dich so viel verbindet.

Selbstverständlich hatte er sie von den Nachforschungen ausgeschlossen, dachte Harry. Nicht nur, weil es ihr an Erfahrung mangelte, was Grund genug war, sondern auch, weil er nicht gewollt hatte, daß sie von weiteren Informationen belastet wurde, die auf die Verbindung ihres Bruders mit dem Fall hinwiesen.

Jetzt fragte sich Harry, ob er ein Recht hatte, Augusta aus dem Fall herauszuhalten. Ob es ihm paßte oder nicht, aber sie hatte damit zu tun, da ihr Bruder anscheinend in den Fall verwickelt gewesen war. Vielleicht hatte die letzte der Northumberland-Ballingers ein Recht darauf, die Wahrheit zu erfahren.

Harry hörte, wie sich die Musik steigerte, als die Vorstellung unter ihnen ihrem Ende zuging. Pferde und Schausteller verbeugten sich etliche Male zu tosendem Applaus.

Meredith redete auf der Rückfahrt zum Haus ununterbrochen.

»Papa, glaubst du, ich könnte lernen, so zu reiten, wie es die Dame in Rosa getan hat?«

»Ich glaube nicht, daß sich diese Kunstfertigkeit als besonders nützlich erweisen würde«, sagte Harry, und sein Blick fiel kurz auf Augustas belustigtes Gesicht. »Man wird nur selten dazu aufgefordert, stehend auf einem Pferd zu reiten.«

Diese Logik ließ Meredith die Stirn runzeln. »Nein, wohl kaum.« Dann strahlte sie wieder. »War es nicht aufregend, als das Pony die Dame gerettet hat?«

»Doch, sehr.«

»Was hat dir am besten gefallen, Papa?«

Harry lächelte bedächtig und richtete den Blick wieder auf Augusta. »Die Kulisse.«

Als die Kutsche vor dem Stadthaus zum Stehen kam, legte Harry eine Hand auf Augustas Arm. »Bleib noch einen Moment, sei so nett.« Er sah Meredith an. »Geh schon ins Haus, Meredith. Augusta kommt gleich nach.«

»Ja, Papa.« Meredith sprang aus der Kutsche und begann, den Lakaien mit Einzelheiten über die spannende Vorstellung, die sie gerade gesehen hatte, zu ergötzen.

Augusta sah Harry fragend an. »Harry?«

Er zögerte und gab sich dann einen Ruck. »Ich fahre weiter, um mich in einem meiner Clubs mit Sheldrake zu treffen.«

»Ich nehme an, es geht um weitere Nachforschungen.«

»Ja. Auf alle Fälle haben wir drei – Sally, Sheldrake und ich – abgemacht, daß wir zu einer viel späteren Nachtzeit eine Konferenz abhalten werden. Wir werden alles besprechen, was wir bisher bei unseren Nachforschungen herausgefunden haben, um zu sehen, ob wir schon Antworten finden können. Wenn du magst, kannst du dich uns anschließen.«

Augustas Augen wurden groß. »O Harry. Ist das wirklich wahr?«

»Du hast in dieser Angelegenheit auch deine Rechte, meine Liebe. Vielleicht war es ein Fehler von mir, dich auszuschließen.«

»Harry, wie kann ich dir das je danken?«

»Nun, ich... äh.« Harry war überrumpelt, als Augusta die Arme um ihn schlang.

Sie umarmte ihn euphorisch, obwohl die Tür der Kutsche weit offenstand und mindestens ein Stallknecht und ein Lakai schauen konnten.

»Um welche Zeit kann ich dich zurück erwarten, Harry?«

»Äh, schätzungsweise um drei Uhr morgens.« Er nahm sachte ihre Arme von seinem Hals, da er wahrnahm, daß sein Körper bereits auf ihre weichen, runden Konturen reagierte. »Sei in der Bibliothek. Wir werden die Abkürzung durch den Garten nehmen.«

»Ich werde dort sein.« Ihr Lächeln war strahlender als die Lichter über der Bühne im Astley's.

Harry wartete, bis sie im Haus war, und dann signalisierte er seinem Kutscher, zu dem Club weiterzufahren, in dem er sich mit Peter verabredet hatte. Als sich das Fahrzeug vom Haus entfernte, versuchte Harry, sich zu vergewissern, daß er richtig handelte, wenn er Augusta

Zutritt zum innersten Kern der kleinen Gruppe gestattete, die die Nachforschungen durchführte.

Es mochte sein, daß er das Richtige tat, aber er handelte ganz entschieden wider besseres Wissen. Harry schaute nachdenklich zum Fenster hinaus und nahm ein Gefühl von tiefem Unbehagen in sich wahr.

Peter Sheldrake, der in seiner Hose und einem raffiniert gearbeiteten Rüschenhemd so elegant wie immer wirkte, kam gerade aus dem Kartenzimmer, als Harry den Club betrat. Er trug eine Flasche Bordeaux in der Hand, mit der er Harry fröhlich zuwinkte.

»Oho. Wie ich sehe, hast du die Frivolitäten des Abends überstanden. Komm, trink ein oder zwei Gläser mit mir, und erzähl mir alles über die wundersamen Anblicke, die sich dir im Astley's geboten haben müssen. Ich bin vor ein paar Jahren einmal mit ein paar von meinen Neffen hingegangen. Es hat mich große Mühe gekostet, sie davon abzubringen, sich der Reitertruppe anzuschließen.«

Harry lächelte widerstrebend, als er Peter in eine Ecke des Raumes folgte, in der sie ungestört waren und sich setzen konnten. »Ich hatte Sorgen, ich könnte selbst vor einem ähnlichen Problem stehen. Und ich hatte nicht etwa Angst, nur Meredith an die Bühne zu verlieren.«

»Sieh an«, sagte Peter mit einem spöttischen Grinsen. »Das Dasein als Gräfin von Graystone erscheint Augusta wahrscheinlich ziemlich langweilig im Vergleich dazu, vor einer jubelnden Menge verwegene Reitkünste vorzuführen. Denk an den Applaus. Denk an die Begeisterung des Publikums. Denk an die Herren, die aus den oberen Logen lüstern herunterschauen.«

Harry schnitt eine Grimasse. »Erinnere mich bloß nicht daran. Aber so, wie die Dinge stehen, wird Augustas Leben wohl jetzt etwas aufregender werden.«

»Ach?« Peter trank einen Schluck Bordeaux. »Und wie kommt das? Wirst du ihr erlauben, ohne ein Schultertuch herumzulaufen, das die

Dekolletés ihrer Kleider verbirgt? Wie spannend wird das für sie werden.«

Harry bedachte Peter mit einem schnellen, einschüchternden Blick und fragte sich verdrossen, ob er zu tyrannisch gewesen war, was Augustas Kleider anging. »Wir werden ja sehen, wie du das Thema Dekolletés bei deiner Frau siehst, wenn du erst einmal verheiratet bist.«

»Ja, allerdings.« Peter lachte.

»Was ich dir über Augustas aufregendes neues Leben erzählen wollte, war, daß sie sich später in der Nacht, wenn wir unser Treffen veranstalten, dir und mir und Sally anschließen wird.«

Sheldrake verschluckte sich an dem Bordeaux und bekam beinah einen Hustenanfall. Er starrte Harry an. »Verdammt und zum Teufel. Du wirst ihr erlauben, sich an dieser Geschichte zu beteiligen? Hältst du das für klug, Graystone?«

»Wahrscheinlich nicht.«

»Da alles auf ihren Bruder hinweist, muß es qualvoll für sie sein.«

»Es ist offenkundig, daß Ballinger in irgendeiner Form in diese üble Geschichte verwickelt war. Aber verlaß dich auf mich, Sheldrake, wenn ich dir sage, es ist absolut ausgeschlossen, daß er die Spinne gewesen sein kann.«

»Wenn du das sagst.« Peter schien skeptisch zu sein.

»Ich sage es. Was wir jetzt in der Hand haben, sind klare Hinweise darauf, daß uns jemand unbedingt glauben machen will, die Spinne sei vor zwei Jahren gestorben.« Harry erzählte ihm kurz von den Aufzeichnungen, die Augusta auf dem Gehweg hinter dem Stadthaus gefunden hatte.

»Gütiger Gott«, sagte Sheldrake atemlos. »Die Aufzeichnungen sind echt? Nicht etwa von jemandem erfunden, um uns irrezuführen?«

»Ich bin sicher, daß sie echt sind. Ich sage es dir wahrheitsgemäß, Sheldrake, mir läuft ein Schauer über den Rücken, wenn ich daran denke, wer Augusta letzte Nacht beobachtet haben könnte.«

»Das verstehe ich nur zu gut.«

Harry wollte gerade in allen Einzelheiten berichten, was er in den Aufzeichnungen gefunden hatte, als er merkte, daß Lovejoy durch den Raum auf die beiden Männer zukam, um sich ihnen anzuschließen. Die grünen Augen des Mannes funkelten vor Gemeinheit, die reiner Langeweile entsprang.

So viele gelangweilte und gefährliche Männer ziehen wie Treibgut nach den Stürmen des Krieges durch die Straßen von London, dachte Harry.

»Guten Abend, Graystone. Sheldrake. Es überrascht mich, Sie beide heute abend hier zu sehen. Ich hätte geglaubt, daß Sie um die Damen herumscharwenzeln. Übrigens meine Glückwünsche zu Ihrer Verlobung, Sheldrake. Obwohl ich schon sagen muß, es war reichlich unfair von Ihnen, eine der wenigen lohnenden Erbinnen aus dem Verkehr zu ziehen. Uns übrigen bleibt jetzt keine große Wahl mehr, was?«

»Ich bin sicher, Sie werden eine Frau nach Ihrem Geschmack finden«, murmelte Peter.

Harry drehte das halbleere Bordeauxglas in der Hand und betrachtete den rubinfarbenen Schimmer. »Wollten Sie etwas von uns, Lovejoy?«

»Ja, tatsächlich. Ich dachte, ich sollte Sie beide warnen, daß ein geschickter Einbrecher derzeit sein Unwesen in der Stadt treibt. Vor ein paar Wochen ist er in meine Bibliothek eingebrochen.«

Harry sah ihn ausdruckslos an. »Ach, wirklich? Haben Sie die Verluste dem Richter gemeldet?«

»Es ist nichts gestohlen worden, was sich leicht ersetzen ließe.« Lovejoy lächelte kühl, wandte sich ab und ging.

Harry und Peter saßen ein paar Minuten lang da und schwiegen versonnen.

»Es könnte sein, daß du dir wegen Lovejoy etwas einfallen lassen mußt«, bemerkte Peter schließlich.

»Ja, es macht ganz den Anschein.« Harry schüttelte den Kopf. »Das einzige, was ich nicht verstehen kann, ist, warum er sich ausgerechnet mich als Opfer ausgesucht hat.«

»Anfangs war er wahrscheinlich nur darauf versessen, Augusta um jeden Preis zu verführen. Aber jetzt ist ihm zweifellos klargeworden, daß du ihm sein kleines Spielchen mit dem Einbruch in seine Bibliothek vermasselt hast, bei dem du Augustas Schuldschein an dich gebracht hast. Zweifellos würde er dir das gern heimzahlen. Er hat noch keine Gelegenheit dazu gehabt, weil du in den letzten Wochen nicht in der Stadt warst.«

»Ich werde ihn im Auge behalten.«

»Tu das. Seinen nicht gerade verschleierten Drohungen würde ich entnehmen, daß er versuchen wird, Augusta für seine Rachepläne zu benutzen.«

Harry dachte darüber nach, während er seinen Bordeaux austrank. »Ich glaube immer noch, daß an dieser Geschichte mit Lovejoy mehr dran ist, als einem gleich ins Auge springt. Vielleicht ist es an der Zeit, daß ich seiner Bibliothek wieder einmal einen spätnächtlichen Besuch abstatte.«

»Ich komme mit. Das könnte sich als interessant erweisen.« Ein Grinsen breitete sich auf Peters Gesicht aus. »Aber du hast ja bestimmt nicht die Absicht, heute nacht etwas dergleichen zu probieren. Dein Terminkalender ist für den heutigen Abend schon gedrängt voll.«

»Damit hast du allerdings recht. An einem anderen Abend, an dem ich Zeit habe. Heute nacht haben wir andere wichtige Dinge zu erledigen.«

Augusta lief in der Bibliothek auf und ab, als Harry und Peter eintrafen. Sie hatte sich dem Abenteuer angemessen gekleidet. Sie trug einen schwarzen Samtumhang über ihrem schwarzen Kleid, ein Paar passende schwarze Handschuhe und schwarze, halbhohe Samtstiefel. Sie hatte die Stiefel gewählt, weil sie glaubte, sie würden dem Marsch durch den Garten und die Gasse besser standhalten als ihre Pumps oder ihre sonstigen Schuhe.

Schon vor Stunden hatte sie das Personal ins Bett geschickt, und seitdem war sie ganz zappelig vor Aufregung. Die Bedeutsamkeit dieser Einladung, sich heute nacht Harry und seinen Freunden anzuschließen, überwältigte sie nahezu. *Ihr war endlich Zugang zu seinem engsten Kreis gewährt worden.*

Augusta wurde sich darüber klar, daß sie endlich mit Harry diese wunderbar enge Freundschaft eingehen würde, die ihn mit Sally und Peter verband. Gemeinsam würden sie ein Rätsel lösen, und Harry würde sehen, daß Augusta ihren Beitrag dazu leisten konnte. Er würde lernen, ihre Klugheit zu respektieren, gelobte sie sich. Er würde beginnen, sie als einen seiner wahren Freunde anzusehen, eine Frau, der er vertrauen und die er in seine geheimsten Seiten einweihen konnte.

Das leise Geräusch, mit dem die Tür im Gang geöffnet und geschlossen wurde, ließ Augusta verharren. Murmelnde Männerstimmen und das Geräusch von Füßen in Stiefeln auf den Fliesen waren zu vernehmen. Sie machte eilig kehrt und rannte zur Tür der Bibliothek. Als sie sie aufriß, fand sie einen mürrisch wirkenden Harry und einen grinsenden Peter Sheldrake vor.

Peter verbeugte sich galant. »Guten Abend, Madam. Gestatten Sie mir, Ihnen zu sagen, wie perfekt Sie sich für das Ereignis des heutigen Abends gekleidet haben? Der schwarze Samtumhang und die Stiefel sind außerordentlich kleidsam. Findest du nicht, Graystone?«

Harry schaute finster. »Sie sieht aus wie ein verdammter Straßenräuber. Laßt uns gehen.« Mit seinem Ebenholzstock bedeutete er beiden, in den Flur zu treten. »Ich will diese Geschichte so schnell wie möglich hinter mich bringen.«

»Steigen wir nicht durch das Fenster der Bibliothek in den Garten?« fragte Augusta.

»Nein, ganz bestimmt nicht. Wir verlassen das Haus wie ganz normale, halbwegs zivilisierte Menschen durch die Küche.«

Augusta sah Peter naserümpfend an, als sie Harry aus der Bibliothek folgten. »Ist er immer so, wenn es um Nachforschungen geht?«

»Immer«, versicherte ihr Peter. »Ein gewaltiger Spielverderber, unser Graystone. Kein Sinn für Abenteuer.«

Harry warf seinem Gefährten über die Schulter einen drohenden Blick zu. »Seid still, ihr beiden. Ich will das Personal nicht wecken.«

»Ja, Sir«, murmelte Peter.

»Ja, Sir«, flüsterte Augusta.

Das Dreiergespann gelangte ungehindert und ohne Zwischenfälle in den Garten, und dort stellten sie fest, daß sie keine Lampe brauchten, die ihnen den Weg leuchtete. Der Mondschein war hell genug, um die Pflastersteine des Weges zu erkennen, und die oberen Fenster von Lady Arbuthnotts Haus dienten ihnen als Leuchtturm.

Als sie ihrem Ziel näher kamen, bemerkte Augusta, daß in der unteren Etage des großen Hauses kein Licht brannte. »Dann erwartet Sally uns wohl an der Küchentür?«

»Ja«, sagte Peter leise. »Sie wird uns in ihre Bibliothek führen, und dort reden wir dann.«

Als sie Lady Arbuthnotts Gartentor erreichten, blieb Harry stehen. »Es steht offen.«

»Zweifellos hat sie am früheren Abend einen Dienstboten rausgeschickt, damit er es für uns öffnet«, sagte Peter und stieß das schwere Tor weiter auf. »Ich glaube nicht, daß sie noch die Kraft hat, selbst so weit zu laufen, die Arme.«

»Mich wundert, daß sie Pompeia's immer noch betreiben kann«, flüsterte Augusta.

»Das ist das einzige, was sie am Leben erhält. Das und natürlich ihr Vergnügen daran, an einer letzten Untersuchung Graystones beteiligt zu sein«, vertraute Peter ihr an.

»Ruhe«, befahl Harry.

Augusta zog die Falten ihres Umhangs enger um sich und folgte Harry in stummem Gehorsam. Peter bildete das Rücklicht der kurzen Kolonne.

Da sie direkt hinter ihm war, prallte Augusta fast mit Harry zusammen, als er abrupt stehenblieb.

»Hoppla.« Sie fand das Gleichgewicht wieder. »Harry? Was ist los?«

»Hier stimmt etwas nicht.« Harrys Stimme war von einer Ausdruckslosigkeit, die Augusta erschreckte, wie nichts anderes sie hätte erschrecken können. Ihr fiel auf, daß er seinen Stock aus Ebenholz auf seltsame Art und Weise in der Hand hielt.

»Schwierigkeiten?« fragte Peter leise aus dem Dunkel, und jede Spur von Spott war aus seiner Stimme gewichen.

»Die Hintertür steht auf. Es brennt kein Licht, und von Sally ist nichts zu sehen. Bring Augusta zum Haus zurück. Komm wieder her, sowie du sie im Haus in Sicherheit gebracht hast.«

»Verstanden.« Peter streckte die Hand nach Augustas Arm aus.

Augusta wich ihm eilig aus. »Harry, bitte nicht, laß mich mitkommen. Sallys gesundheitlicher Zustand könnte sich ernstlich verschlechtert haben. Vielleicht kommt es daher...« Augusta stieß einen leisen Schrei aus, als ihr Zeh sich im Saum eines Kleides verfing, der unter einem dichten Gebüsch herausschaute. »Oh, lieber Gott, nein. *Sally.*«

»Augusta? Was zum Teufel...« Harry machte auf dem Absatz kehrt und kam auf sie zu.

Augusta war bereits auf den Knien und kroch panisch unter dem dichten Laub herum. »Es ist Sally. O Harry, ich weiß, daß sie es ist. Sie muß hier draußen zusammengebrochen sein. *Sally!*«

Augusta tastete den Körper der Freundin ab und fummelte an Sallys kostbarem Seidenkleid herum. Augenblicklich waren ihre schwarzen Handschuhe von warmem Blut durchtränkt. Sternenlicht schimmerte matt auf dem Griff des Dolchs, der noch in Sallys Brust steckte.

»Der Teufel soll seine verfluchte Seele holen.« Harrys Stimme war brutal, als er sich gewaltsam einen Weg durch das Gestrüpp bahnte und neben seiner alten Freundin niedersank. Er tastete nach Sallys Handgelenk und fühlte ihren Puls. »Sie ist noch am Leben.«

»Jesus Christus.« Peter kam an Sallys Seite. Er starrte den Dolch an und fluchte gleich weiter. »Dieser gottverdammte Halunke.«

»Sally?« Augusta nahm die schlaffe Hand und war entsetzt darüber, wie kalt sie sich anfühlte. Sally lag im Sterben. So viel stand mit Sicherheit fest.

»Augusta? Bist du das, meine Liebe?« Sallys Stimme war kaum noch ein Flüstern. »Ich bin so froh. Ich bin ja so froh, daß du hier bist. Es ist nicht angenehm, allein zu sterben, verstehst du. Das ist das einzige, wovor ich mich gefürchtet habe.«

»Wir sind alle hier, Sally«, sagte Harry leise. »Peter und Augusta und ich. Du bist nicht allein.«

»Meine Freunde.« Sally schloß die Augen. »So ist es besser. Die Schmerzen sind so schlimm geworden. So schlimm. Ich habe nicht geglaubt, daß ich es noch länger schaffe, versteht ihr. Trotzdem wäre es mir lieber gewesen, es selbst zu tun.«

Tränen traten in Augustas Augen. Sie umklammerte Sallys Hand so fest, als könnte sie sie durch reine Körperkraft festhalten.

»Sally, wer war es?« fragte Harry. »Die Spinne?«

»Oh, ja. Er muß es gewesen sein. Ich konnte sein Gesicht nicht sehen. Aber er hat von der Liste gewußt. Gewußt, daß ich sie habe. Ich habe sie vom Koch bekommen.«

»Von welchem Koch?« fragte Peter behutsam.

»Vom Koch im früheren Saber Club. Heute morgen habe ich sie von ihm bekommen.«

»Diese verfluchte Spinne soll der Teufel holen, mit Haut und Haaren«, flüsterte Harry. »Ich werde dafür sorgen, daß er dafür büßt, Sally.«

»Ja, ich weiß, Graystone. Diesmal wirst du ihn schnappen. Ich habe immer gewußt, daß du eines Tages die Rechnung mit der Spinne begleichen wirst.« Sally fing an, gräßlich zu husten.

Augusta hielt die zerbrechliche Hand noch fester, und jetzt rannen Tränen über ihr Gesicht und vermengten sich mit dem Blut ihrer Freundin. Schon einmal hatte sie jemanden in der Form festgehalten und hilflos zugesehen, wie das Leben in einem Körper zu einer winzigen Flamme herunterbrannte, dann flackerte und erlosch. Es gab keine furchtbarere Aufgabe auf Erden als eine solche Wache.

»Augusta?«

»Sally, du wirst mir so sehr fehlen«, sagte Augusta durch ihre Tränen. »Du bist mir wirklich eine Freundin gewesen.«

»Und du bist mir wirklich eine Freundin gewesen, meine liebste Augusta. Du hast mir mehr gegeben, als du je wissen wirst. Und jetzt mußt du mich loslassen. Es ist allerhöchste Zeit.«

»Sally?«

»Vergiß nicht, das Buch aufzuschlagen, Augusta.«

»Nein. Ich werde es nicht vergessen.«

Und dann war Sally tot.

19. Kapitel

Harry hielt Augusta in den Armen, als sie schluchzte. Ihm fiel nichts ein, womit er sie hätte trösten können, und das schmerzte ihn sehr. Diese überschäumende Emotion war zweifellos die Form der Northumberland-Ballingers, mit Schmerz umzugehen, und er beneidete Augusta um die Erlösung, die ihre Tränen brachten. Für sich selbst konnte er nichts anderes machen, als Rache zu schmieden.

Da er nichts anderes für sie tun konnte, schlang Harry dort in der Eingangshalle des großen, stillen Hauses von Lady Arbuthnott die Arme eng um Augusta und richtete seine gesamte Willenskraft darauf, dieser Sturm möge vorübergehen.

Und sich zwang er, an nichts anderes als Rache zu denken.

Augusta beruhigte sich ein wenig, als Harry über ihren Kopf hinweg Peter entdeckte, der durch die Hintertür ins Haus kam.

»Es sieht so aus, als hätte er Zeit gehabt, ihr Schlafzimmer und die Bibliothek zu durchsuchen«, sagte Peter. »In beiden Räumen herrscht ein wildes Durcheinander. Aber die anderen Räume sehen noch recht ordentlich aus. Er muß jemanden oder etwas gehört haben und gegangen sein, ehe er die Zeit gefunden hat, seine Suche abzuschließen. Wahrscheinlich hat er sich gesagt, nachdem Sally jetzt tot ist, wird auch niemand anders die Liste finden können.«

»Es ist ein großes Haus. Schwierig, es gründlich zu durchsuchen. Hast du dich um alles andere gekümmert?« fragte Harry mit ruhiger Stimme.

Peter nickte, und seine blauen Augen waren eisige Splitter. »Ja. Einer der Dienstboten ist aus dem Haus gegangen, um den Richter zu holen. Ich habe Sallys Leiche in eines der Schlafzimmer bringen lassen. Mein Gott, sie war ja so zerbrechlich, Graystone. Es war nichts mehr von ihr übrig. In den allerletzten Wochen muß sie sich mit reiner Willenskraft und Temperament am Leben erhalten haben.«

Augusta bewegte sich in Harrys Armen und hob den Kopf. »Ich werde sie so sehr vermissen.«

»Sie wird uns allen fehlen.« Harry streichelte beschwichtigend Augustas Rücken. »Ich werde ihr immer außerordentlich dankbar sein.«

»Weil sie im Krieg so tapfer war?« Augusta blinzelte die Tränen zurück und tupfte sich mit Harrys Taschentuch die Augen ab.

»Nein, obwohl ich sie für ihren Mut immer bewundert habe. Der Grund, aus dem ich ihr ewig dankbar sein werde, ist der, daß sie diejenige war, die vorgeschlagen hat, dich kennenzulernen, indem ich den

Kontakt zu Sir Thomas aufnehme. Sally hat gesagt, ich sollte dich auf meine Liste von potentiellen Ehefrauen setzen«, sagte Harry freimütig.

Augusta schaute verblüfft auf. »Das hat sie getan? Warum auf Erden hätte sie glauben sollen, daß ich eine gute Ehefrau für dich abgebe?«

Harry lächelte matt. »Diese Frage habe ich ihr selbst gestellt, wenn ich mich recht erinnere. Sie hat gesagt, ich sei besser mit einer Frau beraten, die kein klassisches Ideal ist.«

Peter schloß die Tür. »Sally hat dich sehr gut verstanden, Graystone.«

»Ja, das glaube ich allerdings auch.« Harry schob Augusta sanft ein wenig von sich. »Meine Freunde, unsere Trauer müssen wir auf später verschieben. Die Behörden werden vermuten, der Mord an Sally sei von Dieben begangen worden, die versucht haben, in das Haus einzubrechen. Es ist zwecklos, sie von dieser Vorstellung abzubringen.«

»Einverstanden«, sagte Peter. »Sie könnten ohnehin nichts tun.«

»Wir müssen die Liste finden, die Sally erwähnt hat.« Harry sah sich in der Halle um und überlegte sich, wie groß das Haus war und wie lange es dauern würde, es gründlich zu durchsuchen. »Ich kenne Sallys Methoden recht gut, Gegenstände zu verstecken, von denen sie nicht wollte, daß sie entdeckt werden. Sie hatte einen Hang dazu, sie ganz offen herumliegen zu lassen, ausgehend davon, daß niemand auf den Gedanken käme, an einem zu nahe liegenden Ort nachzusehen.«

Augusta schniefte in das Taschentuch. »Das Buch.«

Harry sah sie an. »Was für ein Buch?«

»Das Wettbuch von Pompeia's.« Augusta stopfte das nasse Taschentuch tapfer in eine tiefe Tasche ihres Umhangs und machte sich auf den Weg durch die Eingangshalle zum Salon. »Sally hat mir gesagt, falls ich es jemals zugeschlagen vorfinden sollte, muß ich unbedingt dafür sorgen, daß du es aufschlägst. Und du hast sie ja selbst vor ein paar Minuten gehört, direkt bevor sie... sie gestorben ist. Sie hat gesagt, daß ich das Buch nicht vergessen darf.«

Harry tauschte einen Blick mit Peter aus, der schlichtweg die Achseln zuckte und Anstalten machte, Augusta zu folgen.

Die Tür zu Pompeia's war geschlossen. Harry hörte, daß Augusta wieder zu weinen begann, als sie sie öffnete, aber sie zögerte nicht. Sie betrat den dunklen, stillen Raum und zündete eine Lampe an.

Harry sah sich um und war wider Willen neugierig. Er hatte Sally häufig besucht, aber sie hatte ihn nie mehr hier im Salon empfangen, nachdem dort Pompeia's entstanden war. Der Club war nur für Frauen da, hatte sie gesagt. Sie konnte nicht gegen die Regeln verstoßen, selbst zu den späten Stunden nicht, zu denen der Club geschlossen war.

»Das vermittelt einem als Mann ein ganz seltsames Gefühl, geht es dir nicht auch so?« Peter sprach mit gesenkter Stimme. »Ich durfte diese Schwelle nie übertreten. Aber mir war immer ein wenig unbehaglich zumute, wenn ich zur Tür hineinschauen konnte.«

»Ich verstehe, was du meinst.« Harry sah sich im Halbdunkel die Bilder an den Wänden an. Viele der abgebildeten Frauen erkannte er auf den ersten Blick. Es handelte sich ausschließlich um Frauen, denen es trotz allem, was Augusta die allgemeine Befangenheit der Historiker gegenüber Frauen nannte, in Mythos und Legende überlebt hatten. Harry begann, sich zu fragen, wieviel Wissen über Geschichte verlorengegangen war, weil Frauen im Vordergrund gestanden hatten und Fakten daher als unerheblich angesehen worden waren.

»Das macht einen Mann doch wirklich neugierig darauf, was Frauen anstellen und worüber sie tatsächlich reden, wenn sie ohne Anwesenheit von Männern allein miteinander sind«, bemerkte Peter leise. »Sally hat immer gesagt, ich wäre überrascht, wenn ich es wüßte.«

»Mir hat sie immer wieder gesagt, ich wäre schockiert«, gestand Harry schmerzlich ein.

Er beobachtete, wie der schwarze Samtumhang um Augusta herumwehte, als sie auf ein griechisches Piedestal zuging. Ein großes Buch in einem Ledereinband lag darauf.

»Das ist das berüchtigte Wettbuch?« Harry lief durch den Raum, um sich Augusta anzuschließen.

»Ja. Und es ist zugeschlagen. Ganz so, wie sie es gesagt hat. Sie sagte, eines Tages könnte ich es geschlossen vorfinden.« Augusta schlug langsam das Buch auf und begann, die Seiten umzublättern. »Ich weiß nicht, wonach ich suche.«

Harry warf einen Blick auf einige der Einträge, die alle in weiblichen Handschriften verfaßt waren.

Miss L. B. wettet mit Miss R. M. um zehn Pfund, daß letztere ihr Tagebuch nicht rechtzeitig zurückerhalten wird, um die Katastrophe abzuwenden.

Miss B. R. wettet mit Miss D. N. um fünf Pfund, daß Lord G. noch innerhalb von diesem Monat um die Hand des Engels anhalten wird.

Miss F. O. wettet mit Miss C. P. um zehn Pfund, daß Miss A. B. ihre Verlobung mit Lord G. innerhalb von zwei Monaten lösen wird.

»Gütiger Gott«, murmelte Harry. »So viel dazu, daß ein Mann glaubt, seine Intimsphäre zu haben.«

»Die Damen von Pompeia's wetten leidenschaftlich gern.« Augusta schniefte wieder. »Der Club wird jetzt schließen, nehme ich an. Er wird mir fehlen. Für mich war er ein Zuhause. Nichts wird hier je wieder so wie früher sein.«

Harry wollte Augusta gerade daran erinnern, daß sie Pompeia's nicht mehr brauchte, weil sie jetzt ein eigenes Zuhause hatte, als ein Notizblatt zwischen zwei Seiten des Buchs herausflatterte. »Laß sehen.« Er schnappte sich den Zettel und untersuchte die Namensliste.

Peter kam näher, um ihm über die Schulter zu schauen, während sich Augusta den Hals verrenkte, um einen Blick darauf werfen zu können.

»Und?« fragte Peter.

»Es ist eine Namensliste, soviel stimmt. Zweifellos handelt es sich um einige der Mitglieder des Saber Clubs. Es ist Sallys Handschrift.«

Peter sah die Liste finster an. »Ich erkenne nicht einen einzigen dieser Namen wieder.«

»Das ist kein Wunder.« Harry zog die Lampe näher und sah sich die Liste genauer an. »Sie ist in dem alten Code geschrieben, in dem Sally gewohnt war, ihre Nachrichten an mich abzufassen.«

»Wie lange wird es dauern, all diese Namen zu dechiffrieren?« fragte Peter. »Es müssen mindestens zehn Namen auf der Liste stehen.«

»Nicht lange. Aber nachdem wir wissen, wer die Mitglieder waren, wird es eine ganze Weile dauern zu entscheiden, welche von ihnen möglicherweise die Spinne sein könnten.« Harry faltete das Blatt zusammen und brachte es in seiner Tasche in Sicherheit. »Laßt uns gehen. Wir haben vor dem Morgengrauen noch viel zu tun.«

»Was soll ich machen?« fragte Augusta eilig.

Harry lächelte grimmig und bereitete sich auf den bevorstehenden Kampf vor. »Du mußt nach Hause gehen und den Haushalt aufwecken. Dann wirst du dafür sorgen, daß du und Meredith um sieben Uhr gepackt habt und für den Aufbruch nach Dorset bereit seid.«

Sie starrte zu ihm auf. »Um sieben Uhr heute morgen? Aber, Harry, jetzt, wo wir so kurz davor stehen, Sallys Mörder zu finden und hinter die Identität der Spinne zu kommen, will ich die Stadt nicht verlassen. Du mußt mir erlauben hierzubleiben.«

»Es besteht nicht die geringste Chance, daß ich dir das erlauben werde. Nicht jetzt, nachdem der Spinne klar ist, daß wir diese Liste haben. Dieser Mann wird vor nichts zurückschrecken, um an die Liste zu kommen.« Harry nahm ihren Arm und zerrte sie zur Tür. »Peter, vielleicht hätte deine Verlobte Lust auf einen kurzen Aufenthalt in Dorset?«

»Ich glaube, das ist eine ausgezeichnete Idee«, erwiderte Peter. »Ich wünschte weiß Gott, daß sie aus der Stadt verschwindet, bis wir die Spinne gefunden haben, und ich bin sicher, daß Augusta sich über ihre Gesellschaft freuen wird.«

»Ich wünschte, ihr beide würdet aufhören, Pläne für mich zu schmieden, als wäre ich zu keinem eigenständigen Gedanken in der Lage«, sagte Augusta laut. »Ich will nicht nach Dorset gehen.«

»Aber du wirst hinfahren«, sagte Harry mit ruhiger Stimme.

»Harry, bitte...«

Er dachte eilig nach und suchte nach dem wirksamsten Mittel, das er in dieser Auseinandersetzung einsetzen konnte. Sowie er es gefunden hatte, wandte er es gnadenlos an. »Es geht nicht nur darum, daß ich mir um deinen eigenen hübschen Hals Sorgen mache, Augusta. Wir müssen auch an Meredith denken. Ich muß die Gewißheit haben, daß meine Tochter in Sicherheit ist. Wir haben es hier mit einem Ungeheuer zu tun, und wir wissen nicht, in welche Tiefen es sich herabbegeben wird.«

Augusta war von diesen Andeutungen sichtlich wie vom Donner gerührt. »Du glaubst, er könnte Meredith gefährlich werden? Aber weshalb sollte er das tun?«

»Liegt das nicht auf der Hand? Wenn die Spinne sich ausrechnet, daß ich derjenige bin, der sie finden will, dann könnte sie Meredith als Druckmittel gegen mich benutzen.«

»Oh, ja. Ich verstehe, was du meinst. Deine Tochter ist deine einzige große Schwäche. Das könnte er wissen.«

In diesem Punkt täuschst du dich, Augusta. Ich habe zwei große Schwächen. Die andere bist du, dachte Harry. Er sprach diese Worte jedoch nicht laut aus. Sollte sie ruhig glauben, seine Hauptsorge gelte Meredith, und er sei darauf angewiesen, daß sie auf Meredith aufpaßte. Es lag in ihrer Natur, Unschuldige zu retten und zu verteidigen. »Bitte, Augusta. Ich brauche deine Hilfe. Ich muß wissen, daß Meredith die Stadt sicher verlassen hat, ehe ich mich darauf konzentrieren kann, die Spinne zu finden.«

»Ja, natürlich.« Sie sah ihn an, und ihre Augen waren ernst, weil sie ihre Verantwortung erkannte. »Ich werde sie mit meinem Leben beschützen, Harry.«

Harry strich ihr zart über die Wange. »Und du wirst auch auf dich ganz ausgezeichnet aufpassen, ja?«

»Gewiß.«

»Ihr beide, du und Meredith, ihr werdet etwas Hilfe haben«, sagte Harry. »Ich schicke euch mit einer bewaffneten Eskorte nach Dorset. Die Männer werden mit euch auf Graystone bleiben, bis ich selbst kommen kann.«

»Eine bewaffnete Eskorte. Was soll denn das schon wieder heißen, Harry?« Augusta war sichtlich verblüfft.

»Es ist nicht so aufregend, wie es klingt. Ich werde ein paar Stallknechte mit euch hinschicken, die schon seit langer Zeit in meinen Diensten stehen. Sie werden beide bewaffnet sein und wissen, was sie zu tun haben, wenn es Schwierigkeiten gibt.«

»In Graystone kann sie sich sicher fühlen«, sagte Peter. »Auf dem Land kennt jeder jeden, und ein Fremder in der Gegend fällt augenblicklich auf. Und dann sind da auch noch die Hunde. Keinem Fremden wird es gelingen, in das Haus zu gelangen.«

»Genau.« Harry sah Augusta an. »Und du wirst Claudia bei dir haben.«

Augusta lächelte matt. »Darauf würde ich mich nicht verlassen. Ich bezweifle ernstlich, daß meine Cousine heute morgen um sieben Uhr reisebereit sein kann.«

»Sie wird reisebereit sein«, gelobte Peter leise. »Ich will ebenso sehr, daß sie aus der Stadt verschwindet, wie Harry sich wünscht, daß Sie verschwinden.«

Augusta musterte ihn nachdenklich. »Ich verstehe. Ich bin sicher, Claudia wird die Erfahrung außerordentlich interessant finden, ohne jede Vorwarnung aus der Stadt geschickt zu werden.«

Peter zuckte die Achseln. Die Vorstellung, es mit einer aufsässigen Claudia zu tun zu haben, bereitete ihm anscheinend keine Sorgen.

Um sieben Uhr am Morgen war alles in Bereitschaft. Harry stand auf den Stufen seines Stadthauses und verabschiedete sich zuerst von seiner Tochter. Meredith war enttäuscht darüber, die Stadt mit all den Möglichkeiten zur Unterhaltung, die sie bot, verlassen zu müssen, doch ihr Vater hatte ihr erklärt, auf dem Gut seien Angelegenheiten zu regeln, um die Augusta sich dringend kümmern müsse. Diese Erklärung nahm sie hin, rief ihm aber doch ins Gedächtnis zurück, daß sie Vauxhall Gardens noch nicht gesehen hatte.

»Du wirst bald wieder herkommen, und ich werde persönlich mit dir hingehen«, versprach er ihr.

Meredith nickte zufrieden. Sie umarmte ihn glühend. »Das wird bestimmt schön, Papa. Auf Wiedersehen.«

»Auf Wiedersehen, Meredith.«

Harry hob seine Tochter in die große schwarze Reisekutsche und wandte sich dann zu Augusta um, die gerade die Treppe herunterkam. Er lächelte, als er ihr elegantes grünes Reisekostüm und ihren frivolen Hut sah. Man konnte sich darauf verlassen, daß Augusta selbst dann modisch gekleidet war, wenn sie um sieben Uhr morgens überstürzt aufs Land gekarrt wurde.

»Ist alles in Ordnung?« fragte sie, als sie vor ihm stehenblieb. Sie sah ihm fest in die Augen und blickte ihn im Schatten ihres Huts ernst an.

»Ja. Deine Cousine erwartet euch in ihrem Haus. Ihr werdet die Nacht in einem Gasthaus verbringen und morgen nachmittag Graystone erreichen.« Harry legte eine Pause ein. »Du wirst mir fehlen, Augusta.«

Sie lächelte bebend. »Du wirst mir auch fehlen. Wir werden deine Ankunft in Dorset erwarten. Sei bitte sehr, sehr vorsichtig, Harry.«

»Ja, ich werde aufpassen.«

Sie nickte, und dann stellte sie sich ohne jede Vorwarnung auf die Zehenspitzen und küßte ihn schlichtweg vor Merediths Augen und dem Personal, das emsig um die Kutsche herumlief, mitten auf den Mund. Harry wollte sie in seine Arme ziehen, doch es war zu spät. Sie löste sich bereits von ihm.

»Ich liebe dich, Harry«, sagte Augusta.

»Augusta.« Harry streckte instinktiv die Arme nach ihr aus, aber sie hatte sich bereits abgewandt und stieg in die bereitstehende Kutsche.

Harry stand da und sah zu, wie die schwarze Kutsche mit den silbernen Beschlägen auf die Straße hinausrollte. Lange Zeit stand er einfach nur da und wiederholte in Gedanken Augustas Abschiedsworte wieder und immer wieder. *Ich liebe dich, Harry.*

Ihm wurde klar, daß sie diese Worte zum allerersten Mal tatsächlich laut ausgesprochen hatte. Jetzt wußte er, daß ein Teil von ihm schon seit sehr langer Zeit darauf gewartet hatte, sie von ihr zu hören.

Ich liebe dich, Harry. Die verschlossene Tür, die tief in seinem Innern verborgen war, öffnete sich weit, und das, was dahinter lag, erschien nicht mehr ganz so trostlos.

Gott im Himmel, aber ich liebe dich doch auch, Augusta. Bis zu diesem Augenblick war mir nicht klar, wie sehr du zu einem Teil von mir geworden bist.

Harry wartete, bis die schwarze Kutsche außer Sichtweite war, und dann stieg er die Treppe hinauf und begab sich in seine Bibliothek. Er setzte sich hinter seinen Schreibtisch und faltete die Liste der Namen auseinander, die Sally aufgespürt hatte. Er brauchte nicht lange, um sie zu dekodieren.

Als er damit fertig war, sah er sich die elf Namen auf der Liste an. Von einigen der Männer auf der Liste wußte er, daß sie im Krieg gefallen waren. Von einigen wußte er, daß sie schlichtweg nicht die Intelligenz oder das Naturell besaßen, um die Spinne zu sein. Einige der Namen kannte er überhaupt nicht. Peter würde sie zweifellos kennen.

Aber der letzte Name auf der Liste war der, der seine Aufmerksamkeit auf sich zog und gefangenhielt.

Er saß immer noch da und starrte den letzten Namen an, als Peter in die Bibliothek geführt wurde.

»Also, sie sind unbeschadet aufgebrochen«, verkündete Peter, als er es sich auf einem Sessel bequem machte. »Ich habe eben gerade Claudia in deine Kutsche verfrachtet. Meredith hat gesagt, ich soll dir noch einmal Grüße ausrichten und dich daran erinnern, daß sie nicht nur in die Vauxhall Gardens gehen möchte, sondern auch schrecklich gern noch einmal in Astley's Amphitheater ginge.«

»Und Augusta?« Harry bemühte sich, einen kühlen und zurückhaltenden Tonfall zu bewahren. »Hatte sie mir auch noch etwas auszurichten?«

»Sie hat gesagt, ich soll dir noch einmal sagen, sie würde gut auf deine Tochter aufpassen.«

»Sie ist wirklich sehr loyal«, sagte Harry liebevoll. »Sie ist eine Frau, der ein Mann sein Leben, seine Ehre oder sein Kind anvertrauen kann.«

»Ja, das ist sie mit Sicherheit«, sagte Peter mit einem verständnisvollen Blick. Er beugte sich vor. »Was hast du herausgefunden? Steht jemand Interessantes auf der Liste?«

Wortlos drehte Harry die Namensliste so um, daß Peter die Namen lesen konnte. Er sah, wie Peters Lippen schmaler wurden, als er den letzten Namen las.

»Lovejoy.« Peter sah sofort auf. »Gütiger Gott. Das paßt, meinst du nicht auch? Keine Familie, keine Vergangenheit, keine engen Freunde. Er hat mitgekriegt, daß wir Erkundigungen einholen. Er hat versucht, uns von der Spur abzubringen, indem er es so hingestellt hat, als sei Richard Ballinger die Spinne.«

»Ja. Er muß herausgefunden haben, daß die Mitgliedsliste des Saber Clubs in Sallys Hände geraten ist.«

»Er hat sich auf die Suche danach gemacht. Sie war wach, weil sie uns erwartet hat, und zweifellos hat sie ihn überrascht. Und deswegen hat er sie getötet.« Peters Hand ballte sich zur Faust. »Dieser Mistkerl.« Peter lehnte sich zurück. »Nun, Graystone? Worin besteht unser erster Schritt?«

»Es ist allerhöchste Zeit für meinen zweiten spätnächtlichen Besuch in Lovejoys Bibliothek.«

Peter zog eine Augenbraue hoch. »Ich komme mit. Heute abend?«

»Wenn möglich.«

Es war jedoch nicht möglich. Lovejoy verbrachte den Abend zu Hause und hatte Freunde eingeladen. Harry und Peter behielten das Haus von einer verdunkelten Kutsche aus im Auge, bis die Lichter in Lovejoys Bibliothek kurz vor Morgengrauen gelöscht wurden.

Am Abend darauf begab sich Lovejoy dann in seinen Club. Harry und Peter stiegen kurz vor Mitternacht durch das Fenster in seine Bibliothek ein.

»Ah, da steht ja der Globus, den er als Tresor benutzt«, murmelte Peter und ging darauf zu.

»Ich glaube, den Globus können wir vergessen.« Harry hob die Teppichränder hoch. »Lovejoy hat kein Geheimnis daraus gemacht, als ich ihn an dem Morgen, nachdem Augusta und ich ihren Schuldschein darin entdeckt hatten, aufgesucht habe, um mit ihm zu reden. Wahrscheinlich benutzt er ihn vorwiegend als praktischen Aufbewahrungsort für kleinere Wertgegenstände und vielleicht sogar als Köder, um von seinem eigentlichen Versteck abzulenken. Die Spinne besitzt zweifellos einen zweiten Tresor, der besser versteckt ist.«

»Ich verstehe, was du meinst.« Peter hatte den Globus geöffnet und schaute hinein. Er schloß ihn wieder und begann, systematisch die Wandtäfelung am anderen Ende des Raumes abzutasten.

Zwanzig Minuten später fand Harry, was er gesucht hatte, als er den verborgenen Mechanismus in einer Bodendiele auslöste.

»Ich glaube, das ist es, was wir wollen, Sheldrake.« Harry hob eine kleine Metallkiste unter den Bodenbrettern heraus. Er blieb still stehen, als Schritte im Gang einen Hausangestellten ankündigten, der sich wahrscheinlich nach einem langen Besuch in einem Wirtshaus heimlich ins Haus schlich. »Wir sollten uns das besser woanders ansehen.«

»Einverstanden.« Peter hatte bereits ein Bein über das Fensterbrett geschwungen.

Eine Stunde später, als sie behaglich in seiner eigenen Bibliothek saßen, war es Harry gelungen, die Metallkiste zu öffnen. Das erste, was ihm ins Auge sprang, als er hineinsah, war das Funkeln von Edelsteinen.

»Es scheint ganz so, als hätte sich die Spinne ihren Verrat in Edelsteinen bezahlen lassen«, sagte Peter versonnen.

»Ja.« Harry wühlte ungeduldig in dem Haufen von wertvollen Juwelen herum, der auf dem Boden der Schachtel lag. Seine Finger schlossen sich um einen Packen Papiere, und er zog sie heraus.

Er sah sie eilig durch und hielt inne, als ihm ein kleines Notizbuch in die Hand fiel. Er schlug es auf und sah, daß es sich größtenteils nur um ein paar kurze, kryptische Einträge handelte, Daten und Zeitpunkte, die alles oder auch nichts hätten bedeuten können. Der letzte Eintrag war jedoch bei weitem interessanter. Und weitaus beunruhigender.

»Was hast du da gefunden?« Peter beugte sich vor, um es sich genauer anzusehen.

Harry las die Eintragung laut vor. »Lucy Ann. Weymouth. Fünfhundert Dollar für den Monat Juli.«

Peter blickte auf. »Was, zum Teufel, soll das heißen? Hält sich dieser Mistkerl etwa eine Geliebte in Weymouth?«

»Das bezweifle ich. Nicht im Rahmen von fünfhundert Pfund im Monat.« Harry schwieg einen Moment lang, während er der Logik der Situation nachhing. »Weymouth ist nicht mehr als acht Meilen von Graystone entfernt, und es hat einen Hafen, der in Betrieb ist.«

»Ja, natürlich. Das weiß doch jeder. Und?«

Harry blickte langsam auf. »Das heißt, daß die *Lucy Ann* zweifellos ein Schiff ist, keine Frau. Und die Spinne scheint jemandem, vielleicht dem Kapitän des Schiffs, für den Monat Juli die gewaltige Summe von fünfhundert Pfund bezahlt zu haben.«

»Wir haben Juli. Warum auf Erden sollte er diese Moneten für ein Schiff aufbieten?«

»Vielleicht um sicherzustellen, daß es sich für einen sofortigen Aufbruch zur Verfügung hält? Die Spinne ist immer gern auf dem Wasserweg entkommen, aber daran kannst du dich ja sicher erinnern.«

»Ja, allerdings. So war es wirklich.«

Harry schlug das Notizbuch zu und spürte, wie sich eine eisige Kälte in seinem Innern breit machte. »Wir müssen ihn finden. Sofort. Heute nacht noch.«

»Einiger könnte ich gar nicht mit dir sein, Graystone.«

Aber Lovejoy hatte seine Spuren gut verwischt. Es kostete Harry und Peter den größten Teil des folgenden Tages, bis sie herausgefunden hatten, daß die Spinne London bereits verlassen hatte.

In der ersten Nacht nach ihrer Rückkehr nach Graystone lag Augusta stundenlang wach und starrte die Decke an. Sie nahm jedes Knirschen und Ächzen in dem großen Haus bewußt wahr.

Sie war nach ihrer Ankunft dem Lakaien gefolgt und hatte genau zugesehen, wie er jede einzelne Tür und jedes einzelne Fenster verriegelt hatte. Sie hatte, um sicherzugehen, überprüft, daß die Hunde über Nacht in den Küchen untergebracht worden waren. Der Butler hatte ihr versichert, niemand könne ins Haus gelangen.

»Seine Lordschaft hat schon vor Jahren Spezialschlösser anbringen lassen, Madam«, hatte Steeples ihr erzählt. »Sehr stabile Schlösser.«

Dennoch konnte Augusta nicht schlafen.

Schließlich schlug sie ihre Decken zurück und griff nach ihrem Morgenmantel. Sie nahm einen Kerzenhalter, zündete die Kerze an, schlüpfte mit den Füßen in ein Paar Pantoffeln und ging in den Korridor hinaus. Sie würde noch ein allerletztes Mal nach Meredith sehen, beschloß sie.

Schon während sie durch den Korridor lief, sah sie, daß die Tür zu Merediths Zimmer offenstand. Augusta begann zu rennen und hielt eine Hand schützend vor die kleine Flamme.

»Meredith?«

Merediths Bett war leer. Augusta zwang sich, ruhig zu bleiben. Sie würde nicht in Panik geraten. Das Fenster von Merediths Zimmer war immer noch verriegelt. Es gab mehrere logische Erklärungen dafür, daß das Kind nicht da war. Das Mädchen konnte aufgestanden sein, um sich ein Glas Wasser zu holen. Vielleicht war sie aber auch nach unten gegangen, um sich etwas Eßbares aus der Küche zu holen.

Augusta rannte zur Treppe. Sie war auf halber Höhe angelangt, als sie einen Blick über das Geländer warf und einen Lichtspalt unter der Tür zur Bibliothek sah. Sie schloß die Augen und holte tief Atem. Dann eilte sie die restlichen Stufen hinunter.

Als sie die Tür zur Bibliothek öffnete, sah Augusta Meredith auf den ersten Blick. Das Kind hatte sich auf dem großen Sessel seines Vaters zusammengerollt. Dort erweckte es den Eindruck, sehr winzig und zerbrechlich zu sein. Sie hatte die Lampe angezündet, und ein Buch lag auf ihrem Schoß. Sie blickte auf, als Augusta den Raum betrat.

»Hallo, Augusta. Hattest du auch Schwierigkeiten mit dem Einschlafen?«

»Ja. Und deshalb bin ich hier.« Augusta lächelte, um ihre enorme Erleichterung darüber zu verbergen, daß dem Kind nichts zugestoßen war. »Was liest du denn da?«

»Ich versuche, *Der Altertümler* zu lesen. Es ist ein ziemlich schwieriges Buch. Es hat so viele Wörter.«

»Ja, das kann man wohl sagen.« Augusta stellte den Kerzenhalter auf den Schreibtisch. »Soll ich dir vorlesen?«

»Ja, bitte. Das fände ich sehr schön.«

»Laß uns zu dem kleinen Sofa rübergehen. Dort können wir uns nebeneinander setzen, und du kannst in das Buch schauen, während ich dir vorlese.«

»Einverstanden.« Meredith glitt von Harrys riesigem Ledersessel und folgte Augusta zu dem kleinen Zweiersofa.

»Aber vorher«, sagte Augusta, als sie sich kurz vor den Kamin kniete, »werde ich das Feuer anzünden. Es ist ziemlich kühl hier.«

Ein paar Minuten später hatten die beiden es sich vor einem lodernden Feuer gemütlich gemacht. Augusta nahm den neuen Roman zur Hand, der Walter Scott zugeschrieben wurde, und sie begann, leise von vermißten Erbinnen vorzulesen, von Schatzsuchen und gefahrvollen Abenteuern.

Nach einer Weile gähnte Meredith und schmiegte den Kopf an Augustas Schulter. Ein paar Momente vergingen. Schließlich sah Augusta nach ihr und stellte fest, daß ihre Stieftochter eingeschlafen war.

Lange Zeit saß Augusta da, sah in das Feuer und dachte darüber nach, daß sie sich heute nacht fast wie Merediths wirkliche Mutter vorkam. Jedenfalls hatte sie mit Sicherheit die Beschützerinstinkte einer echten Mutter.

Sie fühlte sich heute nacht aber auch wie eine echte Ehefrau, überlegte sich Augusta. Gewiß konnte nur eine Ehefrau dieses grauenhafte Gefühl von Unsicherheit kennen, während sie die Rückkehr ihres Mannes erwartete.

Die Tür zur Bibliothek öffnete sich leise, und Claudia betrat in einem Morgenmantel aus Chintz den Raum. Sie lächelte, als sie Augusta sah, die sich neben der schlafenden Meredith auf dem Sofa zusammengerollt hatte.

»Es scheint, als hätten wir heute nacht alle Einschlafprobleme«, flüsterte Claudia, als sie sich auf den Sessel setzte, der dem Sofa am nächsten stand.

»Ja, es scheint so. Machst du dir Sorgen um Peter?«

»Ja. Ich fürchte, er ist zu leichtsinnig. Ich bete, daß er sich nicht in Gefahr bringt. Er war entsetzlich wütend über Sallys Tod.«

»Auch in Harry hat etwas gewütet. Er hat versucht, es zu verbergen, aber ich habe es in seinen Augen lodern sehen. Hinter seiner ruhigen und beherrschten Fassade, die er der Welt zeigt, steckt in Wirklichkeit ein sehr emotionaler Mann.«

Claudia lächelte. »Wenn du das sagst, muß ich es dir wohl glauben. Peter dagegen verbirgt seine Gefühle hinter einer Maske von spöttischer Heiterkeit. Aber auch er fühlt tief. Warum habe ich nur so lange gebraucht, um die Ernsthaftigkeit seiner Natur zu erkennen.«

»Wahrscheinlich, weil er geschickt darin ist, seine wahren Gefühle zu verbergen. Ebenso wie Harry. Jeder von den beiden hat auf seine Art gelernt, vorsichtig zu sein und seine tiefsten Gefühle und Gedanken nicht zu zeigen. Ich nehme an, sie haben beide während des Krieges viel zu viel Übung darin bekommen.« *Und Harry hatte in puncto Selbstbeherrschung schon eine ganze Menge gelernt, ehe er den Gefahren im Nachrichtendienst ausgesetzt war,* dachte Augusta und dachte wieder einmal an die treulosen Frauen in der Ahnengalerie.

»Es muß eine gräßliche Zerreißprobe für sie gewesen sein.«

»Der Krieg?« Augusta nickte und litt innerlich mit Harry, aber auch mit Peter. »Sie sind gute Männer, und gute Männer müssen im Krieg enormes Leiden durchmachen.«

»O Augusta, ich liebe Peter ja so sehr.« Claudia stützte das Kinn auf eine Hand und schaute ins Feuer. »Ich mache mir ganz fürchterliche Sorgen um ihn.«

»Ich weiß, Claudia.« Augusta nahm wahr, daß sie sich ihrer Cousine heute nacht näher fühlte als jemals zuvor. Das war ein schönes Gefühl. »Denkst du eigentlich jemals über die Tatsache nach, daß wir zwar verschiedenen Zweigen der Ballinger-Familie entstammen, aber trotzdem gemeinsame Vorfahren haben, Claudia?«

»Ich habe in der letzten Zeit häufig darüber nachgedacht«, gestand Claudia unwillig.

Augusta lachte leise.

Die beiden Frauen blieben noch lange Zeit stumm vor den Flammen sitzen. Meredith schlief friedlich neben ihnen.

In der folgenden Nacht wuchs sich Augustas Gefühl von Unbehagen langsam, aber sicher zu einer enormen Angst aus, die sie zu überwältigen drohte. Als es ihr endlich gelang einzuschlafen, setzte sogleich ein unklarer Alptraum ein.

Sie erwachte schlagartig daraus. Ihre Handflächen waren feucht, und ihr Herz pochte. Sie kam sich vor, als sei sie unter der Bettdecke lebendig begraben.

Sie kämpfte gegen die Panik an, schlug die Decken zurück und sprang aus dem Bett. Dann stand sie schnell atmend da und versuchte, die merkwürdige Furcht abzuschütteln, von der sie immer noch gepackt war. Als sie es einfach nicht länger aushielt, gab sie dieser Furcht nach.

Sie schnappte ihren Morgenmantel, eilte aus ihrem Schlafzimmer und lief durch den Gang zu Merediths Zimmer. Augusta sagte sich, sie würde sich gewiß wieder beruhigen können, wenn sie erst einmal gesehen hatte, daß Meredith nichts zugestoßen war.

Aber Meredith lag nicht sicher und gut zugedeckt in ihrem Bett. Wieder einmal war sie fort, und diesmal stand das Fenster weit offen. Die Gardinen bauschten sich in der nächtlichen Brise, und es war kalt im Schlafzimmer.

Der Mondschein reichte gerade aus, um das kräftige Seil zu sehen, das an der Fensterbank befestigt worden war. Es hing bis auf den Boden hinunter.

Meredith war entführt worden.

20. Kapitel

Innerhalb von zehn Minuten hatte Augusta den gesamten Haushalt in der Eingangshalle versammelt. Sie lief vor dem versammelten Personal auf und ab. Sogar die Hunde waren erschienen. Da sie der Trubel aufgeschreckt hatte, waren sie aus der Küche getappt, um nachzusehen, was hier vorging. Niemand hatte daran gedacht, sie einzusperren oder sie im Freien anzubinden.

Claudia stand angespannt in der Nähe und hatte den Blick auf Augusta geheftet. Steeples, der Butler, und Mrs. Gibbons, die Haushälterin, warteten besorgt auf Anweisungen. Die Dienstboten standen noch unter Schock, ebenso Clarissa Fleming. Alle hatten sich in der Krise instinktiv darauf verlassen, daß Augusta die Führung übernehmen würde.

Nichts setzte Augusta mehr zu als die niederschmetternde Erkenntnis, daß sie darin gescheitert war, Merediths Sicherheit zu gewährleisten. Sie hatte versagt. *Ich werde sie mit meinem Leben beschützen, Harry.*

Sie war daran gescheitert, ihren Schwur zu halten. Sie durfte nicht daran scheitern, Meredith unbeschadet zurückzuholen. Dieses eine Mal in ihrem Leben mußte sie kühl, sachlich und logisch bleiben, und sie mußte schnell handeln. Sie sagte sich nachdrücklich, daß sie jegliche Gefühle ausschalten und so klar denken mußte, wie Harry es getan hätte, wenn er hier gewesen wäre.

»Wenn ich bitte Ihre Aufmerksamkeit haben dürfte«, sagte sie zu der versammelten Schar. Augenblicklich senkte sich Schweigen herab. »Sie alle wissen, was passiert ist. Lady Meredith ist aus ihrem Bett geraubt worden.«

Einige der Zimmermädchen begannen zu weinen.

»Ruhe, bitte«, fauchte Augusta. »Das ist nicht der rechte Zeitpunkt für Gefühle. Nun, ich habe mir Gedanken darüber gemacht, was hier passiert ist. Das Fenster ist nicht gewaltsam aufgebrochen worden. Es wurde offensichtlich von innen geöffnet. Die Hunde sind nicht aufgeschreckt worden. Steeples, ich und Mrs. Gibbons haben uns im ganzen Haus umgesehen, und es ist absolut nirgends ein Zeichen dafür zu finden, daß sich jemand gewaltsam Zutritt verschafft hat. Daraus läßt sich meines Erachtens nur eine einzige Schlußfolgerung ziehen.«

Alle holten hörbar Atem und starrten Augusta an.

Augusta sah den Angestellten der Reihe nach in die Gesichter. »Meine Tochter ist von jemandem entführt worden, der in Graystone lebt. Sie sind eine große Gruppen von Menschen. Wer von Ihnen fehlt?«

Diese Bemerkung wurde mit einem kollektiven Keuchen des Entsetzens aufgenommen. Augenblicklich sahen sich alle nach allen anderen um. Und dann ertönte in der hinteren Reihe ein schriller Schrei.

»Robbie ist verschwunden«, rief die Köchin laut aus. »Robbie, der neue Lakai.«

Auf diese Neuigkeit hin brach das junge Zimmermädchen am Ende der Reihe neuerlich in Tränen aus.

Augusta behielt das Mädchen im Auge, während sie ruhig mit Steeples redete. »Wann ist dieser Robbie eingestellt worden?«

»Ich glaube, es war ein paar Wochen nach der Hochzeit seiner Lordschaft, Madam. Etwa um die Zeit herum, in der wir zusätzliches Personal für das mehrtägige Fest eingestellt haben. Nach dem Fest habe ich beschlossen, Robbie weiterhin zu behalten. Er hat gesagt, er hätte Verwandte im Dorf. Und er hat gesagt, er hätte bis vor kurzem in einem bedeutsamen Haus in London gearbeitet und wollte jetzt eine dauerhafte Anstellung auf dem Lande finden.« Steeples machte einen besorgten und verwirrten Eindruck. »Er hatte ausgezeichnete Referenzen, Madam.«

Augusta sah Claudia in die Augen. »Zweifellos ausgezeichnete Referenzen von der Spinne.«

Claudia kniff die Lippen zusammen. »Hältst du das wirklich für möglich?«

»Zeitlich scheint alles zusammenzupassen.« Augusta unterbrach sich, als das Zimmermädchen am Ende der Reihe schluchzend auf die Knie fiel. »Was ist los, Lily?«

Lily blickte mit überströmenden Augen zu ihr auf. »Ich hatte gefürchtet, daß er üble Absichten hat, Madam. Aber ich dachte, er hätte nur vor, etwas Silber zu mopsen. Ich hätte nie geglaubt, daß er so etwas tut, bestimmt nicht, ich schwöre es.«

Augusta wandte sich an sie. »Komm in die Bibliothek. Ich wünsche, dich unter vier Augen zu sprechen.« Sie warf einen Blick auf den Butler. »Beginnen Sie augenblicklich mit der Suche. Soweit wir wissen, muß Robbie zu Fuß unterwegs sein. Ist das richtig?«

»Es fehlt kein Pferd in den Ställen«, warf ein Stallknecht von sich aus ein. »Aber es kann sein, daß er ein eigenes Pferd hatte, das auf dem Gelände bereitstand.«

Augusta nickte. »Das ist wahr. Also, gut. Sie werden folgendermaßen vorgehen, Steeples. Lassen Sie augenblicklich sämtliche verfügbaren Pferde satteln, einschließlich meiner Stute. Alle, die reiten können, sollen aufsteigen. Schicken Sie alle anderen mit Fackeln und den Hunden zu Fuß los. Schicken Sie jemanden ins Dorf, damit er dort die Leute weckt, und schicken Sie einen Boten nach London, um seine Lordschaft darüber zu informieren, was passiert ist. Wir müssen mit größter Eile vorgehen.«

»Ja, Ma'am.«

»Miss Fleming wird Ihnen helfen, die Suche zu organisieren, das tun Sie doch, Miss Fleming?«

Ein militanter Ausdruck trat auf Clarissas Gesicht. »Allerdings werde ich das tun, Madam.«

»Sehr gut. Dann beginnen wir jetzt.« Steeples wandte sich um und übernahm das Kommando über die Truppen.

Claudia folgte Augusta in die Bibliothek. Sie stand da und lauschte gebannt, als Lily ihre Geschichte heraussprudelte.

»Ich habe geglaubt, daß er mich mag, Madam. Er hat mir immer wieder eine Blume oder ein kleines Geschenk mitgebracht. Ich habe geglaubt, daß er sich um mich bemüht, das habe ich wirklich geglaubt. Aber manchmal haben mich die Dinge verwundert, die er getan hat.«

»Was hat dich auf den Gedanken gebracht, daß er etwas Übles im Schilde führt?« drängte Augusta.

Lily schniefte. »Robbie hat gesagt, er käme bald zu viel Bargeld. Er hat gesagt, es sei genug, um sich davon ein Leben aufzubauen, und er würde sich ein kleines Häuschen kaufen und leben wie ein Lord. Ich habe ihn ausgelacht, aber er schien es so ernst zu meinen, daß ich ihm manchmal fast geglaubt habe.«

»Hat er sonst noch etwas gesagt, was besorgniserregend war?« fragte Augusta eilig. »Denk nach, Mädchen. Das Leben meiner Tochter steht auf dem Spiel.«

Lily sah sie an und senkte den untröstlichen Blick dann auf den Fußboden. »Es ist nicht direkt so, daß er etwas gesagt hätte, Madam. Es waren eher die Dinge, die er getan hat, wenn er geglaubt hat, daß ihn niemand beobachtet. Ich habe öfter gesehen, wie er sich ganz genau im Haus umgeschaut hat. Da habe ich mich dann gefragt, ob er vielleicht mit dem Gedanken spielen könnte, sich von dem Silber zu bedienen. Ich wollte es Mrs. Gibbons sagen, das wollte ich ehrlich tun, aber ich war einfach nicht sicher, wenn Sie verstehen, was ich meine. Und ich wollte nicht, daß Robbie entlassen wird, wenn er nichts Böses vorhat.«

Augusta trat ans Fenster und schaute in die Dunkelheit hinaus. Bald würde das Morgengrauen nahen. Steeples hatte ihre Befehle eilig befolgt. Sie konnte sehen, wie Pferde zum Eingang des Hauses geführt wurden. Die Hunde bellten aufgeregt. Während sie noch aus dem Fenster sah, brachen etliche Menschen, die Fackeln trugen, in die Wälder auf. *O Meredith, meine liebe kleine Meredith. Fürchte dich nicht, ich werde dich finden.*

Augusta drängte die panische Verzweiflung zurück, die in ihr aufzuwogen drohte. Sie zwang sich, weiterhin logisch zu denken. »Er kann selbst beritten nicht weit kommen. Er hat Meredith bei sich, und das heißt, daß er nicht allzu schnell vorankommen kann. Ihr Gewicht wird ihn in seinem Fortkommen behindern. Bei Tageslicht wird er leicht von Menschen bemerkt, die Fragen stellen werden. Daher werden wir davon ausgehen, daß er die Absicht hat, Meredith am Tag zu verstecken und in der Nacht zu reiten.«

»Er kann ja wohl kaum mit Graystones Tochter unter dem Arm in einem Gasthaus Rast machen«, sagte Claudia. »Das wirft Fragen auf. Und es ist unwahrscheinlich, daß Meredith den Mund hält.«

»Ganz genau. Also, gut, wir werden davon ausgehen, daß er auf dem Weg zu einem Ort ist, an dem er Meredith verbergen kann, bis er den Kontakt zu der Spinne herstellt. Es kann hier in dieser Gegend nicht allzu viele Orte geben, an denen Robbie Meredith für einen längeren Zeitraum verstecken könnte.«

Lily hob ruckartig den Kopf, und ihre Augen wurden klarer. »Das alte Dodwell-Häuschen, Ma'am. Es steht jetzt leer, weil es reparaturbedürftig ist. Robbie hat mich vor einer Weile dorthin mitgenommen.« Sie fing wieder an zu weinen. »Ich habe geglaubt, er würde mir einen Heiratsantrag machen, dumm, wie ich war. Aber er hat gesagt, er hätte einfach nur Lust auf einen Spaziergang.«

»Einen langen Spaziergang«, sagte Augusta, die sich an das Häuschen erinnerte, in dem sie während eines Gewitters Zuflucht gesucht hatte. An jenem Tag hatte sich Graystone darüber geärgert, daß er ihr hatte nachreiten müssen. Daran erinnerte sie sich noch sehr gut. Sie erinnerte sich aber auch daran, daß er ihr gesagt hatte, das Häuschen sei das einzige leerstehende Haus auf dem gesamten Anwesen.

»Zu lang. Das habe ich ihm auch gesagt. Wir sind fast zwei Stunden gelaufen, ehe wir dort angekommen sind. Und dann hat er sich dort nur umgesehen und sonst gar nichts. Er hat gesagt, er hätte genug gesehen, und wir sollten uns auf den Rückweg machen. Meine Füße haben schrecklich weh getan, als wir zurückgekommen sind.«

»Ist dieses Häuschen abgeschieden?« fragte Claudia. »Gäbe es ein naheliegendes Versteck ab?«

»Ja, für kurze Zeit schon. Es lohnt sich entschieden, dort nachzusehen.« Augusta gelangte zu einem Entschluß. »Alle anderen sind bereits aufgebrochen, um die Suche zu beginnen, darunter auch diese beiden bewaffneten Wachen, die Graystone mit uns nach Dorset geschickt hat. Ich werde mich anziehen und selbst zum Dorset-Häuschen reiten.«

Claudia machte sich auf den Weg zur Tür. »Ich begleite dich. Ich brauche nicht lange, um mich anzuziehen.«

»Ich sollte besser sehen, ob Steeples uns eine Pistole besorgen kann«, sagte Augusta.

»Kannst du denn damit umgehen, wenn es sich als notwendig erweist?« fragte Claudia überrascht.

»Natürlich. Richard hat es mir beigebracht.«

Eine halbe Stunde später, als die Morgendämmerung gerade anbrach, brachten Augusta und Claudia ihre Pferde in den Wäldern hinter dem Dodwell-Häuschen zum Stehen. Sie sahen ein Pferd, das in dem alten Schuppen angebunden war.

»Gütiger Gott«, sagte Claudia leise. »Ich glaube, er ist wirklich mit Meredith hier. Wir müssen zurückreiten und Hilfe holen.«

»Möglicherweise bleibt uns nicht die Zeit dafür.« Augusta stieg ab und reichte ihrer Cousine die Zügel. »Und wir wissen auch nicht mit Sicherheit, daß Robbie Meredith hierher gebracht hat. Es könnte ein Vagabund oder ein Reisender sein, der vom Einbruch der Dunkelheit überrascht worden ist und in diesem Häuschen Unterschlupf gesucht hat. Ich werde mal sehen, ob ich dahinterkommen kann, wer sich in dem Häuschen aufhält.«

»Augusta, ich bin keineswegs sicher, ob wir das ganz auf uns allein gestellt versuchen sollten.«

»Nur keine Sorge. Ich habe die Pistole. Warte hier. Wenn etwas schiefgeht, dann reitest du schleunigst zum erstbesten Haus. Jeder in der ganzen Gegend wird Graystones Familie zu Hilfe kommen.«

Augusta zog die Pistole aus der Tasche ihres Reitkostüms und hielt sie fest umklammert, als sie sich durch die Bäume zu dem Häuschen begab.

Es war kinderleicht, zur Rückseite des Häuschens zu gelangen, ohne Aufmerksamkeit zu erregen. In der Rückwand der baufälligen Hütte gab es keine Fenster, und der alte Schuppen bot ihr zusätzliche Dekkung.

Das Pferd, das im Schuppen angebunden war, beäugte Augusta ohne allzuviel Interesse, als sie sich an ihm vorbeischlich. Augusta betrachtete nachdenklich das Tier und ging dann in den Schuppen und band die alte Stute los.

Das alte Pferd mit dem krummen Rücken lief gehorsam mit, als Augusta es am Halfter nahm und mit ihm seitlich um das Häuschen herumlief. Nicht weit von der Tür blieb Augusta stehen und klatschte der Stute kräftig auf den Rumpf.

In seiner Verblüffung fiel das Pferd in einen flotten Trab, der es direkt an der Tür vorbeiführte und dann den Weg hinunter.

Aus dem Häuschen ertönte panisches Gebrüll. Augusta hörte, wie die Tür mit einem Schlag aufgerissen wurde, und ein junger Mann, der noch Graystones Dienstbotenlivree trug, kam herausgestürzt.

»Was, zum Teufel, soll das heißen? Komm zurück, du verfluchter Klepper.« Robbie pfiff mehrfach dem entschwindenden Pferd nach.

Augusta hob die Pistole und preßte sich an die schützende Seitenwand.

»Mist. Der Teufel soll das Pferd holen, verdammt noch mal.« Robbie war eindeutig hin- und hergerissen und wußte nicht, was er als nächstes tun sollte. Dann entschied er, daß er es sich nicht leisten konnte, das Pferd einzubüßen.

Augusta hörte, wie die Vordertür geschlossen wurde, und dann ertönten Robbies Schritte, als er der alten Stute nachrannte.

Augusta wartete, bis Robbie außer Sichtweite war, um dann zur Vordertür des Hauses zu eilen und sie zu öffnen. Sie hielt die Pistole fest in der Hand, als sie den kleinen Raum betrat.

Meredith, die gefesselt und geknebelt hilflos auf dem Boden lag, starrte mit verängstigten Augen zur Tür. Und dann erkannte sie Augusta. Durch den Knebel war ein erstickter Ausruf zu hören.

»Es ist alles wieder gut, Meredith. Ich bin hier, Liebling. Jetzt bist du in Sicherheit.« Augusta rannte durch den Raum und riß ihr den Knebel aus dem Mund. Und dann machte sie sich daran, die Fesseln zu lösen, mit denen die Handgelenke des Mädchens gebunden waren.

Meredith schlang Augusta die Arme um den Hals, sowie sie sie befreit hatte. »*Mama.* Ich wußte, daß du kommen würdest, Mama. Ich habe es gewußt. Ich hatte solche Angst vor ihm.«

»Ich weiß, mein Liebling. Aber jetzt müssen wir uns eilen.«

Augusta nahm sie an der Hand und zerrte sie aus dem Häuschen und um die Hauswand herum.

Claudia sah sofort, was los war, und sie kam mit Augustas Pferd auf die beiden zu. »Schnell«, rief sie. »Wir müssen augenblicklich von hier verschwinden. Ich höre ein Pferd auf dem Weg auf uns zukommen. Robbie muß die Stute eingeholt haben.«

Augusta lauschte den kräftigen, rhythmischen Hufschlägen eines Pferdes, das sich in einem zügigen Galopp näherte, und sie wußte, daß es nicht der alte Ackergaul war, den sie gerade losgebunden hatte. Das hier war ein Vollblut von der Sorte, die nur ein Gentleman geritten hätte. Es ließ sich unmöglich sagen, ob der Reiter Freund oder Feind war.

Augusta war von dem verzweifelten Verlangen erfüllt, Meredith in Sicherheit zu bringen.

»Hier, Liebling. Steig vor Miss Ballinger auf. Eil dich.« Sie stieß Meredith in den Sattel, und Claudia hielt sie fest. Augusta trat eilig zurück. »Reite los, Claudia. Jetzt sofort.«

»Augusta, was tust du?«

»Du mußt dich um Meredith kümmern. Ich muß die Freiheit haben, die Pistole zu benutzen, falls es sich als notwendig erweist. Wir können unmöglich wissen, wer auf dem Weg hierher ist. Geh schon, Claudia. Ich werde euch auf den Fersen folgen.«

Claudia ließ ihr Pferd umkehren. In ihren Augen stand Sorge. »Also, gut, aber trödele nicht.« Sie trieb ihr Pferd an, das durch die Bäume raste.

»Sei vorsichtig, Mama«, rief Meredith leise.

Augusta stieg auf ihre Stute und wollte den beiden folgen. Sie konnte immer noch nicht sehen, wer näher kam. Das Haus verstellte ihr den Blick auf ihn.

Augusta beugte sich vor, hielt die Pistole immer noch fest umklammert und trieb ihre Stute zum Galopp an.

In dem Moment hallte ein Schuß durch die Wälder und ließ eine Wolke von Laub und Erde unter den Hufen der Stute aufwirbeln.

Das Tier bäumte sich in seiner Panik auf und ließ seine Hufe wild durch die Luft fliegen. Augusta ließ in ihrem verzweifelten Bemühen, das Tier zu bändigen, die Pistole fallen. Aber einer der hinteren Hufe kam auf dem welken Laub ins Rutschen, und das Tier begann, sich auf eine Seite zu neigen.

Augusta sprang exakt in dem Moment von ihrem Damensattel ab, in dem das Tier strauchelte und stürzte. Sie landete atemlos und unbewaffnet auf dem Boden und wurde durch die Röcke ihres Reitkostüms behindert. Die Stute zog sich mühsam auf die Füße und floh durch die Bäume in Richtung Stall.

Als sie wieder Luft bekam, stand ein Mann mit einem dicken Backenbart und Haar, das stahlfarben gepudert war, über ihr. Er hielt eine Pistole mitten auf ihr Herz gerichtet.

Augusta wußte augenblicklich, daß der Backenbart und das graue Haar Verkleidung waren. Lovejoys fuchsgrüne Augen hätte sie überall wiedererkannt.

»Sie sind etwas zu früh hier angekommen, meine Liebe«, murrte Lovejoy. Er bedeutete ihr aufzustehen. »Ich hätte nicht geglaubt, daß Sie Graystones Sprößling so schnell vermissen werden, und auch nicht, daß Sie schon so bald Ihr Personal wecken und die Suche beginnen würden. Aber wie ich sehe, hat dieses dumme kleine Zimmermädchen genau das gesagt, was sie hätte sagen sollen. Robbie, dieser Tölpel, war ganz sicher, daß sie es tun würde. Und ich war sicher, daß Sie die naheliegenden Schlüsse daraus ziehen würden.«

»Sie wollten mich, Lovejoy? Nicht Meredith?«

»Ich wollte euch alle beide haben«, fauchte Lovejoy. »Aber da Sie mich um Meredith gebracht haben, werde ich mich eben mit Ihnen begnügen müssen. Wir können nur hoffen, daß Graystone seine frisch angetraute Ehefrau genügend mag, so, wie es sein sollte; andernfalls sind Sie für mich reichlich nutzlos. Ihr Bruder hat das schnell gelernt.«

»*Richard.* Sie haben ihn getötet. Genauso, wie Sie Sally umgebracht haben.« Augusta ballte die Hände zu kleinen Fäusten und stürzte sich auf ihn.

Lovejoy stieß sie mit einem kräftigen Handrückenschlag zur Seite, und Augusta fiel wieder der Länge nach auf den Boden. »Steh auf, du kleines Miststück. Wir müssen uns jetzt eilen. Ich weiß nicht, wie lange Graystone durch London bummelt, bis er begreift, wer ich bin und daß ich die Stadt verlassen habe.«

»Er wird Sie töten, Lovejoy. Das wissen Sie doch, oder nicht? Für das, was Sie hier tun, wird er Sie töten.«

»Er will mich schon seit langem töten, und wie Sie sehen, ist er bisher daran gescheitert. Graystone ist immer gerissen gewesen, das muß ich ihm lassen, aber ich habe immer das Glück auf meiner Seite gehabt.«

»Vielleicht bis vor kurzem. Ihre Glückssträhne ist vorbei, Lovejoy.«

»Ganz und gar nicht. Sie sind mein Talisman, Madam. Und es wird mir ein Vergnügen sein, diesem verdammten Graystone wegzunehmen, was ihm gehört. Ich habe versucht, ihn zu warnen, daß Sie als Ehefrau für ihn ungeeignetes Material sind.«

Lovejoy packte Augustas Arm und zog sie grob auf die Füße.

Ungeachtet seiner Pistole, wirbelte Augusta herum, lüpfte ihre schweren Röcke und versuchte zu fliehen. Lovejoy hatte sie mit zwei Schritten eingeholt und ohrfeigte sie kräftig. Sein Arm schlang sich um ihre Kehle, und die Mündung seiner Pistole preßte sich an ihre Schläfe.

»Noch ein solcher Fluchtversuch, und ich jage dir hier und jetzt eine Kugel in den Schädel. Hast du verstanden?«

Augusta machte sich nicht die Mühe, ihm zu antworten. Ihr schwirrte der Kopf von dem kräftigen Schlag. Sie hatte das Gefühl, jetzt den richtigen Zeitpunkt abwarten zu müssen.

Lovejoy, der sie sorgsam festhielt, ging mit ihr auf den Hengst zu, den er vor dem Häuschen hatte stehenlassen.

»Was soll das heißen, Sie haben versucht, Graystone zu warnen, ich gäbe keine gute Ehefrau für ihn ab?« fragte Augusta, als er sie zwang, auf den tänzelnden Hengst zu steigen.

»Ich wollte wirklich nicht, daß ihr beide zusammenkommt, Augusta. Ich habe gefürchtet, durch den nahen Umgang mit dir könnte Graystone möglicherweise doch über einen Anhaltspunkt aus der Vergangenheit deines Bruders stolpern, der ihn zu mir führt. Das war nicht gerade wahrscheinlich, aber es war immer eine beunruhigende Möglichkeit. Ich habe versucht, jegliches potentielle Problem dieser Art auszuräumen, indem ich die Eheschließung verhindere.«

»Das also hatten Sie vor, als Sie mich zu diesem Kartenspiel verleitet haben.«

»Genau.« Lovejoy stieg hinter ihr auf und preßte die Mündung der Pistole fest in ihre Rippen. »Der Gedanke, der dahintergesteckt hat, war der, dich zu kompromittieren, wenn du dir deinen Schuldschein abholst, aber das hat nicht geklappt. Und dann mußte ich plötzlich hören, daß dich dieser Mistkerl von einem Tag zum anderen geheiratet hat.«

»Wohin bringen Sie mich?«

»Es ist nicht weit.« Er nahm die Zügel in die Hand und trieb den Hengst an. »Wir werden eine angenehme Seereise unternehmen, du und ich. Und dann werden wir uns in Frankreich an einen abgeschiedenen Ort zurückziehen, während sich Graystone vor Frustration und Wut lebendigen Leibes verzehrt.«

»Das verstehe ich nicht. Wozu brauchen Sie mich?«

»Du bist mein Tauschgegenstand, meine Liebe. Mit dir als Geisel werde ich ungehindert über den Kanal und in die französische Einöde gelangen. Graystone wird teuer für dich bezahlen. Sein Ehrgefühl, wenn schon nicht seine Zuneigung, werden dafür sorgen. Und wenn es ihm endlich gestattet wird, deine Freiheit zu erkaufen, werde ich ihn in eine Falle locken und ihn töten.«

»Und was dann?« provozierte ihn Augusta. »Dann werden endlich alle wissen, wer Sie sind. Mein Mann hat Freunde.«

»Ja, die hat er. Aber was die Freunde deines Mannes angeht, so bin ich für sie ebenfalls tot. Von einem tapferen Graystone umgebracht worden, der bei dem Versuch, seine arme Frau zu befreien, ums Leben gekommen ist. Die leider ebenfalls nicht mehr am Leben sein wird. Sehr tragisch. Es wird einigermaßen lästig sein, hinterher eine neue Identität anzunehmen, aber das habe ich schließlich schon öfter getan.«

Augusta schloß die Augen, während der Hengst über den Weg lief. »Warum haben Sie Richard getötet?«

»Dein dämlicher Bruder hat versucht, ein gefährliches Spiel zu spielen, Augusta. Eines, über das er sich nicht im entferntesten im klaren war. Er ist dem Saber Club beigetreten, weil das ein Club von genau der eleganten Sorte war, von der sich Männer wie er angesprochen fühlen. Dann ist er irgendwie zufällig auf die Tatsache gestoßen, daß ein meisterlicher Spion, der viele Spione unter sich hat und die Spinne genannt wird, ebenfalls Mitglied ist. Er hat sich ausgerechnet, daß ich diesen Ort zweifellos dafür benutze, wertvolle Informationen an mich zu bringen. Diese schneidigen jungen Offiziere haben sehr offen geredet, wenn sie einen im Tee hatten. Ein hübsches Mädchen, ein paar Flaschen Wein, und ich brauchte nur zu fragen und konnte alle Informationen bekommen, die die Clubmitglieder hatten.«

»Sie haben offen geredet, weil sie geglaubt haben, Sie seien einer von ihnen.«

»In der Tat. Das hat sehr gut geklappt, bis dein Bruder irgendwie dahintergekommen ist, was vorgeht. Ich glaube zwar nicht, daß er gewußt, hat, welches der Clubmitglieder die Spinne war, aber ich habe beschlossen, kein Risiko einzugehen. Ich wußte, daß er vorhatte, zu den Behörden zu gehen und ihnen diese Information zu überbringen. Eines Abends bin ich ihm auf dem Heimweg gefolgt.«

»Und Sie haben ihn von hinten erschossen, ehe Sie ihm diskriminierende Dokumente untergeschoben haben.«

»So war es am einfachsten. Ich habe den Saber Club angezündet und dafür gesorgt, daß alle Unterlagen über Clubmitgliedschaften und dergleichen von den Flammen verschlungen wurden. Der Club ist schon bald darauf in Vergessenheit geraten. Aber jetzt genug von solchen angenehmen Erinnerungen. Wir haben eine Reise vor uns.«

Lovejoy ließ den Hengst dicht an einer kleinen Brücke anhalten. Er stieg ab und riß Augusta vom Pferd. Sie taumelte, ehe sie wirklich Boden unter den Füßen hatte, und als sie sich das Haar aus den Augen strich, sah sie die geschlossene Kutsche, die zwischen den Bäumen verborgen war. Als Gespann waren zwei Braune angeschirrt, die einen kräftigen Eindruck machten und an einen Baum gebunden waren.

»Sie müssen mir verzeihen, daß es zweifellos eine äußerst unkomfortable Reise wird, Madam.« Lovejoy fesselte mit geschickten Bewegungen Augustas Handgelenke und knebelte sie mit einem Halstuch. »Aber Sie können versichert sein, daß noch Schlimmeres bevorsteht. Der Kanal kann manchmal sehr stürmisch sein.«

Er warf sie in die kleine Kutsche, zog die Vorhänge vor den Fenstern herunter und knallte die Tür zu. Im nächsten Moment hörte Augusta, wie er auf den Kutschbock stieg und die Zügel in die Hand nahm.

Die Pferde rasten blitzschnell los. Im Dunkel der Kutsche konnte Augusta unmöglich wissen, welche Richtung sie eingeschlagen hatten. Lovejoy hatte etwas von einer Seereise gesagt.

Der nächstgelegene Hafen war Weymouth. Er würde doch gewiß nicht die Kühnheit besitzen, an einem derart öffentlichen Ort den Versuch zu wagen, sie an Bord eines Schiffes zu bringen, dachte Augusta.

Dann rief sie sich wieder ins Gedächtnis zurück, daß niemand, was man auch sonst über ihn sagen konnte, je geleugnet hätte, daß die Spinne ebenso verwegen wie heimtückisch war.

Sie konnte nur den rechten Zeitpunkt abwarten und auf eine Gelegenheit zur Flucht hoffen oder Aufmerksamkeit auf sich lenken. Bis dahin mußte sie gegen die Verzweiflung ankämpfen, die sie zu packen drohte. Wenigstens war Meredith in Sicherheit. Aber die Vorstellung, Harry niemals wiederzusehen, war einfach unerträglich.

Der Geruch des Meeres, das Klappern der Wagenräder und das Quietschen von Holz weckten Augusta lange Zeit später. Sie lauschte aufmerksam und versuchte dahinterzukommen, wo sie sich befanden. Es handelte sich unverwechselbar um einen Hafen, und das hieß, daß Lovejoy tatsächlich nach Weymouth gefahren war.

Augusta richtete sich schmerzvoll auf dem Sitz auf und zuckte zusammen, als die Fesseln sich in ihre Handgelenke schnitten. Es war ihr gelungen, den Knebel so zu lockern, daß Lovejoy es nicht bemerken würde. Sie hatte das Halstuch um eine Messingarmatur in der Nähe der Tür geschlungen und daran gezogen.

Die Kutsche kam zum Stehen. Augusta hörte Stimmen, und dann wurde die Tür geöffnet. Lovejoy, der immer noch den Backenbart und die gepuderte Perücke trug, beugte sich hinein. Er hielt einen riesigen Umhang und einen schwarzen Hut mit dichten Schleiern in der Hand.

»Einen Moment, guter Mann«, sagte er über die Schulter zu jemandem. »Ich muß mich um meine arme Frau kümmern. Es geht ihr überhaupt nicht gut.«

Augusta versuchte, sich gegen den Hut zu wehren, doch Lovejoy ließ sie das Messer sehen, das er in der Hand hielt, und sie hielt still, als sie begriff, daß er keine Bedenken haben würde, es ihr zwischen die Rippen zu stoßen.

Innerhalb von bemerkenswert kurzer Zeit wurde Augusta, die verschleiert und in den Umhang mit Kapuze gehüllt war, aus der Kutsche gehoben. Lovejoy mußte ganz den Eindruck eines besorgten Ehemannes erweckt haben, als er sie über den steinernen Kai zu einem kleinen Schiff trug, das dort vertäut war. Wegen der Falten des Umhangs konnte niemand das Messer sehen, das er in der Hand hielt.

Augusta lugte durch den dichten schwarzen Schleier und hielt Ausschau, ob sich ihr nicht irgendwelche Gelegenheiten boten.

»Mein Gepäck sollte bereits an Bord sein«, fauchte Lovejoy. Er trat auf die Landungsbrücke. »Sagen Sie Ihrem miesen Kapitän, daß ich augenblicklich auszulaufen wünsche. Wir haben Flut.«

»Wird gemacht, Sir«, sagte eine krächzende Stimme. »Der wartet doch sowieso nur auf Sie, ganz ehrlich. Ich sag ihm, daß Sie hier sind.«

»Aber eilen Sie sich. Ich habe ihm eine Menge Geld für seine Dienste bezahlt, und ich erwarte, daß alles zu meiner Zufriedenheit verläuft.«

»Wird gemacht, Sir. Aber vorher zeige ich Ihnen noch Ihre Kabine. Ihre Frau macht ganz den Eindruck, als wollte sie sich gleich hinlegen, was?«

»Ja, ja, zeigen Sie mir die Kabine. Und dann geben Sie dem Kapitän Bescheid, daß er auslaufen soll. Und passen Sie auf, was Sie mit diesem Tau tun, Mann.«

»Es ist im Weg, nicht wahr? Der Kapitän kann das nicht leiden. Das ist ein ordentliches Schiff, das er da führt, das kann ich Ihnen sagen. Das läßt er mich büßen. Besser, wenn ich das verflixte Ding aus dem Weg räume.«

»Was, zum Teufel, soll das?« Lovejoy geriet ins Wanken und bemühte sich, das Gleichgewicht wiederzufinden, während sich das Tau wie eine Schlange um seinen Stiefel schlang. Er konnte Augusta nicht länger halten.

Augusta sah ihre Chance. Sie schrie und warf sich nach vorn, aus Lovejoys Armen, während er darum kämpfte, auf den Füßen zu bleiben.

Augusta hörte, wie ihr Entführer ein Wutgeheul ausstieß, als er sie nicht mehr halten konnte. Durch den Schleier sah sie, wie der angegraute Seemann mit der krächzenden Stimme den Arm ausstreckte, um sie aufzufangen, aber unter der Wucht des Aufpralls fiel er rückwärts und wurde von ihrem Umhang eingehüllt.

»Verflucht und zum Teufel«, murrte Peter Sheldrake, als er und Augusta beide über den Rand der Landungsbrücke rollten und in das kalte Wasser des Hafens stürzten.

Harry sah, wie sein Freund mit Augusta über Bord ging, und ihm wurde klar, daß seine Frau in Sicherheit war. Peter würde schon auf sie aufpassen.

Harry selbst hatte alle Hände voll mit einem aufgebrachten Lovejoy zu tun, der schon wieder auf den Füßen war und ein Messer in der Hand hielt.

»Sie gottverdammter Kerl«, zischte Lovejoy. »Ihr Name paßt gut zu Ihnen. Nemesis. Aber die Spinne trinkt am Ende doch immer das Blut ihres Opfers.«

»Für dich wird es kein Blut mehr geben, Spinne.«

Lovejoy stürzte mit ausgestrecktem Arm vor, um ihm die Kehle aufzuschlitzen. Harry wich dem Angriff aus, und es gelang ihm, Lovejoys Arm zu packen, als er versuchte, im letzten Moment die Richtung zu ändern.

Beide Männer verloren das Gleichgewicht. Lovejoy stürzte und Harry mit ihm, und er hielt immer noch den Arm umklammert, der das Messer hielt. Sie schlugen hart auf und rollten an den Rand der Landungsbrücke.

»Diesmal bist du zu weit gegangen, Spinne.« Harry, der immer noch Lovejoys Arm mit dem Messer gepackt hielt, versuchte, die Hand seines Angreifers von sich zu stoßen. Die Spitze der Klinge befand sich direkt über Harrys Auge. »Aber andererseits war das ja schon immer dein Problem, stimmt's? Du hast die Dinge immer einen Schritt zu weit getrieben. Zu viele Tote, zu viel Blut, und du bist zu gerissen und schadest dir damit selbst schon wieder. Deshalb hast du am Ende auch verloren.«

»Du Mistkerl.« Die aufreizenden Worte hatten noch mehr wilde und unbeherrschte Feuer in Lovejoys funkelnden Augen entflammen lassen. Seine Zähne waren zu einer wüsten Grimasse gefletscht, während er darum rang, die Klinge in Harrys Auge zu stoßen. »Ich werde diesmal nicht verlieren.«

Harry spürte die Kraft eines Rasenden in Lovejoys Arm. Er wälzte sich panisch herum, um dem Stich zu entgehen. Gleichzeitig glitten seine Finger auf Lovejoys Handgelenk herunter.

Mit jedem Funken Kraft, der ihm zur Verfügung stand, drehte Harry ihm das Handgelenk um. Etwas knackte. Die Klinge änderte ihre Richtung und wies jetzt nach oben.

Lovejoy schrie auf, als er sich sein eigenes Messer in den Leib rammte. Er zuckte in Krämpfen und wälzte sich auf die Seite, und dann packte er den Griff des Messers und riß es sich aus der Brust.

Blut spritzte, das leuchtend rote Blut des Todes.

»Die Spinne verliert niemals«, murmelte Lovejoy heiser, während er Harry aus ungläubigen Augen anstarrte. »Sie kann nicht verlieren.«

Harry schnaufte und bemühte sich, wieder Luft zu bekommen. »Du irrst dich. Es war uns vom Schicksal bestimmt, einander zu begegnen, Lovejoy. Das letzte Rendezvous hat stattgefunden.«

Lovejoy antwortete nichts darauf. Seine Augen wurden glasig, als er den Tod starb, den er über so viele andere verhängt hatte. Er rollte über den Rand der Landungsbrücke und fiel ins Meer.

Harry hörte, wie Augusta ihm etwas zurief, aber er schien nicht wirklich die Energie aufbringen zu können, sich auf die Füße zu ziehen. Er blieb einfach auf der Landungsbrücke liegen, vollständig erschöpft, und dort lauschte er ihren Schritten, als sie auf ihn zugerannt kam.

»Harry.«

Als er spürte, wie Wasser in sein Gesicht tropfte, schlug er die Augen auf und lächelte sie an. Sie war klatschnaß. Die Röcke ihres Kleids trieften, und das Haar klebte an ihrem Kopf. Liebe und qualvolle Sorge strahlten in ihren Augen. Nie hatte sie schöner ausgesehen.

»Harry, ist alles in Ordnung? Sag mir, daß dir nichts fehlt.« Sie kauerte neben ihm und schmiegte seinen Kopf an ihr nasses Mieder.

»Es ist alles in Ordnung, mein Liebling.« Er zog sie an sich, ohne sich an ihrer nassen Kleidung zu stören.

Augusta umklammerte ihn. »Gott im Himmel, ich hatte entsetzliche Angst. Wie hast du herausgefunden, was hier passiert? Woher wußtest du, daß er mich nach Weymouth bringt? Woher hast du gewußt, welches Schiff er nehmen wollte?«

Ihre Fragen wurden von Peter beantwortet, der jetzt hinter ihr stand. »Die Spinne hat wirklich immer teuflisches Glück gehabt. Aber andererseits war Graystone bekannt dafür, die Absichten des alten Luzifer zu durchschauen und ihm zuvorzukommen.«

Augusta erschauerte und schaute über den Rand der Landungsbrücke. Lovejoy trieb mit dem Gesicht nach unten im Wasser.

»Du frierst, Liebling«, sagte Harry mit ruhiger Stimme. Er stand auf und drehte sie um, damit sie nicht länger Lovejoys Leiche sah. »Wir müssen dich in warme Kleider packen.«

Er führte sie der Wärme einer nahen Taverne entgegen.

Augusta, Harry und Peter trafen am späten Nachmittag wieder in Graystone ein, und der gesamte Haushalt stürzte aus dem Haus, um sie zu begrüßen. Die Dienstboten grinsten breit und erzählten einander, sie hätten alle gewußt, daß ihr Herr die Herrin retten würde.

Clarissa Fleming stand oben auf der Treppe und strahlte vor Erleichterung, während Meredith ihren Eltern entgegenrannte.

»*Mama*, du bist wieder in Sicherheit. Ich habe gewußt, daß Papa dich retten wird. Er hat es mir gesagt.« Meredith schlang die Arme um Augusta und umarmte sie ungestüm. »O Mama, du bist ja so tapfer.«

»Du bist auch sehr tapfer, Meredith.« Augusta lächelte sie an. »Ich werde nie vergessen, was für ein tapferes kleines Mädchen du warst, als ich dich in diesem Häuschen gefunden habe. Du hast noch nicht einmal geweint, oder doch?«

Meredith schüttelte heftig den Kopf und hatte das Gesicht immer noch in den Röcken von Augustas Kleid verborgen. »Nicht währenddessen. Aber ich habe später geweint, als Miss Ballinger mich fortgebracht hat und wir gemerkt haben, daß du uns nicht folgen konntest.«

»In dem Moment wußte ich nicht, was ich tun soll«, sagte Claudia, die nicht weit entfernt stand und Peters Hand hielt. »Ich habe den Pistolenschuß gehört und war völlig außer mir vor Angst. Mir ist klargeworden, daß ich nicht umkehren und Merediths Leben in Gefahr bringen darf. Also bin ich weitergeritten. Graystone und Peter sind gerade hier angekommen, als Meredith und ich das Haus erreicht haben. Sie konnten sich sofort denken, daß Lovejoy mit dir nach Weymouth wollte.«

»Sowie wir wußten, daß wir zu spät dran waren, um dich aus seinen

Klauen zu befreien, war es nur logisch, in Weymouth nach dir zu suchen«, erklärte Harry. »Die Spinne hat als Fluchtweg schon immer das Wasser bevorzugt. Sheldrake und ich sind sofort nach Weymouth geritten und noch vor Lovejoys Kutsche dort eingetroffen. Dann haben wir uns auf die Suche nach einem Schiff gemacht, das *Lucy Ann* heißt.«

»Es hat sich herausgestellt, daß es sich um ein altes Schmugglerschiff handelt«, sagte Peter. »Der Kapitän hatte anscheinend während des Krieges gelegentlich für die Spinne gearbeitet. Wir haben ihn überredet, uns sein Schiff heute morgen eine Zeitlang zu überlassen.«

»Ihr habt ihn überredet?« Claudia lächelte skeptisch.

»Sagen wir es einmal so: Der Mann hat schon bald das Licht der Vernunft erblickt, als Graystone ihm mit kalter, klarer Logik zugesetzt hat«, sagte Peter verbindlich. »Weißt du, Graystone ist sehr gut, wenn es um Logik geht. Ganz offensichtlich hat dein Cousin Richard in diesem verschlüsselten Gedicht Informationen über die Spinne verborgen. In der Nacht, in der er umgebracht worden ist, hat er versucht, die britischen Behörden zu verständigen.«

»Peter hat recht«, sagte Harry wesentlich später. »Ich bin sehr gut, wenn es um Logik geht.«

Augusta lächelte. Sie lag in seinem Bett in seinen Armen, und es war dunkel. Ihr war warm, und sie fühlte sich geborgen und ersehnt. Sie hatte das Gefühl, endlich nach Hause gekommen zu sein. »Ja, Harry, das weiß doch jeder.«

»Aber es gibt ein paar Dinge, in denen ich nicht besonders gescheit bin.« Er schlang seinen Arm enger um sie und zog sie an sich. »Beispielsweise habe ich die Liebe nicht erkannt, als ich mit beiden Füßen über sie gestolpert bin.«

»Harry.« Augusta zog sich auf einen Ellbogen, damit sie ihm in die Augen sehen konnte. »Willst du mir damit etwa sagen, daß du dich gleich zu Beginn in mich verliebt hast?«

Sein Mund verzog sich zu einem trägen, anzüglichen Lächeln, das ihr köstliche Schauer über den Rücken laufen ließ. »Offensichtlich muß genau das geschehen sein, Frau. Andernfalls gibt es wirklich keine Rechtfertigung für mein durch und durch irrationales Verhalten während meines Werbens um dich und in unserer Ehe.«

Augusta schürzte die Lippen. »Ich nehme an, auch so kann man die Situation sehen. O Harry, ich bin so glücklich heute nacht.«

»Das freut mich mehr, als ich sagen kann, mein Liebling. Ich bin dahintergekommen, daß mein Glück auf alle Zeiten an deines gekoppelt ist.« Er streifte ihren Mund mit seinen Lippen und wurde dann ernster, als er sie mit zusammengekniffenen Augen ansah. »Du hast heute dein Leben aufs Spiel gesetzt, um Meredith zu retten.«

»Sie ist meine Tochter.«

»Und du hältst deinen Angehörigen loyal die Treue, stimmt's?« Er lächelte und ließ seine Finger durch ihr Haar gleiten. »Meine kleine Tigerin.«

»Es ist sehr schön, wieder eine Familie zu haben, Harry.«

»Direkt bevor ich dich aus London weggeschickt habe, hast du mir gesagt, du wüßtest, daß Meredith meine größte Schwäche ist. Aber du hast dich geirrt. Du bist meine größte Schwäche. Ich liebe dich, Augusta.«

»Und ich liebe dich, Harry. Von ganzem Herzen.«

Harrys Hand schlang sich um ihren Hinterkopf. Augustas Haar fiel über seinen Arm, als er ihren Mund einmal mehr an seine Lippen zog.

Am nächsten Morgen wachte Harry abrupt auf, als seine Frau mit einem Satz aus dem Bett sprang und den Nachttopf schnappte.

»Entschuldige, bitte«, keuchte Augusta, als sie sich über den Nachttopf beugte. »Ich glaube, ich muß mich fürchterlich übergeben.«

Harry stand auf und hielt ihren Kopf. »Zweifellos die Nerven«, urteilte er, als ihre Übelkeit vergangen war. »Ich kann mir vorstellen, daß der gestrige Tag zu aufregend für dich war. Du mußte heute den ganzen Tag im Bett bleiben, mein Liebes.«

»Es sind nicht die Nerven.« Augusta sah ihn finster an, während sie sich mit einem feuchten Tuch das Gesicht abwischte. »Keine Northumberland-Ballinger hat sich jemals wegen überstrapazierter Nerven übergeben.«

»Wenn das so ist«, sagte Harry mit ruhiger Stimme, »dann mußt du schwanger sein.«

»Gütiger Gott.« Augusta setzte sich abrupt auf die Bettkante. Sie starrte ihn schockiert an. »Hältst du das wirklich für möglich?«

»Ich würde sagen, es ist ganz entschieden möglich«, versicherte Harry selbstzufrieden.

Augusta dachte einen Moment lang darüber nach. Und dann lächelte sie vergnügt. »Ich würde meinen, daß die Verbindung der Erbmasse der Northumberland-Ballingers und der Earls of Graystone sich als sehr interessant erweisen wird. Was meinst du dazu?«

Harry lachte. »Wirklich äußerst interessant, mein Liebes.«

21. Kapitel

Drei Monate später hatte Augusta Claudia zu Besuch, die nach ihrer Hochzeitsreise erst kürzlich wieder in die Stadt zurückgekehrt war, als Harry in den Salon kam. Sie sah auf den ersten Blick, daß er mit unglaublich finsterer Miene auf ein Dokument herunterschaute, das er in der Hand hielt.

Augusta zog eine Augenbraue hoch. »Was auf Erden ist passiert? Hat dein Verleger dein Manuskript über Cäsars Feldzüge abgelehnt.?«

»Es ist noch viel schlimmer.« Harry reichte ihr das Dokument. »Es kommt von den Anwälten, die gerade damit fertig geworden sind, Sallys Nachlaß zu regeln.«

»Ist etwas daran auszusetzen, wie sie vorgegangen sind?« Sie überflog schnell das amtliche Dokument.

»Dir wird auffallen«, sagte Harry mit ruhiger Stimme, »daß du in ihrem Testament erwähnt wirst.«

Augusta war begeistert. »Wie aufmerksam von Sally. Ich fände es so wunderschön, etwas von ihr zu haben, um ein Andenken an sie zu besitzen. Ich frage mich, was sie mir wohl hinterlassen hat. Vielleicht eines der Bilder, die in Pompeia's gehängt haben? Wir könnten es in das Schulzimmer hängen. Meredith und Clarissa hätten ihre Freude daran.«

»Das ist eine ganz ausgezeichnete Idee«, stimmte Claudia ihr zu und sah ihrer Cousine eifrig über die Schulter. »Ich habe mich schon gefragt, was wohl aus all diesen wunderbaren Gemälden wird.«

Harrys Miene verfinsterte sich. »Sally hat dir kein Gemälde hinterlassen, Augusta.«

»Nein? Was denn? Vielleicht eine silberne Schale oder eine der Statuen?«

»Nicht direkt«, sagte Harry. Er faltete die Hände auf dem Rücken. »Sie hat dir den ganzen verdammten Club hinterlassen.«

»Was?« Augusta hob den Kopf und starrte ihn voller Erstaunen an. »Sie hat mir Pompeia's vererbt?«

»Sie hat dir ihr ganzes Stadthaus vermacht, das als Privatclub für Damen dienen soll, die *eine gewisse Ähnlichkeit im Äußeren und in der Veranlagung miteinander verbindet.* Ich glaube, so ist es in dem Testament formuliert. Sie hofft, daß deine Cousine eine der Schirmherrinnen sein wird.«

»Ich?« Claudia schien schockiert zu sein, und dann begann sie zu lächeln. »Was für ein wundervoller Gedanke. Wir könnten wieder den elegantesten Salon in der ganzen Stadt daraus machen. Das wird mir ja solchen Spaß bereiten. Miss Clarissa wird sich auch für Pompeia's begeistern.«

»Sir Thomas könnte einiges dazu zu sagen haben, da er beabsichtigt, Clarissa nächsten Monat zu heiraten«, warnte Harry.

»Oh, ich bin ganz sicher, daß Papa nichts dagegen hat.« Claudia lächelte. »Wartet bloß, bis ich das Peter erzähle.«

»Ja, es wird interessant sein zu sehen, wie Sheldrake auf diese Idee reagiert, nicht wahr?« bemerkte Harry grimmig. »Schließlich ist er jetzt ein verheirateter Mann, und ich glaube, als solcher hat er in der letzten Zeit ein völlig neues Gefühl für Anstandsformen entwickelt.«

»Ja, in der letzten Zeit ist er ein Tugendbold geworden, nicht wahr?« Claudia zuckte die Achseln. »Aber ich glaube gewiß, ich kann ihn davon überzeugen, daß die Wiedereröffnung von Pompeia's eine ganz wunderbare Idee ist.«

Harry, der jetzt verzweifelt war, wandte sich wieder an Augusta. »Dein Gesichtsausdruck gefällt mir nicht, meine Liebe. Ganz offensichtlich heckst du bereits Ideen aus, wie es sich bewerkstelligen ließe, Pompeia's auf der Stelle wieder zu eröffnen.«

»Graystone, überleg dir das doch nur«, sagte Augusta hoffnungsvoll. »Es würde nicht lange dauern, alles vorzubereiten. Wir werden natürlich Personal einstellen müssen, aber viele der früheren Dienstboten könnten doch zur Verfügung stehen. Clarissa kann uns helfen, die Dinge zu regeln. Wir können sämtliche Damen benachrichtigen, die früher Clubmitglieder waren, und sie können ihre Freundinnen verständigen. Pompeia's wird größer und schöner werden als je zuvor.«

Harry hob eine Hand und ließ finstere maskuline Autorität in seinen Tonfall einfließen. »Wenn es ein neues Pompeia's geben soll, dann wird es auch ein paar neue Maßregeln geben.«

»Aber, Harry«, setzte Augusta einschmeichelnd an. »Du brauchst dich wirklich nicht mit den unbedeutenden Kleinigkeiten der Leitung von Pompeia's zu belasten, mein Lieber.«

Das ignorierte er. »Zuerst einmal wird in der neuen Version von Pompeia's das Spielen nicht erlaubt sein.«

»Graystone, also wirklich, in manchen Dingen bist du viel zu sittenstreng.«

»Zweitens wird der Club genauso wie ein vornehmer Salon für Damen geführt werden und *nicht* wie eine Parodie eines Herrenclubs.«

»Wahrhaftig, Harry, du bist entschieden altmodisch«, murrte Augusta.

»Drittens wird Pompeia's nicht wiedereröffnet werden, ehe mein Sohn und Erbe geboren ist. Ist das klar?«

Augusta senkte den Blick und erschien als der Inbegriff der sittsamen, tugendhaften Frau. »Ja, Harry.«

Harry stöhnte. »Ich habe keine Chance.«

Harrys Sohn, ein gesundes Baby mit einer kräftigen Stimme, die nur von der Northumberland-Seite der Familie stammen konnte, wurde fünf Monate später geboren.

Harry warf einen einzigen Blick auf den Säugling und lächelte dann seine ermattete, aber glückliche Frau an. Er war an diesem Morgen fast so erschöpft wie sie. Die letzte Nacht war qualvoll gewesen, obwohl ihm die Hebamme versichert hatte, daß alles routinemäßig abgelaufen war.

Harry hatte die ganze Zeit am Bett seiner Frau verbracht, während sie in den Wehen lag. Jedesmal, wenn er Augusta einen feuchten Waschlappen auf die schweißnasse Stirn gepreßt oder gefühlt hatte, wie ihre Nägel sich in seine Handfläche gruben, hatte er sich ewiges Zölibat gelobt. Jetzt hatte sie es unbeschadet überstanden, und ihm wurde klar, daß er nie in seinem ganzen Leben für irgend etwas dankbarer gewesen war.

»Ich glaube, wir sollten ihn Richard nennen, falls es dir recht ist, Augusta.«

Sie schaute von den Kissen strahlend zu ihm auf. Harry fand, nie hätte sie schöner ausgesehen.

»Das würde mich sehr freuen. Danke, Harry.«

»Ich habe eine kleine Überraschung für dich.« Er setzte sich auf die Bettkante und öffnete den kleinen Samtbeutel, den er nach oben mitgebracht hatte. »Die Kette deiner Mutter ist heute morgen von dem Juwelier zurückgebracht worden. Wie du selbst sehen kannst, hat der Mann seine Sache ganz ausgezeichnet gemacht und sie wirklich gründlich gereinigt und poliert. Ich, äh, ich dachte mir, du würdest es dir vielleicht gern selbst ansehen.«

»Oh, ja. Ich bin froh, daß ich sie wieder habe.« Augusta sah zu, wie er die Rubinkette auf die Bettdecke legte. In der Morgensonne funkelten die leuchtend roten Steine in all ihrem Glanz. Sie lächelte und war sichtlich erfreut. »Die Juweliere haben ihre Sache wirklich ganz ausgezeichnet gemacht. Die Kette ist wunderschön geworden.« Dann zog sie die Stirn in Falten.

»Stimmt etwas nicht, Liebling?«

Augusta nahm die Kette mit den funkelnden Steinen in die Hand. »Etwas ist anders an dieser Kette, Harry.« Sie schnappte nach Luft. »Gütiger Himmel, ich glaube, man hat uns betrogen.«

Harry kniff die Augen zusammen. »Betrogen?«

»Ja.« Augusta wiegte ihren Sohn in einem Arm und untersuchte dabei die Kette ganz genau. »Das sind nicht die Rubine meiner Mutter. Sie sind dunkler, und sie haben mehr Glanz.« Sie blickte grimmig auf. »Harry, der Juwelier hat die Steine ausgetauscht.«

»Beruhige dich, Augusta.«

»Nein, ich bin ganz sicher«, sagte sie. »Ich habe gehört, daß solche Dinge vorkommen.«

»Augusta...«

»Man gibt eine einwandfreie Kette zur Reinigung oder zur Reparatur aus dem Haus, und der Juwelier ersetzt die echten Steine durch geschliffenes Glas. Harry, du mußt augenblicklich den Juwelier aufsuchen. Du mußt ihn dazu bringen, daß er uns die Rubine zurückgibt.«

Harry fing an zu lachen. Er war machtlos dagegen. Die ganze Geschichte war zu absurd, um sie in Worte zu fassen.

Augusta sah ihn finster an. »Kannst du mir vielleicht sagen, was daran so amüsant ist?«

»Augusta, ich versichere dir, daß diese Rubine echt sind.«

»Das ist völlig ausgeschlossen. Ich werde den Juwelier persönlich aufsuchen und von ihm verlangen, daß er mir die Rubine meiner Mutter zurückgibt.«

Harry lachte noch lauter. »Ich würde zu gern seinen Gesichtsausdruck sehen, wenn du dich darüber beklagst, daß er die Steine ausgetauscht hat. Er wird glauben, daß du den Verstand verloren hast, meine Liebe.«

Augusta musterte ihn unsicher. »Harry, versuchst du vielleicht, mir etwas zu sagen?«

»Ich wollte dir kein Wort darüber sagen, aber da du wild entschlossen bist, eine große Sache daraus zu machen, solltest du besser doch die Wahrheit wissen. Einer deiner illustren Vorfahren hat schon vor vielen Jahren die Rubine der Northumberland-Ballingers verpfändet, mein Liebling. Sally war diejenige, die bemerkt hat, daß deine Rubine in Wirklichkeit geschliffenes Glas waren.«

Augusta riß die Augen vor Schock weit auf. »Bist du ganz sicher?«

»Hundertprozentig. Um ganz sicherzugehen, habe ich die Kette schätzen lassen, ehe ich etwas Voreiliges unternehme. Ich habe geglaubt, ich könnte sie unbemerkt austauschen, aber offensichtlich bist du mir auf die Schliche gekommen.«

Augusta starrte ihn verwundert an. »Harry, wenn du sämtliche Rubine in meiner Kette hast austauschen lassen, dann mußt du ein Vermögen dafür ausgegeben haben.«

»Ja, doch, das könnte man schon so sagen.« Er grinste. »Aber es war es mir wert, meine Liebe. Schließlich habe ich mir eine äußerst tugendhafte Frau geangelt, und ihr Wert ist weit höher als der von Rubinen. Sie wird tatsächlich immer unbezahlbar sein. Aber das mindeste, was ich tun kann, ist, dafür zu sorgen, daß sie echte Rubine trägt, wenn sie Rubine trägt.«

Augusta begann zu lächeln. »O Harry, ich liebe dich ja so sehr.«

»Ich weiß, meine Süße.« Er küßte sie zärtlich. »Ebenso, wie du wissen mußt, daß du mein Herz und meine Seele bist.«

Sie preßte fest seine Hand. »Harry, ich möchte, daß du weißt, daß ich bei dir mein Zuhause und mein Herz gefunden habe.«

»Und ich bin der glücklichste Mann auf Erden«, sagte er liebevoll zu ihr. »Ich habe den unbezahlbarsten Schatz gefunden, den ich gesucht habe.«

»Eine tugendhafte Frau?«

»Nein, mein Liebling. Es stellt sich heraus, daß das doch nicht ganz das war, wonach ich gesucht habe, obwohl ich mir mit absoluter Sicherheit eine tugendhafte Frau zugelegt habe.«

Sie musterte ihn neugierig. »Was hast du denn dann gesucht?«

»Ich wußte es anfangs nicht, aber was ich wirklich wollte, war eine liebende Frau.«

»Oh, ja, Harry.« Sie lächelte mit Liebe in den Augen zu ihm auf, die für ein ganzes Leben reichte. »Du hast dir ganz entschieden eine liebende Frau zugelegt.«